S0-BFB-661

ВЕЛИЧАЙШИЙ
ИНТЕЛЛЕКТУАЛЬНЫЙ
ТРИЛЛЕР

DAN BROWN

INFERNO

ДЭН БРАУН

ИНФЕРНО

АСТ
МОСКВА

УДК 821.111(73)
ББК 84 (7Сое)
Б87

Серия «Величайший интеллектуальный триллер»

Dan Brown

INFERNO

*Перевод с английского В.О. Бабкова (главы 1—52), В.П. Голышева (главы 53—68)
и Л.Ю. Мотылева (главы 69—104)*

**Компьютерный дизайн А.А. Кудрявцева,
студия «FOLD & SPINE»**

Печатается с разрешения автора и литературных агентств
Sanford J. Greenburger Assoc., Inc. и Andrew Nurnberg.

Graph «Special Report: How Our Economy is Killing the Earth»
(*New Scientist*, 10/16/08) copyright © 2008 Reed Business Information — UK
All rights reserved. Distributed by Tribune Media Services.

*В оформлении обложки использованы материалы,
предоставленные фотоагентством FOTObank*

Браун, Дэн
Б87 Инферно : [роман; перевод с английского] / Дэн Браун. — Москва:
АСТ, 2013. — 543, [1] с. — (Величайший интеллектуальный триллер).

ISBN 978-5-17-079349-5

...Оказавшись в самом загадочном городе Италии — Флоренции, профессор
Лэнгдон, специалист по кодам, символам и истории искусства, неожиданно попадает
в водоворот событий, которые способны привести к гибели все человечество... И
помешать этому может только разгадка тайны, некогда зашифрованной Данте в
строках бессмертной эпической поэмы...

УДК 821.111(73)
ББК 84 (7Сое)

ISBN 978-985-18-2318-1
(ООО «Харвест»)

© Dan Brown, 2013
© Jacket design by Michael J. Windsor, 2013
© Перевод. В.О. Бабков, 2013
© Перевод. В.П. Голышев, 2013
© Перевод. Л.Ю. Мотылев, 2013
© Издание на русском языке AST Publishers, 2013

Моим родителям...

*Самое жаркое место в аду
предназначено тем, кто
в пору морального кризиса
сохраняет нейтральность.*

Факты:

Все произведения искусства и литературы, а также научные данные и исторические события, упоминаемые в этой книге, реальны.

Консорциум — частная организация с отделениями в семи странах. Ее название изменено из соображений безопасности и конфиденциальности.

Инферно — преисподняя, изображенная в эпической поэме Данте Алигьери «Божественная комедия» в виде сложно организованного подземного царства, населенного так называемыми тенями, то есть бестелесными душами, навеки застрявшими между жизнью и смертью.

Пролог

Тень.

Я бегу по отверженному селенью.

Я спасаюсь бегством сквозь вековечный стон.

По берегам реки Арно я бегу, задыхаясь... сворачиваю влево, на улицу Кастеллани, и устремляюсь на север в тени портиков Уффици.

Но они по-прежнему за мной гонятся.

Они идут по моему следу с неумолимой решимостью, и их шаги раздаются все громче.

Вот уже который год длится это преследование. Их настойчивость заставила меня скрыться в подполье... жить в чистилище... прозябать под землей, словно хтоническое чудище.

Я Тень.

Здесь, на поверхности, я обращаю взгляд к северу, но не могу отыскать прямой путь к спасению... ибо Апеннинские горы закрывают первый проблеск зари.

Я миную дворец, его зубчатую башню и часы с одной стрелкой... проскальзываю среди ранних уличных торговцев на площади Сан-Фиренце с их грубыми голосами и дыханием, отдающим лампредотто* и жареными оливками. Пересекаю площадь перед Барджелло, сворачиваю западнее, к шпилю Бадии, и с маху упираюсь в железную решетку у основания лестницы.

Здесь надо, чтоб душа была тверда**.

Я отворяю решетчатую дверь и ступаю в узкий проход, зная, что возврата оттуда уже не будет. С трудом заставляю свои ноги,

---

* Традиционное флорентийское блюдо из говяжьего сычуга с овощами и специями. — *Здесь и далее примеч. пер.*

** Здесь и далее, за исключением особо оговоренных случаев, цитаты из «Божественной комедии» Данте Алигьери даны в переводе М. Лозинского.

будто налитые свинцом, передвигаться по старым, выщербленным мраморным ступеням, по спирали ведущим к небу.

Внизу слышится эхо голосов. Они взывают ко мне.

Мои преследователи не отстают — они уже совсем близко.

Они не понимают, что их ждет...и что я для них сделал!

*Неблагодарная земля!**

Я поднимаюсь, и меня вновь обступают навязчивые видения... тела сладострастников, корчащиеся под огненным ливнем, души чревоугодников, тонущие в нечистотах, мерзкие предатели, застывшие в ледяных тисках Сатаны.

Я преодолеваю последние ступени и еле живым выбираюсь наверх, во влажную утреннюю прохладу. Кидаюсь к высокому, в человеческий рост, парапету и смотрю в щель между зубцами. Далеко внизу простерт благословенный город, который служил мне убежищем от тех, кто меня изгнал.

Их голоса зовут, приближаясь. «То, что ты сделал, — безумие!»

Безумие порождает безумие.

«Ради любви к Господу! — кричат они. — Скажи нам, где ты его спрятал!»

Именно ради любви к Господу я им и не скажу.

И вот я стою, загнанный в угол, прижавшись спиной к холодному камню. Они смотрят в глубину моих ясных зеленых глаз, и их лица мрачнеют — уговоры сменяются угрозами. «Ты знаешь, что у нас есть способы. Мы вынудим тебя открыть, где оно».

Как раз поэтому я сейчас здесь, на полпути к небу.

Без предупреждения я оборачиваюсь и вскидываю руки, хватаюсь за высокий край парапета, подтягиваюсь и лезу туда — встаю на колени, потом на ноги... балансируя над пропастью. *Яви мне путь сквозь бездну, мой Вергилий!*

Они растерянно бросаются вперед, хотят схватить меня за ноги, но боятся, что я потеряю равновесие и упаду. Теперь они снова умоляют меня в тихом отчаянии, но я уже отвернулся от них. *Я знаю, что я должен сделать.*

Подо мной, в головокружительной дали, тянутся красные черепичные крыши — они похожи на огненное море, освещающее эту чудесную страну, по которой некогда бродили гиганты... Джотто, Донателло, Брунеллески, Микеланджело, Боттичелли.

---

*	Слова из сонета Микеланджело, посвященного Данте.

Я подвигаюсь чуть ближе к краю.

«Слезай! — кричат они. — Еще не поздно!»

Ах вы, упрямые невежды! Неужто вы не видите будущего? Неужто не понимаете, как прекрасно мое творение? И как оно необходимо?

Я с радостью принесу эту последнюю жертву... а заодно и уничтожу последнюю вашу надежду найти искомое.

Вы ни за что не отыщете его вовремя.

Мощенная булыжником площадь в сотнях футов подо мной выглядит заманчивой, словно тихая гавань. Если бы мне еще хоть капельку времени... но время — единственное, чего не купить даже за все мои несметные богатства.

В эти последние секунды я озираю площадь внизу и вдруг ошеломленно замираю.

Я вижу там твое лицо.

Ты смотришь на меня из теней. Твой взгляд печален, и все же в нем сквозит благоговение перед тем, чего я достиг. Ты понимаешь, что у меня нет выбора. Ради любви к человечеству я должен защитить свой шедевр.

Даже сейчас он растет... выжидая... тихо побулькивая в кроваво-красных водах, куда не смотрятся светила.

И тогда я отрываю от тебя глаза и устремляю их к горизонту. Стоя высоко над этим измученным миром, я возношу свою заключительную молитву.

Господи, пусть мир вспоминает меня не как чудовищного грешника, а как достославного спасителя — ведь Ты знаешь, что такова моя истинная роль. Прошу Тебя, пусть человечество поймет смысл дара, который я ему оставляю.

Мой дар — будущее.

Мой дар — спасение.

Мой дар — Инферно.

Засим я шепчу «аминь»... и совершаю свой последний шаг — в бездну.

Глава 1

Воспоминания всплыли медленно... как пузырьки из тьмы бездонного колодца.

Таинственная незнакомка.

Роберт Лэнгдон смотрел на нее через реку, бурные воды которой были красны от крови. Женщина стояла на другом берегу, повернувшись к нему, — неподвижная, величественная. Ее лицо было скрыто вуалью. В руке она держала голубую повязку — *таинию*, а затем подняла ее, отдавая дань уважения морю мертвецов у своих ног. В воздухе был разлит запах смерти.

Ищите, прошептала женщина. *И найдете.*

Ее слова будто раздались прямо у Лэнгдона в голове. «Кто вы?» — крикнул он, но не услышал собственного голоса.

Время уже на исходе, прошептала она. *Ищите, и найдете.*

Лэнгдон шагнул к реке, но понял, что не сможет перейти ее вброд: эти кроваво-красные воды были слишком глубоки. Когда он снова поднял глаза на незнакомку, тел у ее ног стало гораздо больше. Теперь их были сотни, а может, и тысячи — некоторые, еще живые, корчились, умирая в немыслимых муках... извиваясь в языках пламени, задыхаясь в экскрементах, пожирая друг друга. Над рекой разносились их страдальческие вопли, умноженные эхом.

Незнакомка двинулась к нему, протянув вперед грациозные руки, точно молила о помощи.

«Кто вы?» — снова выкрикнул Лэнгдон.

В ответ женщина подняла руку и медленно отодвинула вуаль. Ослепительно красивая, она была старше, чем ожидал Лэнгдон, —

наверное, лет шестидесяти или чуть больше, статная и крепкая, как неподвластная времени статуя. У нее были волевой подбородок и глубокий проникновенный взгляд, длинные серебристые локоны рассыпались по плечам, а на шее висел амулет из ляпис-лазури — змея, обвившая посох.

Лэнгдон почувствовал, что знает ее... и доверяет ей. *Но откуда? Почему?*

Она указывала на чьи-то ноги, торчащие перед ней из-под земли, — очевидно, они принадлежали какому-то несчастному, закопанному по пояс вниз головой.

На его бледном бедре была выведена грязью одна-единственная буква — «R».

Что это значит? — подумал Лэнгдон. *Может быть... Роберт? Неужели это я?*

По лицу женщины ничего нельзя было прочесть. *Ищите, и найдете*, повторила она.

Внезапно вокруг нее вспыхнуло белое сияние... оно становилось все ярче и ярче. Все ее тело задрожало крупной дрожью, затем раздался оглушительный взрыв — и оттуда, где она только что стояла, разлетелись во все стороны тысячи световых осколков.

Лэнгдон очнулся с криком.

В комнате горел свет. Вокруг никого не было. В воздухе резко пахло спиртом, и где-то рядом размеренно, в такт его сердцу, попискивал медицинский прибор. Лэнгдон попытался двинуть правой рукой, но его остановила острая боль. Он посмотрел вниз и увидел, что к его локтю прикреплен резиновый шланг капельницы.

Сердце его забилось быстрее, и прибор, тут же пустившись вдогонку, запищал чаще.

Где я? Что произошло?

Затылок Лэнгдона глодала тупая, ноющая боль. Он осторожно поднял свободную руку и попробовал на ощупь определить ее источник. Скользнув под спутанные волосы, его пальцы наткнулись на твердые бугорки швов, покрытых запекшейся кровью. Их было не меньше десятка.

Лэнгдон закрыл глаза, стараясь вспомнить, в какой переплет он угодил.

Ничего. Полная пустота.

Думай.

Ни одного проблеска.

В дверь торопливо вошел человек в докторском халате, явно встревоженный участившимися сигналами кардиомонитора. У него были клочкастая борода, густые усы и добрые глаза, излучающие заботливое тепло из-под мохнатых бровей.

— Что... случилось? — кое-как выговорил Лэнгдон. — Я попал в аварию?

Бородач поднес палец к губам, а затем выскочил обратно в коридор и крикнул, подзывая кого-то.

Лэнгдон повернул голову, но в ответ на это движение ее пронзила резкая боль. Он сделал несколько глубоких вдохов и выдохов, дожидаясь, пока боль утихнет. Потом очень медленно и осторожно оглядел свою палату, обставленную с аскетической простотой.

В палате находилась только одна кровать — его. На тумбочке — ни цветов, ни визитных карточек. Неподалеку Лэнгдон увидел свою одежду в прозрачном пластиковом пакете. Она была заляпана кровью.

Боже мой! Должно быть, дело серьезное.

Все так же осторожно Лэнгдон покосился на окно рядом с кроватью. За ним стояла тьма. Ночь. На стекле маячило только его собственное отражение — усталый, мертвенно-бледный незнакомец, опутанный трубками и проводами, в окружении медицинских приборов.

В коридоре зазвучали голоса, и Лэнгдон снова перевел взгляд на дверь. Бородач вернулся, на сей раз в сопровождении женщины. На вид ей было чуть за тридцать — в голубой врачебной форме, светлые волосы забраны сзади в увесистый хвостик.

— Я доктор Сиена Брукс, — сказала она, улыбнувшись Лэнгдону с порога. — Сегодня я работаю с доктором Маркони.

Лэнгдон слабо кивнул.

Гибкая и высокая, доктор Брукс передвигалась уверенным шагом спортсменки. Даже свободная казенная одежда не могла скрыть грациозности ее фигуры. Насколько Лэнгдон мог судить, она абсолютно не пользовалась косметикой, однако лицо ее выглядело на удивление свежим и гладким — его безупречность нарушала разве что крошечная родинка над верхней губой. Ее карие глаза смотрели на редкость проницательно, точно им довелось наблюдать много такого, с чем редко успевают столкнуться на жизненном пути люди ее возраста.

— Доктор Маркони не слишком хорошо говорит по-английски, — пояснила она, усаживаясь рядом, — поэтому он попросил меня заполнить вашу больничную карту. — За этим последовала очередная улыбка.

— Спасибо, — прохрипел Лэнгдон.

— Итак, — деловым тоном продолжала она, — ваше имя?

Ему пришлось собраться с мыслями.

— Роберт... Лэнгдон.

Она посветила ему в глаза маленьким фонариком.

— Кем работаете?

Ответить на этот вопрос оказалось еще труднее.

— Я профессор. Преподаю историю искусств и символогию... в Гарвардском университете.

Изумленная, доктор Брукс опустила фонарик. Ее бородатый коллега, похоже, удивился не меньше.

— Вы... американец?

Лэнгдон смущенно пожал плечами.

— Но это же... — Она помедлила. — Вчера вы поступили к нам без документов. На вас был пиджак из харрисовского твида и туфли «Сомерсет», и мы решили, что вы англичанин.

— Я американец, — уверил ее Лэнгдон, не чувствуя в себе сил объяснять, почему он отдает предпочтение одежде хорошего качества.

— У вас что-нибудь болит?

— Голова, — признался Лэнгдон. Свет фонарика усугубил пульсирующую боль у него в затылке — слава Богу, доктор Брукс наконец убрала этот инструмент в карман и взяла Лэнгдона за руку, чтобы измерить ему пульс.

— Вы проснулись с криком, — сказала она. — Помните, что вас напугало?

В мозгу Лэнгдона снова мелькнула та странная картина — незнакомка с лицом, скрытым вуалью, и груды извивающихся тел вокруг. *Ищите, и найдете.*

— У меня был кошмар.

— А подробнее?

Лэнгдон рассказал ей.

Доктор Брукс записала что-то в блокнот. Лицо ее оставалось бесстрастным.

— Что, по-вашему, могло породить столь устрашающее видение?

Лэнгдон порылся в памяти, но вскоре покачал головой, которая тут же мучительно заныла в знак протеста.

— Ну хорошо, мистер Лэнгдон, — сказала она, продолжая писать. — Еще парочка стандартных вопросов, и хватит. Какой сегодня день недели?

Лэнгдон на мгновение задумался.

— Суббота. Я помню, как днем шел по кампусу... мне надо было читать вечерние лекции... а потом... кажется, это последнее, что я помню. Я что, упал?

— Мы до этого дойдем. Знаете, где вы сейчас?

Лэнгдон попытался угадать.

— В Массачусетской центральной?

Доктор Брукс сделала еще одну пометку в блокноте.

— Можем ли мы кого-нибудь к вам вызвать? Жену? Детей?

— Никого, — машинально ответил Лэнгдон. Он всегда ценил одиночество и независимость, которые дарила ему сознательно избранная холостяцкая жизнь, хотя должен был признать, что в нынешней ситуации с удовольствием увидел бы перед собой знакомое лицо. — Можно было бы сообщить кое-кому из коллег, но в этом нет большой необходимости.

Доктор Брукс убрала блокнот, и к кровати подошел врач постарше. Поглаживая лохматые брови, он вынул из кармана маленький диктофончик и показал его доктору Брукс. Та понимающе кивнула и вновь обернулась к пациенту.

— Мистер Лэнгдон, когда вас к нам привезли, вы повторяли что-то снова и снова. — Она взглянула на доктора Маркони, тот поднял руку с диктофоном и нажал кнопку.

Включилась запись, и Лэнгдон услышал свой собственный невнятный голос. Заплетающимся языком он повторял одно и то же слово — что-то похожее на *зарево... зарево... зарево...*

— По-моему, вы говорите о каком-то зареве, — сказала доктор Брукс.

Лэнгдон согласился, но больше ничего добавить не мог. Под пристальным взглядом молодого врача ему стало не по себе.

— Может быть, все-таки вспомните, о чем речь? Где-то был пожар?

Роясь в самых дальних уголках памяти, Лэнгдон опять увидел ту загадочную незнакомку. Она стояла на берегу кровавой реки, окруженная мертвецами. На него снова дохнуло трупным смрадом.

И вдруг Лэнгдона захлестнуло внезапное инстинктивное чувство опасности... грозящей не только ему... но и всем людям. Попискивание кардиомонитора резко участилось. Мышцы Лэнгдона напряглись сами собой, и он попытался сесть.

Доктор Брукс быстро положила ладонь ему на грудь и заставила его лечь обратно. Потом глянула на бородатого врача, тот подошел к ближайшему столику и стал с чем-то возиться. Тем временем доктор Брукс нагнулась к Лэнгдону и тихо заговорила:

— Мистер Лэнгдон, беспокойство — обычный симптом при мозговых травмах, но вам нельзя волноваться. Не двигайтесь. Надо сбить пульс. Просто лежите тихо и отдыхайте. Все будет хорошо. Ваша память постепенно восстановится.

Бородатый вернулся и протянул ей шприц. Она ввела его содержимое в капельницу, прикрепленную к локтю Лэнгдона.

— Легкое успокоительное, чтобы снять тревогу, — пояснила она. — А заодно и голова пройдет. — Она встала, собираясь уходить. — Вы скоро поправитесь, мистер Лэнгдон. А сейчас вам надо поспать. Если что-нибудь понадобится, нажмите кнопочку рядом с кроватью.

Она потушила свет и удалилась вместе с бородачом.

Лежа в темноте, Лэнгдон почти сразу почувствовал, как новое лекарство начинает действовать, затягивая его обратно в тот глубокий колодец, откуда он совсем недавно вынырнул. Он боролся с этим ощущением, изо всех сил стараясь держать глаза открытыми. Попробовал сесть, но его тело было словно налито цементом.

Чуть повернувшись, Лэнгдон снова оказался лицом к окну. Поскольку теперь в комнате царил мрак, его собственное отражение в стекле исчезло, сменившись освещенными контурами городских зданий. Среди куполов и шпилей доминировало одно величественное строение. Это была могучая крепость с зубчатым парапетом, над которой вздымалась стометровая башня в массивном каменном воротнике.

Лэнгдон так и подскочил на постели, и у него в голове тут же снова вспыхнула обжигающая боль. Несмотря на мучительный стук в висках, он не сводил глаз с башни за окном.

Лэнгдон прекрасно знал это средневековое сооружение.

Его невозможно было спутать ни с чем другим.

Беда была в том, что оно находилось в шести с половиной тысячах километров от Массачусетса.

За стенами больницы, на окутанной сумерками улице Торре-галли, женщина крепкого сложения легко спрыгнула с мотоцикла «БМВ» и двинулась вперед напряженной походкой пантеры, выслеживающей добычу. Взгляд ее был зорок, над поднятым воротником черной кожаной куртки торчали шипы из коротко подстриженных волос. Она проверила свой пистолет с глушителем и подняла глаза на окно, за которым только что погасили свет вышедшие от Лэнгдона врачи.

Пару часов назад ее миссия сорвалась из-за очень досадной помехи.

Один несчастный голубь проворковал некстати — и все пошло прахом.

Но сейчас она приехала, чтобы закончить дело.

Глава 2

во Флоренции?!

В голове у Роберта Лэнгдона стучало. Он сидел на больничной кровати, снова и снова нажимая кнопку звонка. Несмотря на введенный транквилизатор, сердце его неслось галопом.

Скоро в комнату ворвалась доктор Брукс с подскакивающим на бегу хвостиком.

— Что случилось?

Лэнгдон в изумлении помотал головой.

— Я... в Италии?!

— Отлично! — воскликнула она. — Значит, вспомнили!

— Нет! — Лэнгдон указал на внушительный силуэт в отдалении. — Я узнал палаццо Веккьо.

Доктор Брукс щелкнула выключателем, и городской пейзаж за окном исчез. Затем она подошла к кровати и заговорила тихим, успокаивающим голосом:

— Не волнуйтесь, мистер Лэнгдон, для этого нет никаких причин. У вас легкая амнезия, но доктор Маркони уже убедился в том, что ваш мозг функционирует абсолютно нормально.

Бородатый врач тоже прибежал на звонок. Он проверил показания монитора, а тем временем его младшая коллега быстро объясняла ему что-то по-итальянски — Лэнгдон разобрал слово *agitato*, явно относящееся к нему самому.

Взволнован? — сердито подумал Лэнгдон. *Скорее, ошеломлен!* Теперь хлынувший в его кровь адреналин боролся с лекарством.

— Что со мной произошло? — настойчиво спросил он. — Какой сегодня день?

— Все в порядке, — ответила доктор Брукс. — Сейчас раннее утро понедельника, восемнадцатое марта.

Понедельник. Лэнгдон с трудом заставил себя вернуться мыслями к последним образам, хранящимся в глубине его сознания — темной, холодной, — и снова увидел, как он идет в субботу по гарвардскому кампусу читать вечерние лекции. *Это было два дня назад?* Он попытался вспомнить хоть что-нибудь относящееся к самим лекциям или тому, что было после, но паника только усилилась. *Ничего.* Кардиомонитор опять запищал быстрее.

Старший врач почесал бороду и отправился настраивать оборудование, а доктор Брукс снова присела рядом с Лэнгдоном.

— С вами все будет хорошо, — мягко уверила его она. — Мы определили у вас ретроградную амнезию — она очень часто наблюдается при травмах головы. Воспоминания о нескольких последних днях могут быть туманными или вовсе отсутствовать, но необратимых повреждений нет. — Она сделала паузу. — Помните, как меня зовут? Я говорила вам, когда вошла.

Лэнгдон на секунду задумался.

— Сиена.

Доктор Сиена Брукс.

Она улыбнулась:

— Видите? Новые воспоминания уже формируются.

Голова у Лэнгдона болела почти невыносимо, и все предметы поблизости немного расплывались.

— Что случилось? Как я сюда попал?

— Думаю, вам надо отдохнуть, а потом...

— Как я сюда попал?! — крикнул он, и писк монитора снова участился.

— Ладно, ладно, дышите глубже, — сказала доктор Брукс, обменявшись нервным взглядом со своим коллегой. — Сейчас расскажу. — Ее тон стал гораздо серьезнее. — Мистер Лэнгдон, три часа назад вы появились в нашем приемном покое с кровоточащей раной на голове и тут же рухнули без сил. Никто не представлял себе, кто вы такой и откуда взялись. Вы что-то бормотали по-английски, поэтому доктор Маркони попросил меня помочь. Я из Англии, а здесь работаю временно.

Лэнгдон почувствовал себя так, будто очнулся внутри картины Макса Эрнста. *Какого черта меня понесло в Италию?* Лэнгдон приезжал сюда раз в два года на искусствоведческую конференцию, но она проходила в июне, а сейчас был март.

Снотворное в его крови понемногу делало свою работу. Ему казалось, что сила земного притяжения растет с каждой секундой и пытается продавить его прямо сквозь матрас. Лэнгдон сопротивлялся ей, приподнимая голову, стараясь не заснуть.

Доктор Брукс наклонилась вперед — теперь она парила над ним, как ангел.

— Пожалуйста, мистер Лэнгдон, — прошептала она. — При травмах головы надо проявлять особенную осторожность в первые двадцать четыре часа. Вы должны отдохнуть, иначе можете причинить себе серьезный вред.

Вдруг раздалось потрескивание, и чей-то голос по внутренней связи произнес:

— Доктор Маркони!

Бородатый врач ткнул в кнопку на стене и отозвался:

— Si?

Из переговорного устройства полилась быстрая итальянская речь. Лэнгдон не уловил ее смысла, но заметил, как врачи недоуменно переглянулись. *А может, встревоженно?*

— Momento, — сказал Маркони, обрывая разговор.

— Что происходит? — спросил Лэнгдон.

Глаза доктора Брукс чуть-чуть сузились.

— Это дежурный администратор. Говорит, к вам пришли.

В тумане, окутавшем сознание Лэнгдона, вспыхнул лучик надежды.

— Очень кстати! Может, этот человек знает, что со мной стряслось!

На лице доктора Брукс проскользнуло сомнение.

— Странно, что кто-то из ваших знакомых уже здесь. Мы только что узнали ваше имя и даже не успели вас зарегистрировать.

Борясь с действием транквилизатора, Лэнгдон неуклюже приподнялся и сел.

— Если кому-то известно, что я здесь, он может знать, что случилось!

Доктор Брукс глянула на доктора Маркони. Тот немедленно покачал головой и постучал по своим часам. Тогда она снова обернулась к Лэнгдону.

— Мы в реанимационном отделении, — пояснила она. — Доступ сюда запрещен как минимум до девяти утра. Сейчас доктор Маркони выйдет и узнает, кто ваш посетитель и что ему нужно.

— А как насчет того, что нужно мне? — возмутился Лэнгдон.

Доктор Брукс терпеливо улыбнулась и понизила голос, придвинувшись ближе.

— Мистер Лэнгдон, вам еще не все известно о прошлом вечере... о том, что с вами случилось. И прежде чем говорить с кем бы то ни было, вам следует узнать все обстоятельства — на мой взгляд, это будет справедливо. К сожалению, вы еще не настолько оправились, чтобы...

— Какие еще обстоятельства?! — Лэнгдон постарался сесть прямее. Ему мешала трубка капельницы, а тело как будто весило килограммов двести. — Я знаю только, что я во Флоренции, в больнице, и пришел сюда, бормоча про какое-то зарево...

Внезапно его поразила страшная мысль.

— А может, я устроил пожар? — спросил он. — Скажите, из-за меня никто не погиб?

— Нет-нет, — ответила доктор Брукс. — На этот счет можете не волноваться.

— Тогда *что*? — настаивал Лэнгдон, переводя взгляд с одного врача на другого. — Я имею право знать, что происходит!

Наступило долгое молчание, и наконец доктор Маркони нехотя кивнул своей обаятельной молодой коллеге. Та вздохнула и придвинулась ближе к кровати Лэнгдона.

— Ну хорошо, я расскажу вам все, что знаю... а вы будете слушать спокойно, договорились?

Лэнгдон подтвердил свое согласие кивком. При этом его голову снова пронзила острая боль, но он так жаждал объяснений, что даже не обратил на нее внимания.

— Начнем с того, что... ваша рана не была результатом аварии.

— Рад это слышать.

— Погодите радоваться. Дело в том, что в вас стреляли.

Регистратор пульса Лэнгдона запищал скорее.

— Прошу прощения?

Доктор Брукс заговорила ровно, но быстро:

— Пуля оцарапала вам затылок и, по всей вероятности, вызвала сотрясение мозга. Вам очень повезло, что вы остались живы. Еще бы на дюйм глубже, и... — Она покачала головой.

Лэнгдон изумленно уставился на нее. *Кто-то в меня стрелял?*

Снаружи послышались сердитые голоса — там явно разгорелся спор. Похоже, пришедший к Лэнгдону гость не хотел ждать. Почти сразу Лэнгдон услышал, как с треском распахнулась тяжелая дверь, ведущая из вестибюля. Потом в коридоре показался чей-то силуэт.

Это была женщина, с ног до головы облаченная в черную кожу, крепкая и подтянутая, с волосами, склеенными в шипы. Она шла легко, словно не касаясь ногами пола, и направлялась прямо к палате Лэнгдона.

Доктор Маркони мгновенно встал на пороге открытой двери, преграждая путь дерзкой посетительнице.

— Ferma!* — воскликнул он, вытянув вперед раскрытую ладонь, как полицейский.

Не замедляя шага, незнакомка вынула из-под куртки пистолет с глушителем. Она прицелилась прямо в грудь доктору и выстрелила.

Раздался негромкий хлопок.

На глазах у охваченного ужасом Лэнгдона доктор Маркони попятился назад и упал на пол, схватившись за грудь. На его белом халате расплылось кровавое пятно.

---

* Закрыто! (*ит.*)

Глава 3

пяти милях от побережья Италии яхта-люкс «Мендаций» — семьдесят два метра по палубе — легко рассекала предрассветную дымку над плавно бегущими волнами Адриатики. Обтекаемый корпус яхты был выкрашен в синевато-серый цвет, благодаря чему она выглядела сурово, как военное судно.

При цене в 300 миллионов долларов эта бывшая игрушка для богачей была снабжена всеми обычными атрибутами комфорта — спа, бассейном, кинозалом, небольшой субмариной и вертолетной площадкой. Однако нынешнего владельца яхты, купившего ее пять лет назад, мало интересовала вся эта роскошь, и он сразу же очистил от нее бо́льшую часть корабельных отсеков, взамен разместив в них начиненный передовой электроникой и защищенный освинцованными переборками центр управления.

Оснащенная тремя собственными каналами спутниковой связи и сетью наземных ретрансляционных станций, центральная диспетчерская «Мендация» имела штат численностью примерно в две дюжины сотрудников — техников, аналитиков, координаторов, — которые жили на борту и поддерживали непрерывный контакт со всеми оперативными центрами организации, находящимися на суше.

Служба безопасности корабля состояла из небольшой группы специалистов, прошедших военную подготовку, и располагала двумя системами обнаружения ракет и целым арсеналом самого современного оружия. Вместе с поварами, уборщиками и прочей обслугой на борту насчитывалось чуть больше сорока человек.

Фактически «Мендаций» представлял собой передвижное офисное здание, из которого владелец яхты управлял своей империей.

Известный своим подчиненным просто как «шеф», это был маленький сухощавый человечек с густым загаром и глубоко посаженными глазами. Его неброская внешность и решительная повадка как нельзя лучше соответствовали образу бизнесмена, нажившего огромные капиталы путем тайного оказания особых услуг самым разным людям, среди которых попадались и весьма сомнительные личности.

Его называли по-разному — бездушным наемником, сеятелем греха, пособником Дьявола, — но он не был ни тем, ни другим, ни третьим. Шеф всего лишь давал своим клиентам возможность удовлетворить свои амбиции и достичь желаемого без неприятных последствий; то, что человечество греховно от природы, было не его заботой.

Несмотря на упреки его хулителей и противников, моральное кредо шефа всегда оставалось твердым как скала. Он воздвиг свою репутацию — и весь свой Консорциум — на двух золотых правилах.

Никогда не давай обещания, которого не можешь сдержать.

И никогда не лги клиенту.

Вот и все.

За всю свою профессиональную карьеру шеф ни разу не нарушил обещания и не пошел на попятный. Его слово было надежным — абсолютной гарантией, — и хотя порой ему приходилось сожалеть о заключении некоторых контрактов, вопрос о том, чтобы их разорвать, даже не поднимался.

Этим утром, выйдя на уединенный балкончик своей каюты, шеф окинул взглядом подернутое барашками море и попытался прогнать точившее его дурное предчувствие.

Решения, принятые в прошлом, творят наше настоящее.

Те решения, которые шеф принимал в прошлом, не раз заводили его на самые опасные минные поля, но он всегда выбирался оттуда невредимым. Однако сегодня, глядя на далекие огоньки итальянского берега, он ощущал непривычное беспокойство.

Год назад, на этой самой яхте, он принял решение, последствия которого теперь грозили погубить все, что он создал. *Я согласился оказать услугу не тому человеку.* Тогда он никак не мог этого предугадать, но теперь его давний просчет повлек за собой целый шквал непредвиденных угроз, вынудив шефа отправить на задание часть своих лучших агентов и разрешить им пускать в ход любые средства, чтобы удержать его могучую флотилию на плаву.

Сейчас шеф с особенной тревогой дожидался известий от одного из этих агентов.

Вайента, подумал он, представив себе эту крепкую оперативницу с «ежиком» из шипов. Вайента, которая до этого служила ему безупречно, прошлым вечером совершила крайне серьезную ошибку. Из-за этого последние шесть часов превратились в настоящий хаос, в отчаянную борьбу за то, чтобы восстановить контроль над ситуацией.

Вайента заявила, что ей просто не повезло — что в ее ошибке виноват голубь, который заворковал некстати.

Однако шеф не верил в везение. Все его действия строились на том, чтобы избежать случайностей и устранить риск. Шеф как никто умел контролировать происходящее — предвидеть все варианты, рассчитать любую реакцию и направить события в русло, ведущее к желаемому исходу. За его плечами был блестящий список тайных успехов и побед; именно это обеспечивало ему потрясающую клиентуру, куда входили миллиардеры, известные политики, шейхи и даже целые правительства.

Звезды, висевшие у восточного горизонта, начали растворяться в первых проблесках рассвета. Шеф стоял на палубе и терпеливо ждал от Вайенты сообщения о том, что ее миссия завершилась в точном соответствии с планом.

Глава 4

а мгновение Лэнгдону почудилось, что время застыло на месте.

Доктор Маркони лежал на полу без движения, из его груди лилась кровь. Борясь с действием транквилизатора, Лэнгдон поднял глаза на затянутую в черное убийцу, которая еще шагала по коридору, — теперь ее отделяли от раскрытой двери всего несколько метров. Приближаясь к порогу, она посмотрела на Лэнгдона и быстро вскинула пистолет... целясь ему в голову.

Я сейчас умру, подумал Лэнгдон. *Прямо здесь, через считанные секунды.*

Грохот, раздавшийся в маленькой комнате, был оглушителен.

Лэнгдон сжался в комок, уверенный, что в него выстрелили, но источником шума было вовсе не оружие неизвестной налетчицы. Оказывается, это грохнула тяжелая металлическая дверь палаты: доктор Брукс бросилась на нее всем телом, захлопнула ее и тут же заперла на замок. Потом повернулась с расширенными от страха глазами, опустилась на корточки рядом с залитым кровью коллегой и стала нащупывать его пульс. Доктор Маркони кашлянул, и изо рта у него выплеснулась кровь, которая стекла по щеке на его густую бороду. Затем он обмяк.

— Enrico, no! Ti prego!* — воскликнула она.

Железная дверь зазвенела под градом осыпавших ее снаружи пуль. В коридоре послышались испуганные вопли.

Каким-то образом тело Лэнгдона пришло в движение — паника и инстинкт самосохранения взяли верх над снотворным.

---

*   Энрико, не умирай! Прошу тебя! (*ит.*)

Когда он неуклюже выкарабкивался из кровати, его правую руку на сгибе локтя обожгла резкая боль. На мгновение Лэнгдону показалось, что в него угодила пуля, насквозь пробившая дверь, но, опустив глаза, он увидел, что это лопнула трубка, идущая от капельницы. Ее обрывок торчал у него из руки, и оттуда уже струилась теплая кровь.

Теперь туман в его голове полностью рассеялся.

Присев рядом с телом Маркони, доктор Брукс продолжала искать у него пульс, и на ее глазах набухали слезы. Потом, как будто внутри у нее щелкнул выключатель, она вскочила и повернулась к Лэнгдону. Выражение ее лица изменилось буквально в одно мгновение, и он увидел на нем спокойную сосредоточенность опытного врача «скорой помощи», который, несмотря на свою молодость, привык справляться с чрезвычайными ситуациями.

— За мной! — скомандовала она.

Схватив Лэнгдона за руку, доктор Брукс потащила его в другой конец комнаты. Под звуки выстрелов и продолжающейся суматохи в коридоре Лэнгдон ковылял за ней на нетвердых ногах. Сознание у него было ясным, но начиненное лекарствами тело слушалось плохо. *Ну же, шевелись!* Плиточный пол холодил его босые ступни, а тонкая казенная сорочка еле доставала до колен — видно, в больнице не нашлось такой, которая была бы впору пациенту его роста, метр восемьдесят с лишним. Он чувствовал, как кровь сочится из продырявленной вены и стекает в ладонь.

Пули по-прежнему барабанили по тяжелой двери, и доктор Брукс бесцеремонно втолкнула Лэнгдона в маленькую уборную. Уже готовая последовать за ним, она вдруг остановилась, бросилась назад и схватила с кушетки его заляпанный кровью твидовый пиджак.

Да черт с ним, с этим барахлом!

Вернувшись с пиджаком в руках, она быстро заперла дверь в уборную. Ровно в тот же миг основная дверь в палату, которую они только что покинули, с треском распахнулась.

Молодая женщина не потеряла самообладания. Она живо пересекла крошечную уборную, рывком открыла вторую дверь и вывела Лэнгдона в соседнюю палату. Под грохот отдающихся эхом выстрелов доктор Брукс выглянула наружу и, быстро схватив Лэнгдона за руку, перетащила его через коридор на лестничную площадку. От этой внезапной суеты у Лэнгдона закружилась голова; он чувствовал, что может потерять сознание в любой момент.

Следующие пятнадцать секунд промчались как в тумане, — Лэнгдон бежал вниз по лестнице... спотыкаясь... падая... В голове стучало словно молотом. Все вокруг теперь расплывалось еще сильнее, а мышцы его были вялыми и реагировали на команды мозга с явным опозданием.

Потом ему в лицо пахнуло холодом.

Я на улице.

Когда доктор Брукс волокла Лэнгдона по темному переулку прочь от здания больницы, он наступил на что-то острое и рухнул, больно ударившись о мостовую. Его спутница помогла ему встать на ноги, помянув недобрым словом снотворное, которым его напичкали.

Уже в самом конце переулка Лэнгдон снова споткнулся. На этот раз она не стала его поднимать и выскочила на улицу, громко окликая кого-то вдалеке. Лэнгдон заметил тусклый зеленый огонек такси перед входом в больницу. Машина не двигалась — очевидно, шофер задремал. Доктор Брукс продолжала отчаянно кричать и махать руками. Наконец фары автомобиля загорелись, и он лениво покатил в их сторону.

Позади Лэнгдона, в переулке, с шумом распахнулась дверь и послышался быстро приближающийся топот. Оглянувшись, Лэнгдон увидел бегущую к ним темную фигуру. Он попытался встать на ноги, но доктор Брукс уже сгребла его в охапку и стала запихивать в подъехавший «фиат». Кое-как втолкнув его туда, так что он очутился наполовину на заднем сиденье, наполовину на полу, она нырнула внутрь следом за ним и захлопнула дверцу.

Шофер с заспанными глазами обернулся и изумленно уставился на странную парочку, только что ввалившуюся в его такси, — светловолосую молодую женщину в медицинской форме и мужчину в изодранной больничной сорочке, с кровоточащей рукой. Он уже хотел было сказать им, чтобы они убирались из его машины к чертовой матери, но тут боковое зеркальце разлетелось на мелкие куски. Из переулка выскочила женщина в черной коже и навела на них пистолет. Раздался шипящий хлопок, но доктор Брукс успела схватить Лэнгдона за шею и пригнуть ему голову. Заднее стекло разлетелось вдребезги, осыпав их дождем осколков.

Шоферу не понадобилось дополнительных уговоров. Он выжал педаль газа, и такси сорвалось с места.

Лэнгдон балансировал на грани обморока. *Кто-то пытается меня убить?*

Когда они свернули за угол, доктор Брукс выпрямилась и взяла Лэнгдона за окровавленную руку. Трубка неуклюже торчала из раны на сгибе его локтя.

— Смотрите в окно, — велела она.

Лэнгдон послушался. Снаружи проносились мимо призрачные могильные памятники. Почему-то казалось вполне логичным, что они проезжают кладбище. Лэнгдон почувствовал, как пальцы его спутницы аккуратно нащупывают обрывок трубки, — и тут, без предупреждения, она резко выдернула его вместе с иглой.

Жгучая боль пронзила Лэнгдона от локтя до самого затылка. Он ощутил, как глаза его закатились, а потом все вокруг померкло.

Глава 5

ронзительный телефонный звонок заставил шефа оторвать взгляд от мирной дымки над Адриатикой, и он быстро вернулся в свою оборудованную под офис каюту.

Давно пора, подумал он, предвкушая добрые вести.

Копьютерный экран на столе вспыхнул, сообщая ему, что поступил вызов со шведского телефона «Сектра тайгер экс-эс», использующего шифрование речи. Прежде чем попасть на корабль, сигнал был переадресован через четыре неотслеживаемых коммутатора.

Он надел наушники.

— Шеф слушает, — медленно и внятно произнес он. — Говорите.

— Это Вайента, — ответили ему.

Шеф уловил в ее голосе необычную нервозность. Оперативники редко связывались с ним напрямую и еще реже оставались у него на службе после таких серьезных провалов, как прошлой ночью. Однако для устранения кризиса шефу требовался агент на месте, а никого лучше Вайенты все равно было не найти.

— Есть новости, — сказала Вайента.

Шеф молчал, дожидаясь продолжения.

Когда она заговорила снова, ее тон был нарочито бесстрастен — попытка сохранить хорошую мину при плохой игре.

— Лэнгдон сбежал, — сказала она. — Объект у него.

Шеф опустился в кресло за столом и долгое время не нарушал молчания.

— Понял, — произнес он наконец. — Я полагаю, он обратится к властям при первой же возможности.

На две палубы ниже каюты шефа, в изолированном центре управления, сидящий в отдельной кабинке старший координатор Лоренс Ноултон заметил, что разговор шефа по закодированной линии кончился. Он надеялся, что получены хорошие известия. Последние два дня шеф явно был не в своей тарелке, и все его подчиненные чувствовали, что проводится операция, ставки в которой очень высоки.

Ставки невероятно высоки, и на этот раз Вайенте лучше не ошибаться.

Ноултон привык руководить хитроумными и рискованными проектами, но в этом случае все пошло наперекосяк, и шеф взял управление на себя.

Мы вторглись на незнакомую территорию.

Хотя в настоящее время в разных уголках света выполнялось еще с полдюжины заданий, все их контролировали старшие оперативники Консорциума на местах, так что сам шеф и его сотрудники на борту «Мендация» могли сосредоточиться исключительно на проекте, вызывающем наибольшее беспокойство.

Несколько дней назад их клиент покончил с собой, бросившись с высокой башни во Флоренции, но договор с ним предусматривал оказание еще целого ряда необычных услуг. Клиент выдвинул несколько конкретных требований, которые Консорциум обязался удовлетворить независимо от обстоятельств, — и теперь, как всегда, это обещание следовало сдержать, несмотря ни на что.

У меня есть приказ, подумал Ноултон. *И я его выполню.* Он вышел из своей звукоизолированной стеклянной кабинки и прошагал мимо нескольких соседних кабинок — где-то стены были прозрачными, где-то нет, — в которых его коллеги занимались другими сторонами той же проблемы.

Кивнув по дороге специалистам по техобслуживанию, Ноултон пересек главную диспетчерскую с прохладным кондиционированным воздухом и вошел в маленькое хранилище с десятком сейфов. Он отпер один из них и достал его содержимое — яркокрасную флешку. Согласно прикрепленной к ней инструкции, на флешке был записан большой видеофайл, который их клиент велел разослать по главным новостным интернет-порталам завтра утром, в строго определенный час.

Осуществить такую анонимную рассылку не составляло труда, но протокол обращения со всеми цифровыми данными требовал, чтобы предварительный просмотр этого файла был произведен *сегодня*, за двадцать четыре часа до отправки, — благодаря этой предосторожности Консорциум мог успеть при нужде раскодировать файл или внести в него другие технические изменения.

Все случайности должны быть исключены.

Ноултон вернулся в свою прозрачную кабинку и закрыл тяжелую стеклянную дверь, отгородив себя от внешнего мира. Затем щелкнул переключателем, и стены его офиса тут же стали матовыми. В целях обеспечения необходимой секретности все перегородки между служебными помещениями на борту «Мендация» были сделаны из особого стекла с применением технологии «взвешенных частиц». Прозрачность такого стекла легко менялась путем подачи или выключения электрического тока, благодаря чему крошечные продолговатые частицы внутри панелей либо выстраивались параллельно друг дружке, либо снова принимали хаотическое положение.

Вся деятельность Консорциума строилась на жестком разделении обязанностей сотрудников.

Выполняй только свое задание. Никому ничего не рассказывай.

Теперь, уединившись в своем личном уголке, Ноултон вставил флешку в компьютер и кликнул на нужный ярлычок, открывая файл.

Экран сразу же потемнел... и из динамиков донесся мягкий плеск воды. Затем на дисплее медленно появилось изображение — неясное, расплывчатое. Выступающие из темноты контуры обретали четкость... и Ноултон словно очутился внутри пещеры... или огромного склепа. Вместо пола в этой пещере была вода — что-то вроде подземного озера. Она слабо светилась... как будто бы изнутри.

Ноултон никогда не видел ничего подобного. Весь грот наполняло какое-то потустороннее красноватое сияние, а на его бледных стенах тонкими усиками играли отражения водной ряби. *Что это за место?*

Под тихий непрерывный плеск камера неизвестного оператора наклонилась и стала двигаться вертикально вниз, прямо к воде, а затем пересекла ее подсвеченную поверхность. Звуки, доносящиеся из динамиков, сменились жутковатой подводной тишиной. Камера продолжала опускаться, пока не остановилась на глубине около метра, наведенная на подернутое илом дно.

К дну была привинчена прямоугольная табличка из блестящего титана.

На ней была надпись.

В ЭТОМ МЕСТЕ И В ЭТОТ ДЕНЬ
МИР ИЗМЕНИЛСЯ НАВСЕГДА

В нижней части таблички стояли имя и дата.

Имя — клиента.

Дата... завтра.

Глава 6

Лэнгдон почувствовал, как чьи-то крепкие руки поднимают его... вытаскивают из забытья, помогают выбраться из такси. Мостовая леденила его босые ноги.

Стараясь не слишком тяжело опираться на свою стройную спутницу, Лэнгдон побрел по безлюдному проулку между двумя высокими жилыми домами. Навстречу потянуло утренним ветерком, вздувающим его больничную сорочку, и Лэнгдон ощутил холод в тех местах, куда ветер не должен был бы добраться.

Успокоительное, которое Лэнгдону ввели в реанимации, мешало ему не только ясно видеть, но и ясно соображать. Он шел словно под водой, протискиваясь сквозь вязкий, тусклый мир. Сиена Брукс влекла его вперед, поддерживая с неожиданной силой.

— Ступеньки, — подсказала она, и Лэнгдон понял, что они достигли бокового входа в здание.

Схватившись за перила и медленно переставляя ноги, Лэнгдон кое-как потащился вверх. Собственное тело казалось ему неподъемным. Доктор Брукс неутомимо подталкивала его сзади. Когда они одолели крыльцо, она набрала шифр на ржавом кодовом замке, тот прозудел, и дверь отворилась.

Внутри было ненамного теплее, чем на улице, но после грубой булыжной мостовой плиточный пол показался босому Лэнгдону мягким ковром. Доктор Брукс провела своего спутника к крошечному лифту, рывком открыла раздвижную дверь и сунула его в кабинку размером с телефонную будку. В лифте пахло сигаретами «MS» — в Италии этот горьковато-сладкий аромат так же вездесущ, как запах свежего кофе эспрессо. Вдохнув его, Лэнгдон почувствовал, что в голове слегка прояснилось. Доктор Брукс нажала кнопку, и где-то высоко над ними звякнули и пришли в движение усталые шестерни.

Наверх...

Скрипучая кабинка дрожала и вибрировала на ходу. Ее стены представляли собой всего лишь металлические сетки, и Лэнгдон видел, как мерно скользят мимо стены самой шахты. Несмотря на полубессознательное состояние Лэнгдона, его хроническая клаустрофобия никуда не исчезла.

Не смотри.

Он прислонился к стене, стараясь отдышаться. Рука у него болела, и, поглядев вниз, он увидел, что она неуклюже перевязана рукавом его твидового пиджака. Сам пиджак, грязный и обтрепанный, волочился по полу.

Мучительный стук в висках заставил Лэнгдона закрыть глаза, и его снова поглотила чернота. Из нее выступило знакомое видение — похожая на статую женщина в вуали, с амулетом и серебристыми, чуть подвитыми волосами. Как и прежде, она стояла на берегу кроваво-красной реки среди корчащихся тел. Она обратилась к Лэнгдону, и в ее голосе сквозила мольба. *Ищите, и найдете!*

Лэнгдон почувствовал, что должен во что бы то ни стало спасти ее... спасти всех. Ноги того, кто был заживо погребен вниз головой, бессильно обмякли... одна, потом другая.

Кто вы? — беззвучно крикнул он. *Что вам нужно?*

Ее роскошные серебристые волосы затрепетали на горячем ветру. *Время уже на исходе,* прошептала она, дотронувшись до своего ожерелья с амулетом. Потом вдруг вспыхнула слепящим столпом огня, который ринулся через реку и поглотил их обоих.

Лэнгдон закричал, и глаза его широко раскрылись.

На него с тревогой смотрела доктор Брукс.

— Что такое?

— Опять галлюцинации! — воскликнул Лэнгдон. — Та же картина!

— Женщина с серебристыми волосами? И мертвые тела вокруг?

Лэнгдон кивнул. На лбу у него проступили капельки пота.

— Это пройдет, — обнадежила его доктор Брукс, хотя ее голос тоже слегка дрожал. — Навязчивые видения — обычная вещь при амнезии. Та функция мозга, которая сортирует и упорядочивает ваши воспоминания, временно нарушена, так что все сливается в один образ.

— Не очень-то приятный, — заметил он.

— Понимаю, но пока вы не поправитесь, ваши воспоминания будут спутанными и беспорядочными — прошлое, настоящее и воображаемое в одной куче. То же самое происходит во сне.

Дернувшись, лифт остановился, и доктор Брукс толкнула в сторону раздвижную дверь. Они снова пошли — теперь по темному узкому коридору. Миновали окно, за которым смутно маячили в первых проблесках рассвета флорентийские крыши. В дальнем конце коридора она нагнулась, вынула из-под измученного жаждой декоративного растения ключ от квартиры и отперла дверь.

Квартира была маленькая и, судя по запаху, служила ареной долгой борьбы между свечой с ванильным ароматом и старыми коврами. Мебель и картины на стенах выглядели убого, словно хозяйка купила их на дешевой распродаже. Доктор Брукс повернула регулятор термостата, и ожившие батареи тихо заурчали.

Остановившись на пару секунд, она закрыла глаза и глубоко вздохнула, будто приходя в себя. Затем повернулась и помогла Лэнгдону пройти в скромную кухоньку с пластиковым столом и двумя шаткими стульями.

Лэнгдон шагнул было к стулу — ему не терпелось сесть, но доктор Брукс схватила его за руку, а другой рукой открыла шкафчик. Он был почти пуст... крекеры, несколько пакетиков макарон, банка кока-колы и пузырек с надписью «NoDoz».

Она достала пузырек и вытряхнула Лэнгдону на ладонь шесть таблеток.

— Кофеин, — объяснила она. — Для работы в ночную смену, как сегодня.

Лэнгдон сунул таблетки в рот и огляделся, ища, чем их запить.

— Жуйте, — сказала она. — Так они быстрее подействуют и нейтрализуют снотворное.

Лэнгдон начал жевать и тут же скривился. Таблетки были горькие — их явно полагалось глотать целиком. Доктор Брукс открыла холодильник и протянула Лэнгдону початую бутылку минералки. Он с благодарностью приник к горлышку.

Когда он напился, хозяйка сняла с его правой руки импровизированную повязку и положила грязный пиджак на стол. Потом тщательно осмотрела рану. Лэнгдон чувствовал, как дрожат ее стройные руки, поддерживающие его локоть.

— Жить будете, — заключила она.

Лэнгдон надеялся, что его спасительница не слишком пострадала. Ему трудно было даже подумать о том, что они сегодня вынесли.

— Доктор Брукс, — сказал он, — нам надо позвонить куданибудь. В консульство... в полицию. Куда-нибудь.

Она согласно кивнула.

— А еще не надо больше называть меня доктор Брукс. Меня зовут Сиена.

Лэнгдон кивнул:

— Спасибо. Я Роберт. — После их совместного бегства от убийцы перейти с фамилий на имена казалось вполне естественным. — Вы говорили, что вы англичанка?

— Да, по рождению.

— Что-то я не слышу акцента.

— Ну и хорошо, — ответила она. — Я его долго вытравляла.

Лэнгдон уже хотел было спросить зачем, но Сиена жестом пригласила его следовать за собой. Она провела его по тесному коридорчику в маленькую неуютную ванную. Здесь, в зеркале над раковиной, Лэнгдон увидел свое отражение впервые после того, как заметил его в окне больничной палаты.

Да уж. Густые темные волосы Лэнгдона были взъерошены, усталые глаза налиты кровью. Подбородок затянуло пеленой щетины.

Сиена повернула кран и сунула раненую руку Лэнгдона до самого локтя под ледяную воду. Рука сильно заныла, но Лэнгдон, морщась, держал ее под струей.

Достав чистое полотенце, Сиена сбрызнула его жидким антибактериальным мылом.

— Может, отвернетесь?

— Ничего. Меня не пугает вид...

Сиена принялась тереть что было сил, и руку Лэнгдона пронзила острая боль. Он стиснул зубы, чтобы не вскрикнуть.

— Инфекция вам ни к чему, — сказала она, работая еще энергичнее. — Кроме того, если хотите звонить властям, надо иметь

ясную голову. Для выработки адреналина нет средства лучше
боли.

Лэнгдон терпел эту пытку добрых десять секунд, но потом все
же выдернул руку. *Хватит!* Правда, теперь он действительно почувствовал себя в тонусе и избавился от последних следов сонли-
вости; боль в руке окончательно прогнала головную.

— Отлично, — сказала Сиена, выключая воду и промокая его
руку чистым полотенцем. Потом заново перевязала ему локоть,
но, пока она возилась с перевязкой, Лэнгдона отвлекло только что
замеченное и очень неприятное для него обстоятельство.

Вот уже почти сорок лет Лэнгдон носил на запястье старинные
коллекционные часы с Микки-Маусом — подарок родителей. Ве-
селая мордашка Микки и его смешно жестикулирующие лапки
каждый день напоминали ему о том, что надо чаще улыбаться и
что жизнь не заслуживает чересчур серьезного отношения.

— Мои часы... — пробормотал Лэнгдон. — Куда они делись? — Без них он вдруг ощутил себя неполноценным. — Они
были на мне, когда я пришел в больницу?

Сиена посмотрела на него с удивлением, явно не понимая,
почему он разволновался из-за такого пустяка.

— Я никаких часов не помню. Ну ладно, приводите себя в порядок. Через несколько минут я вернусь, и мы с вами решим, к
кому обратиться за помощью. — Она шагнула прочь, но замешка-
лась на пороге, встретившись взглядом с его отражением в зеркале. — А пока меня нет, советую вам хорошенько подумать, почему
кому-то так сильно захотелось вас убить. Сдается мне, это первое,
о чем вас спросят представители власти.

— Погодите. Куда вы?

— Нельзя же говорить с полицией полуголым. Попробую
найти вам какую-нибудь одежду. Мой сосед примерно одного
роста с вами. Сейчас он в отъезде, а я кормлю его кошку. Он у
меня в долгу.

С этими словами Сиена исчезла.

Роберт Лэнгдон снова повернулся к крошечному зеркалу над
раковиной и едва узнал человека, который воззрился на него оттуда. *Кто-то хочет меня убить.* В мозгу у него опять зазвучало
его собственное бормотание, записанное на пленку.

Зарево... зарево... зарево...

Он пошарил в памяти, ища подсказку... хоть какую-нибудь. Но там была одна пустота. Сейчас Лэнгдон знал лишь то, что он во Флоренции с пулевой раной головы.

Вглядываясь в свои усталые глаза, Лэнгдон подумал, а не проснется ли он через секунду-другую в любимом домашнем кресле с пустым бокалом из-под джина в одной руке и «Мертвыми душами» в другой, только чтобы убедиться лишний раз, что Гоголя ни в коем случае нельзя смешивать с «Бомбейским сапфиром».

Глава 7

Лэнгдон сбросил с себя окровавленную больничную сорочку и обмотал вокруг талии полотенце. Поплескав в лицо водой, он осторожно ощупал швы на затылке. Место было воспаленное, но когда он расчесал свои спутанные волосы, рана стала практически незаметной. Кофеиновые таблетки уже действовали, и туман, окутавший его сознание, потихоньку рассеивался.

Думай, Роберт. Вспоминай.

Вдруг стены крошечной ванной без окон точно стиснули его в своем замкнутом пространстве, и, выйдя в коридор, он инстинктивно двинулся к лучу естественного света, падающему из приоткрытой двери напротив. Комната за ней оказалась чем-то вроде обустроенного на скорую руку кабинета: дешевый стол, потертый вращающийся стул, на полу стопка-другая книжек — и, слава Богу... *окно.*

Лэнгдон шагнул поближе к дневному свету.

Тосканское солнце только что проснулось и золотило самые высокие башни пробуждающегося города — колокольню Джотто, Бадию, Барджелло. Лэнгдон прижался лбом к холодному стеклу. Мартовский воздух, свежий и прохладный, словно усиливал солнечный свет, который лился из-за гор.

Свет художника — так его называют.

В самом сердце городского пейзажа вздымался гигантский купол, облицованный красной черепицей и увенчанный золоченым медным шаром, сверкающим, точно маяк. *Дуомо.* Спроектировав могучий купол для главного флорентийского собора, Брунеллески вписал свое имя в историю архитектуры — и теперь, спустя более чем пятьсот лет, его творение высотой в 114 метров по-прежнему украшало центральную городскую площадь.

Почему я очутился во Флоренции?

Для Лэнгдона, страстного поклонника итальянского искусства, этот город всегда был одним из самых любимых в Европе. На его улицах в детстве играл Микеланджело, в его художественных мастерских зародился итальянский Ренессанс. Миллионы туристов стекались в музеи Флоренции, чтобы насладиться «Рождением Венеры» Боттичелли, «Благовещением» Леонардо и главной гордостью и отрадой всех флорентийцев — статуей Давида.

Микеланджеловский «Давид» очаровал Лэнгдона с первой встречи. Когда-то, еще подростком, он зашел в Академию изящных искусств... медленно прошагал вдоль угрюмой шеренги незаконченных микеланджеловских «Рабов»... и вдруг ощутил, как его взгляд невольно и неодолимо поднимается, притянутый этим шедевром высотой в пять с лишним метров. Грандиозность и рельефная мускулатура Давида поражали почти всех, кто видел этого мифического героя впервые, однако на Лэнгдона произвела наибольшее впечатление его гениальная поза: воспользовавшись классическим приемом под названием «контрапост», Микеланджело создал иллюзию, что Давид, чуть наклонившийся вправо, практически не опирается на свою левую ногу, тогда как в действительности она поддерживала собой целые тонны мрамора.

Благодаря «Давиду» Лэнгдон получил первое представление о мощи, заключенной в великих образцах скульптуры. Теперь он спросил себя, навещал ли своего любимца в последние несколько дней, но единственным доступным ему воспоминанием оставалось одно — как он очнулся в больнице и стал свидетелем убийства ни в чем не повинного врача.

Вдруг на него нахлынуло щемящее чувство вины. *Что же я натворил?*

Стоя у окна, он заметил краешком глаза лежащий на столе ноутбук. Внезапно его осенило: что бы ни произошло с ним вчера вечером, об этом уже наверняка сообщили в новостях.

Если мне удастся выйти в Интернет, я смогу во всем разобраться.

Лэнгдон повернулся к двери и позвал хозяйку.

Тишина. Видимо, доктор Брукс все еще искала для него одежду.

Не сомневаясь, что Сиена простит ему эту бесцеремонность, Лэнгдон открыл компьютер и включил его.

Экран ожил — на нем возникло голубое небо с облачками, стандартная заставка операционной системы. Лэнгдон тут же перешел на итальянскую версию «Гугла» и набрал в поисковой строке свое имя.

Видели бы меня сейчас мои студенты, подумал он, нажимая ввод. Лэнгдон постоянно твердил им, чтобы они не «гуглили» самих себя — это странное новое увлечение было порождено страстным желанием прославиться, обуявшим в последнее время чуть ли не всю американскую молодежь.

На экране появились результаты — сотни ссылок на Лэнгдона, его книги и лекции. *Нет, все не то.*

Лэнгдон ограничил поиск рубрикой новостей.

Возникла другая страница: *Новые результаты для «Роберт Лэнгдон».*

Роберт Лэнгдон будет подписывать экземпляры своих книг...
Речь Роберта Лэнгдона на церемонии вручения дипломов...
Роберт Лэнгдон выпускает учебник по символогии для...

Список был длиной в несколько страниц, однако Лэнгдон не видел в нем ничего такого, что относилось бы к последним дням, — и уж точно ничего такого, что могло бы объяснить его нынешнюю ситуацию. *Что случилось вчера вечером?* Лэнгдон решил продолжать расследование и перешел на сайт «Флорентайн» — англоязычной газеты, выходящей во Флоренции. Он проглядел заголовки, раздел горячих новостей и полицейский блог, узнав о пожаре в чьей-то квартире, о коррупционном скандале в правительстве и о целом ряде мелких преступлений.

Неужели совсем ничего?!

Его внимание привлекла заметка о городском чиновнике, который прошлым вечером скончался на Соборной площади от сердечного приступа. Имя чиновника пока не сообщалось, однако криминалом в этом деле, похоже, и не пахло.

Наконец, не зная, что еще предпринять, Лэнгдон зашел в свою гарвардскую почту и проверил корреспонденцию в расчете на то, что в ней может содержаться какой-нибудь полезный намек. Но и там он не нашел ничего, кроме обычных писем от коллег, студентов и друзей, по большей части с напоминаниями о встречах, запланированных на будущей неделе.

Похоже, никто и не догадывается, что я уехал.

Все больше недоумевая, Лэнгдон выключил компьютер и закрыл крышку. Он уже хотел отойти, но тут его взгляд ненароком упал на угол стола. Там, поверх стопки медицинских журналов и документов, лежал поляроидный снимок — Сиена Брукс и ее бородатый коллега, весело смеющиеся в больничном коридоре.

Лэнгдон взял фотографию, чтобы получше ее рассмотреть. *Доктор Маркони*, подумал он с горьким чувством вины. Потом, возвращая снимок обратно, с удивлением заметил на верху стопки пожелтевший буклетик — старую программку из лондонского театра «Глобус». Судя по ее обложке, там ставили шекспировский «Сон в летнюю ночь»... почти двадцать пять лет назад.

На программке было написано фломастером: «Дорогая, никогда не забывай, что ты чудо».

Лэнгдон поднял программку, и из нее выпали несколько газетных вырезок. Он хотел было вернуть их на место, но, открыв буклет на нужной странице, вдруг замер от изумления.

С фотографии на него смотрела девочка-актриса, исполнявшая роль проказливого эльфа Пака. На вид ей было не больше пяти, а ее светловолосую головку украшал знакомый хвостик.

Подпись под фото гласила: «Рождение звезды».

Рядом была краткая биография актрисы — восторженный рассказ о театральном чудо-ребенке, Сиене Брукс, с зашкаливающим коэффициентом интеллекта. За один вечер эта девочка умудрилась запомнить слова всех персонажей пьесы и на первых репетициях частенько подсказывала товарищам забытые реплики. Среди увлечений пятилетнего вундеркинда значились скрипка, шахматы, химия и биология. Дочь богатых родителей из лондонского пригорода Блэкхита, девочка уже успела прославиться: в возрасте четырех лет она обыграла в шахматы гроссмейстера и вдобавок читала на трех языках.

Боже мой, подумал Лэнгдон. *Сиена! Пожалуй, это кое-что объясняет.*

Лэнгдон вспомнил, что одним из самых знаменитых выпускников Гарварда был вундеркинд Сол Крипке, который к шести годам самостоятельно изучил иврит, а к двенадцати прочел все труды Декарта. Недавно Лэнгдону довелось читать и о другом юном феномене по имени Моше Кай Кавалин — в одиннадцать лет он окончил колледж со средним баллом 4,0 и стал чемпионом страны по боевым искусствам, а в четырнадцать опубликовал книгу под названием «Мы можем».

Лэнгдон взял другой листок — газетную статью с фотографией Сиены в возрасте семи лет: ГЕНИАЛЬНЫЙ РЕБЕНОК ДЕМОНСТРИРУЕТ IQ 208. Он и не знал, что коэффициент интеллекта бывает таким высоким. Если верить этой статье, Сиена виртуозно играла на скрипке, могла за месяц овладеть иностранным языком и сама изучала анатомию и физиологию.

Он взглянул на следующую вырезку, теперь уже из медицинского журнала: БУДУЩЕЕ МЫСЛИ — НЕ ВСЕ МОЗГИ СОЗДАНЫ ОДИНАКОВЫМИ. Здесь тоже была фотография Сиены — все такая же белобрысая, она стояла рядом с солидным медицинским аппаратом. В статье приводилось интервью с врачом, объясняющим, что ПЭТ-сканирование мозжечка Сиены выявило его физические отличия от других мозжечков — в ее случае это был более крупный орган более обтекаемой формы, способный обрабатывать визуально-пространственную информацию методами, о которых прочие люди не имеют даже самого отдаленного представления. По мнению врача, это физиологическое преимущество Сиены было результатом необычайно ускоренного клеточного роста в ее мозгу, напоминающего рак — с тем отличием, что у нее росла доброкачественная мозговая ткань, а не вредная опухолевая.

Лэнгдон нашел вырезку из газеты какого-то маленького городка.

ПРОКЛЯТИЕ ГЕНИАЛЬНОСТИ.

Здесь фотографии не было, но рассказывалось о гениальной девочке Сиене Брукс, которая перестала ходить в обычную школу, потому что ее задразнили: слишком уж она отличалась от других учеников. Автор писал, что одаренные дети часто оказываются в изоляции, поскольку их социальные навыки отстают в развитии от интеллекта. По этой причине они нередко подвергаются остракизму со стороны сверстников.

В статье говорилось, что Сиена сбежала из дома в возрасте восьми лет и ее не могли разыскать целых десять дней. Потом ее нашли в шикарном лондонском отеле: она притворилась дочкой другого постояльца, украла ключ и заказала себе в номер ужин за чужой счет. Выяснилось, что за минувшую неделю она успела прочесть 1600-страничную «Анатомию» Грея. Когда полицейские спросили ее, зачем она читает книги по медицине, она ответила, что хочет разобраться со своими мозгами. Что с ними не так?

Лэнгдону стало очень жаль несчастную девочку. Ему трудно было представить себе, до чего одиноким чувствует себя ребенок, который так сильно отличается от своих ровесников. Он снова сложил все вырезки, помедлив, чтобы бросить последний взгляд на пятилетнюю Сиену в роли Пака. С учетом того, в каких сюрреалистических обстоятельствах они встретились нынче утром, Лэнгдон не мог не признать, что роль озорного духа, навевающего сны, весьма подходит его новой знакомой. Он позавидовал персонажам шекспировской пьесы — больше всего ему хотелось проснуться, как они, и обнаружить, что все его недавние приключения были просто дурным сном.

Аккуратно вернув вырезки на место, Лэнгдон закрыл буклет, и снова попавшаяся ему на глаза надпись — *дорогая, никогда не забывай, что ты чудо*, — вызвала у него неожиданный приступ грусти. Он перевел взгляд на знакомый символ рядом с надписью. Это была та самая древнегреческая пиктограмма, которая и теперь украшает большинство театральных программок всего мира, — рисунок с 2500-летней историей, воплотивший в себе всю суть драматического театра.

Le maschere*.

Лэнгдон смотрел на привычные лики Комедии и Трагедии, глазеющие на него с картонной обложки, и вдруг у него в ушах раздалось странное гудение — как будто внутри его головы медленно натягивалась металлическая струна. В черепе взорвалась ослепительная боль. Маски на буклетике стали расплываться. Лэнгдон охнул и опустился на стул, плотно зажмурив глаза и сдавив ладонями виски.

---

* Маски (*ит.*).

В поглотившей его тьме вновь вспыхнули прежние видения... навязчивые, пугающе яркие.

Женщина с серебристыми волосами опять звала его из-за кроваво-красной реки. Ее отчаянные крики пронзали смердящий воздух, перекрывая вопли людей, которые бились в агонии и умирали повсюду, насколько хватал глаз. Лэнгдон снова увидел торчащие из земли ноги с буквой «R» — закопанный по пояс человек исступленно дрыгал ими, пытаясь освободиться.

Ищите, и найдете! — кричала Лэнгдону незнакомка. *Время уже на исходе!*

Лэнгдон вновь почувствовал непреодолимое желание помочь ей... помочь *всем*. Охваченный лихорадочной тревогой, он откликнулся на призыв таинственной незнакомки своим криком. *Кто вы?!*

И опять женщина подняла руку и убрала вуаль, открыв лицо поразительной красоты, которое Лэнгдон уже видел.

Я жизнь, сказала она.

Внезапно в небе над ней проступил исполинский образ — жуткая маска с длинным, похожим на клюв носом и пылающими зелеными глазами, которые вперили в Лэнгдона свой неподвижный взор.

А я — смерть, раздался громоподобный голос.

Глава 8

Веки Лэнгдона мигом разомкнулись, и он испуганно перевел дух. Он все еще сидел у Сиены за столом — руки сжимают голову, сердце несется вскачь.

Что за чертовщина мне мерещится?

Образы женщины с серебристыми волосами и клювастой маски еще не померкли в его памяти. *Я жизнь. А я — смерть.* Он попытался стереть эти видения, но они отказывались исчезать, словно их выжгли в его мозгу навсегда. С лежащей на столе программки на него по-прежнему таращились две маски.

Ваши воспоминания будут спутанными и беспорядочными, сказала ему Сиена. *Прошлое, настоящее и воображаемое в одной куче.*

Лэнгдон никак не мог собраться с мыслями.

Где-то в квартире зазвонил телефон. Звонок был старомодный, заливистый и доносился с кухни.

— Сиена! — крикнул Лэнгдон, поднимаясь с места.

Молчание. Она еще не вернулась. Всего лишь после двух звонков включился автоответчик.

— Ciao, sono io! — весело объявил голос Сиены. — Lasciatemi un messaggio e vi richiamerò*.

Раздался гудок, и из динамика зазвучал испуганный женский голос с сильным восточноевропейским акцентом. Он эхом отдавался в коридоре.

— Сиена, это Даникова! Где ты пропадать? Здесь ужас! Твой друг доктор Маркони, он мертвый! Вся больница пойти кувырком! Сюда приехать полиция! Люди говорить им, ты убежать,

---

* Здравствуйте, это я! Оставьте сообщение, и я вам перезвоню (*ит.*).

чтобы спасти *пациент*! Зачем?! Он же тебе никто! Теперь полиция хотеть говорить *с тобой*! Они смотреть твой анкета! Я знать, что там все не так — неправильный адрес, нет номер телефон, фальшивый рабочий виза, — так что сегодня они тебя не найти, но скоро найти! Я хотеть предупредить тебя. Мне очень жаль, Сиена!

На этом женщина дала отбой.

На Лэнгдона накатила очередная волна раскаяния. Судя по этому звонку, доктор Маркони разрешил Сиене работать в больнице. Появление Лэнгдона стоило доктору жизни, а Сиена, поддавшись благородному порыву и бросившись спасать своего пациента, навлекла на себя серьезные неприятности.

Как раз в этот момент в другом конце квартиры громко хлопнула дверь.

Она вернулась.

Несколько секунд спустя из автоответчика полился тот же голос. «Сиена, это Даникова! Где ты пропадать?!»

Лэнгдон поежился, зная, какие новости услышит Сиена. Пока звучала запись, он быстро подвинул на место театральный буклетик, заметая следы своего вторжения. Потом проскользнул по коридору в ванную, коря себя за то, что без спросу сунул нос в прошлое Сиены.

Еще через десять секунд в дверь ванной тихонько постучали.

— Я принесла вам одежду, — сказала Сиена. Ее голос срывался от волнения. — Вешаю все на ручку.

— Большое спасибо! — откликнулся Лэнгдон.

— Когда будете готовы, пожалуйста, приходите на кухню, — добавила она. — Прежде чем мы с вами начнем куда-то звонить, я должна показать вам кое-что важное.

Сиена устало прошла по коридору в небольшую спальню. Вынув из шкафа синие джинсы и свитер, она отправилась в примыкающую к спальне душевую.

Глядя прямо в глаза собственному отражению, она подняла руку, взялась за свой увесистый хвостик, потянула его вниз — и стащила с головы парик.

Из зеркала на нее смотрела абсолютно лысая тридцатидвухлетняя женщина.

У Сиены была тяжелая судьба, и в борьбе с житейскими невзгодами она привыкла полагаться на свой незаурядный интеллект. Однако передряга, в которую она угодила на этот раз, потрясла ее до самой глубины души.

Отложив парик в сторону, она вымыла лицо и руки. Потом вытерлась, переоделась, снова надела парик и убедилась, что он сидит на ней идеально ровно. Сиена всегда считала, что жалеть себя — последнее дело, но сейчас, когда слезы вскипали где-то глубоко внутри, она знала, что ей просто необходимо выплакаться.

И она дала себе волю.

Она оплакивала жизнь, которая вырвалась из-под ее контроля.

Оплакивала учителя, который погиб у нее на глазах.

Оплакивала бесконечное одиночество, заполнившее ее душу.

Но прежде всего она оплакивала будущее... которое вдруг стало таким неопределенным.

Глава 9

оординатор Лоренс Ноултон сидел в наглухо закрытой стеклянной кабинке в недрах роскошного судна «Мендаций» и озадаченно смотрел на экран компьютера, где только что закончилась видеозапись, оставленная их клиентом.

И это я должен завтра утром разослать по информационным порталам?

За десять лет работы в Консорциуме Ноултону доводилось выполнять самые разнообразные и порой очень странные задания, многие из которых были если и не откровенно незаконными, то уж, во всяком случае, сомнительными с точки зрения общепринятой морали. В этой теневой зоне проходила чуть ли не вся деятельность Консорциума — организации, чьей главной и единственной этической заповедью была готовность сделать все, что угодно, лишь бы сдержать данное клиенту обещание.

Мы выполняем свои обязательства. Без всяких вопросов, что бы ни случилось.

Однако необходимость выложить в Интернет эту видеозапись беспокоила Ноултона. Какими бы эксцентричными ни были его прошлые задания, он всегда понимал, чем они обусловлены... имел представление о мотивах... догадывался, какой нужен результат.

Но от этого видео ему стало не по себе.

В нем было что-то необычное.

Чересчур необычное.

Ноултон опять сел за компьютер и снова открыл видеофайл, надеясь, что после второго прогона что-нибудь прояснится. Он увеличил громкость и устроился поудобнее, чтобы спокойно и внимательно просмотреть весь девятиминутный фильм.

Как и в первый раз, запись началась с мягкого плеска воды в загадочной пещере, сплошь залитой зловещим красноватым сиянием. Вновь камера погрузилась в подсвеченную воду, чтобы показать илистое дно пещеры и табличку на нем. И вновь Ноултон прочел надпись на табличке:

**В ЭТОМ МЕСТЕ И В ЭТОТ ДЕНЬ
МИР ИЗМЕНИЛСЯ НАВСЕГДА**

То, что под этой надписью стояло имя их клиента, вселяло тревогу. То, что назначенный день наступит *завтра*...вызывало у Ноултона серьезное беспокойство. Однако это были еще цветочки — ягодки ждали впереди.

Камера повернулась влево, нацелясь на удивительный предмет, который словно парил под водой рядом с табличкой.

Это была большая сфера из тонкого пластика, прикрепленная ко дну короткой нитью. Она колебалась, как огромный мыльный пузырь, и походила на погруженный в воду воздушный шар... только не с гелием, а с какой-то студенистой желтовато-коричневой субстанцией. Этот аморфный, разбухший контейнер был, наверное, сантиметров тридцати в диаметре, а мутное облако жидкости внутри его тихо клубилось, как зародыш беззвучно зреющей бури.

Господи Боже, подумал Ноултон. По коже у него поползли мурашки. При повторе этот подводный мешок выглядел еще более пугающим, чем в первый раз.

Изображение медленно померкло.

Взамен возникло новое — сырая стена пещеры, на которой дрожали отблески освещенного водоема. На стене появилась тень... ее отбрасывал человек... он стоял в пещере.

Но голова его имела страшную, искаженную форму.

Вместо носа у человека торчал длинный клюв... словно он был наполовину птицей.

Когда он заговорил, голос его звучал глухо... и говорил он со зловещей выразительностью... внятно и размеренно... как рассказчик в классической драме.

Ноултон сидел не шевелясь, едва дыша, и слушал носатую тень.

Я Тень.

Если вы видите это, значит, моя душа наконец обрела покой.

Загнанный под землю, я вынужден обращаться к миру из ее глубин, из мрачной пещеры, где плещут кроваво-красные воды озера, не отражающего светил.

Но это мой рай... идеальная утроба для моего хрупкого детища.

Инферно.

Скоро вы узнаете, что я оставил после себя.

И однако даже здесь я слышу шаги глупцов, моих преследователей... они не остановятся ни перед чем, лишь бы сорвать мои планы.

На ум невольно приходят слова: прости их, ибо не ведают, что творят. Но в истории бывают моменты, когда невежество становится непростительным... когда даровать прощение может только мудрость.

С чистой совестью я оставляю всем вам в наследство дар Надежды и спасения, дар грядущего.

И все же среди вас есть те, что преследуют меня, как псы. Они ослеплены ложным убеждением в том, что я безумен. Одна из них — красавица с серебристыми волосами, которая осмеливается называть меня чудовищем! Подобно дремучим служителям церкви, осудившим на смерть Коперника, она считает меня демоном, и то, что я узрел Истину, вызывает у нее ужас.

Но я не пророк.

Я ваше спасение.

Я Тень.

Глава 10

—П рисядьте, — сказала Сиена. — Я хочу кое-что спросить.

Войдя в кухню, Лэнгдон почувствовал, что теперь он гораздо тверже стоит на ногах. На нем был позаимствованный у соседа костюм от Бриони, который по счастливой случайности оказался ему впору. Даже мягкие туфли, и те совсем не жали, и Лэнгдон мысленно пообещал себе, что по возвращении домой перейдет на итальянскую обувь.

Если вернусь, подумал он.

Сиена тоже преобразилась, переодевшись в облегающие джинсы и кремовый свитер. Этот наряд подчеркивал ее природную красоту и стройность гибкой фигуры. Ее волосы по-прежнему были собраны сзади в пучок, и без внушающей почтительный трепет медицинской формы она казалась более уязвимой. Лэнгдон заметил, что глаза у нее красные, как будто она плакала, и его вновь захлестнуло жгучее чувство вины.

— Мне очень жаль, Сиена. Я слышал телефонное сообщение. Не знаю, что и сказать.

— Спасибо, — ответила она. — Но сейчас нам надо сосредоточиться на вас. Пожалуйста, сядьте.

Ее тон стал тверже и напомнил Лэнгдону о газетных статьях, в которых обсуждались ее раннее развитие и незаурядный интеллект.

— Я хочу, чтобы вы подумали, — сказала Сиена, жестом предлагая ему стул. — Помните, как мы попали в эту квартиру?

Лэнгдон слегка удивился — при чем тут это?

— На такси, — ответил он, садясь у стола. — В нас стреляли.

— Не в нас, а в вас, профессор. Давайте не путать.

— Да. Простите.

— Помните, сколько было выстрелов, когда мы находились в машине?

Странный вопрос.

— Помню — два. Один попал в боковое зеркальце, другим разбили заднее стекло.

— Хорошо. Теперь закройте глаза.

Лэнгдон сообразил, что она проверяет работу его памяти. Он закрыл глаза.

— Во что я одета?

Лэнгдон прекрасно видел ее своим внутренним взором.

— На вас черные туфли без каблуков, синие джинсы и кремовый свитер с треугольным вырезом. Волосы у вас светлые, до плеч, собраны в хвост. Глаза карие.

Лэнгдон открыл глаза и поглядел на нее, довольный тем, что его эйдетическая память функционирует нормально.

— Отлично. Ваш визуально-когнитивный импринтинг безупречен, а это подтверждает, что ваша амнезия полностью ретроградна и механизмы, ответственные за процессы запоминания, не понесли непоправимого ущерба. Вспомнили что-нибудь новое о нескольких последних днях?

— К сожалению, нет. Только, пока вы ходили за одеждой, у меня снова были те же видения.

Лэнгдон рассказал, как повторилась его галлюцинация: женщина с вуалью, скопища мертвецов и торчащие из-под земли ноги с буквой «R». Потом он рассказал и о странной клювастой маске, которая возникла в небе.

— «Я смерть»? — спросила Сиена с тревогой в голосе.

— Да. Так и сказала.

— Ладно... Пожалуй, это будет почище, чем «Я Вишну, разрушитель миров».

Это были слова Роберта Оппенгеймера — он произнес их при испытании первой атомной бомбы.

— А эта маска... с клювом и зелеными глазами? — продолжала Сиена с озадаченным видом. — Откуда в вашем сознании мог появиться такой образ?

— Не имею ни малейшего понятия, но вообще-то такие маски были довольно широко распространены в Средние века. — Лэнгдон помедлил. — Это называется «чумная маска».

Сиена как будто слегка растерялась.

— Чумная маска?

Лэнгдон быстро объяснил, что в мире символов необычная маска с длинным клювом почти синонимична Черной Смерти — страшной чуме, которая прокатилась по Европе в четырнадцатом веке, скосив в отдельных областях целую треть населения. Многие считают, что слово «черная» в названии «Черная Смерть» относится к темным пятнам на теле больных из-за гангрены и подкожных кровоизлияний, но на самом деле оно отражает панический ужас, который эпидемия сеяла среди людей.

— Эти маски с длинным клювом носили средневековые лекари, борцы с чумой, — сказал Лэнгдон. — Так они старались удержать заразу подальше от своих ноздрей во время ухода за пораженными. А сегодня их надевают разве что на венецианском карнавале — этакое жутковатое напоминание о том мрачном периоде итальянской истории.

— И вы уверены, что видели в своих галлюцинациях именно такую маску? — чуть дрогнувшим голосом спросила Сиена. — Маску средневекового чумного доктора?

Лэнгдон кивнул. *Эту длинноклювую маску трудно не узнать.*

Сиена нахмурилась, и Лэнгдон догадался, что она выбирает самый удобный способ сообщить ему плохие вести.

— И та женщина все время повторяла «ищите, и найдете»?

— Да. В точности как раньше. Но вот в чем беда: я понятия не имею, что должен искать!

Сиена испустила долгий тяжелый вздох. Лицо ее было серьезно.

— Кажется, я догадываюсь. Больше того... Возможно, я это уже нашла.

Лэнгдон в изумлении уставился на нее:

— О чем вы говорите?!

— Роберт, вчера вечером, придя в больницу, вы принесли с собой в кармане пиджака кое-что необычное. Помните, что это было?

Лэнгдон покачал головой.

— Это была одна вещь... весьма и весьма неожиданная. Я обнаружила ее случайно, когда мы вас переодевали. — Сиена кивнула на стол, где лежал заляпанный кровью твидовый пиджак Лэнгдона. — Она все еще там. Хотите взглянуть?

Лэнгдон нерешительно покосился на пиджак. *По крайней мере теперь ясно, почему она за ним вернулась.* Он взял свой грязный пиджак и обшарил все его карманы по очереди. Пусто. Он повторил ту же процедуру. Затем, пожав плечами, обернулся к Сиене.

— Там ничего нет.

— А как насчет потайного кармана?

— Что? В моем пиджаке нет никаких потайных карманов!

— Неужели? — Вид у нее был озадаченный. — Выходит... это чей-то чужой пиджак?

Лэнгдон почувствовал, что у него снова путаются мысли.

— Нет, мой.

— Вы уверены?

Еще бы, подумал он. *Совсем недавно это был мой старый добрый «Кемберли»!*

Он вывернул пиджак, обнажив подкладку, и показал Сиене ярлычок со своим любимым символом из мира моды — знаменитой харрисовской сферой, украшенной тринадцатью драгоценными камешками, похожими на пуговицы, и увенчанной мальтийским крестом.

Лепить знаки Христова воинства на кусок ткани — пусть это останется на совести шотландцев!

— Взгляните сюда, — заметил Лэнгдон, указывая на вышитые от руки инициалы «Р.Л.». Он никогда не жалел денег на твидовые пиджаки ручной работы и потому всегда дополнительно платил за то, чтобы на фирменной эмблемке поставили его инициалы. В столовых и аудиториях его университета постоянно снимались и надевались сотни твидовых пиджаков, и Лэнгдон не имел ни малейшего желания совершать невыгодный для себя обмен.

— Я вам верю, — сказала она, забирая у него пиджак. — А теперь смотрите.

Сиена вывернула пиджак еще сильнее, так что их взгляду открылась его внутренняя часть у самого воротника. Там, аккуратно вшитый в подкладку, обнаружился большой скрытый карман.

Что за чудеса?

Лэнгдон был уверен, что никогда прежде его не видел.

Прорезь кармана представляла собой идеально ровный потайной шов.

— Раньше его здесь не было! — воскликнул Лэнгдон.

— Тогда, я полагаю, вы никогда не видели... *этого?* — Сиена залезла в карман, извлекла оттуда гладкий металлический предмет и мягко вложила его в руки Лэнгдону.

Лэнгдон уставился на него в полном недоумении.

— Знаете, что это за штука? — спросила Сиена.

— Нет... — промямлил он. — Никогда не видел ничего похожего.

— Ну а вот я, к сожалению, знаю. И я абсолютно уверена, что это и есть причина, по которой вас пытаются убить.

Меряя шагами свою рабочую кабинку на борту «Мендация» и размышляя о видеофильме, который ему предстояло обнародовать на следующий день, координатор Ноултон нервничал все сильнее и сильнее.

Я Тень?

Ходили слухи, что этот клиент Консорциума провел последние несколько месяцев в состоянии психического расстройства, и его видео убедительно это подтверждало.

Ноултон понимал, что у него есть два варианта: или подготовить материал к рассылке, как и планировалось, или отнести его наверх, к шефу, для дополнительного обсуждения.

Я уже знаю, что он ответит, подумал Ноултон. На его памяти не было ни одного случая, когда шеф отказался бы выполнить данное клиенту обещание. *Он прикажет мне выложить файл в Интернет без всяких вопросов... и будет в ярости из-за того, что я их задаю.*

Ноултон вернулся к компьютеру и перемотал запись на самое тревожное место. Потом включил воспроизведение, и на экране вновь появилась залитая призрачным светом пещера, где плескалась вода. На усеянной каплями стене маячила уродливая тень высокого человека с длинным птичьим клювом.

Затем она заговорила глухим голосом:

Сейчас мы переживаем новое Средневековье.

Несколько столетий тому назад Европа находилась в глубоком кризисе — ее население страдало от тесноты и голодало, погрязнув в грехе и безнадежности. Она была подобна неухоженному лесу — такой лес, задушенный сухостоем, только и ждет от Бога удара молнии, искры, способной зажечь бушующее пламя, которое пронесется по нему и вычистит весь мусор, чтобы здоровые корни снова могли получать живительный свет.

Отбраковка — элемент естественного порядка вещей, установленного самим Богом.

Спросите себя, что последовало за Черной Смертью.

Мы все знаем ответ.

Ренессанс.

Возрождение.

Так было всегда. За смертью следует рождение.

Чтобы достичь Рая, человек должен пройти через Ад.

Так учил нас великий мастер.

И все же сребоволосая невежда осмеливается называть меня чудовищем! Неужто она до сих пор не постигла математики будущего? Ужасов, которые оно несет?

Я Тень.

Я ваше спасение.

И вот я стою — глубоко в недрах земли, глядя на кроваво-красные воды, куда не смотрятся светила. Здесь, в этом подземном дворце, тихо зреет Инферно.

Скоро он вспыхнет яростным пламенем.

И когда это произойдет, ничто на Земле не сможет остановить его.

Глава 11

энгдон держал в руке предмет, на удивление увесистый для своих размеров. Это был узкий металлический цилиндрик сантиметров пятнадцати в длину, гладко отшлифованный и закругленный с обоих концов, как миниатюрная торпеда.

— Пока не дошло до беды, рекомендую взглянуть на него с другой стороны, — посоветовала Сиена с натянутой улыбкой. — А то вдруг уроните. Вы ведь называли себя профессором символогии, не так ли?

Лэнгдон повернул цилиндрик, и ему сразу бросился в глаза оттиснутый на его боку ярко-красный значок.

Его тело мгновенно напряглось.

Лэнгдон хорошо разбирался в иконографии и знал, что способностью вызывать у человека мгновенный страх обладают очень немногие изображения... но та эмблемка, которую он видел сейчас, безусловно, входила в их число. Его реакция была немедленной и инстинктивной: он тут же положил цилиндрик на стол и отодвинулся назад вместе со стулом.

— Я тоже испугалась, — кивнула Сиена.

Значок представлял собой три симметричных незамкнутых кружочка:

Лэнгдон где-то читал, что этот зловещий символ придумали в компании «Доу кемикал» в 1960-х годах — им заменили множество неээфективных предостерегающих знаков, которые использовались прежде. Как и все удачные эмблемы, он был прост, быстро запоминался и легко воспроизводился. Вскоре этот символ, означающий биологическую угрозу, стал известен во всем мире; он вызывал вполне уместные ассоциации с крабьими клешнями, метательными ножами ниндзя и прочими малоприятными вещами, а потому выглядел зловеще для носителя любого языка.

— Этот маленький контейнер — так называемая биокапсула, — сказала Сиена. — Применяется для транспортировки опасных веществ. Мы, медики, тоже иногда с ними сталкиваемся. У нее внутри пенопластовая трубочка, в которую можно вставить обычную пробирку и везти куда угодно без риска разбить. А в этом случае, — она указала на значок биологической угрозы, — я бы предположила, что там какой-нибудь смертельно ядовитый химикат... или вирус? — Она помедлила. — Первые образцы вируса Эбола привезли из Африки примерно в такой же капсуле.

Это было совсем не то, что Лэнгдону хотелось услышать.

— Что она делает в моем пиджаке? Я преподаю историю искусств — за каким дьяволом мне эта штука?!

В его голове промелькнуло прежнее видение — тела в мучительных корчах, а над ними парит чумная маска...

— Не знаю, откуда она взялась, — сказала Сиена, — но это продукт очень высоких технологий. Титановая, освинцованная. Практически непроницаемая, даже для радиации. Думаю, их изготавливают только по особому заказу правительства. — Рядом с эмблемой биологической угрозы был черный квадратик размером с почтовую марку, и Сиена показала на него. — Сюда надо приложить большой палец. Это защита на случай потери или кражи. Такую капсулу может открыть лишь один конкретный человек.

Хотя Лэнгдон чувствовал, что сейчас его мозги работают в обычном темпе, ему было трудно осознать то, что он слышит. *Я носил с собой биометрически запечатанный контейнер.*

— Когда я обнаружила у вас в пиджаке эту вещь, я хотела незаметно для других показать ее доктору Маркони, но вы пришли в себя раньше, чем мне удалось остаться с ним наедине. Я думала, не приложить ли к капсуле ваш палец, пока вы без сознания, но я не представляла, что там внутри, и...

— Мой палец?! — Лэнгдон покачал головой. — Думаете, она запрограммирована на меня? Но это исключено! Я абсолютно ничего не понимаю в биохимии и никогда в жизни не стал бы связываться ни с чем подобным.

— Вы уверены?

— Еще бы! — Лэнгдон протянул руку и коснулся черного квадратика большим пальцем. Ничего не произошло. — Видите? Я же говорил...

Титановая трубочка громко щелкнула, и Лэнгдон отдернул руку, точно обжегшись. *Что за дьявольщина!* Он уставился на капсулу так, будто ждал, что она вот-вот развинтится сама и из нее повалит ядовитый газ. Через три секунды она щелкнула снова — очевидно, запорный механизм сработал в обратную сторону.

Не в силах произнести ни слова, Лэнгдон посмотрел на Сиену. Та с взволнованным видом перевела дух.

— Что ж, теперь ясно, что капсула предназначалась для вас.

Вся эта ситуация казалась Лэнгдону до крайности нелепой.

— Чепуха какая-то. Во-первых, как я, по-вашему, пронес эту железку через таможню в аэропорту?

— А если вы прилетели на частном самолете? Или ее дали вам уже здесь, в Италии?

— Сиена, мне надо позвонить в консульство. Срочно.

— А вам не кажется, что сначала лучше ее открыть?

За свою жизнь Лэнгдон совершил немало необдуманных поступков, но открывать контейнер с крайне опасным содержимым на кухне случайной знакомой — это было бы уже чересчур.

— Я передам эту штуку представителям власти. Немедленно.

Сиена поджала губы, обдумывая варианты.

— Хорошо, но как только вы дозвонитесь туда, я выхожу из игры. Мое дело сторона. В любом случае вам нельзя встречаться с ними здесь. Мой иммиграционный статус в Италии... сомнителен.

Лэнгдон посмотрел Сиене прямо в глаза.

— Я знаю одно, Сиена: вы спасли мне жизнь. И я буду выпутываться из этой истории так, как вы считаете нужным.

Она благодарно кивнула, подошла к окну и выглянула на улицу.

— Ладно. Тогда давайте сделаем так...

И она быстро наметила план действий — простой, умный и безопасный.

Лэнгдон ждал, пока она включит на своем мобильнике блокировку распознавания номера и наберет нужные цифры. Ее изящные пальцы двигались легко и целеустремленно.

— Informazioni abbonati?* — спросила Сиена с безупречным итальянским произношением. — Per favore, può darmi il numero del Consolato americano di Firenze?**

Она подождала, затем быстро записала телефонный номер.

— Grazie mille***, — сказала она и дала отбой. Потом протянула Лэнгдону бумажку с номером и свой мобильник. — Ну вот, действуйте. Помните, что надо сказать?

— Моя память в полном порядке, — с улыбкой ответил он и набрал номер. В трубке раздались гудки.

Кажется, никого.

Он нажал кнопку громкой связи и положил телефон на стол, чтобы Сиене тоже было слышно. Включился автоответчик с общей информацией об услугах консульства и режиме его работы — оказывается, оно открывалось только в половине девятого.

Лэнгдон посмотрел, какое время высвечено на мобильнике. Шесть утра.

— В экстренном случае, — произнес автоматический голос, — наберите две семерки, чтобы связаться с ночным дежурным администратором.

Лэнгдон мгновенно последовал этому совету. На линии вновь послышались гудки. Затем кто-то устало проговорил:

— Consolato americano. Sono il funzionario di turno****.

— Lei parla inglese?***** — спросил Лэнгдон.

— Конечно, — ответил дежурный с американским акцентом. Похоже, он был не слишком рад, что его разбудили. — Чем могу помочь?

— Я американский гражданин. Приехал во Флоренцию, и на меня напали. Мое имя Роберт Лэнгдон.

— Номер паспорта, пожалуйста. — В трубке раздался отчетливый зевок.

---

*   Справочная? (*ит.*)
**   Не могли бы вы дать мне номер телефона Американского консульства? (*ит.*)
***   Большое спасибо (*ит.*).
****   Американское консульство. Дежурный слушает (*ит.*).
***** Вы говорите по-английски? (*ит.*)

— Мой паспорт пропал. Думаю, его украли. Меня ранили выстрелом в голову. Я был в больнице. Мне нужна помощь.

Вдруг дежурный очнулся.

— Сэр! Вы сказали, *выстрелом*? Еще раз ваше полное имя, пожалуйста!

— Роберт Лэнгдон.

На линии раздалось шуршание, а потом Лэнгдон услышал стук клавиш. Пискнул компьютер. Пауза, потом снова стук — и новый сигнал компьютера, а за ним еще три коротеньких, повыше.

Наступила более долгая пауза.

— Сэр? — повторил дежурный. — Вас зовут Роберт Лэнгдон?

— Да, именно так. И я попал в беду.

— Понял, сэр. Ваше имя помечено специальным флажком — это означает, что я должен немедленно соединить вас с главным администратором генерального консула. — Чиновник помедлил, будто не веря собственным глазам. — Пожалуйста, не вешайте трубку.

— Погодите! Вы можете сказать мне...

Но линию уже переключили. После четырех гудков в трубке раздался хриплый голос:

— Коллинз слушает.

Лэнгдон глубоко вздохнул и произнес, стараясь выговаривать все как можно спокойнее и яснее:

— Мистер Коллинз, меня зовут Роберт Лэнгдон. Я американский гражданин, приехал во Флоренцию по делам. В меня стреляли. Мне нужна помощь. Я хочу сейчас же попасть в консульство Соединенных Штатов. Вы можете мне помочь?

Низкий голос откликнулся без промедления:

— Слава Богу, что вы живы, мистер Лэнгдон! Мы уже с ног сбились.

Глава 12

*консульстве знают, что я здесь?*

Эта новость сразу принесла Лэнгдону огромное облегчение. Мистер Коллинз — он представился как главный администратор генерального консула — говорил уверенно, с профессиональным спокойствием, однако в его голосе слышалась нотка настойчивости.

— Мистер Лэнгдон, нам с вами нужно срочно побеседовать. Сами понимаете, не по телефону.

Лэнгдон сейчас вообще мало что понимал, но решил не перебивать.

— Я сию же минуту отправлю за вами кого-нибудь из наших, — продолжал Коллинз. — Где вы находитесь?

Сиена, следившая за их разговором по громкой связи, заметно насторожилась. Лэнгдон ободряюще кивнул ей — он был намерен строго придерживаться ее плана.

— Я в маленьком отеле. Он называется «Пенсионе ла Фиорентина», — ответил Лэнгдон, взглянув в окно на захудалый отель напротив, который только что показала ему Сиена. Затем он продиктовал Коллинзу адрес.

— Понял, — откликнулся тот. — Никуда не уходите. Оставайтесь в своей комнате. Скоро за вами приедут. Какой у вас номер?

Лэнгдон сказал первое, что пришло в голову:

— Тридцать девять.

— Хорошо. Дайте нам двадцать минут. — Коллинз понизил голос. — И еще, мистер Лэнгдон... я понимаю, что вы ранены и, наверное, сбиты с толку, но мне надо знать... это все еще у вас?

Это. Хотя вопрос прозвучал загадочно, Лэнгдон в то же мгновение сообразил, о чем идет речь. Его взгляд скользнул к биокапсуле на кухонном столе.

— Да, сэр. У меня.

Он услышал, как Коллинз с шумом перевел дух.

— Когда вы пропали, мы решили... честно говоря, мы уже предполагали худшее. У меня прямо камень с души упал. Итак, будьте на месте. Ждите. Двадцать минут — и к вам в дверь постучатся наши люди.

Коллинз повесил трубку.

Лэнгдон расслабился в первый раз после того, как очнулся в больнице. *В консульстве знают, что происходит, и скоро мне все объяснят.* Он закрыл глаза и медленно вздохнул, снова ощущая себя человеком. Его головная боль почти утихла.

— Прямо как в шпионском детективе, — полушутя сказала Сиена. — Вы, часом, не тайный агент?

Пока что Лэнгдон плохо представлял себе, кто он такой. Полностью потерять память о двух последних днях и оказаться в необъяснимой ситуации... в это трудно было поверить, однако вот вам, пожалуйста, — всего двадцать минут отделяли его от встречи с официальным представителем консульства США в убогой итальянской гостинице.

Что же все-таки происходит?

Он взглянул на Сиену, понимая, что вскоре их пути разойдутся, но чувствуя, что между ними еще осталось что-то недоговоренное. Ему вспомнился бородатый врач, умирающий на полу больничной палаты прямо у них на глазах.

— Сиена... — прошептал он. — Ваш друг, доктор Маркони... это ужасно.

Она вяло кивнула.

— Мне страшно жаль, что я вас в это втянул. Я знаю, что ваше положение в больнице и так достаточно шатко, а если будет расследование... — Он не закончил фразу.

— Ничего, — сказала она. — Я привыкла переезжать с места на место.

По отстраненному выражению в глазах Сиены Лэнгдон догадался, что этим утром все для нее круто изменилось. В жизни самого Лэнгдона тоже наступила полная неразбериха, однако в его душе невольно шевельнулось сочувствие к этой женщине.

Она спасла мне жизнь... а я ей погубил.

Они просидели молча целую минуту — воздух между ними наэлектризовался, словно обоим хотелось заговорить, но было нечего сказать. В конце концов, они ведь были чужие друг другу — они всего лишь проделали вместе короткий и странный путь, а теперь достигли развилки, откуда каждому предстояло идти в свою сторону.

— Сиена, — наконец нарушил тишину Лэнгдон. — Когда мы с консульством во всем разберемся... если я могу вам чем-нибудь помочь... пожалуйста, скажите.

— Спасибо, — прошептала она и отвела к окну грустный взгляд.

Минута пробегала за минутой, а Сиена Брукс рассеянно смотрела в кухонное окно и размышляла о том, куда заведет ее сегодняшний день. Каким бы ни оказалось это место, она не сомневалась, что в конце дня ее мир будет выглядеть совсем иначе.

Она понимала, что это может объясняться просто действием адреналина, но ее почему-то тянуло к этому американскому профессору. Похоже, что вдобавок к обаятельной внешности у него было на редкость доброе сердце. В какой-нибудь другой, параллельной жизни у них с Робертом Лэнгдоном даже могли бы сложиться близкие отношения...

Зачем ему такая, подумала она. *Ведь я ущербна.*

Едва она подавила этот внезапный всплеск эмоций, как ее внимание привлекло что-то за окном. Она вскочила на ноги и прижалась лицом к стеклу.

— Роберт! Смотрите!

Выглянув наружу, Лэнгдон увидел черный глянцевый мотоцикл «БМВ», который только что остановился перед отелем «Пенсионе ла Фиорентина». Мотоциклист был крепок и худощав, в шлеме и черной коже. Он ловко соскочил с седла и снял с головы блестящий черный шлем — и тут Сиена заметила, что Лэнгдон рядом с ней затаил дыхание.

Эти скрученные в шипы волосы... ошибиться было нельзя.

Женщина вынула уже знакомый им пистолет, проверила глушитель и спрятала оружие обратно во внутренний карман куртки. Потом с убийственной грацией скользнула в отель.

— Роберт! — прошептала Сиена сдавленным от страха голосом. — Правительство США только что отдало распоряжение вас убить.

Глава 13

Стоя у окна и не спуская глаз с отеля напротив, Роберт Лэнгдон старался унять панику. Туда только что вошла мотоциклистка с шипами на голове, но Лэнгдон решительно не понимал, как она раздобыла адрес.

По его жилам снова разливался адреналин, мешая ему ясно соображать.

— Мое собственное правительство распорядилось меня убить?

Сиена была изумлена не меньше.

— Роберт... Это значит, что первоначальное покушение на вас в больнице тоже было санкционировано вашим правительством. — Она встала и еще раз проверила замок на двери в квартиру. — Если консульству Соединенных Штатов дали указание вас убить, то... — Она не закончила фразу, но в этом и не было нужды. Оба и так понимали, какие чудовищные выводы из этого напрашиваются.

Что я натворил? Почему за мной охотится мое собственное правительство?!

И снова в мозгу Лэнгдона зазвучало слово, которое он бормотал, когда появился в больнице.

Зарево... зарево... зарево.

— Вам опасно здесь оставаться, — сказала Сиена. — Вернее, *нам.* — Она махнула рукой в сторону окна. — Та киллерша видела, как мы вместе убегали из больницы, и бьюсь об заклад, что ваше правительство и полиция уже пытаются меня выследить. Эту квартиру сняли не на мое имя, но рано или поздно они меня найдут. — Она переключила внимание на биокапсулу, которая так и лежала на столе. — Вы должны открыть ее. Сейчас же!

Лэнгдон вперился глазами в титановую трубочку, не видя ничего, кроме значка биологической угрозы.

— Что бы ни было спрятано внутри, — продолжала Сиена, — там может оказаться идентификационный код, или логотип агентства, или телефонный номер — хоть что-нибудь. Вам нужна информация, и мне тоже. На вашем правительстве лежит вина за гибель моего друга!

Боль в голосе Сиены заставила Лэнгдона вынырнуть из раздумий, и он кивнул, признавая ее правоту.

— Да... мне очень жаль. — Лэнгдон скривился, понимая, как убого это звучит. Затем повернулся к контейнеру на столе, гадая, какие ответы могут скрываться внутри. — Открывать эту штуку очень опасно.

Сиена ненадолго задумалась.

— То, что туда положили, наверняка хорошо защищено. Скорее всего оно в небьющейся плексигласовой пробирке. А эта биокапсула — просто внешний корпус, который обеспечивает дополнительную защиту при транспортировке.

Лэнгдон посмотрел в окно на черный мотоцикл перед отелем. Их преследовательница еще не вышла оттуда, но скоро она обнаружит, что Лэнгдона там нет. Интересно, каким будет ее следующий шаг... и много ли пройдет времени, прежде чем она начнет ломиться к ним в квартиру?

И Лэнгдон решился. Он взял титановую трубку и нехотя приложил большой палец к биометрическому датчику. Через несколько секунд капсула запищала, а потом громко щелкнула.

Прежде чем она успела замкнуться снова, Лэнгдон повернул две ее половинки в противоположных направлениях. Через четверть полного оборота капсула пискнула во второй раз, и Лэнгдон понял, что путь назад отрезан.

Вспотевшими руками он продолжал развинчивать трубку. Две половинки гладко вращались по идеально выверенной резьбе. Лэнгдон словно разбирал дорогую русскую матрешку — правда, он понятия не имел, что скрывается в ее утробе.

После пяти оборотов половинки разъединились. Набрав в грудь воздуху, Лэнгдон стал осторожно раздвигать их. Щель между ними ширилась; вскоре обнажилась пенопластовая начинка. Лэнгдон опустил ее на стол. Это была трубочка из пенопласта, слегка напоминающая игрушечный мячик для американского футбола.

Пока ничего страшного.

Лэнгдон аккуратно раскрыл пенопластовый футляр, и они наконец увидели основное содержимое капсулы. Сиена склонила голову набок. На ее лице было написано удивление.

— Ну и ну, — пробормотала она.

Лэнгдон ожидал, что внутри окажется какой-нибудь сосуд ультрасовременного вида, но предмет из биокапсулы никак не подходил под это определение. Размером с обычный шоколадный батончик, он был сделан из материала, похожего на слоновую кость, и покрыт изящной резьбой.

— Как будто старинный, — прошептала Сиена. — Может быть, это...

— Цилиндрическая печать, — сказал Лэнгдон, наконец-то вздохнув свободнее.

Изобретенные шумерами в середине четвертого тысячелетия до нашей эры, цилиндрические печати работали по принципу, известному в современной полиграфии как «интаглио». Каждая такая печать украшалась декоративными изображениями и имела продольное осевое отверстие, куда вставлялась специальная палочка. Благодаря этому ее можно было прокатывать по влажной глине, как современный малярный валик, в результате чего на мягком материале оставались повторяющиеся оттиски из символов, картинок или текстов.

Печать, которую Лэнгдон держал в руках, выглядела чрезвычайно древней и ценной, однако он совершенно не понимал, зачем кому-то понадобилось запирать ее в титановой капсуле, словно биологическое оружие.

Бережно поворачивая печать и рассматривая ее со всех сторон, Лэнгдон увидел, что на ней вырезано на редкость жуткое изображение — рогатый Дьявол с тремя головами пожирает одновременно троих человек, по одному на каждую пасть.

Очень мило.

Лэнгдон перевел взгляд на семь букв под картинкой. Как любой текст для оттиска, они были нанесены на поверхность костяного валика в зеркальном отображении, но Лэнгдон без труда прочел выведенное изящным почерком слово: SALIGIA.

Сиена прищурилась, разбирая надпись.

— Saligia?

Когда она произнесла это слово вслух, по спине у Лэнгдона пробежал холодок.

— Да, — кивнул он. — Это латинский акроним, придуманный ватиканскими священниками в Средние века, чтобы напоминать христианам о семи смертных грехах. Он состоит из начальных букв их латинских названий: superbia, avaritia, luxuria, invidia, gula, ira и acedia.

Сиена нахмурилась.

— Гордыня, алчность, похоть, зависть, чревоугодие, гнев и лень.

Этого Лэнгдон от нее не ожидал.

— Вы знаете латынь!

— Меня воспитывали католичкой. Уж я-то знаю, что такое грех.

Выдавив из себя улыбку, Лэнгдон снова переключился на печать. *Почему ее заперли в биокапсуле? Какую опасность она может в себе таить?*

— Я думала, это слоновая кость, — сказала Сиена. — Но нет, она сделана из обычной. — Она подвинула печать так, чтобы на нее падал солнечный свет, и указала на трещинки, покрывающие ее поверхность. — На слоновой кости образуется сеточка из полупрозрачных прожилок, а на обычной — узор из параллельных полосок с темными рябинками.

Лэнгдон бережно поднял печать и внимательно изучил рисунок на ней. На подлинных шумерских печатях вырезались примитивные фигурки и клинописные значки. Здесь же резьба была гораздо сложнее — средневековая, как предположил Лэнгдон. Вдобавок в этой картинке просматривалась тревожная связь с его галлюцинациями.

Сиена наблюдала за ним с заметным волнением.

— Ну что?

— Известный сюжет, — мрачно сказал Лэнгдон. — Видите, Дьявол с тремя головами пожирает людей? Это обычный для Средневековья образ — картина, которая ассоциировалась с Черной Смертью. Три ненасытные пасти терзают своих жертв так же свирепо, как чума расправлялась с европейским населением.

Сиена с опаской посмотрела на эмблему биологической угрозы.

Лэнгдону очень не нравилось, что тема чумы всплывает сегодня утром как-то уж чересчур часто, поэтому он признал ее очередное появление с явной неохотой.

— Saligia означает коллективные грехи всего человечества... которые, согласно средневековому религиозному учению...

— ...и привели к тому, что Господь покарал мир Черной Смертью, — закончила его мысль Сиена.

— Да. — Лэнгдон помедлил, на мгновение потеряв нить своих рассуждений. Он только что заметил одну особенность костяного цилиндрика, показавшуюся ему странной. Сквозь обычную цилиндрическую печать можно было посмотреть, как в подзорную трубу, но в этом случае у него ничего не получилось. *В этот цилиндр что-то вставлено.* Торец печати блеснул под упавшим на него лучом света.

— Там что-то есть, — сказал Лэнгдон. — Как будто стекло. — Он перевернул цилиндрик, чтобы взглянуть на другой его конец, и услышал, как по всей его длине что-то прокатилось, точно внутри был спрятан шарик.

Лэнгдон замер и услышал, как Сиена рядом тихонько ахнула. *Что это было, черт возьми?!*

— Вы слышали этот звук? — прошептала Сиена.

Лэнгдон кивнул и осторожно заглянул в торец цилиндра.

— Отверстие закрыто... похоже, чем-то металлическим. *Может быть, это крышечка пробирки?*

Сиена отшатнулась.

— Мы, случайно... ничего не разбили?

— Нет, вряд ли.

Он аккуратно наклонил печать еще раз, чтобы снова проверить стеклянный конец, и внутри опять что-то перекатилось. Через секунду со стеклышком в торце цилиндра произошло нечто совершенно неожиданное.

Оно слабо засветилось.

Глаза Сиены расширились от ужаса.

— Стойте, Роберт! Не шевелитесь!

Глава 14

энгдон застыл в абсолютной неподвижности, держа цилиндрик на весу и стараясь, чтобы он даже не шелохнулся. Без сомнения, стеклышко в торце испускало свет... словно они потревожили что-то внутри.

Однако этот свет очень быстро снова померк.

Взволнованно дыша, Сиена шагнула ближе. Она наклонилась над костяной трубочкой и пристально всмотрелась в темный стеклянный кружок.

— Поверните опять, — прошептала она. — Только медленно.

Лэнгдон бережно перевернул трубочку вверх ногами. Маленький предмет внутри ее снова прокатился из конца в конец и остановился.

— Давайте еще, — попросила она. — Осторожно.

Лэнгдон выполнил ее просьбу, и они опять услышали тот же характерный звук. Однако на этот раз стеклышко опять еле заметно засветилось и через миг погасло.

— Очевидно, это пробирка, — заявила Сиена. — А внутри шарик для взбалтывания.

Лэнгдон знал, что в баллончики-распылители с краской действительно иногда кладут шарики: если такой баллончик встряхнуть, его содержимое лучше перемешивается.

— Возможно, там какое-то фосфоресцирующее химическое соединение, — продолжала Сиена, — или биолюминесцентный организм, который светится, когда его стимулируют.

У Лэнгдона были другие идеи. Хотя ему доводилось пользоваться химическими фонарями и даже наблюдать свечение биолюминесцентного планктона во взбаламученной судном воде, он был почти уверен, что цилиндрик в его руке не имеет к этим феноменам никакого отношения. Он легонько повернул трубочку еще несколько раз, а когда она снова разгорелась, направил ее светящийся кончик на свою ладонь. Как он и ожидал, на его коже появился слабый красноватый отблеск.

Приятно убедиться, что даже люди с IQ за двести иногда ошибаются.

— Смотрите, — сказал Лэнгдон и принялся энергично трясти трубочку. Предмет внутри гремел, катаясь все быстрее и быстрее.

Сиена отскочила назад.

— Что вы делаете?!

Продолжая трясти трубочку, Лэнгдон подошел к выключателю и нажал его. Кухня погрузилась в относительную темноту.

— Нет там никакой пробирки, — сказал он, по-прежнему тряся трубочку изо всех сил. — Это Фарадеева указка.

Один из учеников Лэнгдона как-то подарил ему подобную штучку — лазерную указку для преподавателей, которым не нравится постоянно менять батарейки и не жалко несколько раз встряхнуть устройство, чтобы преобразовать свою собственную кинетическую энергию в необходимую порцию электричества. Когда такую указку приводят в движение, металлический шарик внутри ее скользит туда-сюда по ряду маленьких лопастей и заряжает крошечный генератор. Очевидно, кто-то решил засунуть Фарадееву указку в пустую костяную трубку, украшенную резьбой, — иначе говоря, одеть в древний панцирь современную электрическую игрушку.

Кончик указки в руке Лэнгдона уже разгорелся как следует, и он невесело ухмыльнулся Сиене:

— Кино начинается!

Он направил указку в костяном футляре на голый участок кухонной стены. Когда стена осветилась, Сиена тихонько ахнула. Однако самого Лэнгдона увиденное изумило еще больше — настолько, что он невольно отпрянул.

На стене появилась не маленькая красная точка, след лазерного луча, а четкая фотография с высоким разрешением, как будто у Лэнгдона в руках была не костяная трубочка, а старомодный диапроектор.

Господи Боже! Лэнгдон рассматривал жуткую сцену, возникшую на стене перед его глазами, и по спине у него ползли мурашки. *Неудивительно, что мне мерещились горы трупов!*

Рядом с ним Сиена прикрыла рот ладонью и завороженно шагнула вперед.

Костяная трубка воспроизвела на стене перед ними написанную маслом картину человеческих страданий — тысячи душ, которые подвергались ужасным пыткам на разных уровнях ада. Преисподняя была изображена в вертикальном разрезе как гигантская воронкообразная яма, уходящая в недра земли на неизмеримую глубину. Эта адская яма делилась на круговые террасы — чем глубже, тем страшнее, — и на этих нисходящих уровнях мучились грешники всех мыслимых разновидностей.

Лэнгдон мгновенно узнал эту картину.

Возникший перед ним шедевр, «La Mappa dell'Inferno», был написан одним из колоссов итальянского Возрождения — Сандро Боттичелли. Этот подробный, изобилующий деталями план преисподней — «Карта ада» — являл собой одно из самых устрашающих изображений загробной жизни, когда-либо созданных человеком. Даже в наши дни людей не могла не поражать эта мрачная картина с ее жуткими образами. При сотворении «Карты ада» автор ярких и жизнерадостных «Весны» и «Рождения Венеры» ограничился суровой палитрой из оттенков красного, коричневого и сепии.

Свирепая головная боль Лэнгдона внезапно возобновилась, но впервые после пробуждения в незнакомой больнице он почувствовал, что хотя бы один кусочек головоломки встал на свое место. Очевидно, его дикие галлюцинации были вызваны лицезрением этой знаменитой картины.

Должно быть, я долго разглядывал «Карту ада» Боттичелли, подумал он. *Но зачем мне это понадобилось?*

Хотя картина была угнетающей сама по себе, еще большую тревогу вызывало у Лэнгдона ее происхождение. Он прекрасно знал, что запечатленные на ней зловещие сцены порождены не фантазией самого Боттичелли... а воображением другого гения, жившего за две сотни лет до него.

Одно великое произведение искусства породило другое.

На создание «Карты ада» Боттичелли вдохновил поэтический шедевр четырнадцатого века — одно из самых прославленных литературных сочинений... грозное и величественное видение, которое и поныне не потеряло способности глубоко волновать людские души.

«Ад» Данте.

А на противоположной стороне улицы Вайента тихо поднялась по служебной лестнице и осторожно выбралась на плоскую крышу маленького сонного «Пенсионе ла Фиорентина». Лэнгдон назначил сотруднику консульства свидание в несуществующем номере — как это называлось в ее ремесле, «зеркальную встречу». Это была обычная уловка тайных агентов — благодаря ей они могли оценить ситуацию, не выдавая своего подлинного местонахождения. При этом фальшивое, или «зеркальное», место встречи неизменно выбиралось так, чтобы его было хорошо видно оттуда, где агент находился на самом деле.

Вайента отыскала на крыше скрытую точку обзора, из которой хорошо просматривались все окрестности. Вскоре ее пытливый взгляд остановился на многоквартирном доме напротив.

Ваш ход, мистер Лэнгдон.

В этот же момент на борту «Мендация» шеф ступил на палубу из красного дерева и вдохнул полной грудью, наслаждаясь солоноватым воздухом Адриатики. Это судно служило ему домом уже не один год, но теперь цепочка неожиданных событий во Флоренции угрожала разрушить все, что он построил.

Вайента, его лучший оперативный агент, поставила под удар всю его империю, и хотя после выполнения задания ей предстояло отвечать за свою халатность, пока что шеф еще нуждался в ее услугах.

Очень советую ей поскорее расхлебать эту кашу.

Услышав чьи-то быстрые шаги, шеф обернулся и увидел, что к нему спешит его сотрудница, одна из аналитиков.

— Сэр! — запыхавшись, выпалила она. — К нам поступила новая информация. — Ее голос звенел в утреннем воздухе с необычным напором. — Похоже, Роберт Лэнгдон только что зашел на свою гарвардскую почту с незамаскированного IP-адреса. — Она помедлила, глядя шефу прямо в глаза. — Благодаря этому мы установили точное местонахождение объекта.

Шеф поразился тому, что Лэнгдон проявил такую неосторожность. *Это совершенно меняет дело.* Он задумчиво сложил пальцы домиком и устремил взгляд на побережье.

— Вам известно, где сейчас люди из ПНР?

— Да, сэр. Меньше чем в трех километрах от места, где находится Лэнгдон.

Шефу понадобились считанные секунды, чтобы принять решение.

Глава 15

nferno di Dante*, — прошептала Сиена, машинально придвигаясь поближе к жуткому изображению преисподней на стене кухни.

Дантово представление об аде, подумал Лэнгдон, *воплощенное с изумительной наглядностью.*

Признанный одним из самых гениальных литературных шедевров, «Ад» был первой из трех книг в составе «Божественной комедии» Данте Алигьери — эпической поэмы из 14 233 строк, в которой рассказывалось, как автор спустился в мрачную преисподнюю, прошел через чистилище и наконец поднялся в рай. Из трех частей «Комедии» — «Ада», «Чистилища» и «Рая» — в мире больше всего читали и лучше всего знали именно первую, чье название звучало по-итальянски как «Инферно».

Созданный Данте в начале 1300-х годов, «Ад» буквально перевернул все средневековые представления о посмертных карах. Никогда прежде адские муки не овладевали помыслами такого количества людей. Творение Данте одним махом превратило абстрактную идею ада в яркую и устрашающую картину — зримую, осязаемую и незабываемую. Неудивительно, что после обнародования поэмы в католические церкви потоком хлынули перепуганные грешники, ищущие спасения от той участи, которой грозил им новый образ подземного мира.

Боттичелли изобразил Дантов ад в виде глубокой воронки, где мучились про́клятые души, — в виде гигантской подземной каверны с пламенем, серой, нечистотами, чудовищами и грозным Сатаной, поджидающим свои жертвы в самом низу. Эта яма имела

---

*   Ад Данте (*ит.*).

девять четко определенных уровней — девять кругов ада, — и грешники распределялись по ним в соответствии с тяжестью своих грехов. Верхнюю часть населяли сладострастники, или те, «кто предал разум власти вожделений», — их без конца носило туда-сюда бушующим ветром, символом их неспособности укротить свои желания. Под ними находились чревоугодники — они лежали лицом вниз в нечистотах, отходах своей неумеренности. Еще ниже располагались еретики, обреченные на вечные муки в раскаленных гробах. Так оно и шло... чем дальше, тем ужаснее.

За семь веков, протекших после ее создания, эта грандиозная картина Дантова ада вдохновляла многих величайших творцов в истории — они восхищались ею, переводили итальянский оригинал на другие языки и сочиняли вариации на его тему. Лонгфелло, Чосер, Маркс, Мильтон, Бальзак, Борхес и даже несколько римских пап — все они написали произведения, основанные на дантовском «Аде». Монтеверди, Лист, Вагнер, Чайковский и Пуччини положили этот шедевр в основу своих музыкальных сочинений, а если говорить о нашем времени, то же самое сделала одна из любимых исполнительниц Лэнгдона — Лорина Маккеннитт. Даже создатели современных видеоигр и приложений для айпада, и те без устали эксплуатировали наследие Данте.

Стремясь приобщить своих студентов к миру Данте, до предела насыщенному яркими и запоминающимися символами, Лэнгдон иногда читал специальный курс лекций о созданных гениальным итальянцем образах, которые на протяжении веков не раз встречались во вдохновленных им сочинениях.

— Роберт! — воскликнула Сиена, придвигаясь поближе к проекции на стене. — Вы только посмотрите сюда! — И она показала на место в нижней части воронкообразного ада.

Область, на которую она показывала, называлась «Злые Щели». Этот предпоследний, восьмой круг ада был разделен на десять рвов — каждый для обманщиков определенного типа.

Сиена заговорила еще более взволнованно:

— Смотрите! Разве не это вы видели в своих галлюцинациях?

Лэнгдон прищурился, вглядываясь туда, куда указывала Сиена, но не мог ничего разобрать. Крошечный проектор почти израсходовал весь свой запас энергии, и изображение стало гаснуть. Лэнгдон снова принялся трясти костяную трубочку, а когда стеклянный глазок как следует разгорелся, аккуратно пристроил ее на угол стола у другой стены маленькой кухни, так что изображение стало еще крупнее. Потом он подошел к Сиене и, отступив чуть в сторону от луча, стал разглядывать светящуюся карту.

Сиена опять указала на восьмой круг ада.

— Вот здесь! Разве вы не говорили, что видели торчащие из земли ноги с буквой «R»? — Она коснулась стены. — Уж не эти ли?

Лэнгдон много раз изучал эту картину, и для него не было новостью, что десятая из Злых Щелей полна грешников, закопанных по пояс вниз головой. Но вот странно — в *этой* ее версии на одной паре торчащих из-под земли ног действительно была выведена грязью буква «R», в точности как в его бреду.

Боже мой! Лэнгдон еще пристальнее вгляделся в крошечную деталь.

— Эта буква... Я абсолютно уверен, что на оригинале Боттичелли ее нет!

— А вот еще, — сказала Сиена.

Переведя глаза вслед за ее пальцем на предыдущий ров в том же кругу ада, Лэнгдон увидел, что на лжепророке со свернутой шеей нацарапана буква «E».

Что за чудеса? Картину кто-то изменил!

Теперь он заметил, что буквы нарисованы на грешниках в каждом из десяти рвов. Он увидел «C» на соблазнителе, которого бесы стегали кнутами... еще одно «R» на воре, которого жалили змеи... «A» на мздоимце, погруженном в озеро кипящей смолы.

— Ни одной из этих букв на оригинале не было, — твердо заявил Лэнгдон. — В эту копию внесли изменения — думаю, с помощью цифрового монтажа.

Он вернулся взглядом к самой верхней из Злых Щелей и начал читать буквы подряд, сверху вниз.

C...A...T...R...O...V...A...C...E...R

— Catrovacer, — сказал Лэнгдон. — Это по-итальянски?

Сиена покачала головой:

— И не по-латыни. Не понимаю, на каком языке.

— А может... подпись?

— Catrovacer? — с сомнением повторила Сьена. — Что-то не похоже на имя. Но посмотрите сюда. — И она ткнула пальцем в одну из множества фигур в третьей из Злых Щелей.

Когда Лэнгдон увидел, на кого она указывает, в животе у него похолодело. Среди грешников, теснящихся в третьем рву, выделялся классический персонаж Средневековья — закутанный в плащ человек в маске с длинным птичьим клювом и мертвыми глазами.

Чумная маска.

— Есть ли чумной доктор на оригинале Боттичелли? — спросила Сиена.

— Совершенно точно нет. Эту фигуру добавили.

— И еще одно. Подписывал ли Боттичелли свою картину?

Этого Лэнгдон не помнил, но, взглянув на нижний правый угол изображения, где полагалось быть подписи, он сообразил, почему она спрашивает. Подписи там не было, но зато вдоль темно-коричневой границы «Карты ада» тянулась выведенная крошечными печатными буквами строка: «la verità é visibile solo attraverso gli occhi della morte».

Лэнгдон достаточно хорошо знал итальянский, чтобы уловить смысл.

— «Истину можно увидеть только глазами смерти»?

Сиена кивнула.

— Странно.

Они замолчали, стоя бок о бок и глядя, как зловещая картина перед ними потихоньку тускнеет. *Дантов «Ад»,* подумал Лэнгдон. *С 1330 года он вдохновлял художников на мрачные пророчества.*

В лекциях, посвященных Данте, Лэнгдон рассказывал о целом ряде блестящих произведений искусства, созданных по мотивам его «Ада». Помимо прославленной картины Боттичелли, были еще бессмертная роденовская скульптура «Три тени» из «Врат ада»... иллюстрация Страдануса, где челн Флегия пересекает Стигийское болото с тонущими в нем грешниками... сладострастники Уильяма Блейка, гонимые вечным вихрем... полное странного эротизма видение Бугеро, где Данте и Вергилий наблюдают за двумя обнаженными борцами... грешные души Байроса, съежившиеся под градом раскаленных камней и огненных капель... серия причудливых гравюр на дереве и акварелей Сальвадора Дали... и, наконец, огромная коллекция гравюр Доре, где было изображено все, от ведущего в ад туннеля до самого крылатого Сатаны.

Теперь оказалось, что Дантов поэтический образ ада повлиял не только на заслуженно почитаемых человечеством художников. Складывалось впечатление, что он вдохновил еще одну личность — неизвестного с извращенной психикой, который изменил знаменитую картину Боттичелли с помощью цифровых методов, добавив в нее десяток букв, чумного доктора и зловещую фразу о том, что истину можно увидеть лишь глазами смерти. Затем этот художник сохранил полученное изображение в проекторе новейшего типа и спрятал его в причудливый резной футляр.

Лэнгдон не представлял себе, кто мог создать такой артефакт, однако в настоящий момент этот вопрос выглядел второстепенным по сравнению с другим, беспокоившим его гораздо больше.

Почему, черт побери, эта штука оказалась у меня в кармане?

Стоя на кухне рядом с Лэнгдоном и размышляя, что делать дальше, Сиена неожиданно услышала рев мощного двигателя. Затем отрывисто проскрежетали по асфальту покрышки и захлопали дверцы.

Озадаченная, Сиена поспешила к окну и выглянула на улицу.

Перед ее домом только что затормозил черный фургон без опознавательных знаков. Из него высыпалась вереница людей, одетых в черную форму с круглой зеленой нашивкой на левом плече. Они сжимали в руках автоматические винтовки и двигались с неумолимостью запрограммированной боевой машины. Четверо из них сразу же кинулись ко входу в дом.

У Сиены кровь застыла в жилах.

— Роберт! — крикнула она. — Не знаю, кто это, но они нас нашли!

Внизу, на улице, агент Кристоф Брюдер выкрикивал команды своим бросившимся в дом подчиненным. Армейское прошлое приучило этого крепко сбитого человека бесстрастно выполнять свой долг и уважать вышестоящее начальство. Он знал свою задачу и знал, насколько высоки ставки.

Организация, в которой он работал, имела много подразделений, но подразделение Брюдера — оно называлось Службой поддержки по надзору и реагированию, или просто ПНР, — начинало действовать только тогда, когда ситуация становилась критической.

Когда его люди один за другим исчезли в подъезде, Брюдер встал в дверях, вынул рацию и связался со своим руководителем.

— Это Брюдер, — сказал он. — Нам удалось выследить Лэнгдона по компьютерному IP-адресу. Группа приступила к операции захвата. Я сообщу, когда мы его возьмем.

Высоко над мостовой, на плоской крыше «Пенсионе ла Фиорентина», Вайента в ужасе, не веря своим глазам, наблюдала за тем, как агенты врываются в здание напротив отеля.

Какого черта они тут делают?!

Она провела рукой по своим шипам, внезапно осознав, какие кошмарные последствия может иметь ее вчерашняя неудача. Стоило какому-то голубю проворковать не вовремя, как все полетело кувырком. То, что поначалу казалось самым рядовым заданием... вдруг превратилось в настоящий кошмар.

Если уж ПНР здесь, тогда для меня все кончено.

Вайента в отчаянии выхватила телефон и позвонила шефу.

— Сэр! — крикнула она, заикаясь от волнения. — Сюда прибыла ПНР! Люди Брюдера наводнили здание напротив!

Она ждала ответа, но слышала только резкие щелчки на линии. Затем электронный голос спокойно объявил: «Процедура отстранения начата».

Вайента опустила телефон как раз в тот момент, когда на экране появилось сообщение, что связь прервана. Щеки у нее похолодели, но она заставила себя принять случившееся. Консорциум только что разорвал с ней всякие отношения.

Никаких связей. Никаких следов.

Меня отстранили.

Потрясение длилось лишь один миг.

Затем его сменил страх.

Глава 16

корее, Роберт! — торопила Сиена. — За мной!

Когда Лэнгдон выскочил из квартиры в общий коридор, его мысли все еще были заняты мрачными образами дантовской преисподней. До этой секунды Сиена переносила выпавшие на их долю испытания с каким-то отрешенным спокойствием, но теперь в ее голосе звенело напряжение, говорящее о том, что и она может испугаться по-настоящему.

В коридоре Сиена бросилась прямо вперед, мимо лифта, который уже спускался, — очевидно, его вызвали те, кто только что ворвался в вестибюль. Добежав до конца коридора и даже не оглянувшись, она скрылась на лестнице.

Лэнгдон мчался за ней по пятам, скользя на гладких подошвах позаимствованных у соседа туфель. Крошечный проектор в нагрудном кармане пиджака от Бриони подпрыгивал, стуча его по груди. В голове по-прежнему крутились странные буквы из восьмого круга ада: CATROVACER. Он вспомнил чумную маску и загадочную подпись: *истину можно увидеть только глазами смерти.*

Лэнгдон пытался связать эти разнородные факты воедино, но пока ничего путного на ум не приходило. Когда он наконец выскочил на лестничную площадку, Сиена стояла там, настороженно прислушиваясь. Снизу доносился отчетливый топот.

— Есть другой выход? — прошептал Лэнгдон.

— Пошли, — отрывисто бросила она.

Сегодня Сиена уже однажды спасла Лэнгдону жизнь, и теперь ему ничего не оставалось, кроме как довериться ей снова. Переведя дух, он побежал за ней вниз по ступеням.

Они спустились на один этаж, и топот под ними стал гораздо ближе — теперь их отделяли от людей в черной форме всего три-четыре лестничных марша.

Почему она бежит прямо на них?

Прежде чем Лэнгдон успел возразить, Сиена схватила его за руку и вытащила с лестницы в длинный пустой коридор между двумя рядами запертых дверей.

Здесь же негде спрятаться!

Сиена щелкнула выключателем, и несколько лампочек погасли, но это мало что давало: беглецов было прекрасно видно и при слабом естественном освещении. Шаги грохотали уже совсем близко, и Лэнгдон понимал, что их преследователи вот-вот появятся на площадке, откуда хорошо просматривался весь коридор.

— Мне нужен ваш пиджак, — прошептала Сиена, срывая с Лэнгдона этот предмет одежды. Потом она заставила его присесть за собой на корточки в небольшой нише перед запертой дверью. — Сидите тихо!

Что она делает? Она же на самом виду!

На лестнице появились люди в форме — они бежали наверх, но остановились, увидев Сиену в полутемном коридоре.

— Per l'amore di Dio! — пронзительно завопила на них Сиена. — Cos'è questa confusione? — *Бога ради! Почему вы так шумите?*

Двое бежавших прищурились, явно не понимая, кто к ним обращается. А Сиена продолжала злобно кричать:

— Tanto chiasso a quest'ora! — *Столько шуму в такой час!*

Только сейчас Лэнгдон заметил, что Сиена накинула его черный пиджак себе на голову и плечи, как старушечью шаль. Она сгорбилась, встав так, чтобы прикрыть собой скрючившегося в тени Лэнгдона, и шагнула к ним на дрожащих ногах, продолжая вопить, точно выжившая из ума старуха.

Один из агентов поднял руку, показывая, что ей надо вернуться в квартиру:

— Signora! Rientri subito in casa!

Сиена сделала еще один неуверенный шаг и сердито потрясла кулаком:

— Avete svegliato mio marito, che è malato!

Лэнгдон слушал ее в изумлении. *Они потревожили ее больного мужа?*

Другой агент, в свою очередь, поднял винтовку и навел ее на Сиену.

— Ferma o sparo! — *Стой, или буду стрелять!*

Сиена остановилась, а потом заковыляла назад, кляня их на чем свет стоит.

Агенты бросились дальше по лестнице и скрылись из виду.

Конечно, не шекспировская постановка, подумал Лэнгдон, *но впечатляет. Похоже, театральное прошлое может очень пригодиться в жизни.*

Сняв с головы пиджак, Сиена швырнула его обратно Лэнгдону.

— Ладно, идемте.

На этот раз он послушался без промедления.

Они спустились на площадку над вестибюлем и увидели внизу еще двоих агентов, которые как раз заходили в лифт, чтобы ехать наверх. Снаружи, на улице, дежурил у фургона еще один — черная форма плотно обтягивала его мускулистую фигуру. Не обменявшись ни словом, Сиена с Лэнгдоном поспешили дальше, на цокольный этаж.

На подземной стоянке было темно и воняло мочой. Сиена рысцой промчалась в угол, забитый мотоциклами и мотороллерами. Она остановилась у серебристого трайка — трехколесного мопеда, который выглядел как неуклюжий отпрыск итальянской «веспы» и взрослого трехколесного велосипеда. Сунув свою изящную руку под переднее крыло, она вынула оттуда маленький магнитный футлярчик. Внутри оказался ключ; она вставила его в зажигание и запустила двигатель.

Через несколько секунд Лэнгдон уже сидел на мопеде за ее спиной. Кое-как угнездившись на маленьком седле, он принялся шарить руками по сторонам, ища, за что бы ухватиться.

— Сейчас не до приличий, — сказала Сиена, хватая его за руки и кладя их на свою стройную талию. — Держитесь крепче!

Лэнгдон последовал ее совету — и вовремя, потому что трайк буквально взлетел по пандусу. Его мотор оказался мощнее, чем думал Лэнгдон, и, выскочив из гаража в утренние сумерки, они едва не оторвались от земли. Главный вход был метрах в пятидесяти от них, и крепкий агент у фургона тут же обернулся и увидел, как беглецы уносятся прочь. Сиена еще поддала газу, и вой мотора перешел в тонкий визг.

Сидя за спиной Сиены, Лэнгдон оглянулся на агента — тот вскинул оружие и тщательно целился в них. Лэнгдон невольно съежился. Раздался одиночный выстрел, и пуля отскочила от заднего крыла трайка, едва не угодив Лэнгдону в поясницу.

Господи Боже!

На перекрестке Сиена резко свернула влево, и Лэнгдон чуть не соскользнул с седла, в последний миг успев удержать равновесие.

— Прижмитесь ко мне! — крикнула она.

Лэнгдон подался вперед, примащиваясь поровнее. Они по-прежнему мчались на полной скорости, теперь уже по улице пошире. Только через целый квартал он кое-как отдышался.

Что это за боевики, черт возьми?!

Сиена сосредоточила все внимание на дороге; с утра она была еще почти пуста, но случайные машины все же приходилось объезжать. Редкие прохожие смотрели им вслед, явно озадаченные видом рослого мужчины в костюме от Бриони, сидящего *позади* грациозной девушки.

Лэнгдон и Сиена проехали три квартала и приближались к крупному перекрестку, но тут впереди взвыла сирена. Из-за угла на двух колесах вылетел узкий черный фургон; еле вписавшись в поворот, он добавил скорости и помчался прямо на них. Он выглядел в точности как тот, что доставил к их дому группу людей в черном.

Сиена вильнула вправо и ударила по тормозам. Потом резко остановилась, спрятавшись за припаркованным к тротуару грузовиком, и Лэнгдон ткнулся в нее грудью. Подогнав трайк вплотную к заднему бамперу грузовика, она выключила двигатель.

Видели они нас или нет?

Беглецы съежились и замерли... затаив дыхание.

Фургон пронесся мимо, не сбавляя скорости, — очевидно, их не заметили. Однако, проводив его взглядом, Лэнгдон успел мельком увидеть тех, кто был внутри.

На заднем сиденье, зажатая между двумя бойцами, как пленница, ехала пожилая, но очень красивая женщина. Ее глаза закатывались, а голова болталась, словно ей было плохо или ее опоили снотворным. На груди у нее висел амулет, а длинные серебристые волосы локонами спускались на плечи.

На миг у Лэнгдона перехватило дух, как будто перед ним предстал призрак.

Это была незнакомка из его видения.

Глава 17

Шеф стремительно вышел из центра управления и зашагал по правому борту «Мендация», пытаясь взять себя в руки. То, что сейчас обнаружилось в жилом доме во Флоренции, было просто немыслимо.

Он дважды обошел весь свой большой корабль, после чего вернулся в кабинет и достал из шкафчика бутылку односолодового виски «Хайленд парк» пятидесятилетней выдержки. Не раскупорив бутылку, он поставил ее на стол и повернулся к нему спиной — это был хороший способ убедиться в том, что он и теперь прекрасно себя контролирует.

Его взгляд инстинктивно скользнул к тяжелому потрепанному тому на книжной полке — подарку клиента... того самого, с которым ему лучше было бы никогда не встречаться.

Год тому назад... но откуда мне было знать?

Обычно шеф не вступал в прямые контакты с потенциальными клиентами, однако сведения об этом человеке поступили из очень надежного источника, и шеф сделал для него исключение.

Когда клиент впервые прибыл на борт «Мендация» на своем личном вертолете, на море царил мертвый штиль. Гостю, крупному авторитету в своей области, недавно исполнилось сорок шесть — он был подтянут, необычно высокого роста, с пронзительным взглядом зеленых глаз.

— Как вам известно, — начал он, — мне посоветовал воспользоваться вашими услугами наш общий друг. — Гость вытянул свои длинные ноги, явно чувствуя себя в роскошном кабинете шефа как дома. — С вашего разрешения я расскажу, что мне нужно.

— Я предпочел бы его не давать, — прервал посетителя шеф, сразу демонстрируя ему, кто здесь главный. — Согласно нашим правилам, вы ничего не должны мне рассказывать. Я сам объясню, какие услуги мы предоставляем, а вы решите, устраивает вас это или нет.

Гость слегка растерялся, но не стал возражать и внимательно все выслушал. Под конец обнаружилось, что желание долговязого новичка не представляет для Консорциума ровным счетом ничего необычного: он хотел всего лишь на некоторое время «стать невидимкой», чтобы заниматься своим делом втайне от любопытных глаз.

Детские игры.

Консорциум брался выполнить желаемое, предоставив клиенту поддельные документы и абсолютно надежное, безопасное убежище, где он мог бы делать свою работу — какой бы характер она ни носила — в обстановке полной секретности. Консорциум никогда не пытался выяснить, какие цели преследуют его клиенты, предпочитая знать о тех, кому он оказывает услуги, как можно меньше.

За весьма солидное вознаграждение шеф целый год обеспечивал своему зеленоглазому гостю, который оказался идеальным клиентом, тихую гавань. Шеф не имел с ним никаких контактов, и все выставленные Консорциумом счета оплачивались вовремя.

Затем, две недели назад, все круто изменилось.

Неожиданно клиент сам вышел на связь и потребовал личной встречи с шефом. С учетом того, какие суммы от него поступали, отказать ему было неудобно.

В неопрятном взъерошенном человеке, появившемся на яхте, едва можно было признать того спокойного подтянутого визитера, с которым шеф заключил сделку в прошлом году. Его зеленые глаза, когда-то проницательные, теперь смотрели дико. Он выглядел почти больным.

Что с ним случилось? Чем он занимался?

Шеф пригласил тревожно озирающегося гостя к себе в кабинет.

— Эта сребоволосая дьяволица, — пробормотал тот. — Она с каждым днем подбирается все ближе.

Шеф раскрыл папку с делом клиента и кинул взгляд на фотографию привлекательной женщины с серебристыми волосами.

— Да-да, — сказал он. — Сребоволосая дьяволица. Мы прекрасно знаем всех ваших врагов. Несмотря на ее могущество, мы целый год не подпускали ее к вам и впредь намерены делать то же самое.

Зеленоглазый беспокойно накручивал на пальцы сальные пряди своих длинных волос.

— Только не дайте ей себя одурачить. Хоть она и красива, но враг очень опасный.

Знаю, подумал шеф, по-прежнему недовольный тем, что его клиент привлек внимание столь влиятельной персоны. Женщина с серебристыми волосами располагала огромными ресурсами и могла получить доступ практически куда угодно, а необходимость бороться с такими противниками шефа отнюдь не радовала.

— Если она или ее бесы меня обнаружат... — начал клиент.

— Не обнаружат, — уверил его шеф. — Разве до сих пор мы не прятали вас и не обеспечивали всем, что вам требовалось?

— Да, это так, — признал гость. — И все-таки я буду спать крепче, если... — Он помедлил, собираясь с мыслями. — Скажите, если со мной что-нибудь случится, вы выполните мои последние желания?

— А именно?

Клиент сунул руку в сумку и достал оттуда запечатанный конвертик.

— В этом конверте номер депозитной ячейки в одном флорентийском банке и код к ней. Там вы найдете один маленький предмет. Если со мной что-нибудь случится, вы доставите его по назначению. Это своего рода подарок.

— Очень хорошо. — Шеф взял ручку, чтобы делать заметки. — И кому его следует доставить?

— Среброволосой дьяволице.

Шеф бросил на него быстрый взгляд.

— Подарок вашей мучительнице?

— Скорее, терновый шип ей в бок. — Его глаза блеснули яростью. — Изящная маленькая колючка, выточенная из кости. Она обнаружит в ней карту... своего личного Вергилия... и отправится с ним в самое сердце своего личного ада.

Шеф пристально посмотрел на него.

— Как вам угодно, — произнес он после долгой паузы. — Считайте, что мы договорились.

— Но все важно сделать вовремя, — с волнением в голосе сказал гость. — Этот подарок нельзя отправлять слишком рано. Вы должны беречь его до... — Он умолк, вдруг о чем-то задумавшись.

— До?.. — поторопил его шеф.

Внезапно клиент вскочил, обогнул стол шефа, схватил красный маркер и судорожно обвел им число на настольном календаре.

— Вот до этого дня.

Шеф поджал губы и втянул носом воздух, проглотив раздражение, вызванное этим бесцеремонным поступком.

— Понятно, — сказал он. — Я сохраняю бездействие вплоть до отмеченного дня, после чего отправляю предмет, хранящийся в банковском сейфе, этой среброволосой. Можете на меня положиться. — Он сосчитал по календарю дни до неуклюже обведенной даты. — Я выполню ваше желание ровно через четырнадцать дней, считая с сегодняшнего.

— И ни на день раньше! — лихорадочно воскликнул зеленоглазый.

— Понимаю, — успокоил его шеф. — Ни на день раньше.

Шеф взял конверт, вложил его в папку и сделал необходимые заметки, гарантирующие точное выполнение распоряжений клиента. Его вполне устраивало, что клиент не объяснил, какой именно предмет хранится в банке. Отсутствие интереса к ненужным деталям было краеугольным камнем практической философии Консорциума. *Выполняй обещанное. Не задавай лишних вопросов. А главное — никого не суди.*

Плечи гостя обмякли, и он тяжело перевел дух.

— Спасибо.

— Что-нибудь еще? — спросил шеф. Ему не терпелось избавиться от своего преобразившегося клиента.

— Честно говоря, да. — Он извлек из кармана маленькую ярко-красную флешку. — Здесь записан видеофайл. — Он положил флешку перед шефом. — Мне хотелось бы, чтобы вы разослали его в новостные агентства всего мира.

Шеф с любопытством посмотрел на собеседника. Консорциум нередко распространял информацию по указанию своих клиентов, однако в просьбе этого человека было что-то настораживающее.

— В тот же день? — спросил он, кивая на свой календарь.

— Да, в тот же самый, — ответил клиент. — И ни минутой раньше.

— Понятно. — Шеф снабдил красную флешку ярлычком с необходимыми инструкциями. — Итак, это все?

Он встал, надеясь завершить встречу. Но клиент остался сидеть.

— Нет. Есть еще одно, последнее.

Шеф снова опустился в кресло.

Зеленые глаза клиента вспыхнули зловещим блеском.

— Вскоре после того, как вы обнародуете это видео, я стану очень известным человеком.

Кажется, ты уже известный человек, подумал шеф, вспомнив о впечатляющих достижениях своего гостя.

— В этом есть и ваша заслуга, — продолжал тот. — С вашей помощью мне удалось сотворить шедевр... который изменит весь мир. Вы можете гордиться своей ролью.

— Каким бы ни был ваш шедевр, — ответил шеф, подавляя нетерпение, — я рад, что вы получили возможность создать его без помех.

— В знак благодарности я хочу вручить вам прощальный подарок. — Растрепанный гость опять полез в сумку и вынул оттуда толстую книгу. — Держите.

Интересно, подумал шеф, *уж не над этим ли ты тайно трудился весь последний год?*

— Вы сами ее написали?

— Нет. — Гость положил увесистый том на стол. — Совсем наоборот... она была написана *для меня*.

Шеф озадаченно посмотрел на книгу. Он считает, что это написано для него? Но ведь это классическое сочинение четырнадцатого века!

— Прочтите ее, — сказал гость с жутковатой усмешкой. — Она поможет вам понять то, что я сделал.

После этих слов неопрятный гость встал, распрощался и неожиданно быстро ушел. В окно кабинета шефу было видно, как его вертолет снялся с палубы и взял курс обратно на побережье Италии.

Затем шеф снова переключил внимание на толстую книгу в кожаном переплете. Нерешительно раскрыв ее, он отыскал начало основного текста. Первые строки были набраны крупным шрифтом и занимали целую страницу:

АД
Земную жизнь пройдя до половины,
Я очутился в сумрачном лесу,
Утратив правый путь во тьме долины.

На противоположной странице его клиент написал от руки:

Дорогой друг! Спасибо, что помогли мне найти правильный путь.
Мир тоже вам благодарен.

Шеф понятия не имел, что это значит, но с него было довольно. Он закрыл книгу и убрал на полку. Слава Богу, деловое сотрудничество с этим странным типом скоро закончится. *Еще четырнадцать дней*, подумал шеф, переведя взгляд на криво обведенную дату на своем календаре.

В последующие дни шеф вспоминал о зеленоглазом клиенте с необычной для себя нервозностью. Похоже, парень свихнулся. Однако, несмотря на его дурные предчувствия, ничего экстраординарного не происходило.

Затем, как раз накануне отмеченной даты, во Флоренции произошли сразу несколько трагических событий. Шеф пытался справиться с кризисом, однако ситуация быстро вырвалась из-под контроля. Кризис достиг кульминации, когда его клиент, задыхаясь, взобрался на самый верх башни Бадия.

Он бросился с нее... навстречу гибели.

Потерять клиента — особенно таким образом — было ужасно, но шеф остался человеком слова. Он тут же начал подготовку к тому, чтобы выполнить последнее обещание, данное покойному: отправить женщине с серебристыми волосами содержимое банковской ячейки во Флоренции, позаботившись о том, чтобы она получила его точно в назначенный срок.

Ни в коем случае не раньше даты, помеченной в календаре.

Шеф отдал конверт с кодом ячейки Вайенте, и та отправилась во Флоренцию, чтобы забрать из сейфа нужный предмет — ту самую «изящную маленькую колючку». Однако с первым же звонком от Вайенты поступили неожиданные и крайне тревожные вести. Сейф уже очистили от содержимого, а Вайента едва ушла от полиции. Каким-то путем женщина с серебристыми волосами узнала нужный шифр и пустила в ход свое влияние, чтобы получить доступ к банковской ячейке, а заодно и ордер на арест любого, кто попытается ее открыть.

Это было три дня тому назад.

Клиент явно хотел, чтобы похищенный предмет стал последним оскорблением в адрес его среброволосой противницы — ядовитой насмешкой из могилы.

Но эта насмешка прозвучала чересчур рано.

С тех пор в Консорциуме царила лихорадочная суета: ради того, чтобы соблюсти последнюю волю клиента и защитить от неприятностей саму организацию, использовались все ресурсы. По ходу дела Консорциум пересек несколько опасных рубежей, и шеф понимал, что вернуться обратно будет непросто. Теперь, когда во Флоренции назревала развязка, он сидел, упершись взглядом в стол, и гадал, что готовит им будущее.

А с календаря на него пялился кружок, криво нацарапанный безумной рукой, — красный завиток, отмечающий какую-то важную для погибшего дату.

Завтра.

Глаза шефа сами собой нашли на столе бутылку виски. Затем, впервые за четырнадцать лет, он налил себе стопку и осушил ее одним глотком.

Внизу, в недрах корабля, старший координатор Лоренс Ноултон вынул маленькую красную флешку из разъема компьютера и положил ее перед собой. Таких странных записей он не видел еще никогда в жизни.

Ее просмотр занимал ровно девять минут... с точностью до секунды.

Непривычно взволнованный, координатор встал и принялся мерить шагами крохотную кабинку, снова и снова задавая себе один и тот же вопрос: стоит ли показывать это странное видео шефу?

Просто делай свою работу, сказал себе Ноултон. *Не спрашивай. Не суди.*

Решительно выбросив из головы все сомнения, он занес в рабочий блокнот нужную запись. Завтра, в соответствии с требованием клиента, он разошлет этот видеофайл по всем информационным порталам.

Глава 18

ульвар Никколо Макьявелли называют одной из самых красивых флорентийских улиц. Расположенный в чудесном зеленом районе, он плавно петляет среди живых изгородей и лиственных деревьев и давно облюбован велосипедистами и поклонниками «феррари».

Сиена умело вела трайк по извилистой дороге. Беглецы оставили позади бедные жилые кварталы и теперь дышали чистым, напоенным весенними ароматами воздухом фешенебельного Западного берега. Они миновали небольшую церквушку — часы на ней только что пробили восемь.

Лэнгдон по-прежнему держался за талию своей спутницы, но мысли его были заняты таинственными образами с картины дантовского ада... и загадочным лицом прекрасной незнакомки с серебристыми волосами, которую он видел между двумя рослыми бойцами на заднем сиденье фургона.

Кто бы она ни была, подумал Лэнгдон, *теперь она в их власти.*

— Та женщина в фургоне, — сказала Сиена, повысив голос, чтобы перекричать шум мотора. — Вы уверены, что видели в галлюцинациях именно ее?

— Абсолютно.

— Тогда вы, должно быть, встречались с ней хотя бы раз за последние два дня. Вопрос в том, почему она вам все время мерещится... и почему повторяет «ищите, и найдете».

Лэнгдон согласно кивнул.

— Не знаю... Я не помню, чтобы встречался с ней, но всякий раз, когда я вижу ее лицо, мне почему-то кажется, что я обязательно должен ей помочь.

Зарево... зарево... зарево...

Ему пришел на память ослепительный взрыв из его видения, и он подумал, нет ли какой-нибудь связи между незнакомкой с серебристыми волосами и странным словом, которое он твердил в больнице. *Надеюсь, я не причинил ей вреда?* При этой мысли к его горлу подкатил комок.

Лэнгдону казалось, что его лишили жизненно важного орудия. *Я ничего не помню.* Лэнгдон с детства обладал эйдетической памятью и всегда полагался на нее как на свое главное интеллектуальное достояние. Для человека, привыкшего запоминать все, что он видит вокруг, с точностью до мельчайших деталей, жизнь без памяти смахивала на попытку посадить самолет в темноте без помощи радара.

— Похоже, ваш единственный шанс найти ответы — это расшифровать «Карту ада», — сказала Сиена. — Наверное, в ней-то и скрыта причина того, что за вами охотятся.

Лэнгдон снова кивнул, вспомнив слово «catrovacer» на корчащихся телах в Дантовом аду.

И вдруг его осенило.

Ведь я очнулся во Флоренции...

На свете не было города, более тесно связанного с Данте. Во Флоренции великий поэт родился, во Флоренции он вырос, во Флоренции, если верить легенде, влюбился в Беатриче — а затем подвергся жестокому изгнанию, которое обрекло его на годы скитаний по итальянским провинциям и мучительную тоску по родному очагу.

Ты бросишь все, к чему стремились твои желанья, написал Данте по этому поводу. *Эту язву нам всего быстрей наносит лук изгнанья.*

Вспомнив эти слова из Семнадцатой песни «Рая», Лэнгдон поглядел направо, за реку Арно, — туда, где высились в отдалении башни старой Флоренции.

Лэнгдон представил себе Старый город — его запутанную планировку, толкотню и потоки машин, протискивающихся по узким улочкам среди знаменитых флорентийских соборов, музеев, церквей и торговых центров. Ему пришло на ум, что если они с Сиеной избавятся от мопеда, им нетрудно будет затеряться в толпе туристов.

— В Старый город — вот куда мы должны отправиться, — заявил он. — Если где-то и есть ответы, искать их нужно там. Старая Флоренция составляла весь мир Данте.

Кивнув в знак согласия, Сиена крикнула через плечо:

— Там и безопасней — много мест, где можно спрятаться. Я еду к Порта Романа, а потом пересечем реку.

Река, подумал Лэнгдон с легким трепетом. Знаменитое путешествие Данте в ад тоже началось с того, что он пересек реку.

Сиена прибавила скорости, и пока мимо мелькали деревья и дома, Лэнгдон вновь стал перебирать в уме образы преисподней, мертвых и умирающих, Злые Щели с чумным доктором и загадочным словом «catrovacer»... Он размышлял о мрачной сентенции под Боттичеллиевой картой — *истину можно увидеть только глазами смерти* — и гадал, не может ли она оказаться цитатой из Данте.

Что-то не припомню такого.

Лэнгдон внимательно изучал творчество Данте, а поскольку он был специалистом по истории искусств и, в частности, по иконографии, к нему порой обращались с просьбами истолковать многочисленные символы, которыми изобиловали труды великого итальянца. По воле случая — а может быть, судьбы — примерно два года назад он читал лекцию, посвященную дантовскому «Аду».

«Божественный Данте — символы Ада».

Данте Алигьери давно сделался одной из культовых исторических фигур, и общества его поклонников были рассеяны по всему свету. Самое старое американское Общество любителей Данте появилось в 1881 году в массачусетском Кембридже — его основал Генри Уодсворт Лонгфелло. Этот знаменитый поэт, уроженец Новой Англии, был первым американским переводчиком «Божественной комедии», и его перевод до наших дней остается одним из наиболее популярных и ценимых.

Как известного знатока наследия Данте, Лэнгдона пригласили выступить на крупном мероприятии, устроенном одним из самых старинных отделений Общества Данте — Венским. Оно проходило под крышей Австрийской академии наук. Главному спонсору мероприятия, состоятельному ученому и члену Общества Данте, удалось арендовать ее лекционный зал на две тысячи мест.

У дверей академии Лэнгдона встретил секретарь конференции. Когда они шли по вестибюлю, Лэнгдону бросились в глаза пять слов, выписанных на задней стене исполинскими буквами: «ЕСЛИ БОГ ОШИБСЯ ЧТО ТОГДА?»

— Это Лукас Троберг, — сказал секретарь. — Наша новая художественная инсталляция. Как вам?

Лэнгдон помедлил, разглядывая гигантскую надпись.

— Гм... мазок у него уверенный, но с пунктуацией он немного не в ладах.

Секретарь слегка смутился. Лэнгдону оставалось только надеяться, что его контакт с аудиторией будет лучше.

Когда Лэнгдон наконец вышел на сцену, его встретили бурными аплодисментами. Все места были заняты, и даже в проходах стояли люди.

— Meine Damen und Herren*, — начал Лэнгдон, и его усиленный динамиками голос раскатился по залу. — Willkommen**, bienvenue***, welcome****!

Публика отреагировала на знаменитую цитату из «Кабаре» одобрительным смехом.

— Меня предупредили, что сегодня здесь собрались не только члены Общества Данте, но и многие приезжие ученые и студенты, которые, возможно, впервые всерьез заинтересовались его творчеством. Поэтому для тех из вас, кому из-за напряженных занятий наукой было некогда читать средневековые итальянские поэмы, я в двух словах расскажу о Данте — о его жизни, трудах и о том, почему его считают одной из самых значительных фигур в нашей истории.

Снова аплодисменты.

Нажимая кнопки маленького дистанционного пульта, Лэнгдон высветил на экране ряд портретов Данте. На первом из них, кисти Андреа дель Кастаньо, поэт был изображен в полный рост — он стоял на пороге раскрытой двери с философским трактатом в руке.

— Итак, Данте Алигьери, — начал Лэнгдон. — Годы жизни этого флорентийского писателя и философа — с 1265-го по

---

*   Дамы и господа (*нем.*).
**   Добро пожаловать (*нем.*).
***   Добро пожаловать (*фр.*).
**** Добро пожаловать (*англ.*).

1321-й. На этом портрете, как и почти на всех остальных, он изображен в красном каппуччо — плотно сидящей на голове шапочке с наушниками, которая наряду с малиновым плащом из города Лукка стала для нас привычной деталью его наряда.

Лэнгдон нашел слайд с боттичеллиевским портретом Данте из галереи Уффици, подчеркивающим самые характерные его черты — тяжелый подбородок и нос крючком.

— Здесь мы снова видим необычное лицо Данте в обрамлении красного каппуччо, однако Боттичелли добавил к этой шапочке еще и лавровый венок как символ высшего достижения — в данном случае в области поэтического искусства. Этот традиционный символ унаследован от древних греков. Как вам известно, такие венки и сейчас возлагают на головы поэтов-лауреатов и нобелевских лауреатов.

Лэнгдон быстро прокрутил еще несколько слайдов — все с орлиным профилем Данте, и на всех поэт был в своей неизменной красной шапочке, красном плаще и лавровом венке.

— И наконец, чтобы вы получили полное представление о внешности Данте, вот памятник ему на площади Санта-Кроче... и, конечно, знаменитая фреска из Барджелло, приписываемая Джотто.

Лэнгдон оставил на экране проекцию слайда с фреской Джотто и вышел на середину сцены.

— Как вы, безусловно, знаете, в первую очередь Данте прославил его монументальный литературный шедевр — «Божественная комедия», где с натуралистической яркостью повествуется о том, как автор сошел в ад, проследовал через чистилище и поднялся в рай, на свидание с самим Богом. По нынешним понятиям, в «Божественной комедии» нет ничего комического. Она называется комедией по совершенно иной причине. В четырнадцатом веке вся итальянская литература делилась на две четко определенные категории. Трагедии считались высокой литературой, и их писали на «официальном» итальянском, а комедии относили к низкой литературе и писали на разговорном языке, адресуя к простому населению.

Лэнгдон опять несколько раз нажал кнопку пульта и отыскал классическую фреску Микелино — ту, на которой Данте стоит под стенами Флоренции, держа в руке «Божественную комедию». На заднем плане уступами поднималась гора чистилища, а под ней виднелись адские врата. Теперь эта картина украшала флорентийский собор Санта-Мария-дель-Фьоре, более известный как Дуомо.

— Как можно догадаться по названию, — продолжал Лэнгдон, — «Божественная комедия» была написана на разговорном итальянском, то есть на языке простого народа. При этом она представляет собой гениальный сплав религии, истории, политики, философии и публицистики в форме художественного произведения, которое, будучи весьма утонченным по сути, тем не менее оставалось полностью доступным широким массам. Этот труд превратился в подлинный столп итальянской культуры — недаром принято считать, что именно он заложил основы современного итальянского языка.

Лэнгдон выдержал эффектную паузу, а затем негромко добавил:

— Друзья мои, переоценить влияние творчества Данте попросту невозможно. За исключением разве что Священного Писания, во всей нашей истории не найти такого произведения искусства — будь этим искусством музыка, живопись или литература, — которое породило бы большее количество восхищенных отзывов, вариаций, подражаний и комментариев, чем «Божественная комедия».

Перечислив множество знаменитых композиторов, художников и литературных деятелей, создавших свои опусы на основе дантовской эпической поэмы, Лэнгдон обвел аудиторию взглядом.

— Скажите, есть ли среди нас сегодня авторы?

Почти треть слушателей подняла руки. Лэнгдон не верил своим глазам. *Ну и ну! Или у меня самая продвинутая публика на свете, или электронные публикации и вправду изменили мир.*

— Что ж, как хорошо известно каждому автору, для писателя нет ничего ценнее рекламной аннотации — краткого отзыва какой-нибудь известной личности, который печатается на обложке и поднимает продажи. Такая реклама существовала и в Средние века, и Данте собрал немало подобных отзывов. — Лэнгдон поменял слайды. — Как вам понравилось бы, если бы на вашей книге написали вот это?

Он выше всех из величайших сынов Земли.

Микеланджело

По залу прошелестел удивленный шепот.

— Да, — сказал Лэнгдон, — это тот самый Микеланджело, которого все вы знаете по Сикстинской капелле и «Давиду». Он был не только прекрасным скульптором и живописцем, но и великолепным поэтом — написал почти триста стихотворений. Одно из них называется «Данте» и посвящено гению, так наглядно изобразившему преисподнюю, что это вдохновило Микеланджело на создание «Страшного суда». Если вы мне не верите, прочтите Третью песнь дантовского «Ада», а потом пойдите в Сикстинскую капеллу — там, прямо над алтарем, вы увидите вот этот знакомый образ. — Лэнгдон прокрутил слайды до картинки с разъяренным гигантом, который замахивался веслом на съежившихся в ужасе людей. — На этом фрагменте адский перевозчик Харон бьет веслом отставших пассажиров.

Затем Лэнгдон перешел к следующему слайду, с другим фрагментом «Страшного суда» — здесь распинали какого-то человека.

— Это Аман Агагит. Согласно Писанию, его повесили, однако в дантовской поэме он был не повешен, а распят. Как видите, Микеланджело выбрал версию Данте, предпочтя ее библейской. — Лэнгдон ухмыльнулся и понизил голос. — Только римскому папе не говорите.

Слушатели засмеялись.

— В своем «Аде» Данте создал мир боли и страданий, превосходящий все прежние плоды человеческого воображения, и его поэма в буквальном смысле определила современные представления об этом подземном царстве. — Лэнгдон сделал паузу. — И, поверьте мне, католической церкви есть за что поблагодарить великого итальянца. На протяжении многих веков его «Ад» внушал верующим ужас, в результате чего они приходили в храм замаливать грехи как минимум втрое чаще.

Лэнгдон сменил слайд.

— А теперь мы переходим к главной теме нашей беседы.

На экране появилось название лекции: «Божественный Данте — символы Ада».

— Дантов «Ад» — или, по-итальянски, «Инферно» — так насыщен символами и многоплановыми образами, что я часто посвящаю ему курс продолжительностью в целый семестр. Сегодня мы с вами хотим бегло ознакомиться с его символикой, а для этого, пожалуй, не придумаешь ничего лучше, чем войти с ним бок о бок... в адские врата. — Лэнгдон подошел к краю сцены и окинул публику взглядом. — Ну а раз уж мы собираемся совершить прогулку по преисподней, я настоятельно рекомендую захватить с собой карту. И нет на свете карты, изображающей ад Данте более точно и подробно, чем карта Сандро Боттичелли.

Он коснулся пульта, и перед слушателями возникла грозная «La Mappa dell'Inferno». По залу прокатились изумленные вздохи: присутствующих явно поразило разнообразие пыток, которым подвергались грешники в огромной воронкообразной яме.

— В отличие от многих других иллюстраторов Данте Боттичелли не позволял себе никаких отступлений от оригинала. Он читал «Божественную комедию» с огромным восхищением — по словам основоположника искусствознания Джорджо Вазари, он так увлекся Данте, что это «внесло в его жизнь очень большой беспорядок». Боттичелли создал по мотивам произведений Данте более двух дюжин работ, но эта остается самой известной.

Лэнгдон повернулся и указал на левый верхний угол картины.

— Наше путешествие начнется здесь, на поверхности земли. Вот сам Данте в красном одеянии, а рядом его проводник Вергилий. Как видите, они стоят перед адскими вратами. Отсюда мы отправимся вниз, через девять кругов Дантова ада, и в конце концов окажемся лицом к лицу с...

Лэнгдон включил новый слайд. Это было огромное увеличенное изображение Сатаны с той же самой картины Боттичелли — жуткий трехголовый Люцифер, терзающий трех человек, по одному каждой пастью.

Публика испуганно ахнула.

— Вот кто ждет нас на финише, — заявил Лэнгдон. — В обществе этого обаятельного персонажа мы завершим сегодняшнюю экскурсию. Это произойдет в девятом круге ада, где обитает Сатана собственной персоной. Однако... — Лэнгдон помедлил. — По дороге мы встретим еще много интересного, так что давайте вернемся назад... к воротам ада, откуда и начнем свой путь.

Лэнгдон высветил очередной слайд — гравюру Гюстава Доре. Художник изобразил на ней темный туннель, уходящий в глубь крутой скалы. Надпись над туннелем гласила: «ОСТАВЬ НАДЕЖДУ, ВСЯК СЮДА ВХОДЯЩИЙ»*.

— Итак... — сказал Лэнгдон с улыбкой. — Войдем?

Где-то громко взвизгнули шины, и зал перед глазами Лэнгдона испарился. Его бросило вперед, и он уткнулся в спину Сиены, остановившей трайк посреди бульвара Макьявелли.

Лэнгдон не сразу пришел в себя: перед его мысленным взором все еще маячили адские врата. Но, оглядевшись вокруг, он вспомнил, где находится.

— Что случилось? — спросил он.

Сиена показала вперед, на Порта Романа — до этих старинных каменных ворот, некогда служивших входом во Флоренцию, оставалось еще метров триста.

— Глядите, Роберт. Похоже, мы влипли.

---

* Перевод Д. Мина.

Глава 19

гент Брюдер стоял в маленькой квартирке и пытался осмыслить то, что видел вокруг. *Кто здесь живет, черт возьми?* Мебель была дешевая и разнокалиберная, как в комнате студенческого общежития, обставленной за гроши самими жильцами.

— Агент Брюдер! — послышался из коридора голос его подчиненного. — Взгляните, это интересно!

Покидая комнату, Брюдер подумал, что Лэнгдона уже вполне могла задержать местная полиция. Сам он предпочел бы разрешить кризис своими силами, но побег Лэнгдона не оставил ему выбора — пришлось подключить к делу местную полицию и блокировать дороги. В уличном лабиринте Флоренции юркому мопеду было легко ускользнуть от фургонов Брюдера: окна с тяжелыми поликарбонатными стеклами и прочные непрокалывающиеся покрышки делали их хоть и неуязвимыми, но зато и неповоротливыми. Итальянская полиция не любила сотрудничать с чужаками, но у организации Брюдера хватало рычагов влияния — на органы правопорядка, на консульства и посольства... *Когда мы требуем, никто не смеет отказать.*

Брюдер вошел в маленький кабинет, где его агент в латексных перчатках стоял над открытым ноутбуком и нажимал клавиши.

— Этим компьютером он и пользовался, — сказал агент. — Проверял свою электронную почту и что-то искал в Интернете. Все это осталось в памяти.

Брюдер шагнул к столу.

— Ноутбук не принадлежит Лэнгдону, — продолжал оперативник. — Он зарегистрирован на человека с инициалами С. К. — полное имя я сейчас выясню.

Дожидаясь результатов проверки, Брюдер обратил внимание на стопку бумаг на столе. Он взял их и стал просматривать эту странную коллекцию — буклетик лондонского театра «Глобус» и подборку газетных вырезок. Чем больше он читал, тем шире раскрывались его глаза.

Взяв бумаги, Брюдер выскользнул обратно в коридор и позвонил своему начальнику.

— Это Брюдер, — сказал он. — Кажется, мы установили личность того, кто помогает Лэнгдону.

— И кто же это? — спросил начальник.

Брюдер вздохнул.

— Вы не поверите.

В трех километрах от них Вайента приникла к рулю «БМВ», удаляясь от дома, где прятался Лэнгдон. Навстречу ей с воем неслись полицейские автомобили.

Меня отстранили, думала она.

Как правило, мягкий рокот четырехтактного двигателя мотоцикла успокаивал ей нервы. Как правило — но не сегодня.

Вайента отдала Консорциуму двенадцать лет. Она начинала в группе поддержки, затем поднялась до координатора и наконец достигла уровня оперативного агента наивысшей квалификации. *Кроме карьеры, у меня ничего нет.* Работа оперативника подразумевала строгую секретность, разъезды и длительные задания, а это фактически исключало возможность личной жизни и нормальных человеческих отношений вне службы.

Я выполняла это задание целый год, думала она, все еще не в силах поверить, что шеф так бессердечно решил от нее избавиться.

Двенадцать месяцев кряду Вайента следила за безупречным соблюдением договора с одним клиентом Консорциума — эксцентричным зеленоглазым гением, который хотел всего лишь на время «исчезнуть», чтобы поработать без помех со стороны своих соперников и врагов. Переезжал он редко и всегда тайно, а в основном трудился. Вайента не знала, в чем заключается суть работы клиента, — она должна была просто помогать ему скрываться от могущественных людей, которые пытались его найти.

Вайента выполняла свои обязанности как истинный профессионал, и все шло без сучка без задоринки.

До вчерашнего вечера.

А потом вся карьера Вайенты полетела под откос. Неудивительно, что она находилась на грани эмоционального срыва.

Меня вышвырнули.

Запуск процедуры отстранения означал, что агент должен немедленно прекратить выполнение текущего задания и покинуть «район оперативных действий». Если бы отстраненный попал в руки властей, Консорциум заявил бы, что никто из его сотрудников и слыхом о нем не слыхал. Агенты понимали, что с этой организацией шутки плохи, — ведь они имели возможность на собственном опыте убедиться в том, как ловко она умеет искажать реальность в своих целях.

Вайента знала только о двух случаях отстранения. Сложилось так, что обоих отстраненных агентов она больше ни разу не видела. Раньше она считала, что их пригласили для дачи формального отчета и уволили, взяв с них обещание никогда не вступать в контакт ни с кем из прежних коллег.

Однако теперь ее уверенность поколебалась.

Ты просто паникуешь, успокаивала она себя. *Консорциум никогда не опустится до такой грубой банальности, как хладнокровное убийство.*

И все-таки по ее телу снова прокатилась холодная волна страха.

Инстинкт заставил ее бесшумно покинуть крышу отеля сразу же после того, как у дома напротив высадилась группа Брюдера, и теперь она гадала: может быть, этот инстинкт ее и спас?

Сейчас никто не знает, где я.

Прибавив газу на ровном, как стрела, уходящем прямо на север бульваре Поджо-Империале, она подумала, что значили для нее последние несколько часов. Прошлым вечером она волновалась за свою работу. Теперь — за свою жизнь.

Глава 20

огда-то Флоренция была окружена сплошной стеной и главным входом в нее служили ворота Порта Романа, построенные в 1326 году. С тех пор прошли века и бо́льшую часть городских стен снесли, однако эти ворота уцелели, и поток транспорта до сих пор вливается в город сквозь глубокие арочные туннели в могучем каменном укреплении.

Корпус Порта Романа представляет собой старинную пятнадцатиметровую преграду из кирпича и камня, а в первоначальной арке и доныне сохранились массивные деревянные двери с засовами — правда, теперь они открыты круглые сутки и не мешают движению. Перед этими дверьми сходятся шесть крупных дорог, а на лужайке в центре развязки, образованной их слиянием, красуется большая статуя работы Пистолетто — женщина, покидающая город с огромным тюком на голове.

Хотя сейчас это место почти всегда забито ворчащими автомобилями, прежде у главных флорентийских ворот находилась «Фьера-деи-контратти» — своеобразная ярмарка невест, где отцы продавали дочерей замуж, часто заставляя их исполнять соблазнительные танцы в надежде заключить с женихом более выгодную сделку.

Когда беглецов отделяли от ворот всего несколько сот метров, Сиена остановила мопед и с тревогой указала вперед. Лэнгдон выглянул из-за ее спины и сразу же понял, что ее взволновало. Чуть поодаль стояла длинная вереница машин — двигатели их работали на холостом ходу. Движение на развязке было блокировано полицией, и туда подъезжали все новые патрульные автомобили. Вооруженные полицейские переходили от машины к машине, опрашивая водителей.

Неужели все это из-за нас? — подумал Лэнгдон. *Не может быть!*

Впереди показался мокрый от пота велосипедист — он ехал по бульвару Макьявелли в их сторону. Велосипед у него был лежачий, и он крутил педали босыми ногами прямо у себя перед носом.

Сиена окликнула его.

— Cos' è successo? — *Что случилось?*

— E chi lo sa! — отозвался он с озабоченным видом. *Откуда я знаю!* — Carabinieri. — И покатил прочь, явно торопясь убраться от греха подальше.

Сиена обернулась к Лэнгдону. Лицо ее было угрюмо.

— Там все перекрыто. Военная полиция.

Где-то за их спинами взвыли сирены, и Сиена насторожилась, вглядываясь в дальний конец бульвара Макьявелли. На ее лице застыла маска страха.

Нас загнали в ловушку, подумал Лэнгдон, озираясь в поисках хоть какого-нибудь выхода — поперечной дороги, парка, аллеи, но слева бульвар окаймляли частные дома, а справа тянулась каменная стена.

Сирены выли все громче.

— Туда, — предложил Лэнгдон, указывая вперед; там, шагах в тридцати от них, была пустая стройплощадка с передвижной бетономешалкой, за которой можно было кое-как спрятаться.

Резко стартовав, Сиена с ходу загнала мопед на тротуар и въехала на пустой участок. Они затормозили за бетономешалкой и тут же поняли, что здесь можно спрятать разве что трайк — на них самих места уже не оставалось.

— За мной, — приказала Сиена и кинулась к маленькой кладовке, приткнувшейся к стене среди кустов.

Нет, это не кладовка, сообразил Лэнгдон через пару секунд, невольно сморщив нос. *Это временный туалет.*

Когда они подбежали вплотную к биотуалету для рабочих-строителей, вой патрульных машин раздавался уже совсем рядом. Сиена подергала ручку, но дверь была заперта — на ней висела тяжелая цепь с замком. Схватив Сиену за локоть, Лэнгдон потащил ее вокруг домика и втолкнул в узкое пространство между туалетом и каменной стеной. Вдвоем они еле втиснулись в этот закуток, где от вони было почти нечем дышать.

Едва Лэнгдон успел нырнуть в укрытие вслед за своей спутницей, как в поле зрения показался черный «субару-форестер» с крупной надписью «CARABINIERI» на боку. Машина медленно прокатила мимо того места, где они прятались.

Итальянская военная полиция, подумал Лэнгдон, не веря своим глазам. Интересно, им тоже отдали приказ стрелять на поражение?

— Кому-то очень понадобилось нас найти, — прошептала Сиена. — И они знают, что мы где-то здесь.

— Джи-пи-эс? — предположил Лэнгдон. — Может, в проекторе есть маячок?

Сиена покачала головой:

— Ну нет. Если бы эту штуку можно было выследить, нас бы давно уже сцапали.

Лэнгдон слегка повернулся, чтобы поудобнее угнездиться в этом тесном — особенно при его габаритах — уголке. При этом у него перед носом очутились изящные граффити, нацарапанные на задней стене передвижного туалета.

Ай да итальянцы!

В Америке почти все туалеты размалеваны по-детски неуклюжими изображениями огромных грудей и пенисов. Однако стена этого домика больше походила на альбом начинающего художника — здесь были человеческий глаз, хорошо прорисованная рука, мужской профиль и сказочный дракон.

— Не думайте, что чужую собственность портят с таким вкусом по всей Италии, — сказала Сиена, прочитав его мысли. — Дело в том, что прямо за этой каменной оградой находится флорентийский Институт искусств.

Словно в подтверждение ее слов, неподалеку появилась группа студентов с большими папками для эскизов. Неторопливо шагая в их сторону, они болтали, курили и с удивлением поглядывали вперед, на суету у Порта Романа.

Лэнгдон с Сиеной пригнулись, чтобы студенты их не заметили, и тут Лэнгдона внезапно поразила одна любопытная мысль.

Грешники, закопанные по пояс вниз головой.

Возможно, в этом был виноват запах человеческих отправлений или вид мелькающих в воздухе босых ног давешнего велосипедиста, но, какова бы ни была причина, перед внутренним взором Лэнгдона снова возникли смрадный мир Злых Щелей и голые ноги, торчащие из-под земли.

Он живо обернулся к своей спутнице.

— Сиена! В нашей версии «La Маppa» ноги того бедняги, которого закопали вниз головой, были в десятом рву, верно? В самой нижней из Злых Щелей?

Сиена озадаченно посмотрела на него, словно удивившись, что он заговорил об этом именно сейчас.

— Да, в самом низу.

На долю секунды Лэнгдон вновь перенесся на сцену Венской академии. До эффектного финала его лекции оставалось уже совсем немного, и он только что показал слушателям гравюру Доре с изображением Гериона — крылатого чудища с отравленным шипом на хвосте, которое обитало прямо над Злыми Щелями.

— Прежде чем встретиться с Сатаной, — провозгласил Лэнгдон звучным голосом, вдобавок еще и усиленным динамиками, — мы должны пересечь десять Злых Щелей, где казнят обманщиков — тех, кто сознательно творил зло.

Лэнгдон нашел слайд с увеличенным изображением Злых Щелей, а затем перечислил их все по очереди:

— Итак, если двигаться сверху вниз, мы встречаем здесь соблазнителей, которых бесы хлещут кнутами... льстецов, облепленных нечистотами... святокупцев, закопанных в землю по пояс вниз головой... прорицателей, чьи шеи вывернуты на сто восемьдесят градусов... мздоимцев в озере кипящей смолы... лицемеров в свинцовых мантиях... воров, которых жалят змеи... лукавых советчиков в языках пламени... зачинщиков раздора, которых черти безжалостно увечат... и, наконец, лжецов, или поддельщиков, терзаемых страшными болезнями. — Лэнгдон снова повернулся к залу. — Скорее всего Данте приберег этот последний ров для лжецов потому, что именно развернутая против него клеветническая кампания стала причиной изгнания поэта из его любимой Флоренции.

— Роберт! — раздался вдруг голос Сиены.

Лэнгдон вынырнул из воспоминаний. Сиена вопросительно смотрела на него.

— Что с вами?

— «Карта ада», — взволнованно ответил он. — В нашей версии она другая! — Он выудил из кармана проектор и стал трясти его, насколько позволяла теснота. Шарик внутри гремел довольно громко, но этого можно было не бояться, потому что на улице выли сирены. — Тот, кто создал эту картинку, изменил порядок Злых Щелей!

Наконец проектор разгорелся, и Лэнгдон направил его на плоскую поверхность перед ними. Появилась «La Mappa dell'Inferno» — она ярко светилась в полумраке.

Боттичелли на биотуалете, подумал Лэнгдон. Вряд ли произведения этого великого живописца когда-нибудь демонстрировались в менее подходящем месте. Лэнгдон пробежал глазами все десять Злых Щелей и возбужденно закивал.

— Да! — воскликнул он. — Тут все не так! В последней из Злых Щелей должны находиться страдающие от болезней, а не перевернутые вниз головой. Она предназначена для лжецов, а не для святокупцев!

Сиена явно заинтересовалась.

— Но... зачем было их менять?

— Catrovacer, — прошептал Лэнгдон, глядя на маленькие буквы, добавленные к картине по одной на каждом уровне. — Думаю, на самом деле это означает другое.

Несмотря на травму, стершую воспоминания двух последних дней, сейчас память Лэнгдона работала очень четко. Он закрыл глаза и представил себе два варианта «Карты ада», чтобы найти различия между ними. Изменений в Злых Щелях было меньше, чем ему показалось вначале... однако с его глаз вдруг точно спала завеса.

Внезапно все стало кристально ясно.

Ищите, и найдете!

— Ну? — поторопила его Сиена.

У Лэнгдона пересохло во рту.

— Я знаю, почему я очутился во Флоренции.

— Правда?

— Да. И знаю, куда мне нужно идти.

Сиена схватила его за руку.

— Куда?!

Впервые после пробуждения в больнице Лэнгдон почувствовал под ногами твердую почву.

— Эти десять букв, — прошептал он. — Они указывают на точное место в Старом городе. Именно там кроются ответы.

— Какое место?! — не выдержала Сиена. — Объясните!

Из-за туалета, за которым они прятались, донеслись смеющиеся голоса. Мимо проходила другая компания студентов — они болтали и перешучивались на разных языках. Лэнгдон осторожно выглянул и проводил их глазами. Потом осмотрелся в поисках полиции.

— Пойдемте, — сказал он. — По дороге объясню.

— По дороге?! — Сиена покачала головой. — Да мы не уйдем дальше Порта Романа!

— Выждите здесь ровно полминуты, — сказал он, — а потом отправляйтесь за мной.

С этими словами Лэнгдон выскочил из убежища, оставив свою спутницу недоумевать в одиночестве.

Глава 21

cusi!* — Роберт Лэнгдон пустился догонять группу студентов. — Scusate!

Студенты дружно обернулись, и Лэнгдон стал озираться по сторонам — ни дать ни взять заблудившийся турист.

— Dov'è l'Istituto statale d'arte? — неуклюже спросил он по-итальянски. *Где государственный Институт искусств?*

Парень, разукрашенный татуировками, пыхнул сигаретой и презрительно ответил:

— Non parliamo italiano. — *Мы не говорим по-итальянски.*

У него был французский акцент.

Одна из девушек укоризненно взглянула на своего татуированного приятеля и вежливо указала вдоль длинной стены в направлении Порта Романа.

— Più avanti, sempre dritto.

Впереди, все время прямо, перевел Лэнгдон.

— Grazie.

В этот момент Сиена незаметно выскользнула из-за передвижного туалета и направилась к ним. Студенты с интересом смотрели на идущую к ним стройную женщину лет тридцати — когда она подошла, Лэнгдон приветственно положил руку ей на плечо.

— Это моя сестра Сиена. Она преподает в художественном колледже.

— Я бы не стал сопротивляться, — пробормотал татуированный, посмотрев на Сиену, и его друзья мужского пола рассмеялись. Лэнгдон пропустил это мимо ушей.

---

*   Простите! (*ит.*)

— Каждый преподаватель должен отработать год за границей, и мы приехали во Флоренцию, чтобы подыскать для этого подходящее местечко. Можно пройти туда с вами?

— Ma certo, — с улыбкой сказала итальянка. *Конечно!*

Они не спеша двинулись к Порта Романа, где кишели полицейские. По пути Сиена завязала со студентами разговор, а Лэнгдон затесался в середину группы и шел ссутулившись и стараясь быть как можно незаметнее.

Ищите, и найдете, думал он, представляя себе Злые Щели и чувствуя, как сердце его колотится от волнения.

Catrovacer. Лэнгдону вспомнилось, что с этими десятью буквами связана одна из самых интригующих тайн мира искусства, загадка многовековой давности, которую никому так и не удалось разгадать. В 1563 году из этих десяти букв было составлено указание на стене знаменитого флорентийского палаццо Веккьо — оно находилось у всех на виду, но в десяти с лишним метрах от пола, почти неразличимое без помощи бинокля. Только в 1970 году его наконец заметил один искусствовед, теперь уже весьма знаменитый. На протяжении нескольких десятилетий он и другие ученые старались раскрыть смысл этого указания, но никому это не удалось, хотя гипотез было выдвинуто множество.

Вспомнив эту историю, Лэнгдон словно вернулся в тихую гавань после плавания по бурному незнакомому морю. В конце концов, история искусств и древние секреты были ему гораздо ближе, чем пальба по живым мишеням и биологические угрозы.

На их глазах в Порта Романа вливались все новые патрульные автомобили.

— Ничего себе, — сказал парень с татуировками. — Что же натворил тот, кого они ищут?

Двигаясь по правой стороне улицы, их компания подошла к главному входу в Институт искусств. Там собралась целая толпа студентов — все они наблюдали за тем, что творилось у Порта Романа. Охранник вполглаза посматривал на пропуска входящих студентов, отрабатывая свое крошечное жалованье, но полицейская акция явно интересовала его куда больше.

С площади донесся громкий скрежет тормозов, и в Порта Романа на крутом повороте влетел до боли знакомый беглецам черный фургон.

Лэнгдон тут же отвернулся, испугавшись, что его заметят. Воспользовавшись удобным моментом, они с Сиеной без единого слова проскользнули на территорию института вместе со своими новыми знакомыми.

Аллея, ведущая в институт искусств, была невероятно красива — такой позавидовал бы любой дворец. По обе ее стороны вздымались могучие дубы, и их сплетенные наверху ветви словно обрамляли стоящий в отдалении учебный корпус — огромное старинное желтое здание с тройным портиком и просторной овальной лужайкой перед входом. Лэнгдон знал, что это здание, как и многие другие в городе, построили по заказу блестящей династии, которая правила Флоренцией на протяжении трех веков — пятнадцатого, шестнадцатого и семнадцатого.

Медичи.

Уже само это имя стало символом Флоренции. За время своего трехсотвекового правления могущественный клан Медичи скопил немыслимые богатства и приобрел гигантское влияние — он дал миру четырех пап, двух французских королей и крупнейшую в Европе финансовую организацию. Современные банки до сих пор пользуются бухгалтерской системой, изобретенной Медичи и основанной на двух статьях — дебете и кредите.

Но главное наследие Медичи относится не к финансам и не к политике, а к художественному творчеству. Едва ли не самые щедрые покровители, которых когда-либо знал мир искусства, Медичи не жалели денег на заказы, благодаря которым расцвели самые пышные цветы Ренессанса. В список светил, пользовавшихся покровительством этой семьи, входили такие гиганты, как Леонардо да Винчи, Галилей, Боттичелли... Самое знаменитое полотно последнего, «Рождение Венеры», было написано по заказу Лоренцо Медичи — он решил подарить двоюродному брату на свадьбу эротическую картину, чтобы тот повесил ее над своим брачным ложем.

Лоренцо Медичи — благодаря своей щедрости он снискал себе прозвище Великолепный — и сам был неплохим поэтом и художником, да к тому же имел отличное чутье. В 1489 году ему приглянулись работы одного начинающего скульптора, и он пригласил талантливого паренька пожить во дворце Медичи, где тот мог оттачивать свое мастерство среди живописных шедевров, в атмосфере утонченной поэзии и высокой культуры. Подопечный Медичи быстро пошел в гору и в итоге изваял две самые знаменитые скульптуры в истории — «Пьета» и «Давид». Сегодня мы знаем его как Микеланджело — этого гениального творца иногда называют величайшим даром, который человечество получило от Медичи.

С учетом страстной любви Медичи к искусству, подумал Лэнгдон, члены этой семьи вряд ли огорчились бы, узнав, что здание перед ним — изначально оно служило Медичи конюшнями — превратилось в пышущий творческой энергией Институт искусств. А когда-то этот спокойный уголок, теперешний приют молодых художников, был избран для постройки конюшен по причине своей близости к самому лучшему во всей Флоренции участку для верховой езды — садам Боболи.

Лэнгдон покосился налево — туда, где из-за высокой стены выглядывали верхушки деревьев. Теперь по просторам садов Боболи любили гулять туристы. Лэнгдон почти не сомневался, что если им с Сиеной удастся проникнуть за ограду, они сумеют пересечь весь парк незамеченными и таким образом миновать Порта Романа. В случае чего в этом обширном парке есть где укрыться: леса, лабиринты, гроты, нимфеи... Мало того, пройдя сады Боболи насквозь, они очутятся у палаццо Питти — каменной цитадели, откуда Медичи во время оно управляли всем своим великим герцогством. Сейчас же этот дворец со ста сорока залами превратился в одну из главных туристических достопримечательностей Флоренции.

Если мы доберемся до палаццо Питти, подумал Лэнгдон, *до моста в Старый город будет рукой подать.*

С деланным безразличием Лэнгдон кивнул на высокую стену парка.

— Как нам попасть в Сады? — спросил он. — Хочу показать их сестре, а в институт мы еще успеем.

Парень с татуировками покачал головой:

— Отсюда не попадете. Вход далеко, у палаццо Питти. Вам придется проехать через Порта Романа и обогнуть парк.

— Чушь собачья! — выпалила Сиена.

Все, включая Лэнгдона, повернулись и уставились на нее.

— Не гоните, ребята! — Она хитро ухмыльнулась студентам, поглаживая свой белокурый хвостик. — Хотите сказать, что вы никогда не забираетесь туда покурить травку и повалять дурака?

Студенты переглянулись, а потом дружно расхохотались. Парень с татуировками был совершенно сражен.

— Мэм, вы просто обязаны здесь преподавать, — заявил он. Затем подвел Сиену к углу дома и показал за него, на автомобильную парковку. — Видите вон тот гараж слева? За ним стоят козлы. Залезаете по ним на крышу и спрыгиваете со стены на ту сторону.

Сиена уже шагала туда. Обернувшись на ходу, она глянула на Лэнгдона с насмешливой улыбкой.

— Пошли, братец Боб. Или ты уже слишком стар, чтобы лазить через заборы?

Глава 22

енщина с серебристыми волосами прислонилась головой к пуленепробиваемому окну фургона и закрыла глаза. Все вокруг нее плыло. Ее мутило от препаратов, которые ей велели принять.

Мне нужен врач, подумала она.

Однако ее вооруженный сопровождающий получил строгий приказ: игнорировать все ее нужды, пока задание не будет успешно выполнено. Судя по доносящимся до них звукам, вокруг царил такой хаос, что до этого было еще далеко.

Ее головокружение усилилось, и ей стало трудно дышать. Борясь с очередным приступом тошноты, она вновь спросила себя, каким образом жизнь привела ее на эту сюрреалистическую развилку. Ответ был слишком труден, чтобы найти его в таком лихорадочном состоянии, но она твердо знала, где все это началось.

В Нью-Йорке.

Два года тому назад.

Она прилетела в Манхэттен из Женевы, где уже почти десять лет занимала весьма завидный и престижный пост — директора Всемирной организации здравоохранения. Как специалиста по эпидемиологии и инфекционным болезням ее пригласили в ООН прочесть лекцию о предотвращении пандемий в странах «третьего мира». Рассказывая о методах раннего обнаружения болезней и о планах лечения, разработанных ВОЗ и другими организациями, она излучала уверенность и оптимизм.

После лекции она задержалась в вестибюле, чтобы перемолвиться словечком с несколькими учеными. Внезапно их беседу прервал сотрудник ООН с бейджиком, указывающим на его высокий дипломатический ранг.

— Доктор Сински, нам только что звонили из Совета по международным отношениям. Один человек хочет с вами поговорить. Машина ждет.

Озадаченная и слегка встревоженная, доктор Элизабет Сински извинилась перед собеседниками и взяла свою небольшую сумку. Пока лимузин, в который она села, катил по Первой авеню, ее беспокойство росло.

Совет по международным отношениям?

Как и все остальные, Элизабет Сински кое-что о нем слышала.

СМО был основан в 1920-х годах как частный «мозговой центр», и с тех пор в нем перебывали в качестве членов чуть ли не все госсекретари, с полдюжины президентов, большинство директоров ЦРУ, сенаторов и судей, а также представители знаменитых финансовых династий вроде Морганов, Ротшильдов и Рокфеллеров. Благодаря такому уникальному сочетанию интеллекта, капитала и политического влияния Совет по международным отношениям приобрел репутацию «самого влиятельного частного клуба в мире».

Будучи директором Всемирной организации здравоохранения, Элизабет привыкла иметь дело с сильными мира сего. Долгий стаж работы в ВОЗ вкупе с врожденной прямотой заслужили ей широкое признание: недавно крупный новостной журнал даже включил ее в число двадцати самых влиятельных людей планеты. «Лицо мирового здоровья» — гласила подпись под ее фотографией, и Элизабет это слегка позабавило, поскольку в детстве ее преследовали болезни.

Ребенком она страдала от жестокой астмы и в шесть лет прошла курс лечения высокими дозами многообещающего нового лекарства — первого из введенных в оборот глюкокортикостероидов, или стероидных гормонов, — после чего астматические симптомы исчезли без следа. К сожалению, у чудо-лекарства были и побочные эффекты, и проявились они лишь годы спустя, когда Сински переступила рубеж полового созревания... но так и не дождалась менструации. Она навсегда запомнила ту тяжелую минуту, когда врач сказал ей, девятнадцатилетней, что ее репродуктивной системе нанесен непоправимый вред.

Элизабет Сински не суждено было иметь детей.

Со временем рана затянется, сказал врач, но горечь и ощущение пустоты в ее душе не исчезали, а, наоборот, росли. Беда была еще и в том, что лекарство, которое лишило Элизабет шанса родить, никак не повлияло на заложенный в ней природой материнский инстинкт. Десятилетиями она подавляла в себе это несбыточное желание, и даже теперь, в шестьдесят один год, при виде мамы с малышом у нее всегда щемило сердце.

— Мы почти на месте, доктор Сински, — сообщил водитель лимузина.

Элизабет пробежалась гребешком по своим длинным серебристым локонам и мельком глянула в зеркальце. Не успела она собраться с мыслями, как машина остановилась и водитель распахнул дверцу, помогая ей выйти на тротуар в фешенебельном районе Манхэттена.

— Я подожду здесь, — сказал он. — Когда закончите, отвезу вас в аэропорт.

Нью-йоркская штаб-квартира Совета по международным отношениям занимала скромное здание в неоклассическом стиле на углу Парк-авеню и Шестьдесят восьмой улицы. Когда-то в нем жил нефтяной магнат из «Стандард ойл». Оно безупречно вписывалось в благородный окружающий ландшафт, ничем не выдавая своего нынешнего уникального статуса.

— Доктор Сински! — приветствовала ее администратор, представительная дама. — Сюда, пожалуйста. Он вас ждет.

Хорошо, но кто это — он? Следом за администратором она прошла по роскошному коридору к закрытой двери. Коротко постучав, дама распахнула ее и жестом пригласила Элизабет войти. Элизабет переступила порог, и дверь за ее спиной тут же затворилась.

В маленькой комнате для совещаний царил полумрак — единственным источником света был включенный видеоэкран. На его фоне вырос силуэт высокого, худощавого человека — лица его она не видела, но от всей фигуры так и веяло властностью.

— Доктор Сински, — прозвучал резкий голос незнакомца. — Спасибо, что приехали. — Едва уловимый акцент навел Элизабет на мысль, что перед ней уроженец Швейцарии, а может быть, Германии. — Прошу садиться, — предложил он, показывая на стул почти в центре комнаты.

А представиться? Элизабет села. Странное изображение на экране отнюдь не умерило ее тревоги. *Что это за чертовщина?*

— Я был на вашем выступлении сегодня утром, — заявил незнакомец. — Мне пришлось проделать большой путь, чтобы вас послушать. Не скрою, это было весьма впечатляюще.

— Спасибо, — ответила она.

— Да будет мне позволено добавить, что вы гораздо красивее, чем я предполагал... несмотря на ваш возраст и близорукий подход к глобальным проблемам здравоохранения.

Элизабет растерялась. Заявление незнакомца было хамским вдвойне или даже втройне.

— Прошу прощения, — сказала она, вглядываясь в темноту. — Кто вы такой? И зачем вы меня позвали?

— Извините за неудачную попытку пошутить, — сказала тень. — А почему вы здесь, вам объяснит вот эта картина.

Сински перевела глаза на экран. Перед ней было людское море, множество нагих страдальцев — они карабкались друг на друга, образуя гигантскую кучу переплетенных тел.

— Великий художник Доре, — провозгласил незнакомец. — Благодаря ему мы можем воочию наблюдать ужасы, которые описал спустившийся в ад Данте Алигьери. Ну как, нравится? Надеюсь, что да... потому что именно это и ждет всех нас. — Он сделал паузу, медленно приближаясь к ней. — И позвольте мне объяснить почему.

Он продолжал надвигаться на нее, как будто становясь выше с каждым шагом.

— Если я возьму этот листок и разорву надвое... — Он остановился у стола, взял лист бумаги и с громким треском разорвал его пополам. — А затем сложу половинки вместе... — Он произвел это действие. — А затем повторю то же самое... — Он вновь разорвал бумагу на две части и положил одну поверх другой. — У меня получится стопка бумаги в четыре раза толще листа, с которого я начал, верно? — Его глаза словно тлели в полумраке комнаты.

Элизабет не нравились его снисходительный тон и агрессивная манера. Она ничего не ответила.

— Говоря гипотетически, — продолжал он, придвигаясь еще ближе, — если толщина первоначального листа бумаги составляет всего одну десятую миллиметра и я повторю свою процедуру... ну, скажем, пятьдесят раз... знаете, какой толщины выйдет стопка?

Элизабет вспыхнула.

— Знаю, — сказала она с большей враждебностью, чем намеревалась. — Ее толщина будет равна одной десятой миллиметра, умноженной на два в пятидесятой степени. Это называется геометрическая прогрессия. Могу я спросить, зачем меня сюда притащили?

Незнакомец ухмыльнулся и одобрительно кивнул:

— Правильно. А могли бы вы прикинуть, что получится в результате? Если одну десятую миллиметра умножить на два в пятидесятой степени? Знаете ли вы, какой толстой окажется эта стопка? — Он запнулся буквально на миг. — После всего лишь пятидесяти удвоений наша стопка бумаги вырастет... почти до самого Солнца.

Для Элизабет в этом не было ничего удивительного. С невероятной мощью геометрической прогрессии она постоянно сталкивалась в своей работе. *Стремительное распространение заразы... репликация инфицированных клеток... предполагаемая смертность.*

— Извините за бестолковость, — сказала она, уже не пытаясь скрыть раздражение, — но я не понимаю, к чему вы клоните.

— К чему я клоню? — Он отпустил сухой смешок. — Да к тому, что количество людей на нашей планете растет еще быстрее. Как и с этой стопкой бумаги, все начиналось почти с нуля... но теперь процесс набрал пугающую скорость.

Он снова шагнул к ней.

— Судите сами. Земному населению понадобились тысячи лет — от появления наших отдаленных предков до самого начала девятнадцатого века, — чтобы достичь численности в *один* миллиард человек. Затем, всего через какую-нибудь сотню лет — поразительно, не правда ли? — население удвоилось и в 1920-х составляло уже *два* миллиарда. После этого ему потребовалось лишь пятьдесят лет, чтобы удвоиться снова, уже до *четырех* миллиардов. Как вам известно, очень скоро мы доберемся и до восьми. Только сегодня на планете появилось четверть миллиона новых обитателей. Четверть *миллиона*! И так происходит каждый день — хоть в дождь, хоть в вёдро. В настоящее время мы ежегодно увеличиваем свою численность на население целой Германии.

Высокая фигура незнакомца нависла над Элизабет.

— Сколько вам лет?

Очередной оскорбительный вопрос, хотя работа на посту директора ВОЗ приучила ее дипломатично реагировать на беспардонные выпады.

— Шестьдесят один.

— А знаете ли вы, что если вам удастся прожить еще девятнадцать лет, до восьмидесяти, то население Земли утроится в течение одной только вашей жизни? *Одна* жизнь — а людей *втрое* больше. Подумайте о последствиях. Как вы знаете, Всемирная организация здравоохранения снова изменила свои прогнозы в сторону увеличения, предсказав, что еще до середины текущего столетия на Земле будет около девяти миллиардов человек. Животные разных видов вымирают на глазах. Спрос на иссякающие природные ресурсы стремительно растет. Найти чистую воду становится все труднее и труднее. По любым биологическим меркам численность нашего вида превысила допустимый предел. И перед лицом этой катастрофы Всемирная организация здравоохранения — орган, стоящий на страже здоровья планеты, — занимается поисками лекарств от диабета, пополняет запасы консервированной крови, борется с раком... — Он поглядел на нее в упор. — Так вот, я пригласил вас сюда, чтобы спросить прямо: почему, черт побери, у Всемирной организации здравоохранения не хватает духу взяться за решение этой проблемы всерьез?

Элизабет взвилась.

— Кто бы вы ни были, вам должно быть прекрасно известно, что ВОЗ относится к проблеме перенаселения крайне серьезно! Недавно мы истратили миллионы долларов на поездки врачей в Африку, где они раздавали бесплатные презервативы и учили местных жителей контролировать рождаемость.

— Ну да, конечно! — насмешливо воскликнул ее собеседник. — А по пятам за вами туда отправилась еще более многочисленная армия католических миссионеров, которые объяснили африканцам, что если они будут пользоваться презервативами, то загремят прямиком в ад. Теперь у Африки новая беда — загрязнение окружающей среды неиспользованными презервативами!

Элизабет прикусила язык. Тут он был прав, хотя передовые католики уже выступали против вмешательства Ватикана в проблемы, связанные с зачатием. Самым ярким в этом отношении выглядел поступок Мелинды Гейтс: ревностная католичка, она не побоялась навлечь на себя гнев своей церкви и отважно пожертвовала на внедрение более эффективного контроля над рождаемостью 560 миллионов долларов. Элизабет Сински не раз говорила журналистам, что Билл и Мелинда Гейтс давно заслужили канонизацию — так много они сделали для всемирного здравоохранения через свой фонд. К несчастью, единственная организация, имеющая право объявлять людей святыми, почему-то не желала признавать, что эти двое ведут себя как истинные христиане.

— Доктор Сински, — продолжала тень. — Всемирная организация здравоохранения упорно закрывает глаза на то, что перед нами стоит лишь одна глобальная проблема, связанная со здоровьем. — Незнакомец вновь указал на экран, где кишели сбившиеся в плотную массу человеческие тела. — Вот она. — Он выдержал паузу. — Поскольку вы ученый и едва ли так уж искушены в классической литературе и изящных искусствах, я предложу вам другую картинку — думаю, ее язык будет вам более понятен.

Комната погрузилась во тьму, но через миг экран снова вспыхнул.

Это изображение Элизабет видела неоднократно... и оно всегда вызывало у нее гнетущее чувство безысходности.

В комнате повисла тяжкая тишина.

Рост численности населения Земли за всю историю человечества

— Да, — сказал незнакомец, помолчав с минуту. — Безмолвный ужас — естественная реакция на этот график. Смотреть на него — все равно что видеть прожектор локомотива, который несется прямо на тебя. — Он медленно повернулся к Элизабет и улыбнулся ей жесткой снисходительной улыбкой. — Есть вопросы, доктор Сински?

— Только один, — бросила она. — Для чего вы меня сюда позвали — прочесть лекцию или оскорбить?

— Ни то ни другое. — В его голосе вдруг зазвучали льстивые нотки, отчего у нее пробежал мороз по коже. — Я пригласил вас сюда для совместной работы. Вы, несомненно, понимаете, что проблема перенаселенности тесно связана со здравоохранением. Но вот чего вы, боюсь, *не* понимаете: эта проблема влияет на душу человека. В стрессовых условиях перенаселенности те, кому никогда и в голову не приходило ничего украсть, станут воровать, чтобы прокормить свои семьи. Те, кому и в голову не приходило кого-то убить, станут убивать, чтобы защитить свое потомство. Все смертные грехи, описанные Данте — алчность, зависть, чревоугодие и так далее, — начнут концентрироваться и всплывать на поверхность, набирая силу по мере ухудшения качества нашей жизни. Нам предстоит вести битву, в которой будет стоять на кону сама человеческая душа.

— Я биолог. Я занимаюсь спасением жизней... а не душ.

— Что ж, уверяю вас, что с течением лет спасать жизни будет все труднее и труднее. Перенаселение порождает отнюдь не только духовную неудовлетворенность. По словам Макьявелли...

— Да, — перебила она, тут же вспомнив это знаменитое место. — «Когда все области переполняются жителями так, что им негде жить и некуда уйти... возникает необходимость *очищения мира*»*. — Она подняла на него взгляд. — Всем, кто работает в ВОЗ, хорошо знакома эта цитата.

— Отлично. Тогда вы знаете, что дальше Макьявелли перечисляет способы очищения мира и в качестве одного из них называет чуму.

— Знаю, и говорила в своем выступлении, что мы прекрасно осознаём прямую связь между плотностью населения и опасностью широкомасштабных эпидемий, но постоянно разрабатываем новые

---

* «Рассуждения о первой декаде Тита Ливия», пер. М. Юсима.

методы раннего обнаружения и лечения болезней. ВОЗ не теряет уверенности в том, что мы научимся предотвращать пандемии.

— И очень жаль.

Элизабет удивленно воззрилась на него.

— Что-что?!

— Доктор Сински, — сказал худой незнакомец, отпустив странный смешок, — вы говорите так, будто сдерживать эпидемии — это хорошо.

Элизабет смотрела на него в немом изумлении.

— Итак, вот что мы имеем! — провозгласил он, словно адвокат, завершающий свою речь. — Передо мной стоит глава Всемирной организации здравоохранения — лучший специалист из ее рядов. Подумать только! Я показал вам эту картину грядущих страданий. — Он переключил проектор, снова вернув на экран гору тел. — Я напомнил вам, какую колоссальную угрозу представляет собой неконтролируемый рост населения. — Он кивнул на маленькую стопку бумаги. — Я объяснил вам, что мы стоим на пороге духовной деградации. — Он сделал паузу и повернулся к ней. — И каков же ваш ответ? Бесплатные презервативы в Африке! — Он язвительно усмехнулся. — Да это все равно что отмахиваться мухобойкой от гигантского метеорита! Эта бомба не тикает — она уже взорвалась, и если не принять самые решительные меры, экспоненциальная кривая станет вашим новым богом... а это очень мстительный бог! Он устроит вам дантовский ад прямо здесь, на Парк-авеню... люди будут задыхаться от тесноты, валяясь в собственных испражнениях. Сама природа начнет безжалостно прорежать ряды человечества.

— Да неужто? — огрызнулась Элизабет. — Тогда скажите мне, сколько людей должно остаться на Земле в *вашей* версии будущего? Какова эта идеальная цифра, при которой человечество сможет обеспечивать себя всем необходимым до бесконечности... и жить в относительном комфорте?

Ее собеседник улыбнулся — ему явно понравился этот вопрос.

— Любой эколог или статистик скажет вам, что больше всего шансов на долгосрочное выживание человечество будет иметь при общей численности населения около четырех миллиардов.

— Четырех? — возмущенно выпалила Элизабет. — У нас их уже семь, так что вы слегка опоздали!

Зеленые глаза высокого незнакомца сверкнули.

— Разве?

Глава 23

Роберт Лэнгдон грузно плюхнулся со стены садов Боболи на пружинистую почву в их лесистой южной части. Сиена приземлилась рядом и тут же встала, отряхиваясь и озираясь.

Они стояли на заросшей мохом и папоротником опушке небольшой рощи. Отсюда палаццо Питти был совсем не виден, и Лэнгдон подозревал, что они попали в самую удаленную от него точку Садов. Зато в этот ранний час сюда еще не успели добраться ни служители парка, ни туристы.

Лэнгдон заметил неподалеку мощеную дорожку — изящно изгибаясь, она бежала под гору и ныряла в лес. Там, где она исчезала среди деревьев, высилась мраморная статуя — место для нее было выбрано идеально. Лэнгдона это не удивило. Планировкой садов Боболи занимались выдающиеся мастера Никколо Триболо, Джорджо Вазари и Бернардо Буонталенти, и их художественный вкус превратил это полотно площадью четыре с половиной гектара в настоящий живописный шедевр.

— Дворец в той стороне, на северо-востоке, — сказал Лэнгдон, кивая на дорожку. — У ворот можно будет смешаться с толпой туристов и незаметно выйти. По-моему, парк открывают в девять.

Он хотел взглянуть, сколько сейчас времени, но там, где раньше были часы с Микки-Маусом, теперь белело голое запястье. У него мелькнула мысль, что они могли остаться в больнице вместе с другой одеждой. Если так, он их потом заберет.

Сиена вызывающе расправила плечи.

— Прежде чем сделать еще хоть шаг, Роберт, я хочу знать, куда мы направляемся. Что вы там такое угадали насчет Злых Щелей? Вы сказали, они расположены не в том порядке?

Лэнгдон показал на лес.

— Давайте сначала спрячемся, ладно?

Он двинулся вниз первым, Сиена — за ним. Вскоре дорожка вывела их на закрытую со всех сторон лужайку — «комнату» на языке ландшафтной архитектуры — со скамейками и маленьким фонтанчиком. Здесь, под деревьями, было гораздо прохладнее.

Лэнгдон вынул из кармана проектор и принялся его трясти.

— Тот, кто создал это цифровое изображение, не только нарисовал на грешниках буквы, но еще и изменил порядок казней. — Он вспрыгнул на скамейку и направил проектор себе под ноги. На гладком сиденье рядом с Сиеной слабо забрезжила Боттичеллиева «La Mappa dell'Inferno». Лэнгдон указал на многоярусную область в нижней части воронки. — Видите буквы в Злых Щелях?

Сиена отыскала их на картине и прочла сверху вниз:

— Catrovacer.

— Верно. Никакого смысла, да?

— Но вы поняли, что рвы просто перетасовали?

— Даже проще. Если сравнить эти уровни с маленькой колодой из десяти карт, можно сказать, что ее не тасовали, а просто сняли один раз. Порядок после этого сохранился, только начинается колода уже не с той карты. — Лэнгдон снова показал на Злые Щели. — У Данте верхний уровень занят соблазнителями, которых бесы погоняют кнутами. Но в этой версии соблазнители оказались намного глубже, а именно... в восьмом рву.

Сиена вгляделась в тускнеющее изображение и кивнула:

— Ага, вижу. Первый ров стал восьмым.

Лэнгдон убрал проектор в карман и спрыгнул обратно на дорожку. Потом взял прутик и нацарапал на голой земле рядом с ней десять букв.

— Вот в каком порядке они нарисованы в нашей модифицированной версии ада.

C
A
T
R
O
V
A

C
E
R

— Catrovacer, — прочла Сиена.

— Да. А вот где колоду разделили.

Лэнгдон провел черту под седьмой буквой и подождал, давая Сиене время разобраться в его картинке.

C
A
T
R
O
V
A
—
C
E
R

— Так, — быстро сказала она. — Catrova. Cer.

— Да, а чтобы вернуть картам прежний порядок, мы просто снимаем колоду еще раз и кладем нижнюю часть сверху.

Сиена пристально разглядывала буквы.

— Cer. Catrova. — Она пожала плечами. Лицо ее по-прежнему выражало недоумение. — Все равно бессмыслица...

— Cer catrova, — повторил Лэнгдон. Затем снова произнес оба непонятных слова, слив их в одно. — Cercatrova. — И наконец прочел то, что получилось, с паузой посередине: — Cerca... trova.

Сиена ахнула, и ее взгляд метнулся вверх, встретившись со взглядом Лэнгдона.

— Да, — с улыбкой подтвердил Лэнгдон. — Cerca trova.

Буквально итальянские слова cerca и trova означают «ищи» и «найди». В сочетании же они превращаются в библейское «ищите, и найдете».

— Ваши галлюцинации! — захлебываясь от волнения, воскликнула Сиена. — Незнакомка с вуалью! Она все твердила вам «ищите, и найдете»! — Она вскочила на ноги. — Да вы понимаете, что это значит, Роберт? Это значит, что слова cerca и trova уже хранились в вашем подсознании! Выходит, вы расшифровали эту фразу еще *до того*, как попали в больницу! Получается, что вы и раньше видели изображение из проектора... только забыли про это!

А ведь она права, сообразил Лэнгдон. Поглощенный размышлениями о самом шифре, он и не подумал о том, что видит его, возможно, не в первый раз.

— Роберт! На бульваре Макьявелли вы заявили мне, что «La Mappa» указывает на конкретное место в Старом городе. Но я до сих пор не пойму на какое.

— Слова «cerca trova» ничего вам не напоминают?

Она пожала плечами.

Лэнгдон с трудом сдержал улыбку. *Оказывается, даже Сиена знает не все на свете.*

— Дело в том, что эта фраза прямо указывает на знаменитую фреску, которая находится в палаццо Веккьо, — а именно на «Битву при Марчано» Джорджо Вазари в Зале Пятисот. На самом верху картины художник крошечными, едва различимыми буквами вывел слова «cerca trova». Для объяснения этого было выдвинуто множество гипотез, но ни одного убедительного доказательства, которое подтверждало бы хоть одну из них, до сих пор не найдено.

Внезапно до них донеслось тонкое жужжание: похоже, в небе прямо над их головами откуда ни возьмись появился маленький летательный аппарат. Судя по звуку, он был совсем близко, и Лэнгдон с Сиеной замерли, скрытые от него листвяным пологом.

Когда звук начал стихать, Лэнгдон осторожно выглянул из-под дерева.

— Игрушечный вертолет, — с облегчением сказал он, провожая глазами радиоуправляемый вертолетик длиной всего около метра. Он смахивал на гигантского злобного комара.

Однако Сиену это не успокоило.

— Не высовывайтесь, — велела она. И была права: вертолетик развернулся в отдалении и стал возвращаться. На этот раз он пролетел мимо так же низко, над самыми верхушками деревьев, но уже чуть левее, вдоль соседней прогалины.

— Никакой он не игрушечный, — прошептала Сиена. — Это вертолет-разведчик. Наверняка с видеокамерой на борту и транслирует все в реальном времени... тому, кто его отправил.

Невольно стиснув зубы, Лэнгдон смотрел, как разведчик удаляется туда, откуда они пришли, — к Порта Романа и Институту искусств.

— Не знаю, что вы натворили, — продолжала Сиена, — но каким-то очень влиятельным людям здорово не терпится вас найти.

Вертолетик опять развернулся и стал медленно барражировать над стеной парка, через которую они только что перелезли.

— Может быть, кто-то около Института искусств заметил нас и сообщил полиции, — сказала Сиена. — Надо уходить отсюда. Немедленно.

Под удаляющийся вой беспилотника, взявшего курс на дальний конец парка, Лэнгдон торопливо затер ногой буквы на обочине и поспешил вслед за Сиеной. В голове у него теснились мысли о «cerca trova», фреске Джорджо Вазари и догадке Сиены насчет того, что он скорее всего еще накануне расшифровал указание, спрятанное в проекторе. *Ищите, и найдете.*

Они выбрались на соседнюю поляну, и тут Лэнгдона вдруг озарило. Он встал на лесной дорожке как вкопанный, и на лице у него расцвела улыбка.

Сиена тоже остановилась.

— Роберт! Что такое?!

— Я невиновен! — провозгласил он.

— О чем это вы?

— За мной гонятся... и я боялся, что совершил что-то ужасное.

— Ну да, и в больнице вы все твердили про какое-то зарево.

— Знаю. Но я-то думал, что говорю о пожаре.

Сиена удивленно посмотрела на него.

— А на самом деле?

В голубых глазах Лэнгдона светилось возбуждение.

— Сиена, когда я повторял «зарево, зарево», это не имело никакого отношения к огню. Я говорил о тайном послании на фреске в палаццо Веккьо! — У него в ушах и сейчас звучала та магнитофонная запись с его горячечным бормотанием. *Зарево... зарево... зарево.*

Вид у Сиены был растерянный.

— Неужто не понимаете? — Лэнгдон ухмыльнулся во весь рот. — Я говорил не «зарево, зарево». Я повторял фамилию художника — *Вазари, Вазари!*

Глава 24

айента резко выжала тормоз. Мотоцикл вильнул и, с визгом прочертив на асфальте длинный след, остановился в хвосте вереницы машин.

Бульвар Поджо-Империале был закупорен намертво.

Некогда мне тут торчать!

Вайента вытянула шею, пытаясь разглядеть, что вызвало пробку. Ей пришлось сделать большой крюк, чтобы избежать встречи с группой ПНР и сутолоки у дома, где скрывался Лэнгдон, а теперь она должна была как можно быстрее попасть в Старый город и выписаться из гостиницы, которая служила ей приютом в последние дни.

Меня отстранили — значит, надо поскорей убраться из города!

Однако черная полоса, видимо, еще не кончилась: путь в Старый город был закрыт. Сдерживая нетерпение, Вайента снова завела мотор и покатила по обочине впритирку к машинам. Скоро впереди показалась забитая транспортом развязка, место слияния шести крупных автотрасс. У ворот Порта Романа, ведущих в Старый город, всегда было оживленное движение, но сегодня...

Что там стряслось, черт побери?!

Теперь Вайента увидела, что вся площадь кишит полицией — похоже, там устроили что-то вроде облавы. Несколько секунд спустя она заметила в центре столпотворения то, что никак не предполагала здесь увидеть, — знакомый черный фургон, окруженный агентами в черной форме, которые отдавали приказы местным служителям закона.

Без сомнения, это были люди из ПНР, и все же Вайента не понимала, что они тут делают.

Разве только...

Вайента судорожно сглотнула — такое трудно было даже допустить. *Неужели Лэнгдон сбежал и от Брюдера?* Это казалось немыслимым; шансы улизнуть от ПНР фактически равнялись нулю. Правда, Лэнгдон действовал не в одиночку, и Вайента на собственном опыте убедилась в находчивости его светловолосой спутницы.

Неподалеку появился полицейский — он переходил от машины к машине, показывая фотографию немолодого мужчины с густыми русыми волосами. Вайента мгновенно признала в этом обаятельном шатене Роберта Лэнгдона, и в груди у нее радостно ёкнуло.

Брюдер его упустил... Лэнгдон по-прежнему в игре!

Опытный стратег, Вайента тут же принялась соображать, как это может повлиять на ее планы.

Вариант номер один: спасаться бегством, как и было намечено.

Вайента провалила важнейшее задание шефа, и в результате ее отстранили от дел. Если ей повезет, начальство проведет официальное расследование и на этом ее карьера закончится. А если *не* повезет — если она недооценила серьезность своих нанимателей, — тогда ей, возможно, придется весь остаток жизни оглядываться через плечо в страхе, что на нее вот-вот обрушится гнев Консорциума...

Но теперь возник вариант номер два.

Завершить задание.

Конечно, это было прямым нарушением правил, однако, раз Лэнгдона еще не поймали, у Вайенты оставалась возможность выполнить свою первоначальную задачу.

Допустим, Брюдер не сумеет поймать Лэнгдона, подумала она, и сердце ее забилось быстрее. *А я — сумею...*

Вайента понимала, насколько это маловероятно, однако если Лэнгдону удастся улизнуть от Брюдера, а она изловчится и закончит свою работу, это будет значить, что она единолично спасла Консорциум от грандиозного провала. Тогда шефу не останется ничего другого, кроме как проявить снисходительность.

Я сохраню место, подумала она. *А может, меня даже повысят.*

В один миг Вайента осознала, что на карту поставлено все ее будущее. *Я должна отыскать Лэнгдона раньше Брюдера.*

Конечно, это будет непросто. Брюдер располагает не только неограниченными живыми ресурсами, но и самыми передовыми техническими средствами наблюдения. Вайента работает одна. Зато ей известно то, чего не знают ни Брюдер, ни шеф, ни полиция.

Я очень хорошо представляю себе, куда Лэнгдон мог отправиться.

Поддав газу, она круто развернула «БМВ» и помчалась туда, откуда приехала. *Понте-алле-Грацие*, подумала она о мосте, расположенном севернее. В Старый город ведет не одна дорога.

Глава 25

икакого пожара, повторял про себя Лэнгдон. *Просто имя художника.*

— Вазари, — с запинкой выговорила Сиена, отступив по дорожке обратно на целый шаг. — Художник, который спрятал на своей картине слова «cerca trova».

Лэнгдон опять невольно расплылся в улыбке. *Вазари. Вазари.* Эта догадка не только проливала свет на странную ситуацию, в которой он очутился, но и избавляла его от мучительных переживаний по поводу того, что он мог стать виновником страшного пожара... и потому безостановочно твердил о каком-то зареве.

— Совершенно ясно, Роберт, что картину Боттичелли из проектора вы видели еще до того, как вас ранили. Вы знали, что в ней спрятан шифр, указывающий на фреску Вазари. Поэтому вы и повторяли его имя!

Лэнгдон попытался сообразить, что все это значит. На Джорджо Вазари — художника, архитектора и писателя шестнадцатого века — он сам часто ссылался как на «первого в мире искусствоведа». Хотя Вазари написал сотни картин и спроектировал десятки зданий, его главным наследием была эпохальная книга «Жизнеописания наиболее знаменитых живописцев, ваятелей и зодчих» — сборник биографий итальянских художников, который и по сей день остается необходимым пособием для всех, кто изучает историю искусства.

Слова «cerca trova» вновь сделали имя Вазари известным широкой публике примерно тридцать лет назад, когда на его огромной фреске в палаццо Веккьо, в Зале Пятисот, обнаружили это «тайное послание». Выведенное крошечными буквами на зеленом боевом знамени, оно было еле различимо в хаосе батальной сцены. Ученые еще не сошлись во мнениях относительно того, зачем Вазари написал на фреске эту странную фразу, но большинство видели в ней подсказку, обращенную к будущим поколениям, — так Вазари якобы намекал на то, что в трехсантиметровом зазоре за стеной кроется утерянная фреска Леонардо да Винчи.

Сиена тревожно поглядывала вверх, на прорехи в листве.

— Мне еще вот что непонятно. Если вы ничего не натворили... то почему вас пытаются убить?

Лэнгдон задавал себе тот же вопрос.

Тонкий визг вертолета-разведчика опять нарастал, и Лэнгдон понял, что ему пора принимать решение. Он еще не знал, как «Битва при Марчано» Вазари связана с «Адом» Данте и почему прошлым вечером в него стреляли, однако впереди уже забрезжила едва различимая тропка.

Cerca trova.

Ищите, и найдете.

И снова Лэнгдон увидел незнакомку с серебристыми локонами, взывающую к нему с другого берега реки. *Время уже на исходе!* Лэнгдон чувствовал: если где-то и есть ответы, искать их надо в палаццо Веккьо.

Ему неожиданно вспомнилась старинная присказка греческих ныряльщиков, которые ловили омаров в коралловых гротах у Эгейских островов. *Когда заплываешь в темный туннель, рано или поздно наступает момент, после которого у тебя уже не хватит дыхания вернуться назад. Тогда тебе остается только плыть вперед, в неизвестное... и молиться, чтобы там оказался выход.*

Интересно, подумал Лэнгдон, пересекли они этот критический рубеж или еще нет?

Он кинул взгляд на парковые дорожки впереди — хаотически пересекаясь, они бежали в разных направлениях. Если им с Сиеной удастся добраться до палаццо Питти и выйти из садов Боболи, то от Старого города их будут отделять только самый знаменитый пешеходный мост на свете — Понте Веккьо. Там всегда полно народу, так что хорошее прикрытие им обеспечено. А оттуда до палаццо Веккьо всего несколько кварталов...

Вертолет жужжал уже совсем близко, и на Лэнгдона вдруг нахлынуло изнеможение. Теперь, зная, что ему не надо винить себя в поджоге, он окончательно перестал понимать, зачем они бегают от полиции.

— В конце концов меня все равно поймают, Сиена, — сказал Лэнгдон. — По-моему, лучше уж сдаться сразу.

Сиена посмотрела на него с волнением.

— Стоит вам остановиться, как в вас тут же начинают стрелять! Роберт, вы должны разобраться, во что впутались. Надо взглянуть на эту фреску Вазари и проверить, не оживит ли это вашу память. Может, тогда вы сообразите, откуда взялся этот проектор и почему вы носите его с собой.

Мысленно Лэнгдон снова увидел, как женщина с шипами на голове хладнокровно убивает доктора Маркони... как в них стреляют люди в черном... как стекается к Порта Романа итальянская военная полиция... и как вдобавок ко всему этому над садами Боболи снует вертолет-разведчик, отправленный на его поиски. Он умолк, потирая усталые глаза и взвешивая варианты.

— Роберт! — окликнула его Сиена, чуть повысив голос. — Есть еще одна вещь... Раньше я думала, что это не важно, но теперь сомневаюсь.

Лэнгдон поднял глаза, встревоженный серьезностью ее тона.

— Я хотела сказать вам еще у себя дома, — продолжала она, — только...

— Что такое?

Сиена поджала губы. Вид у нее был смущенный.

— Когда вы пришли в больницу, вас лихорадило, но вы пытались что-то объяснить.

— Ну да, — ответил Лэнгдон. — Я бормотал «Вазари, Вазари».

— Да, но чуть раньше... до того, как мы принесли магнитофон, в первые минуты после вашего появления, вы сказали кое-что другое, и я запомнила. Вы сказали это всего один раз, но я уверена, что ничего не путаю.

— Что я сказал?

Сиена покосилась туда, где жужжал беспилотник, а затем снова перевела взгляд на Лэнгдона.

— Вы сказали: «*У меня есть ключ... я должен это найти, а если не найду, тогда всех ждет гибель*».

Лэнгдон молчал, не зная, что ответить.

— Я думала, вы говорили о той штуке, которая была у вас в кармане, но сейчас... — продолжала Сиена.

Если не найду, тогда всех ждет гибель? Эти слова потрясли Лэнгдона. Перед ним замелькали навязчивые образы смерти... дантовский ад, эмблема биологической угрозы, чумной доктор. И вновь таинственная незнакомка обратила к нему свою мольбу с того берега кроваво-красной реки. *Ищите, и найдете! Время уже на исходе!*

Голос Сиены вернул его к действительности.

— На что бы в конечном счете ни указывал этот проектор... и что бы вы ни пытались найти, это наверняка нечто чрезвычайно опасное. Если уж нас хотят убить... — Ее голос слегка дрогнул, и она помедлила, снова собираясь с духом. — Подумайте сами. В вас стреляли средь бела дня... и не только в вас, но и в меня — а я ведь вообще ни в чем не замешана. Похоже, никто и не думает вступать в переговоры. На вас ополчилось ваше собственное правительство... вы попросили их о помощи, а они подослали к вам убийцу.

Лэнгдон невидящим взором уставился в землю. То ли работники консульства США сообщили киллеру, где он находится, то ли сами натравили на него киллера — какая разница? Результат все равно один. *Мое собственное правительство против меня.*

Карие глаза Сиены светились уверенностью и отвагой.

Во что я ее втянул?

— Хорошо бы все-таки узнать, что мы ищем. Тогда хоть что-то могло бы проясниться.

Сиена кивнула.

— Что бы это ни было, нам надо его найти. По крайней мере у нас на руках будет хоть какой-то козырь.

Ее логика казалась железной. И все же что-то беспокоило Лэнгдона. *Если не найду, тогда всех ждет гибель?* Все утро он то и дело натыкался на пугающие символы биологической опасности, чумы и Дантова ада. Конечно, он толком не знал, что ищет, однако напрашивалось предположение, что речь идет о смертельной болезни или о крупномасштабной биологической угрозе. Но если это так, почему на него устроило травлю его собственное правительство?

Неужели они думают, что я террорист?

Это была полная нелепость. Нет, здесь крылось что-то другое. Лэнгдон опять подумал о таинственной незнакомке.

— Есть еще женщина из моего видения. Я чувствую, что должен ее найти.

— Тогда доверьтесь своим чувствам, — сказала Сиена. — В таком состоянии, как сейчас, ваше подсознание для вас лучший компас. Это основы психологии: если чутье велит вам доверять этой женщине, значит, вы должны делать именно то, что она вам советует.

— Ищите, и найдете, — вместе сказали они.

Лэнгдон перевел дух, понимая, что пора отбросить сомнения. *Все, что мне остается, — это плыть по туннелю.*

Чувствуя, как крепнет его решимость, он стал озираться вокруг, чтобы сориентироваться. *Где выход из парка?*

Они стояли под деревьями на краю большой открытой площадки, где сходились несколько дорожек. Слева, немного поодаль, Лэнгдон заметил прудик овальной формы, а посреди него — маленький островок с лимонными деревьями и изящными статуями. *Изолотто*, подумал он, узнав знаменитую скульптуру — Персея на коне, наполовину погруженном в воду.

— Палаццо Питти там, на востоке. — Лэнгдон указал в сторону, противоположную Изолотто, — туда, где проходила главная аллея парка, Вьоттолоне, пересекающая его весь с запада на восток. Широкую, как двухполосное шоссе, Вьоттолоне окаймляли ряды стройных кипарисов возрастом в добрых четыре сотни лет.

— Но там негде спрятаться, — возразила Сиена, посмотрев на открытую аллею. — Нас тут же засекут!

— Вы правы, — криво ухмыльнувшись, отозвался Лэнгдон. — Поэтому мы пойдем вон по тому туннелю.

Он снова протянул руку, указывая на густую шпалеру рядом с Вьоттолоне. В плотных зеленых зарослях была прорезана арка, а за ней бежала ровная тропинка. Каменные дубы по ее обочинам тщательно подстригали с начала семнадцатого века; в результате их ветви сплелись наверху и образовали туннель, параллельный главной аллее. Название этой тропы, Черкьята, буквально означало «округлая», поскольку смыкающиеся над ней ветви напоминали по форме обручи для бочки, по-итальянски cerchi.

Сиена поспешила к арке и заглянула в тенистый проход. Потом с улыбкой обернулась к своему спутнику.

— Годится.

Не тратя времени зря, она скользнула внутрь и зашагала по тропинке.

Лэнгдон всегда считал Черкьяту одним из самых мирных уголков во Флоренции. Однако сегодня, глядя вслед исчезающей в полумраке Сиене, он снова подумал о греках-ныряльщиках, которые заплывали в коралловые туннели и молились о том, чтобы не оказаться в тупике.

Решив взять с них пример, Лэнгдон быстро произнес про себя коротенькую молитву и поспешил следом за Сиеной.

А в километре от них, около Института искусств, двигался сквозь толпу полицейских и студентов агент Брюдер. Люди расступались перед его ледяным взглядом. Наконец он добрался до импровизированного командного пункта, устроенного его специалистом по наблюдению на капоте черного автомобиля.

— С нашего вертолета-разведчика, — сказал специалист, протягивая Брюдеру портативный монитор. — Получено несколько минут назад.

Брюдер просмотрел видеокадры, остановившись на мутном увеличенном снимке темно-русого мужчины и женщины со светлыми волосами, забранными в хвост. Оба прятались в тени деревьев, так что были видны только их запрокинутые лица.

Роберт Лэнгдон.

Сиена Брукс.

Никаких сомнений.

Брюдер переключился на карту садов Боболи, развернутую на капоте. *Они сделали плохой выбор*, подумал он, изучая планировку парка. Конечно, в нем хватало запутанных дорожек и укрытий, да и площади он был немалой, зато со всех сторон его окружали высокие стены. Такой идеальной мышеловки, как сады Боболи, Брюдер не встречал за всю свою оперативную практику.

Отсюда им не выбраться.

— Местные власти блокируют все выходы, — сообщил его подчиненный. — Сейчас будем прочесывать парк.

— Держите меня в курсе, — сказал Брюдер.

Он медленно поднял глаза на окно фургона. Сквозь толстое поликарбонатное стекло была видна сидящая сзади женщина с серебристыми волосами.

Лекарства, которыми ее накачали, явно притупили ее чувства сильнее, чем предполагал Брюдер. Тем не менее испуг в ее глазах говорил о том, что она прекрасно отдает себе отчет во всем происходящем.

Вид у нее невеселый, подумал Брюдер. *Да и с чего бы ей веселиться?*

Глава 26

Водяной столб поднимался в воздух метров на семь. Лэнгдон глядел, как вода мягко падает с высоты обратно, довольный тем, что их цель уже гораздо ближе. Они только что миновали зеленый туннель Черкьяты и перебежали открытую лужайку. Теперь они стояли в рощице из пробковых деревьев и смотрели на самый знаменитый одноструйный фонтан Боболи — бронзового Нептуна с трезубцем в руках. Лэнгдон знал, что это изваяние работы Стольдо Лоренци, которое местные жители непочтительно называют «фонтаном с вилкой», расположено примерно в центре парка.

Стоя на самой опушке рощи, Сиена вгляделась сквозь листву вверх.

— Что-то я не вижу вертолета.

Лэнгдон его даже не слышал, но плеск воды заглушал другие звуки.

— Может, полетел заправляться, — сказала Сиена. — Это наш шанс. Куда теперь?

Лэнгдон повел ее влево, и они стали спускаться по крутому склону. Вскоре в просветах между деревьями показался дворец. Это и был палаццо Питти.

— Миленький домик, — прошептала Сиена.

— Типичная недооценка вклада Медичи в культуру, — съязвил он.

Хотя до дворца оставалось еще добрых полкилометра, его каменный фасад доминировал над ландшафтом, простираясь далеко в обе стороны. Благодаря облицовке рустикой, то есть грубыми, не обработанными с лицевой стороны камнями, все массивное здание дышало непререкаемой властностью — впечатление, которое усугублялось эффектным чередованием закрытых ставнями окон и увенчанных полукруглыми арками апертур. Как правило, дворцы государственного значения строились на возвышенности, чтобы гуляющие смотрели на них снизу вверх. Однако палаццо Питти находился в долине реки Арно, так что из садов Боболи он был виден сверху.

Впрочем, в таком ракурсе дворец выглядел еще грандиознее. Один архитектор как-то сказал, что он словно создан самой природой... как будто в горах произошел оползень, гигантские камни скатились по пологому склону и сами собой сложились в изящную могучую баррикаду. Хотя низина — место стратегически невыгодное, палаццо Питти настолько прочен и надежен, что Наполеон, будучи во Флоренции, устроил в нем свою штаб-квартиру.

— Смотрите, — сказала Сиена, указывая на ближайшие к ним двери дворца. — Похоже, нам повезло.

Лэнгдон уже заметил то, о чем она говорила. В это странное утро ему больше всего порадовал глаз не сам дворец, а нескончаемый поток туристов, который выливался из него в парк. Палаццо Питти был открыт, а это значило, что Лэнгдону с Сиеной ничего не стоит проскользнуть внутрь, пройти его насквозь и таким образом выбраться из Садов. Лэнгдон знал, что, выйдя из дворца, они увидят справа реку Арно, а за ней — башни Старого города.

Они с Сиеной бегом пустились вниз по крутому склону. Спускаясь, они пересекли амфитеатр Боболи, подковой обнимающий подножие холма, — именно здесь состоялся первый в истории оперный спектакль. Потом миновали обелиск Рамзеса II и малосимпатичный «шедевр» у его основания. Путеводители называли его «гигантской каменной чашей из римских терм Каракаллы», но Лэнгдон всегда видел в этой «чаше» то, чем она и была, — самую огромную в мире ванну. *Лучше бы они поставили эту штуковину где-нибудь в другом месте.*

Наконец беглецы приблизились к тыльной части дворца и, перейдя на спокойный шаг, незаметно смешались с первой волной туристов. Двигаясь против течения, они проникли по узкому проходу во внутренний двор с маленьким летним кафе, где посетители наслаждались утренней чашечкой эспрессо. В воздухе был разлит аромат свежесмолотого кофе, и Лэнгдону вдруг ужасно захотелось сесть за столик и позавтракать по-человечески. *Потерпишь*, сказал он себе, и они ступили под арку, ведущую к главным дверям палаццо Питти.

Здесь толпа туристов была гуще — люди скопились под портиком, заинтригованные тем, что творилось снаружи. Привстав на цыпочки, Лэнгдон попытался разглядеть, что происходит перед дворцом.

Главный вход в палаццо Питти выглядел все таким же суровым и негостеприимным. Ни ровно подстриженной лужайки, ни чудес ландшафтного дизайна — только широкая голая площадь, которая укрывала весь склон холма, сбегая к улице Гвиччардини, точно вымощенный камнем горнолыжный спуск.

И тут Лэнгдон увидел, что привлекло внимание стольких зевак.

Ко дворцу только что подкатили с полдесятка полицейских автомобилей, и вверх по холму уже шагала небольшая армия полицейских. На ходу доставая оружие, они рассредотачивались веером и оцепляли дворец.

Глава 27

огда полицейские блокировали палаццо Питти, Лэнгдон с Сиеной уже торопливо удалялись от них тем же путем, каким пришли. Они снова пересекли внутренний дворик и оставили позади кафе, наполненное гулом голосов; туристы вытягивали шеи, пытаясь определить причину суматохи.

Сиена была поражена тем, что блюстители закона отыскали их так быстро. *Наверное, вертолет исчез, потому что выполнил свое задание и обнаружил нас.*

Они с Лэнгдоном нашли тот узкий туннель, по которому спустились из парка, не мешкая нырнули туда и зашагали по ступеням вверх. В конце лестница поворачивала налево у подпирающей склон стены, и беглецы кинулись вдоль нее. Стена постепенно становилась ниже, и вскоре им открылся вид на всю огромную территорию садов Боболи.

Лэнгдон тут же схватил Сиену за руку и отдернул назад, под прикрытие каменной кладки. Сиена успела заметить, что его напугало.

По склону над амфитеатром, метрах в трехстах от них, спускалась цепочка полицейских. Они обыскивали рощи, опрашивали туристов, переговаривались друг с другом по рации.

Мы в ловушке!

Впервые встретившись с Лэнгдоном, Сиена и представить себе не могла, что дело дойдет до такого. *На это я не подписывалась.* Когда Сиена выводила Лэнгдона из больницы, она думала, что они удирают от действующей в одиночку убийцы с шипами на голове, но теперь их преследовала военная полиция и все итальянские власти. Ей стало ясно, что шансы на спасение близки к нулю.

— Здесь есть другой выход? — спросила она, чуть отдышавшись.

— По-моему, нет, — ответил Лэнгдон. — Этот парк похож на город-крепость. Он как... — Неожиданно запнувшись, он повернулся на восток. — Как Ватикан.

Сиене почудилось, что при этих словах по его лицу проскользнула тень надежды. Она не понимала, какое отношение Ватикан может иметь к переплету, в который они угодили, но Лэнгдон вдруг закивал, глядя на восток вдоль тыльной стороны дворца.

— Надежды, конечно, мало, — сказал он, увлекая ее за собой. — Но другой выход и впрямь может найтись.

Внезапно перед ними выросли две фигуры — какие-то люди обогнули угол стены и едва не наткнулись на Сиену и Лэнгдона. Оба незнакомца были в черном, и на один страшный миг Сиене показалось, что это те самые бойцы, от которых они еле спаслись на мопеде. Но она тут же поняла, что это всего лишь туристы — судя по стильным кожаным костюмам, итальянцы.

Повинуясь внезапному порыву, она поймала одного из туристов за локоть и улыбнулась ему с подкупающей теплотой.

— Può dirci dov'è la Galleria del costume?* — спросила она на беглом итальянском. Все знали, что в палаццо Питти есть знаменитая Галерея костюма, и Сиена прикинулась, что ищет ее. — Io e mio fratello siamo in ritardo per una visita privata. — *Мы с братом опаздываем на частную экскурсию.*

— Certo! — Турист улыбнулся им обоим. Он явно был рад помочь. — Proseguite dritto per il sentiero! — *Прямо по этой дорожке!* Он повернулся и махнул на запад — в сторону, прямо противоположную той, куда перед этим показывал Лэнгдон.

— Molte grazie! — прощебетала Сиена, очаровательно улыбаясь вслед уходящей паре. *Большое спасибо!*

Лэнгдон восхищенно кивнул своей спутнице. Он понял ее замысел. Если полицейские поговорят с этими туристами, они услышат, что Лэнгдон и Сиена направились в Галерею костюма, которая, согласно висящему на стене плану, расположена в даль-

---

* Не могли бы вы сказать, где Галерея костюма? (*ит.*)

нем западном конце дворца... максимально далеко от их истинной цели.

— Нам надо вон туда, — сказал Лэнгдон, показывая через открытую площадь на вымощенную пизолитом дорожку, бегущую прочь от дворца по другому холму. Со стороны, ближней к вершине, дорожку окаймляла высокая живая изгородь — прекрасное укрытие от полицейских, которые спускались с холма уже в какой-нибудь сотне метров от нее.

Сиена прикинула, каковы их шансы незаметно пересечь площадь и добраться до укрытия. Вывод получался печальный. На площади уже собрались туристы — они с любопытством глазели на полицию. Кроме того, вдалеке опять послышалось слабое жужжание вертолета-разведчика. Судя по звуку, он приближался.

— Теперь или никогда, — сказал Лэнгдон, схватил ее за руку и вытащил на открытое место. Они стали прокладывать себе путь в растущей толпе. Сиена боролась с желанием перейти на бег, однако Лэнгдон крепко держал ее за локоть, шагая среди людей быстро, но спокойно.

Когда они наконец вышли на дорожку, Сиена оглянулась посмотреть, не заметил ли их кто-нибудь. Но все полицейские в поле ее зрения стояли к ним спиной и смотрели в небо, ища глазами вертолет.

Она повернулась и поспешила следом за Лэнгдоном.

Прямо впереди них, над верхушками деревьев, показались далекие очертания старой Флоренции. Сиена узнала крытый красной черепицей купол Дуомо и белую с красным и зеленым колокольню Джотто. В течение недолгого времени она видела даже зубчатую башню палаццо Веккьо, куда им, возможно, так и не суждено было попасть, но вскоре высокие стены парка заслонили обзор и беглецы вновь очутились в каменном мешке.

Когда они достигли подножия холма, Сиена совсем запыхалась и гадала, имеет ли Лэнгдон хоть малейшее представление о том, куда направляется. Дорожка вела прямиком в сад-лабиринт, но Лэнгдон уверенно свернул влево, к широкой площадке, усыпанной гравием, и обогнул ее, прячась за живой изгородью в тени густых деревьев. Площадка была пуста и походила больше на стоянку для служебных машин, чем на место отдыха туристов.

— Куда мы идем? — спросила Сиена, переводя дух.

— Уже почти пришли.

Почти пришли? Всю площадку — а точнее, внутренний дворик — окружали стены высотой по меньшей мере в три этажа. Сиена заметила только один выход — проезд для автомобилей по левую руку, но и его закрывала литая чугунная решетка. Она выглядела так, будто была ровесницей самого дворца и появилась на свет в те времена, когда вокруг рыскали целые армии мародеров. Сквозь решетку были видны полицейские, собравшиеся вдалеке на площади Питти.

По-прежнему держась за кустами, Лэнгдон смело шел вперед, прямо на глухую стену. Сиена быстро окинула ее взглядом, ища какой-нибудь проем, но в стене была только ниша со статуей совершенно омерзительного вида.

Господи Боже, Медичи могли купить любой шедевр на свете, а выбрали это?!

Статуя изображала жирного нагого карлика верхом на гигантской черепахе. Яички карлика расплющились о панцирь черепахи, а изо рта у нее капала вода, точно она была больна.

— Знаю, знаю, — бросил Лэнгдон, не сбавляя шага. — Это Браччо ди Бартоло — знаменитый придворный шут. По мне, лучше посадили бы его в ту здоровенную ванну.

Он резко повернул влево, к небольшой лесенке, которая раньше была вне поля зрения Сиены.

Неужели выход?!

Но эта надежда тотчас угасла.

Свернув к лесенке вслед за Лэнгдоном, она поняла, что они идут в тупик, смахивающий на колодец со стенами вдвое выше прежнего.

Больше того, у Сиены возникло чувство, что их долгое путешествие вот-вот оборвется... на пороге глубокого грота, зияющего в задней стене. *Не может быть, чтобы он привел меня сюда нарочно!*

Над входом в грот угрожающе нависли острые копья сталактитов. В его глубине виднелись узловатые наросты, сползающие по стенам, как будто сам камень таял... обращаясь в фигуры, отдаленно похожие на людей, которые пытались вырваться из каменной толщи. Это зрелище сразу напомнило Сиене «Карту ада» Боттичелли.

Лэнгдон же, как ни странно, невозмутимо шагал прямо к гроту. Хоть он и упоминал о Ватикане, Сиена была твердо уверена, что в этом городе-государстве нет пещер, от которых мороз подирает по коже.

Когда они подошли к гроту почти вплотную, Сиена обратила внимание на своего рода антаблемент над его входом. Призрачная мешанина из сталактитов и бесформенных каменных выступов словно поглощала двух полулежащих женщин, а рядом с ними был вырезан щит с шестью шарами — так называемые palle, знаменитый герб Медичи.

Вдруг Лэнгдон метнулся влево, прочь от входа, и Сиена в первый раз заметила то, чего не замечала раньше, — маленькую деревянную дверь слева от грота. Серая и обшарпанная, она не притягивала к себе глаз — обычно за такими дверьми находятся хозяйственные подсобки или чуланы для садовой утвари.

Лэнгдон кинулся к двери, рассчитывая открыть ее, но снаружи не было ручки — только замочная скважина. Очевидно, дверь открывалась лишь изнутри.

— Черт! — В глазах Лэнгдона вспыхнула тревога. Его оптимизм, похоже, испарился без следа. — А я-то надеялся...

Внезапно каменный колодец, в котором они стояли, наполнился эхом тонкого, пронзительного визга. Обернувшись, Сиена увидела вертолет — он поднялся над дворцом и взял курс в их сторону.

Конечно, Лэнгдон тоже его заметил. Схватив Сиену за руку, он кинулся к пещере. В мгновение ока они скрылись из виду под сталактитовой занавесью.

Очень логичный конец, подумала она. *Сломя голову — прямо в адские врата.*

Глава 28

километре от них Вайента припарковала свой мотоцикл. Она только что приехала в Старый город по мосту Понте-алле-Грацие и, сделав круг, вернулась к Понте Веккьо со стороны, противоположной палаццо Питти. Пристегнув шлем к рулю, она вышла на мост и смешалась с туристами — несмотря на ранний час, их было уже немало.

Прохладный мартовский ветерок взъерошил короткие, склеенные в шипы волосы Вайенты и напомнил ей, что Лэнгдон знает, как она выглядит. Остановившись у одного из многочисленных лотков, она купила бейсболку с надписью «AMO FIRENZE» — «Я люблю Флоренцию» — и натянула ее пониже, прикрыв лицо козырьком.

Разгладив свою кожаную куртку так, чтобы из-под нее не выпирал пистолет, она выбрала позицию примерно посередине моста и со скучающим видом прислонилась к колонне лицом к палаццо Питти. Отсюда хорошо просматривался весь людской поток, стремящийся через реку Арно в сердце Флоренции.

Лэнгдон идет пешком, сказала она себе. *Если ему удастся миновать Порта Романа, самый логичный путь в Старый город лежит через этот мост.*

На западе, у палаццо Питти, завыли сирены. *Хорошо это или плохо? Ищут они его или уже нашли?* Вайента навострила уши, гадая, что там происходит, и вскоре уловила еще один звук — едва слышное жужжание где-то наверху. Она машинально подняла глаза и сразу же заметила его источник — маленький радиоуправляемый вертолетик, который легко взмыл в небо и понесся

над деревьями в направлении северо-восточного угла садов Боболи.

Вертолет-разведчик, подумала Вайента с приливом надежды. *Если он в воздухе, значит, Брюдер еще не поймал Лэнгдона.*

Вертолетик быстро приближался. Очевидно, он обыскивал северо-восточную часть парка, ближайшую к Понте Веккьо, и это добавило Вайенте оптимизма.

Если Лэнгдон улизнул от Брюдера, он наверняка движется сюда.

Однако на глазах у Вайенты вертолетик вдруг спикировал за высокую каменную стену и пропал. Ей было слышно, как он жужжит там среди деревьев... явно обнаружив что-то интересное.

Глава 29

 щите, и найдете, думал Лэнгдон, съежившись в полутемном гроте рядом с Сиеной. *Искали выход... а нашли тупик.*

Бесформенный фонтан в центре грота мог бы послужить хорошим укрытием, но, выглянув из-за него, Лэнгдон понял, что они спрятались слишком поздно.

Вертолет, который минуту назад нырнул в каменный дворик снаружи, завис прямо перед гротом, всего метрах в трех от земли. Повернувшись ко входу, он громко жужжал, как злобное насекомое... завидевшее добычу.

Лэнгдон отпрянул назад и шепнул Сиене:

— По-моему, они знают, что мы здесь.

Отдаваясь эхом от каменных стен, пронзительное жужжание разведчика превращалось в оглушительный визг. Трудно было поверить, что их взял в заложники крошечный беспилотный вертолетик, однако Лэнгдон понимал, что бежать от него бесполезно. *Так что же нам делать? Просто сидеть и ждать?* Его первоначальный план — проникнуть за маленькую серую дверь — был не так уж плох, вот только он не сообразил, что снаружи эта дверь не открывается.

Когда глаза Лэнгдона привыкли к полумраку, он стал озираться вокруг, ища какой-нибудь другой выход. Он не увидел ничего утешительного. Пещеру украшали скульптуры людей и животных, все на разной стадии поглощения странными, словно тающими стенами. Лэнгдон уныло поднял взгляд на потолок, откуда угрожающе свисали сталактиты.

Самое место для того, чтобы умереть.

Грот Буонталенти, названный так в честь своего создателя, архитектора Бернардо Буонталенти, был, пожалуй, самым необычным уголком во всей Флоренции. Когда-то эта анфилада из трех пещер служила для развлечения молодежи, гостившей в палаццо Питти. Ее внутренняя отделка представляла собой смесь натуралистических фантазий и готической избыточности — влажные бугристые стены с наслоениями пемзы как будто поглощали или исторгали из себя множество изваяний. При Медичи по этим стенам еще и струилась вода — она охлаждала грот жарким тосканским летом и создавала иллюзию естественности сооружения.

Лэнгдон и Сиена прятались в первой пещере, самой большой из трех, за аморфным центральным фонтаном. Их окружали живописные фигуры пастухов, крестьян, музыкантов, животных и даже копии микеланджеловских рабов — все они словно бы отчаянно старались вырваться из вязкого камня. В круглое окошко на потолке просачивались утренние лучи — раньше там, на солнечном свету, висел огромный стеклянный шар с водой, где плавал ярко-красный карп.

Любопытно, подумал Лэнгдон, что сказали бы тогдашние посетители, наткнувшись на парящий перед гротом вертолет — фантастическое измышление их современника и соотечественника Леонардо да Винчи, которое вдруг воплотилось в реальность.

Ровно в этот момент жужжание беспилотника смолкло — не затихло, а резко, внезапно оборвалось.

Озадаченный, Лэнгдон высунулся из-за фонтана и увидел, что вертолетик приземлился. Теперь он тихо сидел на гравии и выглядел совсем безобидным, тем более что его похожая на жало видеокамера смотрела не в их сторону, а чуть вбок, в сторону маленькой серой двери.

Однако чувство облегчения оказалось мимолетным. В сотне метров за вертолетом, у статуи карлика на черепахе, появились три вооруженных до зубов бойца. Они без колебаний сбежали по ступеням, направляясь прямиком к пещере.

Бойцы были одеты в знакомую черную форму с зелеными нашивками на плечах. Глаза их мускулистого предводителя смотрели холодно и равнодушно, как у привидевшейся Лэнгдону чумной маски.

Я смерть.

Ни черного фургона, ни таинственной незнакомки с серебристыми волосами поблизости не было.

Я жизнь.

Один из бойцов остался у лестницы и повернулся к беглецам спиной, преграждая посторонним вход на площадку. Двое других зашагали дальше.

Стряхнув с себя оцепенение, Лэнгдон и Сиена на четвереньках попятились во вторую пещеру — меньше, глубже и темнее предыдущей. Ее центральным украшением была скульптура, изображающая двух влюбленных в тесных объятиях. За ней в попытке отсрочить неизбежное беглецы спрятались снова.

Съежившись в тени статуи, Лэнгдон осторожно выглянул из-за пьедестала. Бойцы уже успели подойти к вертолетику. Один из них присел, взял его в руки и стал изучать камеру.

Значит, эта штука нас засекла? Лэнгдон боялся, что ответ ему уже известен.

Третий, и последний, боец — мускулистый, с холодными глазами — по-прежнему неумолимо двигался в их сторону. Он был уже на пороге грота. *Сейчас войдет.* Лэнгдон хотел было спрятаться обратно за статую и сказать Сиене, что все кончено, однако тут произошло неожиданное.

Вместо того чтобы войти в грот, боец резко свернул влево и исчез.

Куда это он?! Стало быть, он не знает, что мы здесь?

Через несколько секунд Лэнгдон услышал стук — кто-то молотил кулаком по дереву.

Маленькая серая дверь, подумал Лэнгдон. *Ему известно, куда она ведет.*

Эрнесто Руссо из службы безопасности палаццо Питти всегда мечтал играть в футбол, но к двадцати девяти годам он заметно располнел и стал потихоньку примиряться с мыслью, что его детской мечте не суждено сбыться. Вот уже три года Эрнесто служил охранником здесь, в палаццо Питти, — сидел в одной и той же каморке величиной с чулан и скучал.

Эрнесто привык к тому, что любопытные туристы пытаются открыть маленькую серую дверь рядом с его каморкой, и обычно просто не обращал на них внимания. Рано или поздно они уходили, но сегодня кто-то барабанил в дверь энергично и настойчиво.

Стараясь игнорировать досадную помеху, он не отрывал взгляда от громко работающего телевизора — передавали повтор матча «Фиорентины» с «Ювентусом». Но стук только усиливался. Наконец, проклиная туристов, он вышел из каморки в узкий коридор и повернул на шум. На полпути он остановился перед массивной стальной решеткой, которую держали на запоре почти всегда, за исключением редких особых случаев.

Набрав на кодовом замке нужные цифры, Энрико отпер решетку и отворил ее. Затем прошел дальше и, следуя инструкции, снова запер ее за собой. Еще через десяток-другой шагов он достиг серой деревянной двери.

— È chiuso! — крикнул он через дверь, надеясь, что снаружи его услышат. — Non si può entrare! — *Закрыто! Вход воспрещен!*

Стук продолжался.

Эрнесто скрипнул зубами. *Небось из Нью-Йорка*, подумал он. *Эти упрутся так упрутся.* Их любимой команде, «Ред буллс», на мировой арене ничего бы не светило, если бы они не уворовали одного из лучших европейских тренеров.

В дверь продолжали лупить почем зря. Эрнесто неохотно отпер ее и приоткрыл на несколько сантиметров.

— È chiuso!

Стучать вдруг перестали, и Эрнесто обнаружил, что стоит лицом к лицу с вооруженным незнакомцем. Взгляд у него был такой холодный, что Эрнесто невольно отступил чуть назад. Незнакомец показал ему раскрытую книжечку с каким-то непонятным сокращением.

— Cosa succede?! — взволнованно спросил Эрнесто. *Что случилось?!*

За спиной у стучавшего сидел на корточках еще один боец — он возился с каким-то игрушечным вертолетиком. Еще дальше, у лестницы, стоял на страже третий. Эрнесто услышал вдалеке вой полицейских сирен.

— Вы говорите по-английски? — Акцент у незнакомца был не нью-йоркский. *Откуда-то из Европы?*

Эрнесто кивнул:

— Немножко.

— Кто-нибудь проходил через эту дверь сегодня утром?

— No, signore. Nessuno.

— Прекрасно. И дальше никого не пропускайте. Ни туда ни сюда. Поняли?

Эрнесто пожал плечами. В этом, собственно, и заключалась его работа.

— Si, понял. Non deve entrare, né uscire nessuno. — *Никто не должен ни входить, ни выходить.*

— Скажите, пожалуйста, эта дверь — единственный вход?

Эрнесто замешкался с ответом. Строго говоря, теперь эта дверь считалась скорее выходом — потому у нее и не было ручки снаружи, — но он понял, что́ незнакомец имеет в виду.

— Si. Других дверей нет. — Первоначальный вход из дворца заперли и опломбировали уже много лет назад.

— А другие потайные выходы из садов Боболи есть? Кроме обычных ворот?

— No, signore. Везде большие стены. Потайной выход только этот.

Боец кивнул:

— Спасибо за помощь.

Он жестом показал охраннику, чтобы тот закрыл дверь на замок.

Озадаченный, Эрнесто послушался. Затем он прошел по коридору назад, отпер стальную решетку, миновал ее, снова запер за собой и вернулся к футбольному матчу.

Глава 30

Лэнгдон и Сиена воспользовались удобным моментом.

Пока мускулистый боец колотил в дверь, они заползли в глубь грота и спрятались в последней, третьей пещере. Она была совсем крошечная, с грубо вырубленными на стенах узорами и сатирами. В центре стояла «Купающаяся Венера» в полный рост — она пугливо оглядывалась через плечо, что выглядело вполне уместно.

Беглецы кое-как угнездились за узким постаментом статуи и затихли, глядя на одинокий шарообразный сталагмит у дальней стены грота.

— Все выходы блокированы! — крикнул снаружи кто-то из их преследователей. Он говорил по-английски со слабым акцентом, которого Лэнгдон не мог распознать. — Отправьте вертолет обратно. Грот я проверю.

Лэнгдон почувствовал, как напряглось рядом тело Сиены.

Через несколько секунд под сводами грота послышались тяжелые шаги. Они быстро приближались — боец миновал первую пещеру и вошел во вторую, направляясь прямиком к ним.

Лэнгдон с Сиеной съежились еще сильнее.

— Эй! — раздался в отдалении другой голос. — Они попались! Человек, идущий к ним, резко остановился. Лэнгдон услышал, как кто-то бежит по гравию ко входу в грот.

— Их засекли! — объявил запыхавшийся гонец. — Мы только что говорили с парой туристов. Несколько минут назад мужчина и девушка спросили у них, как пройти в Галерею костюма... а она в западном конце здания.

Лэнгдон покосился на Сиену и увидел на ее губах еле заметную улыбку.

— Западные выходы перекрыли первыми, — продолжал гонец, переведя дух. — Теперь ясно, что они в парке и им от нас никуда не деться.

— Действуйте дальше, — ответил тот, что был ближе к ним. — Доложишь мне, как только выполните задание.

Снова зашуршал гравий под ногами убегающего гонца, потом зажужжал, улетая, вертолет, и наконец, слава Богу... все стихло.

Лэнгдон хотел было пригнуться пониже и выглянуть из-за постамента, но Сиена схватила его за руку. Приложив палец к губам, она показала на смутную человеческую тень на задней стене. Предводитель боевой группы еще медлил на пороге пещеры.

Чего он ждет?!

— Это Брюдер, — вдруг произнес он. — Мы загнали их в угол. Скоро все будет кончено.

Он говорил по телефону, и его голос звучал пугающе близко, как будто он стоял прямо над ними. Грот работал как параболический микрофон, собирая весь звук и фокусируя его в своей задней части.

— И еще, — сказал Брюдер. — Недавно мне звонили эксперты. Похоже, эта женщина снимала квартиру на чужое имя. С плохой обстановкой. Явно ненадолго. Мы нашли биокапсулу, но проектора в ней нет. Повторяю: проектора нет. Очевидно, он до сих пор у Лэнгдона.

Когда Лэнгдон услышал из уст бойца свое имя, в груди у него похолодело.

Снова раздались шаги — боец пошел дальше в глубину грота. Однако теперь он двигался уже не так целеустремленно, а словно прогуливался, осматривая грот и продолжая говорить по телефону.

— Так точно, — сказал он. — Эксперты тоже подтвердили: исходящий звонок был один, незадолго до нашего прибытия.

Правильно, в консульство, подумал Лэнгдон, вспомнив свой разговор с администратором и быстрое появление убийцы с шипами на голове. Потом она куда-то пропала, а вместо нее примчался целый отряд вооруженных бойцов.

Не можем же мы вечно от них бегать.

Теперь шаги раздавались всего метрах в шести-семи от них и по-прежнему приближались. Боец пересекал вторую пещеру и через считанные секунды должен был заметить беглецов за узким постаментом «Венеры».

— Сиена Брукс. — Эти слова вдруг отчетливо прозвучали прямо у них над ухом. Сиена встрепенулась и подняла голову, явно ожидая увидеть стоящего над ней человека в форме. Но рядом никого не было. — Ее компьютер сейчас проверяют, — продолжал говоривший. — Мне еще не докладывали, но это наверняка тот самый, с которого Лэнгдон заходил на свою гарвардскую почту.

После этих слов Сиена обернулась к Лэнгдону — в глазах ее вспыхнули удивление, растерянность... и горькая обида.

Услышанное ошеломило и Лэнгдона. *Так, значит, вот как они нас выследили?* Тогда ему и в голову не пришло, что его могут засечь. *Я же всего-навсего хотел узнать, что со мной случилось!* Не успел он извиниться хотя бы взглядом, как Сиена отвернулась. По ее лицу нельзя было понять, о чем она думает.

— Так точно, — сказал боец, переступая порог третьей пещеры. Теперь его отделяло от Лэнгдона и Сиены не больше двух метров. Еще пара шагов, и он должен был их увидеть. — Совершенно верно! — воскликнул он, делая очередной шаг. Потом вдруг остановился. — Подождите минутку.

Лэнгдон замер, уверенный, что их вот-вот обнаружат.

— Подождите, вас плохо слышно, — сказал боец и отошел на несколько шагов, во вторую пещеру. — Связь пропадает. Все, продолжайте... — Он помолчал, затем заговорил снова: — Да, согласен, но мы хотя бы знаем, с кем имеем дело.

Тут шаги начали удаляться — боец покинул грот, пересек усыпанную гравием площадку, и вскоре беглецы перестали его слышать.

Плечи Лэнгдона обмякли, и он повернулся к Сиене. Она еще не совсем оправилась от испуга, но ее глаза пылали негодованием.

— Вы лазили в мой компьютер? — сердито сказала она. — Проверяли почту?

— Простите... Я думал, вы не будете возражать. Я только хотел взглянуть...

— Вот почему нас нашли! А теперь они знают еще и мое имя!

— Извините меня, Сиена. Я же не мог предположить... — Лэнгдону было очень стыдно.

Отвернувшись, Сиена уперлась невидящим взглядом в шарообразный сталагмит у задней стены. Почти минуту оба молчали. *Помнит ли Сиена, что лежало у нее на столе?* — подумал Лэнгдон. *Догадалась ли она, что я видел и программку шекспировского спектакля, и газетные вырезки со статьями о чудо-ребенке?* Если и так, она ни о чем не спрашивала, а сам Лэнгдон не собирался начинать разговор на эту тему — у него и без того хватало забот.

— Они знают, кто я, — сказала Сиена так тихо, что Лэнгдон едва ее расслышал. Потом несколько раз глубоко вздохнула, будто привыкая к новому положению дел. Лэнгдон чувствовал, что ее решимость постепенно укрепляется.

Внезапно Сиена вскочила на ноги.

— Надо идти, — сказала она. — Скоро они поймут, что в Галерее костюма нас нет.

Лэнгдон тоже поднялся.

— Идти? Конечно, только... куда?

— Как насчет Ватикана?

— Прошу прощения? — удивился Лэнгдон.

— Я наконец сообразила, что вы имели в виду... что общего у садов Боболи с Ватиканом. — Она махнула рукой в сторону маленькой серой двери. — Там же вход, верно?

Лэнгдон кивнул, хотя вид у него был по-прежнему невеселый.

— Вообще-то выход, но я думал, стоит попробовать. К сожалению, нам туда не попасть. — Даже по обрывкам разговора их преследователя с охранником Лэнгдону стало ясно, что для них с Сиеной путь через серую дверь закрыт.

— А если все-таки попадем, — сказала Сиена, и Лэнгдон вновь услышал в ее голосе озорные нотки, — как вы считаете, что это будет значить? — По ее губам скользнула легкая улыбка. — Это будет значить, что сегодня нам дважды помог один и тот же художник эпохи Возрождения.

У Лэнгдона вырвался невольный смешок: несколько минут назад ему пришла в голову та же мысль.

— *Вазари. Вазари.*

Улыбка Сиены стала шире, и Лэнгдон понял, что она его простила — во всяком случае, пока.

— По-моему, это знак свыше, — полушутя-полусерьезно заявила она. — Мы должны войти в эту дверь.

— Ну-ну... и молча прошагать мимо охранника?

Разминая кисти рук, Сиена направилась к выходу из грота.

— Нет, почему же. Я перекинусь с ним словечком. — Она оглянулась на Лэнгдона, и в ее глазах блеснул лукавый огонек. — Доверьтесь мне, профессор. Когда надо, я умею быть весьма убедительной.

В дверь снова застучали.

Громко и настойчиво.

Охранник Эрнесто Руссо чуть не взвыл с досады. Очевидно, это вернулся тот странный тип с холодным взглядом, но момент он выбрал такой, что хуже некуда. В матче шло дополнительное время, причем «Фиорентина» играла в неполном составе и ее судьба висела на волоске.

А стук продолжался.

Эрнесто был не дурак. Он знал, что утром в парке что-то стряслось — иначе откуда все эти сирены и полиция? — но не в его правилах было лезть в дела, которые не имели к нему прямого отношения.

Pazzo è colui che bada ai fatti altrui.

Моя хата с краю.

С другой стороны, тот, кто стучался к нему в дверь, явно был важной птицей, и раздражать его не стоило. В Италии нынче непросто найти работу, даже скучную. Кинув последний взгляд на экран, Эрнесто направился к двери.

Ему платили за то, что он целыми днями сидит в крошечной каморке и смотрит телевизор, и это не переставало его удивлять. Примерно по два раза на дню к его порогу подходила VIP-группа аж из самой галереи Уффици. Эрнесто приветствовал гостей, отпирал металлическую решетку и выпускал экскурсантов через маленькую серую дверь в сады Боболи, где и завершалось их путешествие.

Сейчас под все более громкий стук Эрнесто отпер стальную решетку, прошел за нее и опять запер за собой.

— Si? — крикнул он, спеша к двери.

Никакого ответа. Но стук не прекратился.

Ах, чтоб тебя! Он наконец отпер дверь и распахнул ее, ожидая увидеть тот же безжизненный взгляд, который поразил его несколько минут тому назад.

Но то, что он увидел, оказалось гораздо привлекательнее.

— Ciao, — обворожительно улыбаясь, произнесла миловидная блондинка. Потом подала ему какой-то сложенный листочек, и он инстинктивно протянул за ним руку. Коснувшись бумажки, он заметил, что она мятая, и сообразил, что ее подобрали с земли. В этот миг незнакомка схватила его за запястье обеими руками и вдавила свой большой палец в мягкую область между косточками чуть повыше ладони.

Эрнесто показалось, что ему в запястье вонзили нож. Острая боль тут же сменилась онемением, как после удара током. Незнакомка шагнула к нему, и давление резко усилилось, запустив новый болевой цикл. Он отшатнулся, пытаясь вырвать руку, однако ноги у него тоже онемели, подкосились, и он рухнул на колени.

Все остальное произошло в мгновение ока.

На пороге открытой двери вырос высокий мужчина в темном костюме. Он проскользнул внутрь и быстро закрыл дверь за собой. Эрнесто потянулся к рации, но сзади ему на шею легла мягкая рука. Одно нажатие — и у охранника свело мышцы и перехватило дух. Женщина забрала у него рацию, поджидая своего спутника, который, судя по выражению лица, был взволнован ее действиями не меньше самого Эрнесто.

— Дим-мак, — небрежно обронила блондинка. — Боевое искусство китайцев. Не зря их цивилизации уже три тысячи лет.

Мужчина поглядел на нее с изумлением.

— Non vogliamo farti del male, — прошептала блондинка Эрнесто, ослабив нажим на его шею. *Мы не хотим причинять тебе вред.*

Как только ее хватка ослабла, Эрнесто попытался вывернуться, но давление тут же возобновилось. Его мышцы опять парализовало, и он едва не задохнулся от боли.

— Dobbiamo passare, — сказала она. *Нам нужно пройти.* И кивнула на стальную решетку, которую Эрнесто, слава Богу, запер. — Dov'è la chiave?*

— Non ce l'ho, — с трудом выговорил он. *У меня его нет.*

---

*   Где ключ? (*ит.*)

Высокий прошел мимо них к решетке и стал разглядывать запорный механизм.

— Кодовый замок! — крикнул он своей спутнице.

Американец, понял Эрнесто. *И по языку, и по выговору.*

Блондинка опустилась на корточки рядом с охранником. Ее карие глаза были холодны как лед.

— Qual'è la combinazione?* — жестко спросила она.

— Non posso! — воскликнул он. *Я не могу!*

Что-то случилось с верхней частью позвоночника Эрнесто, и все его тело разом обмякло. Через миг он отключился.

Очнувшись, Эрнесто еще несколько минут то погружался в забытье, то вновь приходил в сознание. Он помнил какой-то спор... новые приступы боли... а еще, кажется, его куда-то тащили? Все было в тумане.

Когда в голове у него прояснилось, он увидел странное зрелище — его ботинки лежали рядом на полу без шнурков. Только тут он понял, что практически не может пошевелиться. Он лежал на боку, связанный по рукам и ногам — очевидно, теми самыми шнурками. Он попробовал крикнуть, но ничего не вышло. Ему в рот засунули его же собственный носок. Однако настоящий ужас нахлынул на него еще через секунду-другую, когда он поднял глаза и увидел телевизор, по которому все еще показывали футбол. *Я на своем рабочем месте... ПО ДРУГУЮ СТОРОНУ РЕШЕТКИ?*

До Эрнесто донесся топот ног, бегущих по коридору прочь... затем он постепенно затих вдали. Non è possibile! *Это невозможно!* Каким-то образом блондинка заставила Эрнесто сделать единственное, что ему было запрещено делать при любых обстоятельствах, — назвать код, открывающий доступ в знаменитый Коридор Вазари.

---

* Какая комбинация? (*ит.*)

Глава 31

Доктор Элизабет Сински сгорбилась на заднем сиденье черного фургона, стоящего перед палаццо Питти. Волны тошноты и головокружения накатывали на нее все чаще, и вооруженный агент, сидевший рядом, поглядывал на нее с явной тревогой.

Несколько секунд назад рация агента включилась — сообщили что-то про Галерею костюма, и это вывело Элизабет из полуобморочного состояния, в котором она заново переживала свою давнюю встречу с зеленоглазым маньяком.

Она была все в той же полутемной комнате Совета по международным отношениям и продолжала слушать бредовые откровения пригласившего ее загадочного незнакомца. Похожий на тень, он расхаживал перед ней туда-сюда, и его долговязая фигура выделялась на фоне жуткого рисунка, навеянного дантовским «Адом», — груды сбившихся в кучу нагих тел.

— Кто-то должен повести эту битву, — заключил незнакомец, — иначе нас ждет именно такое будущее. Математика это гарантирует. Сейчас человечество как бы застряло в чистилище — оно медлит в тисках нерешительности и алчности... но круги ада ждут прямо под нашими ногами, готовые разверзнуться и поглотить всех.

Элизабет все еще пылала негодованием, вызванным чудовищными идеями этого человека. Ее терпение иссякло, и она вскочила на ноги.

— То, что вы предлагаете...

— ...наш единственный выход, — перебил ее собеседник.

— А я хотела сказать — преступление! — воскликнула она.

Незнакомец пожал плечами:

— Дорога в рай лежит через ад. Этому научил нас Данте.

— Вы безумец!

— Безумец? — повторил он с обидой в голосе. — Я? Ну нет. Безумцы — это те, кто стоит на краю бездны и не замечает ее. ВОЗ ведет себя как страус, который прячет голову в песок, когда к нему со всех сторон подступают гиены.

Не успела Элизабет и слова сказать в защиту своей организации, как незнакомец сменил изображение на экране.

— Кстати о гиенах, — добавил он, показывая на новый слайд. — Вот они — гиены, жаждущие нашей крови. И их кольцо быстро сжимается.

Элизабет с удивлением увидела перед собой знакомую картинку. Этот график ВОЗ опубликовала еще в прошлом году — на нем были отражены ключевые характеристики окружающей среды, от которых зависело здоровье населения.

Помимо прочего, этот список включал в себя такие показатели, как потребность в питьевой воде, температура самого нижнего слоя атмосферы, разрушение озонового слоя, истощение морских ресурсов, вымирание видов животных, концентрация углекислого газа и уничтожение лесов.

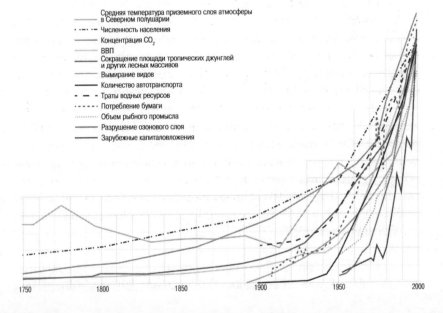

На протяжении последних ста лет все эти негативные индикаторы неуклонно росли, однако в наши дни темпы их роста сделались прямо-таки устрашающими.

При виде этого графика Элизабет охватило привычное чувство беспомощности. Она была ученым и верила в объективность статистики, а здесь статистика рисовала перед ней грозную картину не отдаленного, а самого близкого будущего.

Всю свою жизнь Элизабет Сински жестоко страдала из-за того, что не может зачать ребенка. Но теперь, глядя на экран, она испытывала едва ли не облегчение.

И такое будущее я подарила бы своему ребенку?

— За последние пятьдесят лет, — заявил высокий незнакомец, — наши грехи перед матерью-природой выросли экспоненциально. — Он сделал паузу. — Я боюсь за душу человечества. Когда ВОЗ опубликовала этот график, крупнейшие политики и борцы за охрану окружающей среды стали устраивать экстренные заседания по всему миру, чтобы выбрать из этих проблем самые острые и понять, с какими из них можно справиться. А результат? У себя дома они прятали лицо в ладони и рыдали, а публично — принялись уверять нас, что ищут выход, но проблемы, с которыми мы столкнулись, чрезвычайно сложны.

— Но они и правда сложны!

— Чушь! — взорвался незнакомец. — Вы отлично знаете, что эти кривые отражают *простейшую* зависимость — функцию *одной-единственной* переменной! Каждая из этих величин растет в прямом соответствии с одним параметром — тем, который все боятся обсуждать. С количеством людей на земном шаре!

— Честно говоря, мне кажется, это немного...

— Немного сложнее? Честно говоря, нет! Это проще пареной репы. Если вы хотите иметь больше питьевой воды на душу населения, вам надо уменьшить количество душ. Если хотите сократить объем вредных выхлопных газов, надо уменьшить число водителей. Если хотите, чтобы в Мировом океане восстановились запасы рыбы, надо уменьшить количество людей, которые ее едят!

Он вперился в нее горящим взглядом, и его тон стал еще агрессивнее.

— Протрите глаза! Человечество стоит на краю гибели, а мировые лидеры только и знают, что поощрять исследования по использованию солнечной энергии, утилизации отходов и разработке гибридных автомобилей! Вы ведь образованная женщина — как же вы ничего не видите? Истощение озонового слоя, нехватка воды и загрязнение — это не болезни, а *симптомы*. А болезнь называется *перенаселение*! И пока мы отказываемся посмотреть этой проблеме в лицо, все наши усилия — не более чем попытки залепить пластырем стремительно растущую раковую опухоль!

— Вы считаете человечество раковой опухолью? — возмутилась Элизабет.

— Рак — это всего-навсего здоровые клетки, которые делятся без удержу. Я понимаю, что мои идеи кажутся вам отталкивающими, но поверьте, когда вы дождетесь альтернативы, она понравится вам гораздо меньше. Если мы не начнем действовать смело, то...

— *Смело?!* — вспыхнула она. — Скажите лучше, *безумно*!

— Доктор Сински, — сказал незнакомец со зловещим спокойствием, — я пригласил вас сюда именно в надежде на то, что вы — самый разумный представитель Всемирной организации здравоохранения — согласитесь сотрудничать со мной в поисках возможного решения.

Элизабет изумленно воззрилась на него.

— По-вашему, Всемирная организация здравоохранения может сотрудничать с тем, кто предлагает... *такое*?

— Откровенно говоря, да, — ответил он. — Ваша организация состоит из врачей, а если врачу нужно спасти жизнь пациенту с гангреной, он не остановится перед тем, чтобы отрезать ему ногу. Иногда приходится выбирать меньшее из двух зол.

— Это совсем другое дело.

— Нет. Это абсолютно то же самое. Различие только в масштабе.

Элизабет уже наслушалась досыта. Она резко поднялась на ноги.

— Мне надо успеть на самолет.

Высокий человек угрожающе шагнул к двери, отрезая ей выход.

— Хочу предупредить честно: с вашей помощью или без, я все равно буду воплощать в жизнь свои идеи.

— И я вас честно предупреждаю, — парировала она. — Я считаю ваши идеи террористической угрозой и буду относиться к ним соответственно.

Она вынула телефон. Ее собеседник рассмеялся.

— Хотите сдать меня в полицию за разговоры? Боюсь, с этим придется подождать. Эта комната имеет электронную защиту, так что ваш телефон не поймает сеть.

Мне не нужна сеть, псих ты несчастный. Элизабет подняла телефон, и прежде чем незнакомец успел понять, что происходит, сфотографировала его в упор. Вспышка отразилась в его зеленых глазах, и на миг ей почудилось, что она его где-то видела.

— Кто бы вы ни были, — сказала она, — напрасно вы меня сюда позвали. Когда я доберусь до аэропорта, я уже буду знать ваше имя, и все Центры профилактики и контроля заболеваний в Европе и Америке внесут вас в свои черные списки как потенциального биотеррориста. За вами будут следить днем и ночью. Если вы попробуете купить материалы для исследований, мы об этом узнаем. Если построите лабораторию — узнаем и об этом. Вы от нас никуда не спрячетесь.

Наступила долгая напряженная пауза — казалось, высокий вот-вот бросится на нее, чтобы выхватить телефон. Наконец он уронил руки и отступил с жутковатой ухмылкой.

— Что ж... Тогда потанцуем?

Глава 32

l Corridoio Vasariano — Коридор Вазари — был построен Джорджо Вазари в 1565 году по указанию великого герцога Козимо I из рода Медичи, чтобы обеспечить безопасное сообщение между его апартаментами в палаццо Питти и помещениями, в которых он вел государственные дела, на другом берегу Арно, в палаццо Веккьо.

Подобно знаменитому Пассетто в Ватикане, Коридор Вазари представляет собой типичный потайной ход. Он тянется чуть ли не на целый километр из восточного угла садов Боболи в недра палаццо Веккьо, проходя через Понте Веккьо и галерею Уффици.

В наши дни Коридор Вазари по-прежнему служит безопасным убежищем, но уже не для аристократов из клана Медичи, а для произведений искусства: все его обширные стены заняты редкими картинами, которым не хватило места в прославленной Галерее Уффици.

Пару лет тому назад Лэнгдону довелось прогуляться по этому коридору в качестве привилегированного гостя. Тогда он вволю налюбовался его великолепной живописной экспозицией — включающей, между прочим, самую обширную в мире коллекцию автопортретов. Кроме того, он несколько раз останавливался у окон, чтобы оценить, как далеко они продвинулись по этому необычному сооружению.

Однако в это утро Лэнгдон с Сиеной двигались по коридору почти бегом, чтобы как следует оторваться от преследователей. Лэнгдон надеялся, что связанного охранника обнаружат не сразу.

Быстро шагая по коридору, он чувствовал, что цель их поисков с каждой минутой становится все ближе.

Cerca trova... глаза смерти... и ответ на вопрос, кто за мной гонится.

Теперь жужжание вертолета-разведчика слышалось далеко позади. Чем дольше они шли по Коридору Вазари, тем сильнее восхищала Лэнгдона смелость архитектурного замысла его создателя. Этот старинный тайный путь протянулся почти над всем городом — он огромной змеей проскальзывал сквозь здания и пересекал реку, ныряя в самое сердце старой Флоренции. Узкий, с белеными стенами, он казался нескончаемым — кое-где чуть сворачивал влево или вправо, огибая препятствия, но в основном вел прямо на восток... за реку Арно.

Вдруг впереди них зазвучали человеческие голоса, умноженные эхом, и Сиена остановилась как вкопанная. Лэнгдон тоже замер, но тут же легонько дотронулся до ее плеча и показал на ближайшее окно.

Туристы внизу.

Лэнгдон и Сиена подошли к окну и выглянули наружу. Они стояли над Понте Веккьо — средневековым каменным мостом, по которому пролегает пешеходный маршрут в Старый город. На небольшом рынке, существующем здесь с начала пятнадцатого века, уже появились первые туристы. Сегодня на Понте Веккьо торгуют по большей части украшениями и разными дорогими безделушками, но так было не всегда. Когда-то на мосту, прямо под открытым небом, находились обширные мясные ряды, но в 1593 году мясников изгнали, поскольку вонь их подтухшего товара проникла в Коридор Вазари и оскорбила тонкое обоняние великого герцога.

Лэнгдон вспомнил, что где-то там, у них под ногами, было совершено одно из самых ужасных преступлений в истории Флоренции. В 1216 году молодой дворянин по фамилии Буондельмонте отказался от брака, о заключении которого договорились семьи жениха и невесты, ради своей настоящей возлюбленной, и за такое своеволие его жестоко убили на этом самом мосту.

Его смерть, долго считавшаяся «самым кровавым флорентийским убийством», была названа так потому, что спровоцировала раскол между двумя могущественными политическими партиями — гвельфами и гибеллинами, — после чего они не одно столетие воевали друг с другом. Последующая политическая распря стала причиной изгнания Данте из Флоренции, и поэт обессмертил ту давнюю трагедию горькими словами: *«О Буондельмонте, ты в недобрый час брак с ним отверг, приняв совет лукавый!»*

По сей день рядом с местом того давнего убийства можно увидеть три отдельные таблички с тремя разными цитатами из Шестнадцатой песни «Рая». Первая из них висит у самого входа на Понте Веккьо и зловеще провозглашает:

НО УЩЕРБЛЕННЫЙ КАМЕНЬ, МОСТ БЛЮДУЩИЙ,
КРОВАВОЙ ЖЕРТВЫ ОТ ФЬОРЕНЦЫ ЖДАЛ,
КОГДА КОНЧАЛСЯ МИР ЕЕ ЦВЕТУЩИЙ.

Лэнгдон перевел глаза с моста на мутные воды реки Арно. На востоке заманчиво темнела одинокая башня палаццо Веккьо.

Хотя они с Сиеной еще даже не пересекли реку, Лэнгдон не сомневался, что они давно отрезали себе путь обратно.

А в десяти метрах под ними, на булыжной мостовой Понте Веккьо, Вайента пристально вглядывалась в лица прохожих, даже не догадываясь о том, что ее единственный шанс на спасение с минуту назад промелькнул прямо у нее над головой.

Глава 33

лубоко в недрах стоящего на якоре «Мендация» координатор Ноултон сидел в своей изолированной кабинке и тщетно пытался сосредоточиться на работе. Стараясь унять грызущую его тревогу, он несколько раз подряд просмотрел видеофайл их странного клиента и вот уже битый час анализировал его девятиминутный монолог — не то гениальный, не то безумный.

Ноултон стал прокручивать запись в ускоренном темпе, проверяя, не пропустил ли он чего-нибудь важного. На экране промелькнула спрятанная под водой табличка... потом пластиковый мешок с мутной желтовато-коричневой жидкостью... и, наконец, появилась клювастая тень — искаженный силуэт на влажной стене пещеры, залитой мягким красноватым сиянием.

Ноултон включил воспроизведение, и в кабинке раздался уже знакомый ему глухой голос, говорящий на замысловатом, малопонятном языке. Примерно посередине своей речи тень вдруг угрожающе выросла, и ее голос зазвучал еще напористее.

Ад Данте – не выдумка... а пророчество!

Безысходная скорбь. Горькие муки. Вот она, панорама будущего!

Если человечество не контролировать, оно развивается подобно чуме или раку... с каждым поколением нас будет становиться все больше и больше, покуда земные блага, питающие наши братские чувства и добродетели, не иссякнут... разбудив в нас чудовищ, которые начнут сражаться за то, чтобы прокормить свое потомство.

Вот что нас ждет.

Это и есть девять кругов Дантова ада.

Пока будущее мчится на нас с неумолимостью мальтусовских расчетов, мы балансируем на краю первого круга... рискуя низринуться в страшную бездну, откуда нет возврата.

Ноултон поставил запись на паузу. *Мальтусовские расчеты?* Он быстро наведался в Интернет. Оказывается, еще в девятнадцатом веке известный английский математик и демограф Томас Роберт Мальтус предсказал, что перенаселение вскоре приведет к глобальной катастрофе.

В биографии Мальтуса был приведен пассаж из его «Опыта закона о народонаселении», от которого у Ноултона мурашки побежали по коже:

Наша способность к размножению настолько превосходит способность земли прокормить нас, что преждевременная гибель в той или иной форме становится для человечества неизбежной. Активным и мощным фактором сокращения населения являются людские пороки. Они служат предвестниками пробуждения огромных разрушительных сил и нередко сами же довершают смертоносную работу. Если им не удается победно закончить эту войну на истребление, за дело берутся эпидемии, мор и чума, сметая на своем пути тысячи и десятки тысяч человек. Если же и этого оказывается недостаточно, следом приходит голод и одним могучим ударом приводит численность населения в соответствие с запасами пищи.

Вытерев вспотевший лоб, Ноултон перевел взгляд на застывший кадр с изображением носатой тени.

Если человечество не контролировать, оно развивается подобно раку.

Если не контролировать. Ноултону очень не нравилось, как это звучит. Чуть помедлив, он снял запись с паузы.

Глухой голос заговорил снова:

Сидеть сложа руки – значит приветствовать Дантов ад, где все мы погрязнем в грехе, будем голодать и задыхаться от тесноты.

И я отважился принять вызов.

Кто-то отшатнется в ужасе, но спасение никогда не дается даром.

Когда-нибудь мир оценит красоту моей жертвы.

Ибо я — ваше Спасение.

Я Тень.

Я открываю путь к Постчеловеческой эре.

Глава 34

алаццо Веккьо напоминает гигантскую шахматную ладью. Это внушительное сооружение с массивным прямоугольным основанием, отделанным поверху зубчатой каймой, занимает как нельзя более подходящее место на юго-восточном углу площади Синьории.

Его необычная башня, сдвинутая по отношению к центру квадратной крепости, создает на фоне неба характерный силуэт, который давно стал общеизвестным символом Флоренции.

Задуманный как могучий оплот итальянского правительства, дворец встречает своих гостей целым отрядом высеченных из камня силачей. Нагой мускулистый «Нептун» Амманати стоит на четверке морских коней, символизируя господство Флоренции на водных просторах. Прямо у входа красуется во всем своем блеске копия микеланджеловского «Давида» — пожалуй, самый знаменитый в мире образчик мужской обнаженной натуры. Давиду составляют компанию Геркулес и Какус — еще двое обнаженных колоссов, которые вместе с нептуновскими сатирами доводят общее количество пенисов, гордо демонстрируемых посетителям дворца, до дюжины с лишним.

Обычно визиты Лэнгдона в палаццо Веккьо начинались здесь, на площади Синьории, — несмотря на свою фаллическую избыточность, она всегда была одной из его любимых европейских площадей. Ни одно ее посещение не обходилось без чашечки эспрессо в кафе «Ривуар» и последующего визита к львам Медичи в Лоджии Ланци, музее скульптуры под открытым небом.

Однако сегодня Лэнгдон и его спутница собирались попасть в палаццо Веккьо через Коридор Вазари, как попадали туда во время оно герцоги из рода Медичи — минуя по дороге знаменитую Галерею Уффици и пройдя над городскими мостами и улицами, чтобы нырнуть прямо в сердце старинного дворца. До сих пор они не слышали за собой шагов, но Лэнгдону все равно не терпелось покинуть коридор.

Вот мы и пришли, подумал Лэнгдон, увидев впереди тяжелую деревянную дверь. *Это и есть потайной вход во дворец.*

Хотя снаружи дверь надежно запиралась, с внутренней стороны она открывалась простым нажатием длинной поперечной ручки — это давало возможность выйти из коридора в экстренном случае, а вот войти в него без электронного ключа не мог никто.

Лэнгдон приложил ухо к двери и прислушался. Не услышав ничего подозрительного, он взялся за ручку обеими руками и мягко нажал.

Замок щелкнул.

Приоткрыв деревянную дверь на несколько сантиметров, Лэнгдон осторожно выглянул в щель. Маленький закуток. Пусто. Тихо.

Со вздохом облегчения Лэнгдон переступил порог и жестом позвал Сиену за собой.

Пришли.

Стоя в небольшом коридорчике где-то в недрах палаццо Веккьо, Лэнгдон попытался сориентироваться. Перед ними, перпендикулярно их коридорчику, тянулся основной, длинный коридор. Слева, в отдалении, эхом отдавались голоса — веселые, беззаботные. Подобно американскому Капитолию, палаццо Веккьо — одновременно музей для туристов и правительственное здание. Голоса, доносящиеся до беглецов в этот час, скорее всего принадлежали государственным служащим, которые сновали из кабинета в кабинет, готовясь к новому трудовому дню.

Лэнгдон с Сиеной подобрались к выходу в основной коридор и выглянули из-за угла. Действительно, слева коридор заканчивался маленьким внутренним двориком, где собралось человек десять — не слишком торопясь приступать к выполнению своих обязанностей, они потягивали утренний эспрессо и болтали друг с другом.

— Фреска Вазари, — прошептала Сиена. — Вы говорили, она в Зале Пятисот?

Лэнгдон кивнул и показал на портик по ту сторону наполненного людьми дворика.

— К сожалению, это там.

— Точно?

Лэнгдон опять кивнул.

— Нам ни за что не попасть туда незамеченными.

— Это обычные служащие. Им на нас наплевать. Просто идите прямо, как будто вы из своих. — Повернувшись к Лэнгдону, Сиена аккуратно разгладила на нем пиджак и поправила воротник. — Очень солидно выглядите, Роберт.

Она улыбнулась ему с наигранной скромностью, одернула свой собственный свитер и решительно двинулась вперед.

Лэнгдон поспешил за ней, и оба уверенно зашагали к внутреннему дворику. Войдя туда, Сиена быстро заговорила с ним по-итальянски — что-то насчет кредитов для сельского хозяйства, — сопровождая свою речь бурной жестикуляцией. Они шли вдоль стены, держась подальше от людей. К изумлению Лэнгдона, ни один служащий даже не взглянул в их сторону.

Миновав дворик, они поскорее нырнули в следующий коридор. Лэнгдон вспомнил программку из шекспировского театра. *Проказник Пак.*

— Вы отличная актриса, — вполголоса сказал он.

— Жизнь научила, — ответила она со странной отрешенностью.

И вновь Лэнгдон почувствовал, что этой женщине пришлось пережить много горя, и вновь ему стало очень стыдно — ведь это по его вине она попала в такое сложное и опасное положение. Он напомнил себе, что теперь им уже ничего не остается, кроме как идти до конца.

Плыть по туннелю... и молиться, чтобы впереди показался свет.

Приближаясь к нужному портику, Лэнгдон с удовлетворением отметил, что память его не подвела. Под маленькой стрелкой, указывающей за угол, была надпись: «IL SALONE DEI CINQUECENTO». *Зал Пятисот,* подумал Лэнгдон. *Интересно, какие ответы нас там ожидают? Истину можно увидеть только глазами смерти — что означает эта таинственная фраза?*

— Скорее всего он заперт, — предупредил Лэнгдон. Обычно Зал Пятисот привлекал множество туристов, но дворец, похоже, еще не открыли для посещения.

Вдруг Сиена резко остановилась.

— Слышите?

Из-за поворота доносилось громкое гудение. *Только не говорите мне, что это второй вертолет-разведчик*, подумал Лэнгдон. Затем осторожно выглянул из-за угла.

Шагах в тридцати от них была на удивление простая деревянная дверь Зала Пятисот. К сожалению, путь к ней преграждал дородный служитель — не сходя с места, он лениво возил перед собой электрический полотер.

Страж ворот.

Лэнгдон перевел взгляд на пластиковую табличку у двери. На ней были три универсальных рисунка, понятных даже самому неопытному символогу: видеокамера, перечеркнутая крест-накрест, стаканчик, тоже перечеркнутый крест-накрест, и две стилизованные фигурки — женская и мужская.

Решив взять инициативу на себя, Лэнгдон выскочил из-за угла и рысцой побежал к служителю. Сиена кинулась за ним.

Служитель удивленно поднял глаза.

— Signori?!

Он вытянул руки, чтобы остановить Лэнгдона и Сиену. Лэнгдон ответил ему болезненной улыбкой — или, скорее, гримасой — и сконфуженно показал на табличку около двери.

— Toilette, — сдавленным голосом пробормотал он. Это не было вопросом.

Служитель чуть помедлил, будто собирался возразить, но потом, видя, как Лэнгдон мучительно переминается с ноги на ногу, сочувственно кивнул и махнул рукой, пропуская их внутрь.

Уже на пороге Лэнгдон весело подмигнул Сиене.

— Все люди — братья.

Глава 35

огда-то Зал Пятисот был самым большим залом в мире. Его построили в 1494 году для совещаний Consiglio Maggiore — Большого народного совета, куда входило ровно пятьсот членов. Отсюда он и получил свое название. Некоторое время спустя Козимо I повелел обновить и существенно увеличить его. Архитектором и руководителем этого проекта Козимо I, самый могущественный человек в Италии, назначил Джорджо Вазари.

Искусный инженер, Вазари сумел поднять крышу на значительную высоту относительно первоначальной. В результате естественный свет стал проникать внутрь сквозь длинные ряды окон под потолком, и зал превратился в прекрасное выставочное помещение для множества шедевров флорентийской архитектуры, скульптуры и живописи.

Для Лэнгдона первым, что обращало на себя внимание в этом зале, был его пол — достаточно было взглянуть на него, чтобы понять, в какое неординарное место вы попали. Красные терракотовые квадраты в черном обрамлении, покрывающие площадь в тысячу с лишним квадратных метров, создавали впечатление солидности, глубины и уравновешенности.

Лэнгдон медленно поднял глаза на дальний конец зала, где шеренгой выстроились вдоль стены шесть статуй, изображающих подвиги Геркулеса. Он намеренно не смотрел в другую сторону, на Геркулеса и Диомеда, чьи нагие тела неуклюже сплелись в борьбе: характерной чертой этой скульптуры сомнительного достоинства был эффектный «захват пениса», при виде которого Лэнгдону всегда становилось не по себе.

Гораздо приятнее для глаза был чудесный микеланджеловский «Гений победы», занимающий центральную нишу в правой, южной стене. Эту скульптуру высотой больше двух с половиной метров предполагалось установить на могиле крайне консервативного папы Юлия II по прозвищу Грозный. С учетом отношения Ватикана к гомосексуализму этот замысел всегда представлялся Лэнгдону по меньшей мере странным: ведь моделью для статуи послужил Томмазо Кавальери, юноша, в которого Микеланджело был влюблен на протяжении многих лет и которому посвятил немалое количество стихов.

— И почему я никогда не бывала здесь раньше? — благоговейно прошептала рядом Сиена. — Это потрясающе!

Лэнгдон кивнул, вспомнив свое первое посещение этого зала, — тогда он пришел сюда, чтобы послушать классическую музыку в исполнении всемирно известной пианистки Мариэлы Кеймел. Изначально зал предназначался для закрытых политических собраний и аудиенций у великого герцога, однако теперь в нем нередко выступали яркие музыканты или лекторы вроде искусствоведа Маурицио Серачини, а то и устраивались светские рауты — например торжественное открытие музея Гуччи, на котором присутствовало множество знаменитостей. Лэнгдон иногда гадал, как Козимо I отнесся бы к превращению своего строгого зала для аудиенций в площадку для развлечения богатых предпринимателей и звезд из мира моды.

Отбросив эти неуместные воспоминания, Лэнгдон перевел взгляд на стены, украшенные гигантскими фресками. Когда-то здесь испытывал новую технику живописи Леонардо да Винчи — его неудавшийся эксперимент привел к тому, что использованные им краски потекли и картина начала буквально таять на глазах. Состоялась здесь и своеобразная художественная дуэль, которую организовали Пьеро Содерини и Макьявелли: они столкнули вместе двух титанов Возрождения, Микеланджело и Леонардо, заказав им фрески на противоположных стенах одного и того же зала.

Впрочем, сегодня Лэнгдона больше интересовал другой исторический казус.

Cerca trova.

— Которая из них Вазари? — спросила Сиена, обводя взглядом стены.

— Да почти все, — ответил Лэнгдон. Во время реставрации Вазари и его помощники обновили в зале почти всю живопись, начиная с оригинальных стенных фресок и кончая тридцатью девятью картинами на кессонированном потолке. — Но нам нужна вон та, — добавил он, указывая на фреску в дальнем правом углу. — Это и есть «Битва при Марчано».

Батальная сцена кисти Вазари была грандиозна — шириной в тринадцать и высотой в восемь метров. Художник выполнил ее в насыщенной коричнево-зеленой гамме. Воины, кони, пики и знамена смешались в одну хаотическую массу на фоне идиллического холмистого пейзажа.

— Вазари, Вазари, — прошептала Сиена. — И где-то там спрятано его тайное послание?

Лэнгдон кивнул и прищурился, пытаясь отыскать в верхней части огромной фрески зеленый боевой стяг, на котором Вазари начертал свое загадочное послание — «CERCA TROVA».

— Отсюда его почти невозможно разглядеть без бинокля, — сказал он, протягивая руку, — но наверху, ближе к середине, если искать прямо под двумя сельскими домиками на холме, есть крошечный зеленый флаг, и...

— Вижу! — воскликнула Сиена, указывая на правую верхнюю четверть картины, точно в нужное место.

Лэнгдон позавидовал ее молодым глазам.

Рука об руку они подошли к колоссальному полотну, поражающему своим размахом. *Наконец-то мы здесь*, подумал Лэнгдон. *Теперь остается только понять зачем.* Он принялся внимательно рассматривать панораму Вазари во всех деталях, и минута-другая протекли в молчании.

Если не найду... тогда всех ждет гибель.

Дверь у них за спиной скрипнула, и в зал заглянул тот самый служитель с полотером. Вид у него был неуверенный. Сиена весело помахала ему. Служитель пристально посмотрел на них, потом снова закрыл дверь.

— У нас мало времени, Роберт, — поторопила Лэнгдона Сиена. — Думайте скорее. Хоть что-нибудь эта картина вам напоминает?

Лэнгдон вглядывался в хаос запечатленной Вазари битвы.

Истину можно увидеть только глазами смерти.

Лэнгдон подумал, не поискать ли на фреске мертвеца, чей невидящий взгляд устремлен на какой-нибудь другой эпизод боя... или даже в другой угол зала. К сожалению, на картине были десятки мертвых тел, но ни одно из них ничем не выделялось, и ни у одного взгляд не был направлен в какую-то определенную точку.

Истину можно увидеть только глазами смерти?

Он попытался мысленно соединить трупы прямыми линиями и проверить, не возникнет ли какой-нибудь осмысленный рисунок, но и тут его ждало разочарование.

Лэнгдон думал с таким напряжением, что у него снова заныло в висках. Где-то в недрах его сознания голос незнакомки с серебристыми волосами по-прежнему шептал: *«Ищите, и найдете»*.

«Что я найду?!» — хотелось изо всех сил выкрикнуть Лэнгдону.

Он заставил себя закрыть глаза, глубоко вдохнул и медленно выдохнул. Потом сделал несколько круговых движений плечами и постарался выбросить из головы все связные мысли, чтобы освободить дорогу интуиции.

Зарево.

Вазари.

Cerca trova.

Истину можно увидеть только глазами смерти.

Интуиция подсказала ему, что он пришел именно туда, куда нужно. И хотя он еще не знал, что ищет, у него возникла твердая уверенность в том, что в самое ближайшее время эта загадка будет разгадана.

Стоя перед выставочным стендом с красными бархатными панталонами и жилетом, агент Брюдер выругался про себя. Его люди обыскали всю Галерею костюма, но Лэнгдона и Сиены Брукс нигде не было.

Служба поддержки по надзору и реагированию, сердито подумал он. *Когда это университетскому профессору удавалось сбежать от ПНР? Куда они, черт возьми, могли подеваться?*

— Все выходы мы перекрыли, — настойчиво повторил один из его подчиненных. — Они могут быть только в парке — все остальное исключено!

Конечно, это звучало логично, однако внутренний голос подсказывал Брюдеру, что Лэнгдон и Сиена сумели найти какой-то другой выход.

— Поднимайте вертолет заново, — раздраженно бросил он. — И скажите местным властям, чтобы искали не только в парке, но и за его стенами.

Черт бы их всех побрал!

Его люди бросились выполнять приказание, а Брюдер тем временем достал телефон и позвонил своему руководителю.

— Это Брюдер, — сказал он. — Боюсь, у нас серьезная проблема. И даже не одна.

Глава 36

стину можно увидеть только глазами смерти.

Сиена повторяла про себя эту фразу, снова и снова изучая взглядом каждый сантиметр жестокой батальной сцены в надежде заметить что-нибудь особенное.

Глаза смерти были повсюду.

Какие же из них нам нужны?!

Ей пришло в голову, что слова о глазах смерти могут относиться ко всем тем гниющим трупам, которыми усеяла Европу Черная Смерть.

По крайней мере это хоть как-то объяснило бы чумную маску...

Откуда ни возьмись в памяти Сиены всплыл детский стишок: *Розочка в кружочке, в кармашке цветочки. Прах, прах. Всем нам увы и ах!*

Еще школьницей, в Англии, она часто повторяла этот стишок, пока не узнала, что он родился в Лондоне в пору Великой чумы 1665 года. Розочка в кружочке якобы означала красный гнойник на коже, первый симптом заражения. Заболевшие носили в кармане букетик цветов, чтобы перебить запах своих разлагающихся тел и смрад на улицах города, где ежедневно падали замертво сотни жертв чумы. Тела погибших предавались огню. *Прах, прах. Всем нам увы и ах!*

— Ради любви к Господу! — внезапно выпалил Лэнгдон, резко развернувшись на сто восемьдесят градусов, к противоположной стене.

Сиена оглянулась на него.

— Что такое?

— Так называется произведение искусства, которое здесь когда-то выставлялось. «Ради любви к Господу».

На глазах у недоумевающей Сиены Лэнгдон торопливо пересек зал и попытался открыть небольшую стеклянную дверь в стене. Она была заперта. Тогда он прижался носом к стеклу, загородил лицо ладонями с обеих сторон, чтобы не мешал лишний свет, и стал вглядываться внутрь.

Что бы он там ни высматривал, Сиена очень надеялась, что это не займет много времени: давешний служитель только что снова возник на пороге зала, и вид Лэнгдона, вынюхивающего что-то у закрытой двери, похоже, пробудил в нем нешуточные подозрения.

Сиена опять жизнерадостно помахала ему. Служитель наградил ее долгим холодным взглядом, но потом все же скрылся.

Lo Studiolo*.

За стеклянной дверью, прямо напротив загадочных слов «cerca trova» в Зале Пятисот, спряталась крошечная каморка без окон. Задуманная Вазари как потайной кабинет для Франческо I, это прямоугольная комнатка с округлым потолком, и вошедшему в нее кажется, будто он угодил в огромный ларец с сокровищами.

А сокровищ здесь и вправду немало. На стенах теснится больше трех десятков уникальных картин — они висят так плотно, что между ними практически нет свободного места. «Падение Икара», «Аллегория сна», «Природа, вручающая Прометею кристалл кварца»...

Вглядываясь сквозь стекло в эту полную шедевров комнату, Лэнгдон тихонько прошептал: «Глаза смерти».

Впервые Лэнгдон попал в Студиоло несколько лет назад вместе с частной экскурсией по тайным ходам дворца. Тогда он с удивлением узнал, что дворец буквально пронизан целой сетью скрытых переходов и лестниц, причем несколько потайных дверей находятся за картинами, украшающими стены Студиоло.

Однако сейчас его интерес был вызван отнюдь не потайными ходами. Лэнгдону вспомнился дерзкий образчик современного искусства, который он когда-то видел именно в этой комнате. «Ради любви к Господу» Дэмиена Херста и прежде оценивали по-

* Кабинет (*ит.*).

разному, а когда его выставили в знаменитом Студиоло, это вызвало прямо-таки бурю возмущения.

Творение Херста представляло собой человеческий череп в натуральную величину, изготовленный из цельного куска платины и инкрустированный восемью тысячами сверкающих бриллиантов, которые покрывали всю его поверхность без малейшего промежутка. Эффект получился ошеломительный. Пустые глазницы черепа сияли светом и жизнью, создавая тревожный контраст противоположных символов — жизни и смерти... ужаса и красоты. Хотя бриллиантовый череп работы Херста давно уже убрали из Студиоло, воспоминание о нем подсказало Лэнгдону одну любопытную идею.

Глаза смерти, подумал он. Уж не на череп ли намекает эта фраза?

В дантовском «Аде» черепов сколько угодно. Достаточно вспомнить хотя бы жестокое наказание графа Уголино в последнем круге: за свои грехи он обречен вечно глодать череп предателя-архиепископа.

Может быть, нам нужно найти какой-то череп?

Лэнгдон знал, что Студиоло устроен по принципу кунсткамеры, или «кабинета редкостей». Почти все картины в нем закреплены на петлях и поворачиваются, открывая тайники, в которых герцог когда-то держал всякие приглянувшиеся ему вещицы — красивые перья, образцы редких минералов, окаменелую раковину наутилуса и даже, если верить слухам, берцовую кость монаха, отделанную толченым серебром.

Правда, Лэнгдон подозревал, что все тайники давным-давно очищены от своего интересного содержимого, а ни о каком другом черепе, кроме херстовского, он в связи с этой комнатой никогда не слыхал.

Его размышления были прерваны неожиданным звуком: в дальнем конце зала громко хлопнула дверь. Потом за его спиной послышались быстрые приближающиеся шаги.

— Signore! — раздался сердитый голос. — Il salone non è aperto!*

Обернувшись, Лэнгдон увидел, что к нему направляется одна из смотрительниц — миниатюрная женщина с коротко подстри-

---

*   Господа! Зал закрыт! (*ит.*)

женными русыми волосами. Кроме того, она была беременна — чуть ли не на девятом месяце. Она энергично шагала к ним, постукивая пальцем по наручным часикам. Подойдя ближе, она встретилась с Лэнгдоном глазами и вдруг встала как вкопанная, прижав ко рту ладонь.

— Профессор Лэнгдон! — воскликнула она со смущенным видом. — Ради Бога, простите! Мне не сказали, что вы здесь. Как хорошо, что вы снова к нам заглянули!

Лэнгдон похолодел от страха.

Он был совершенно уверен, что никогда прежде не видел эту женщину.

Глава 37

вас прямо не узнать, профессор! — выпалила смотрительница. Она говорила по-английски, но с акцентом. — Это все ваша одежда. — Она тепло улыбнулась и наградила лэнгдоновский пиджак от Бриони одобрительным кивком. — Очень стильно. Вы теперь как настоящий итальянец.

У Лэнгдона совсем пересохло во рту, однако он кое-как выдавил из себя вежливую улыбку.

— Доброе утро, — пробормотал он. — Как ваше здоровье?

Она рассмеялась, поглаживая живот.

— Так себе. Маленькая Каталина всю ночь брыкалась. — Она с озадаченным видом оглядела зал. — Дуомино не предупредил, что вы сегодня вернетесь. Наверно, он с вами?

Дуомино? Лэнгдон абсолютно не представлял себе, о ком она говорит.

Заметив его смятение, незнакомка отпустила смешок.

— Да вы не волнуйтесь, во Флоренции его все только так и зовут. Он не обижается. — Она снова огляделась вокруг. — Это он вас впустил?

— Он самый, — подтвердила Сиена, подходя к ним с другой стороны зала, — но у него деловая встреча за завтраком. Он сказал, вы не будете возражать, если мы тут немножко побродим. — Она дружелюбно протянула смотрительнице руку. — Я Сиена, сестра Роберта.

Та ответила ей весьма официальным рукопожатием.

— А я Марта Альварес. Ну и повезло же вам — иметь в личных экскурсоводах самого Роберта Лэнгдона!

— Да уж! — с энтузиазмом откликнулась Сиена, закатывая глаза. — Он такой умница!

Наступила неловкая пауза — женщина пристально разглядывала Сиену.

— Странно, — сказала она наконец. — Не вижу никакого фамильного сходства. Разве что рост...

Лэнгдон почуял, что надвигается катастрофа. *Теперь или никогда.*

— Марта, — вмешался он, надеясь, что правильно расслышал ее имя, — мне ужасно неловко вас беспокоить, но... думаю, вы сами догадываетесь, зачем я здесь.

— Честно говоря, нет, — прищурившись, ответила та. — Хоть убейте, не могу понять, что вам здесь понадобилось.

Сердце Лэнгдона пустилось в галоп. Наступила неловкая тишина, и он почувствовал, что сейчас его окончательно прижмут к стенке. Но вдруг Марта расплылась в широкой улыбке и громко расхохоталась.

— Шучу, профессор! Конечно, я догадалась, зачем вы пришли! Если уж быть откровенной, не знаю, чем она вас так очаровала, но после того, как вчера вечером вы с Дуомино провели наверху чуть ли не целый час, естественно предположить, что вы захотели показать ее своей сестре!

— Да-да... — выдавил он. — Совершенно верно. Я бы очень хотел показать ее Сиене... если только это вас не затруднит.

Марта взглянула на балкон на уровне второго этажа и пожала плечами:

— Нисколько. Я все равно туда и шла.

С сильно бьющимся сердцем Лэнгдон тоже посмотрел на балкон в конце зала. *Я был там вчера вечером?* Этого он не помнил, хотя и знал, что балкон — расположенный, между прочим, в точности на той же высоте, что и надпись «cerca trova», — служит входом в музей, где ему не раз доводилось бывать.

Марта уже собиралась двинуться туда через весь зал, но вдруг остановилась, словно ей в голову пришла новая неожиданная мысль.

— Извините, профессор, но вам не кажется, что вашу милую сестру лучше было бы развлечь чем-нибудь повеселее?

Лэнгдон растерялся.

— А мы идем смотреть что-то мрачное? — спросила Сиена. — Что именно? Он мне не говорил.

Марта лукаво улыбнулась Лэнгдону.

— Ну что, профессор, сказать вашей сестре, или вы сами скажете?

Лэнгдон тут же ухватился за подвернувшуюся возможность.

— Конечно, Марта, объясните ей все!

Марта повернулась к Сиене и заговорила медленно и внятно:

— Не знаю, что вы слышали от брата, но мы идем наверх, в музей, смотреть очень необычную маску.

Сиена широко раскрыла глаза.

— Какую? Одну из тех жутких чумных масок, которые носят на карнавале?

— Хорошая попытка, — сказала Марта, — но не угадали. Речь не о чумной маске, а о другой — из тех, что называют посмертными.

Маска смерти! Не сдержавшись, Лэнгдон тихонько ахнул, и Марта нахмурилась, явно решив, что он пытается ради пущего эффекта еще больше напугать сестру.

— Не слушайте брата, — сказала она. — В прошлом посмертные маски делались довольно часто. По сути говоря, такая маска — это просто гипсовый слепок с лица только что умершего человека.

Маска смерти. Впервые после того, как Лэнгдон очнулся во Флоренции, в окутавшем его тумане словно блеснул яркий свет. *«Ад» Данте... cerca trova... увидеть глазами смерти. Посмертная маска!*

— И с кого же сняли маску, которая хранится у вас? — спросила Сиена.

Лэнгдон положил руку ей на плечо и ответил, стараясь, чтобы его голос звучал как можно спокойнее:

— С одного знаменитого итальянского поэта. Его звали Данте Алигьери.

Глава 38

редиземноморское солнце ярко освещало палубу «Мендация», тихо покачивающегося на плавных волнах Адриатики. Борясь с усталостью, шеф осушил вторую стопку виски и устремил в окно кабинета рассеянный взгляд.

Из Флоренции снова поступили плохие вести.

Возможно, причину этого следовало искать в спиртном, которого шеф отведал впервые за много лет, но его вдруг охватило странное чувство бессилия и потерянности... словно на его судне отказали двигатели и оно бесцельно плыло туда, куда влекли его ветер и течение.

Шефу это чувство было внове. В его мире существовал надежный компас — *протокол*, — который неизменно указывал верный путь. Протокол всегда позволял шефу принимать трудные решения без колебаний и оглядки назад.

Именно протокол потребовал отстранения Вайенты, и шеф пошел на этот шаг не раздумывая. *Когда кризис останется позади, я с ней разберусь.*

Именно протокол требовал, чтобы шеф знал о каждом из своих клиентов как можно меньше. Он давным-давно решил, что Консорциум не обязан судить их с моральной точки зрения.

Делай то, что от тебя требуют.

Доверяй клиенту.

Не задавай вопросов.

Подобно руководителям многих компаний, шеф всего лишь предоставлял желающим определенный набор услуг в расчете на то, что они будут пользоваться этими услугами в рамках закона. В конце концов, «Вольво» не может гарантировать, что озабоченные мамаши не будут гонять перед школами на повышенной скорости, а «Делл» не несет ответственности за тех, кто через их компьютеры взламывает банковские счета.

Теперь, когда все летело под откос, шеф проклинал про себя человека, которому он так безоговорочно доверял и через которого роковой клиент вышел на Консорциум.

«Вы легко заработаете на нем кучу денег, — уверял его этот человек. — Ведь он настоящий гений, звезда в своей области, и притом богат до неприличия. Ему только и надо что исчезнуть на годик-другой. Он хочет купить немного времени, чтобы по секрету от всех воплотить в жизнь один важный проект».

Не долго думая шеф дал согласие. Прятать людей на большой срок всегда было выгодно, и к тому же он доверял интуиции своего хорошего знакомого.

Как и ожидалось, они заработали кучу денег.

Но легко им было только до прошлой недели.

Теперь, в разгар неразберихи, возникшей по вине этого клиента, шеф ходил кругами вокруг бутылки с шотландским виски и считал дни, оставшиеся до того момента, когда их обязательства перед ним будут выполнены целиком.

Телефон на столе зазвонил, и шеф увидел, что это звонок по внутренней линии от Ноултона, одного из его лучших координаторов.

— Да, — ответил он.

— Сэр, — начал Ноултон, и шеф уловил в его голосе легкое смущение. — Простите, что беспокою вас по такому поводу, но вы, должно быть, знаете, что мы взяли на себя обещание завтра выложить в Интернет оставленный нам видеофайл.

— Знаю, — ответил шеф. — Вы его подготовили?

— Да, но я подумал, что вы, возможно, захотите просмотреть его перед отправкой.

Шеф помедлил — такого он не ожидал.

— Неужели автор файла прямо ссылается на нашу организацию или как-либо иначе нас компрометирует?

— Нет, сэр, но содержание этой записи весьма необычно. Клиент появляется на экране и говорит...

— Стойте, — скомандовал шеф, ошеломленный тем, что старший координатор осмеливается предложить такое грубое нарушение протокола. — Содержание записи не имеет ни малейшего значения. Что бы ни снял наш клиент, он волен сделать свой фильм достоянием гласности — все равно, с нами или без нас. Клиент с легкостью мог бы произвести рассылку автоматически, но он нанял *нас*. Он заплатил *нам*. Он доверился *нам*.

— Да, сэр, — ответил Ноултон.

— А вас наняли не кинокритиком, — предостерег его шеф. — Ваша работа — выполнять обещания. Вот и выполняйте.

Вайента ждала на Понте Веккьо, ощупывая своим цепким взглядом каждого из сотен туристов, пересекающих реку. Она не теряла сосредоточенности и была уверена, что Лэнгдон не проходил мимо нее, но жужжание вертолета давно стихло — очевидно, он выполнил свою задачу.

Наверное, Брюдер все-таки поймал Лэнгдона.

Она неохотно вернулась мыслями к мрачной перспективе расследования, которое Консорциум должен был провести по ее делу. *Если там не придумают чего-нибудь похуже.*

Вайента снова вспомнила двух отстраненных агентов... тех, о ком она так больше никогда и не слышала. *Они просто устроились на другую работу*, успокаивала она себя. Однако внутренний голос упорно нашептывал ей, что надежнее всего сейчас было бы уехать, затеряться где-нибудь в тосканских холмах и начать новую жизнь — в конце концов, все необходимые для этого навыки у нее имелись.

Но долго ли я смогу от них скрываться?

Очень и очень многие убедились на собственном опыте: если Консорциум взял тебя на прицел, играть с ним в прятки бессмысленно. Рано или поздно тебя все равно найдут.

Вайенте никак не верилось, что двенадцать лет верной службы пошли псу под хвост из-за цепочки несчастных случайностей. *Неужели моей карьере и вправду суждено оборваться так нелепо?* Целый год она неусыпно следила за тем, чтобы зеленоглазый клиент Консорциума получал требуемое. *Я не виновата, что он покончил жизнь самоубийством, бросившись с башни... но получается, что он увлек с собой и меня.*

Она могла заслужить прощение одним-единственным способом — опередив Брюдера... но ей с самого начала было понятно, насколько это шаткая надежда.

Вчера мне дали последний шанс, а я его упустила.

Уныло повернувшись к своему мотоциклу, Вайента вдруг услышала едва уловимый звук... уже знакомое тонкое жужжание.

Озадаченная, она посмотрела вверх. К ее изумлению, вертолет-разведчик снова поднялся в воздух — на этот раз у дальнего конца палаццо Питти. На глазах у Вайенты крошечный аппаратик принялся лихорадочно кружить над дворцом.

Это могло означать только одно.

Они еще не поймали Лэнгдона!

Но где же он, черт возьми?

Пронзительный визг над головой вновь выдернул доктора Элизабет Сински из горячечного забытья. *Вертолет опять в небе? Но я думала...*

Она подвинулась поудобнее на заднем сиденье фургона, рядом со своим молодым сопровождающим. Потом снова смежила веки, борясь с болью и тошнотой. Но сильнее всего ее мучил страх.

Время уже на исходе.

Хотя ее враг разбился насмерть, бросившись с башни, она по-прежнему видела во сне его фигуру и слышала голос, поучающий ее в полутемном кабинете Совета по международным отношениям.

Кто-то должен пойти на решительные действия, заявил он, сверкая зелеными глазами. *Если не мы, то кто же? Если не сейчас, то когда?*

Напрасно она не остановила его сразу, когда у нее была такая возможность! После той памятной встречи Элизабет, вся кипя, помчалась по Манхэттену в аэропорт Кеннеди. Ей не терпелось выяснить, кто этот полоумный, с которым ее свела судьба, и она вынула телефон, чтобы взглянуть на его сделанную напоследок фотографию.

Найдя ее, она не сдержалась и ахнула. Доктор Элизабет Сински прекрасно знала этого человека. Плюсом было то, что за ним ничего не стоило проследить. Минусом — что он был гением в своей области и при желании мог натворить уйму бед.

Нет ничего более плодотворного... и более разрушительного... чем блестящий ум, сосредоточенный на одной цели.

За полчаса дороги в аэропорт она успела обзвонить сотрудников и добиться того, чтобы все соответствующие организации —

ЦРУ, американский и европейский Центры профилактики и контроля заболеваний и их филиалы по всему свету — включили этого человека в списки потенциальных биотеррористов.

Это все, что я могу сделать, пока не доберусь до Женевы, подумала она.

Измученная, она подошла к стойке и протянула регистраторше свой билет вместе с паспортом.

— А, доктор Сински, — с улыбкой сказала та. — Вам только что оставил записочку один очень симпатичный джентльмен.

— Простите? — Элизабет не помнила, чтобы сообщала кому-то номер своего рейса.

— Такой высокий, — продолжала девушка. — Зеленоглазый.

От изумления Элизабет выронила сумку. *Он здесь? Но как?!* Резко обернувшись, она окинула взглядом лица других пассажиров.

— Он уже ушел, — сказала регистраторша, — но просил передать вам вот это. — И подала Элизабет сложенный листок бумаги.

Дрожащими руками Элизабет развернула листок и прочла написанные четким почерком строки. Это было знаменитое высказывание Данте Алигьери.

Самое жаркое место в аду
предназначено тем,
кто в пору морального кризиса
сохраняет нейтральность.

Глава 39

арта Альварес устало посмотрела на крутую лестницу, ведущую из Зала Пятисот в музей на втором этаже.

Posso farcela, сказала она себе. *Я смогу.*

Марта отвечала в администрации палаццо Веккьо за все, что было связано с культурой и искусством, а потому взбиралась на эту лестницу бесчисленное множество раз, но теперь, на девятом месяце беременности, это давалось ей с большим трудом.

— А может, все-таки воспользуемся лифтом? — с тревогой спросил у нее Роберт Лэнгдон, кивая на маленький лифт поблизости, который недавно установили для посетителей с ограниченными возможностями.

Марта благодарно улыбнулась, но отрицательно покачала головой.

— Я же вчера говорила: доктор считает, что умеренные нагрузки полезны для ребенка. А кроме того, профессор, я знаю, что у вас клаустрофобия.

Услышав ее ответ, Лэнгдон почему-то слегка растерялся.

— Ах да, простите. Я и забыл, что сказал вам об этом.

Теперь растерялась Марта. *Забыл? Да ведь после этого прошло меньше двенадцати часов, и мы обсудили тот давний случай, который вызвал вашу клаустрофобию, во всех подробностях!*

Прошлым вечером патологически тучный спутник Лэнгдона по прозвищу Дуомино предпочел подняться в музей на лифте, а Лэнгдон с Мартой выбрали лестницу. По дороге Лэнгдон в красках описал ей, как упал в детстве в заброшенный колодец, и признался, что с тех пор испытывает невыносимый страх в любом тесном помещении.

Сейчас младшая сестра Лэнгдона легко взбежала по ступеням — они только и успели что проводить глазами ее болтающийся белокурый хвостик, — а сам Лэнгдон с Мартой поднимались медленно, то и дело останавливаясь, чтобы Марта могла перевести дыхание.

— Странно, что вам захотелось снова посмотреть на эту маску, — сказала она. — По сравнению со всем остальным, что есть во Флоренции, не такая уж она интересная.

Лэнгдон уклончиво пожал плечами.

— Я просто Сиене хотел показать. Кстати, спасибо, что еще раз пустили нас в неурочное время.

— Пустяки.

Одной лэнгдоновской репутации уже хватило бы для того, чтобы вчера вечером открыть ему галерею, но поскольку с ним был еще и сам Дуомино, у Марты просто не оставалось выбора.

Иньяцио Бузони по прозванию Дуомино был крупным авторитетом во флорентийских культурных кругах. Много лет возглавлявший музей Опера-дель-Дуомо, Иньяцио курировал все вопросы, связанные с главной исторической достопримечательностью города — огромным собором с красным куполом, который всегда был на первом плане не только в панораме, но и в истории Флоренции. Горячая любовь к этому сооружению вкупе с весом почти в сто восемьдесят килограммов и постоянно красным лицом и заслужили ему прозвище Дуомино, что означает «маленький собор».

Марта понятия не имела, как Лэнгдон познакомился с Дуомино, однако прошлым вечером флорентиец позвонил ей и сказал, что хочет привести во дворец гостя, чтобы в тишине и без помех осмотреть посмертную маску Данте. Этот загадочный гость оказался прославленным американским символогом и искусствоведом Робертом Лэнгдоном, и Марта проводила друзей на галерею, гордая тем, что удостоилась чести принимать двух таких знаменитостей.

Теперь, одолев наконец все ступени, Марта уперла руки в бока и сделала пару глубоких вдохов. Сиена уже стояла у перил, оглядывая Зал Пятисот сверху.

— Моя любимая точка обзора, — немного отдышавшись, сообщила Марта. — Отсюда фрески выглядят совсем по-другому. Наверно, брат говорил вам о таинственном указании, которое спрятано вон там? — Она протянула руку.

Сиена азартно кивнула:

— «Cerca trova».

Марта украдкой посматривала на Лэнгдона, который тоже подошел к балюстраде. На свету, льющемся из окон мезонина, было видно, что он далеко не так импозантен, как прошлым вечером. Ей нравился его новый костюм, но ему самому не мешало бы побриться, да и вообще он выглядел бледным и усталым. Даже его волосы, вчера пышные и густые, сегодня были спутанными, как будто он не успел принять душ.

Опасаясь, что профессор заметит ее изучающий взгляд, Марта снова повернулась к фреске.

— Мы стоим почти прямо напротив этой надписи, — сказала она. — Если постараться, отсюда ее можно разглядеть и без бинокля.

Но сестру Лэнгдона это не слишком заинтриговало.

— Лучше расскажите мне о посмертной маске Данте. Почему она здесь, в палаццо Веккьо?

Какой брат, такая и сестра, вздохнула про себя Марта. *Далась им эта маска!* Правда, посмертная маска Данте и впрямь имела очень странную историю, и Лэнгдон был не первым, кто проявил к ней чуть ли не маниакальный интерес.

— Ответьте для начала, что вы знаете о Данте?

Симпатичная блондинка пожала плечами:

— Только то, чему учат в школе. Данте — итальянский поэт, прославившийся в первую очередь книгой «Божественная комедия», где он описал свое воображаемое путешествие в ад.

— Отчасти правильно, — откликнулась Марта. — В своей поэме Данте благополучно выбирается из ада, проходит чистилище и наконец попадает в рай. Если вы когда-нибудь прочтете «Божественную комедию», то увидите, что его путешествие соответственно делится на три части — по-итальянски они называются «Inferno», «Purgatorio» и «Paradiso». — Марта жестом пригласила их следовать за собой ко входу в музей. — Впрочем, то, что его маска хранится в палаццо Веккьо, абсолютно никак не связано с «Божественной комедией». Тут все дело в реальных исторических событиях. Данте жил во Флоренции и любил ее так сильно, как только можно любить свою родину. Он был человеком известным и влиятельным, но политическая обстановка изменилась, а Данте поддерживал проигравшую сторону и потому подвергся бессрочному изгнанию.

Недалеко от входа в музей Марта остановилась перевести дух. Снова уперев руки в бока, она распрямилась, чуть откинула голову назад и заговорила снова:

— Некоторые считают именно изгнание Данте причиной того, что у его посмертной маски такой грустный вид, но у меня другая теория. Я немножко романтик, и мне кажется, что эта грусть имеет больше отношения к женщине по имени Беатриче. Видите ли, всю жизнь Данте был страстно влюблен в женщину, которую звали Беатриче Портинари. Но, как это ни печально, она вышла за другого — и в результате Данте остался не только без родного города, но и без своей возлюбленной. Его пылкая любовь к Беатриче стала центральной темой «Божественной комедии».

— Любопытно, — сказала Сиена, хотя по ее тону было ясно, что она пропустила мимо ушей все до последнего слова. — И все же я так и не поняла, почему эту маску держат здесь, во дворце?

Настойчивость молодой женщины показалась Марте странной и даже граничащей с неприличием.

— Дело в том, — пояснила она, двинувшись дальше, — что запрет на возвращение Данте во Флоренцию остался в силе и после его смерти, поэтому его похоронили в Равенне. Но поскольку главная любовь его жизни, Беатриче, была похоронена во Флоренции и поскольку сам Данте безумно любил Флоренцию, привезти сюда его посмертную маску казалось естественным — своего рода данью уважения этому великому человеку.

— Понимаю, — сказала Сиена. — А почему выбрано именно это здание?

— Палаццо Веккьо — стариннейший символ Флоренции, а в эпоху Данте он и вовсе был сердцем города. В нашем соборе даже есть знаменитая картина, на которой изгнанный Данте стоит под стенами города, а на заднем плане высится дорогая его сердцу дворцовая башня. Словом, хранить здесь его посмертную маску —

это во многих отношениях то же самое, что позволить ему наконец вернуться на родину.

— Красиво, — сказала Сиена. Похоже, она полностью удовлетворила свое любопытство. — Большое спасибо за лекцию!

Марта подошла к двери музея и стукнула три раза.

— Sono io, Marta! Buongiorno!*

Внутри зазвенели ключами, и дверь открылась. На пороге стоял пожилой охранник — он устало улыбнулся Марте и взглянул на свои часы.

— È un po' presto**, — сказал он.

Вместо объяснения Марта кивнула на Лэнгдона, и лицо охранника тут же просветлело.

— Signore! Bentornato!***

— Grazie, — вежливо ответил Лэнгдон, проходя мимо него в музей.

Они пересекли небольшой вестибюль, после чего охранник отключил сигнализацию и отпер другую дверь, более основательную. Распахнув ее, он отступил в сторону, взмахнул рукой и воскликнул:

— Ecco il museo!****

Улыбнувшись в знак благодарности, Марта повела своих гостей внутрь.

Раньше здесь находились правительственные учреждения, а потому вместо анфилады просторных музейных залов гости очутились в лабиринте небольших по размеру комнат и коридоров, обнимающем половину всего здания.

— Посмертная маска Данте за углом, — сказала Марта Сиене. — Она выставлена в узком помещении, которое называется l'andito, — по сути, это просто переход между двумя комнатами побольше. Маска лежит в старинном шкафчике у стены, и ее не видно, пока не окажешься прямо перед ней. Из-за этого многие посетители проходят мимо, так ее и не заметив!

Лэнгдон прибавил шагу, устремив взгляд прямо вперед, как будто маска притягивала его с волшебной силой. Тихонько подтолкнув Сиену локтем, Марта шепнула ей:

---

*   Это я, Марта! Добрый день! (*ит.*)
**   Рановато (*ит.*).
*** С возвращением, синьор! (*ит.*)
**** Вот наш музей! (*ит.*)

— Очевидно, вашего брата интересует только эта маска, но раз уж вы здесь, вам обязательно надо взглянуть еще хотя бы на бюст Макьявелли и на Маppа mundi, глобус в нашем Зале карт.

Сиена вежливо кивнула, но не замедлила хода, тоже глядя прямо вперед. Марта еле за ней поспевала. Когда они дошли до третьей комнаты, она уже немного отстала, а потом и вовсе остановилась.

— Профессор! — окликнула она Лэнгдона, тяжело дыша. — А вы не хотите... показать своей сестре другие экспонаты... пока мы идем к маске?

Лэнгдон рассеянно оглянулся, словно вернувшись в настоящее из какого-то мысленного далека.

— Прошу прощения?

Ловя ртом воздух, Марта показала на ближайший стенд.

— Например... одно из первых... печатных изданий «Божественной комедии»?

Заметив наконец, как Марта утирает лоб и переводит дух, Лэнгдон страшно устыдился.

— Извините меня, Марта! Конечно, мы с удовольствием взглянем.

Он поспешил обратно, и Марта подвела их к старинной витрине. Там лежала потертая книга в кожаном переплете, открытая на титульной странице. Надпись с изящными виньетками гласила: «La Divina Commedia: Dante Alighieri».

— Невероятно, — сказал Лэнгдон. В его голосе слышалось удивление. — Я узнаю фронтиспис. А я и не знал, что у вас есть оригинал нумейстеровского издания.

Не могли вы этого не знать, подумала Марта. *Я же показывала вам его вчера вечером!*

— В тысяча четыреста семьдесят втором году, — торопливо объяснил Лэнгдон Сиене, — Иоганн Нумейстер выпустил первое печатное издание этой поэмы. Было напечатано несколько сот экземпляров, но сохранилось всего около десятка. Они исключительно редкие.

Марте пришло в голову, что Лэнгдон просто хочет порисоваться перед младшей сестрой и потому притворяется, будто видит эту книгу в первый раз. Для профессора, снискавшего всеобщее уважение не только научными заслугами, но и своей скромностью, такое поведение выглядело весьма странным.

— Этот экспонат мы временно позаимствовали из Лауренцианы, — сказала Марта. — Если вы с Робертом еще не были в этой библиотеке, сходите обязательно. У них очень эффектная лестница, спроектированная самим Микеланджело, — она ведет в первый в мире общественный читальный зал. Поначалу книги в нем буквально приковывались к сиденьям, чтобы их никто не унес. Конечно, многие из этих книг были единственными в мире.

— Потрясающе, — откликнулась Сиена, косясь в глубь музея. — А к маске, значит, туда?

Куда она спешит? Марта еще не успела толком отдышаться.

— Да, но тут есть еще кое-что интересное. — Она показала на маленькую лестницу за нишей, уходящую в потолок. — По этой лесенке можно подняться на смотровую площадку под крышей, откуда знаменитый подвесной потолок Вазари виден *сверху*. Я могу подождать вас здесь, пока вы...

— Пожалуйста, Марта, — перебила ее Сиена. — Мне очень хочется взглянуть на маску. К сожалению, у нас маловато времени.

Марта недоуменно воззрилась на эту молодую красивую женщину. Ей очень не нравилась современная манера называть по имени полузнакомых людей. *Я синьора Альварес*, мысленно возмутилась она. *И между прочим, делаю тебе одолжение.* Но вслух она сказала только:

— Хорошо, Сиена. Идемте.

Ведя Лэнгдона и его сестру дальше по анфиладе музейных помещений, Марта больше не тратила времени на ученые комментарии. Прошлым вечером Лэнгдон с Дуомино почти полчаса не выходили из узкого *андито*, где была выставлена маска Данте. Заинтригованная таким интересом гостей к этой маске, Марта спросила у них, чем он вызван — уж не теми ли странными событиями, которые происходили вокруг нее в течение последнего года? Лэнгдон и Дуомино уклонились от прямого ответа.

По дороге к *андито* Лэнгдон принялся объяснять сестре простую технику изготовления посмертных масок. Марта с удовольствием отметила про себя, что сейчас профессор говорит без тени фальши — не то что минуту назад, когда он прикинулся, будто видит их экземпляр «Божественной комедии» первый раз в жизни.

— Вскоре после смерти, — рассказывал Лэнгдон, — лицо усопшего смазывают оливковым маслом. Затем на него наносят слой влажного гипса, закрывая все — рот, нос, глаза — от линии волос до самой шеи. Затвердевший гипс легко снимается и используется в качестве формы, в которую заливают свежий гипсовый раствор. Затвердев в свою очередь, он образует точную копию лица покойного. Особенно часто таким способом запечатлевали внешность гениев и других знаменитостей. Данте, Шекспир, Вольтер, Тассо, Китс — со всех них были сняты посмертные маски.

— Вот мы и пришли, — провозгласила Марта у входа в *андито*. Отступив в сторонку, она жестом пригласила Лэнгдона и его сестру войти первыми. — Маска в шкафчике у стены по левую руку. За ограждение просьба не заходить.

— Спасибо. — Сиена ступила в узкий коридор, подошла к шкафчику и заглянула внутрь. Глаза ее широко распахнулись, и она оглянулась на брата с выражением неподдельного ужаса.

Марта наблюдала такую реакцию тысячу раз. Увидев маску, многие посетители невольно отшатывались — изборожденное морщинами лицо Данте с крючковатым носом и закрытыми глазами и впрямь выглядело жутковато.

Догнав Сиену, Лэнгдон тоже заглянул в шкафчик — и тоже отпрянул от него с удивленным видом.

Марта поморщилась. *Che esagerato**. Она вошла в *андито* следом за ними. Но стоило ей, в свою очередь, посмотреть в шкафчик, как у нее вырвался испуганный возглас. *Oh mio Dio!***

Марта Альварес ожидала, что из шкафчика на нее взглянет знакомое мертвое лицо Данте, однако увидела лишь атласную внутреннюю обивку и крючок, на котором обычно висела маска.

Зажав рот ладонью, Марта в ужасе уставилась на пустой шкафчик. Ей стало трудно дышать, и она машинально оперлась на один из столбиков ограждения. Наконец она оторвала взгляд от опустевшего стенда и кинулась к главному входу в музей, где еще должна была дежурить ночная охрана.

— La maschera di Dante! — завопила она как безумная. — La maschera di Dante è sparita!***

---

*   Это уж слишком (*ит.*).
**   О Боже! (*ит.*)
***   Маска Данте! Маска Данте исчезла! (*ит.*)

Глава 40

ся дрожа, Марта Альварес стояла перед опустевшим шкафчиком. Она надеялась, что узел, который все туже завязывается у нее в животе, — симптом паники, а не начало родовых схваток.

Посмертная маска Данте пропала!

Двое охранников уже прибежали в *андито*, увидели пустой стенд и развернули бурную деятельность. Один бросился в дежурку проверять записи камер видеонаблюдения за прошлый вечер, а второй только что закончил телефонный разговор с полицией.

— La polizia arriverà tra venti minuti!* — сообщил он Марте, повесив трубку.

— Venti minuti?! — возмутилась она. *Через двадцать минут?!* — У нас украли бесценное произведение искусства!

Охранник объяснил, что вся городская полиция сейчас работает в авральном режиме и найти свободного человека, который мог бы приехать и начать расследование, не так просто.

— Che cosa potrebbe esserci di più grave?! — гневно воскликнула она. *Что может быть серьезнее?!*

Лэнгдон с Сиеной обменялись беспокойными взглядами, и Марта поняла, что ее гости перегружены впечатлениями. И неудивительно! Зайдя в музей всего лишь для того, чтобы мельком взглянуть на маску, они угодили в самую гущу суматохи, вызванной серьезнейшей кражей. Вчера вечером или ночью кто-то проник в галерею и украл посмертную маску Данте.

Марта знала, что в музее есть намного более ценные экспонаты, и убеждала себя, что худа без добра не бывает. *Их ведь*

---

* Полиция будет через двадцать минут! (*ит.*)

тоже могли украсть! Однако это была первая кража за всю историю музея. *А я даже не знаю, что положено делать в таких случаях!*

На Марту вдруг накатила слабость, и она снова оперлась на столбик с канатом.

Оба охранника с растерянным видом перечислили Марте все события минувшего вечера и свои собственные действия. Примерно в десять Марта привела в музей Лэнгдона и Дуомино. Чуть позже все трое вышли вместе. Охранники снова заперли двери, включили сигнализацию — и, насколько им было известно, никто больше не входил в галерею и не выходил оттуда вплоть до настоящего момента.

— Это невозможно! — сердито воскликнула Марта по-итальянски. — Когда мы втроем вышли из музея вчера вечером, маска была на месте, а это значит, что кто-то побывал в галерее *после* нас!

Охранники только беспомощно разводили руками.

— Noi non abbiamo visto nessuno!*

Зная, что полиция уже в пути, Марта отправилась в дежурную комнату охраны так быстро, как только позволяла ее беременность. Лэнгдон с Сиеной, охваченные волнением, зашагали за ней.

Видеокамеры, подумала Марта. *Уж они-то покажут нам, кто заходил сюда прошлой ночью!*

А в трех кварталах от дворца Вайента отступила в тень при виде двух полицейских, которые пробирались сквозь толпу, показывая прохожим фотографии Лэнгдона.

Когда участники облавы были неподалеку от Вайенты, у одного из них заработала рация — передавали обычную информационную сводку. Диспетчер говорил коротко и по-итальянски, но Вайента уловила суть: если в районе палаццо Веккьо есть свободные полицейские, они должны выйти на связь, потому что в музее дворца произошло ЧП.

Двое с рацией не обратили на этот призыв ровно никакого внимания, но Вайента сразу навострила уши.

В музее палаццо Веккьо?

---

*   Мы никого больше не видели! (*ит.*)

Вчерашнее фиаско — то самое, из-за которого ее карьера теперь висела на ниточке, — случилось как раз в переулке рядом с палаццо Веккьо.

Тем временем рация продолжала вещать. Сильные помехи мешали разобрать, о чем идет речь, однако два слова прозвучали вполне отчетливо: Данте Алигьери.

Вайента мгновенно напряглась. *Данте Алигьери?!* Это никак не могло быть простым совпадением. Она круто повернулась в сторону палаццо Веккьо и отыскала глазами его зубчатую башню, возвышающуюся над крышами соседних зданий.

Что же именно произошло в музее? И когда?!

Вайента достаточно долго проработала аналитиком в полевых условиях и знала, что совпадения бывают на свете гораздо реже, чем думает большинство людей. *Музей палаццо Веккьо... и Данте?* Это должно было иметь отношение к Лэнгдону.

Вайента с самого начала предполагала, что Лэнгдон вернется в Старый город. Это было бы логично: ведь именно в Старом городе он находился вчера вечером, когда все покатилось под откос.

Теперь, при свете дня, Вайента задумалась: а может быть, Лэнгдон все-таки смог вернуться в район палаццо Веккьо в надежде найти то, что он ищет? Она была уверена, что по мосту, который она караулила, он не проходил. Конечно, в городе хватало и других мостов, но чтобы добраться пешком от садов Боболи до любого из них, требовалось чересчур много времени.

Она заметила, что под мостом проплывает гоночная лодка с командой из четырех человек. На борту лодки значилось: «SOCIETÀ CANOTTIERI FIRENZE» — «Гребной клуб Флоренции». Бросающиеся в глаза красно-белые весла взлетали и опускались с идеальной синхронностью.

А вдруг Лэнгдон воспользовался лодкой? Это было сомнительно, однако чутье подсказывало Вайенте, что полицейская сводка насчет палаццо Веккьо имеет прямое отношение к тому, что ее волнует.

— А теперь расчехляем фотоаппараты! — раздался поблизости женский голос. Говорили по-английски, но с итальянским акцентом.

Обернувшись, Вайента увидела яркий оранжевый помпон на тросточке — это был жезл девушки-гида, которая вела через Понте Веккьо группу туристов, смахивающую на стайку утят.

— Прямо над вами находится самый большой шедевр Вазари! — воскликнула девушка с профессиональным энтузиазмом, воздевая свой жезл, чтобы все ее подопечные посмотрели вверх.

Раньше Вайента этого не замечала, но на уровне второго этажа, над крышами ларьков, тянулось что-то вроде узкой крытой галереи.

— Коридор Вазари! — провозгласила девушка с жезлом. — По этому туннелю длиной почти в километр члены семейства Медичи могли в любое время благополучно перейти из палаццо Питти в палаццо Веккьо и обратно!

Вайента с удивлением разглядывала туннелеподобное сооружение наверху. Она слышала об этом коридоре, но почти ничего о нем не знала.

Он ведет в палаццо Веккьо?

— Некоторые особо важные персоны, — продолжала девушка, — могут прогуляться по нему и в наши дни. Сейчас там находится прекрасная арт-галерея — она занимает весь коридор от палаццо Веккьо до северо-восточного угла садов Боболи.

Дальнейших ее слов Вайента уже не слышала.

Она опрометью бросилась к мотоциклу.

Глава 41

огда Лэнгдон с Сиеной протиснулись в дежурное помещение следом за Мартой и двумя охранниками, швы на затылке Лэнгдона снова заныли. Крошечная дежурка оказалась не чем иным, как бывшим чуланом, оборудованным компьютерами и мониторами. Очень душная, она была еще и насквозь прокурена.

Лэнгдону тут же стало не по себе: стены как будто норовили его расплющить.

Марта уселась перед экраном с зернистым черно-белым изображением *андито*, снятого камерой над дверью. Цифры в углу кадра показывали, что запись перемотана на вчерашнее утро, ровно на двадцать четыре часа назад, — тогда музей еще не открыли, а до вечернего прихода Лэнгдона и Дуомино оставался целый день.

Охранник включил перемотку вперед, и в *андито* потоком хлынули туристы, двигающиеся быстрыми мелкими рывками. Самой маски с этой точки видно не было, но она явно находилась на своем месте, потому что туристы то и дело останавливались, заглядывали в шкафчик и щелкали фотоаппаратами, а затем шли дальше.

Скорее, пожалуйста, думал Лэнгдон. *Ведь полиция уже в пути.* Конечно, они с Сиеной могли бы просто извиниться и покинуть музей, но им нужно было увидеть эту запись: она обещала многое прояснить.

А кадры на экране мелькали все быстрее, и *андито* уже перечеркнули вечерние тени. Туристы продолжали носиться туда-сюда, но вот толпа поредела и внезапно совсем исчезла. Когда счетчик времени показал 17.00, в музее погас свет и воцарилась тишина.

Пять часов — время закрытия.

— Aumenti la velocità, — скомандовала Марта, подавшись вперед и устремив на монитор пристальный взгляд. *Увеличьте скорость.*

Охранник послушался — цифры на счетчике побежали еще стремительнее, и около десяти вечера в музее вдруг снова вспыхнул свет.

Охранник мгновенно перевел воспроизведение в обычный режим.

Чуть позже в поле зрения возникла знакомая округлая фигура Марты Альварес. За ней по пятам шел Лэнгдон в своей обычной одежде — твидовом пиджаке «Кемберли», безупречно выглаженных брюках цвета хаки и туфлях из кордовской кожи. Однажды под его рукавом даже блеснули наручные часы — очевидно, те самые, с Микки-Маусом.

А вот и я... до того, как в меня стреляли.

Оказалось, что наблюдать за самим собой в те моменты, о которых ты ничего не помнишь, очень тревожно и неприятно. *Я пришел сюда вчера вечером... чтобы взглянуть на посмертную маску Данте?* Где-то в промежутке, отделяющем ту минуту от этой, он умудрился потерять свою одежду, часы с Микки-Маусом и два дня жизни.

Стараясь ничего не упустить, Лэнгдон с Сиеной придвинулись поближе к Марте и охранникам. Немой фильм продолжался — Лэнгдон и Марта подошли к шкафчику с маской и стали ее разглядывать. Затем дверной проем в стороне от них заслонила чья-то широкая тень, и в кадре появился чудовищно располневший человек. В светло-коричневом костюме и с портфелем в руках, он еле протиснулся в дверь и побрел к ним, с трудом переставляя ноги. По сравнению с ним даже беременная Марта казалась стройной.

Лэнгдон сразу же узнал толстяка. *Иньяцио!*

— Это Иньяцио Бузони, — прошептал он на ухо Сиене. — Директор музея Опера-дель-Дуомо. Мы с ним знакомы несколько лет. Правда, при мне никто не называл его Дуомино.

— Очень подходящее прозвище, — шепнула в ответ Сиена.

В прошлом Лэнгдон неоднократно обращался к Дуомино за справками по вопросам, связанным с историей собора Санта-Мария-дель-Фьоре и хранящимися в нем произведениями искусства, однако визит Иньяцио в палаццо Веккьо выглядел странным — это была не его вотчина. Впрочем, Иньяцио Бузони был не только влиятельной фигурой во флорентийском мире искусства, но и горячим поклонником Данте и знатоком его творчества.

Если у кого и наводить справки насчет посмертной маски Данте, то у него.

Когда Лэнгдон снова переключил внимание на экран, он увидел, что Марта терпеливо дожидается своих гостей у дальней стены *андито*, а те подошли к ограждению и перегнулись через канат, чтобы рассмотреть маску как можно подробнее. Они что-то увлеченно обсуждали, а время шло, и Марта за их спинами уже украдкой поглядывала на часы.

Лэнгдон пожалел, что камера наблюдения не записывает звук. *О чем мы с Иньяцио говорим? Что ищем?!*

В этот миг его двойник на мониторе переступил через канат и наклонился к самому шкафчику, едва не ткнувшись носом в стекло. Экранная Марта тут же вмешалась — скорее всего попросила его соблюдать правила, — и нарушитель с виноватым видом вернулся за ограждение.

— Простите за такую строгость, — сказала настоящая Марта, взглянув на Лэнгдона через плечо, — но я ведь уже говорила вам, что шкафчик антикварный и очень хрупкий. Владелец маски потребовал, чтобы мы никого к нему не подпускали. И открывать его в свое отсутствие запретил даже нашим работникам.

Лэнгдон не сразу осознал смысл ее слов. *Владелец маски?* Он думал, что маска — собственность музея.

Сиена тоже удивилась и немедленно подала голос:

— Разве маска не принадлежит музею?

Снова обратившись к монитору, Марта покачала головой.

— Один богатый меценат пожелал выкупить у нас посмертную маску Данте, но при этом обещал оставить ее в постоянной экспозиции. Он предложил нам целое состояние, и мы с радостью согласились.

— Постойте-ка, — сказала Сиена. — Он заплатил за маску и оставил ее *у вас?*

— Стандартная практика меценатов, — вмешался Лэнгдон. — Таким образом они перечисляют на счета музеев крупные суммы без необходимости регистрировать их как пожертвования.

— Этот меценат был необычной личностью, — сказала Марта. — Прекрасный знаток Данте, однако немного... как это по-английски... *фанатико*?

— И кто же он такой? — В небрежном тоне Сиены проскользнула нотка напряжения.

— Кто? — Марта нахмурилась, не отрывая взгляда от экрана. — Ну... думаю, вам недавно попадалось в новостях имя швейцарского миллиардера Бертрана Зобриста?

Лэнгдону это имя было знакомо лишь отдаленно, однако Сиена схватила его за локоть и крепко сжала, словно перед ней вдруг выросло привидение.

— Да... да, — с запинкой пробормотала она. Ее лицо стало пепельно-серым. — Бертран Зобрист. Знаменитый биохимик. Сделал себе состояние еще совсем молодым, запатентовав свои биологические разработки. — Она с усилием сглотнула. Потом наклонилась к Лэнгдону и прошептала: — Зобрист фактически изобрел зародышевое манипулирование.

Лэнгдон не имел ни малейшего понятия о том, что такое зародышевое манипулирование, но звучало это зловеще, особенно с учетом обрушившейся на них лавины образов, связанных с чумой и смертью. *Любопытно*, подумал он, *почему Сиена столько о нем знает — потому ли, что хорошо разбирается в медицине, или потому, что Зобрист был вундеркиндом, как и она сама? Может, уникумы имеют обыкновение следить друг за другом?*

— Впервые я услышала о Зобристе несколько лет назад, — объяснила Сиена. — Тогда он выступил с рядом крайне вызывающих публичных заявлений. — Она помедлила. Лицо ее было мрачно. — Речь шла о росте населения. Зобрист убежден в правильности Уравнения демографического апокалипсиса.

— Прошу прощения?

— По сути говоря, это математическое признание того, что количество людей на планете растет, мы живем дольше, а наши природные ресурсы истощаются. Теория предсказывает, что в будущем нас ждет не что иное, как апокалиптический коллапс общества. Зобрист во всеуслышание заявил, что человечество не переживет текущего столетия... если только какая-нибудь глобальная катастрофа не повлечет за собой массовую гибель населения. — Сиена тяжело вздохнула и посмотрела Лэнгдону прямо в глаза. — Да что греха таить! Зобрист однажды произнес такую фразу: «Самой большой удачей Европы была Черная Смерть».

Лэнгдон ошеломленно уставился на нее. Волосы у него на затылке зашевелились, а в сознании снова вспыхнул образ чумной маски. Все утро он гнал от себя мысль, что история, в которую он угодил, как-то связана со смертельной заразой... но опровергнуть эту догадку было все труднее и труднее.

Конечно, заявление Зобриста о том, что Черная Смерть была самой большой удачей Европы, выглядело аморальным, однако Лэнгдон знал, что многие историки отмечают благоприятные социоэкономические последствия массового вымирания европейцев в четырнадцатом веке. До Великой чумы средневековая Европа страдала от перенаселения, голода и экономических трудностей. Но тут явилась ужасная Черная Смерть — и, эффективно «проредив человечье стадо», создала изобилие еды и возможностей, которое, по мнению многих историков, стало главным катализатором развития Ренессанса.

Перед мысленным взором Лэнгдона возник значок биологической угрозы на капсуле с измененной картой Дантова ада, и его будто окатило ледяной водой: ведь этот жуткий проектор кто-то изготовил... и Бертран Зобрист, биохимик и рьяный поклонник Данте, теперь казался самым логичным претендентом на эту роль.

Отец зародышевого манипулирования. Кусочки головоломки в сознании Лэнгдона мало-помалу складывались в цельную картину. К сожалению, картина эта пугала его все больше и больше.

— Прокрутите вперед, — приказала Марта охраннику: ей надоело наблюдать за беседой Лэнгдона с Иньяцио Бузони и хотелось поскорее выяснить, кто же пробрался в музей и украл маску.

Охранник включил перемотку, и счетчик времени побежал быстрее.

Три минуты... шесть... восемь.

Стоя за спинами мужчин, Марта на экране все чаще переминалась с ноги на ногу и то и дело поглядывала на часы.

— Извините, что мы говорили так долго, — сказал Лэнгдон. — Похоже, вы устали.

— Сама виновата, — откликнулась Марта. — Вы оба настойчиво предлагали мне пойти домой — охранники, мол, вас выпустят, — но я сочла, что это будет невежливо.

Вдруг экранная Марта исчезла. Охранник перевел запись в обычный режим.

— Все в порядке, — сказала настоящая Марта. — Я помню, что отлучилась в уборную.

Охранник кивнул и хотел было вновь запустить перемотку, но Марта схватила его за руку.

— Aspetti!*

Ее взгляд был прикован к экрану, а на лице читалось изумление.

Лэнгдон тоже растерялся. *Что происходит?*

Не веря своим глазам, он смотрел, как его двойник протягивает руку в перчатке и берется за край дверцы шкафчика... легонько тянет ее на себя... затем дверца подается и медленно поворачивается на петлях... открывая доступ к посмертной маске Данте.

Марта Альварес невольно ахнула и прижала ладони к щекам.

Разделяя ее ужас, Лэнгдон наблюдал, как он сам запускает руки в шкафчик, осторожно подхватывает маску Данте с обеих сторон и извлекает ее на свет божий.

— Dio mi salvi! — взорвалась Марта, с трудом поднимаясь на ноги и поворачиваясь к Лэнгдону. — Cos'ha fatto? Perché?**

Не успел Лэнгдон ответить, как один из охранников выхватил черную «беретту» и взял его на прицел.

Господи Боже!

Роберт Лэнгдон смотрел в черное дуло пистолета и чувствовал, как стены крошечной комнаты сжимают его, точно тиски. Марта Альварес не спускала с него глаз — на ее лице застыло выражение недоумения, смешанного со смертельной обидой. На экране монитора у нее за спиной двойник Лэнгдона внимательно разглядывал маску, подняв ее поближе к свету.

— Я взял только на минутку! — воскликнул Лэнгдон, молясь про себя, чтобы это оказалось правдой. — Иньяцио обещал, что вы не рассердитесь!

---

*   Подождите! (*ит.*)
** Боже всемогущий! Что вы сделали? Зачем? (*ит.*)

Марта ничего не ответила. Вид у нее был ошеломленный — она явно не могла понять, почему Лэнгдон ей солгал... и как у него вообще хватило совести стоять рядом с ней как ни в чем не бывало и смотреть запись, зная, в чем его сейчас уличат.

Да я и не подозревал, что полезу в шкафчик!

— Роберт, — прошептала Сиена, — глядите! Вы что-то нашли!

Несмотря на их плачевное положение, она не спускала глаз с экрана, готовая пожертвовать всем, лишь бы получить ответы.

Между тем экранный Лэнгдон чуть наклонил поднятую вверх маску — было ясно, что его внимание привлечено чем-то на ее тыльной стороне.

Камера висела под таким углом, что на долю секунды маска заслонила часть лица Лэнгдона и глаза мертвого Данте оказались на одной линии с его глазами. Он вспомнил зловещее утверждение — «*Истину можно увидеть только глазами смерти*», — и по спине у него пробежал холодок.

Лэнгдон не имел представления о том, что он разглядывает на обратной стороне маски, но в этот миг его двойник на экране поделился своим открытием с Иньяцио — тот отпрянул, тут же полез за очками и посмотрел на маску еще и еще раз... Потом, энергично кивая, толстяк принялся взволнованно расхаживать по *андито*.

Вдруг оба насторожились. Видимо, из коридора донеслись какие-то звуки — скорее всего это возвращалась Марта. Лэнгдон поспешно извлек из кармана пакет с застежкой-молнией, опустил туда маску и бережно передал застегнутый пакет Иньяцио, а тот с явной неохотой положил его в портфель. Потом Лэнгдон быстро закрыл стеклянную дверцу опустевшего антикварного шкафчика, и оба гостя зашагали навстречу Марте, чтобы помешать ей обнаружить пропажу.

Теперь уже оба охранника держали Лэнгдона под прицелом.

Покачнувшись, Марта оперлась о стол.

— Не понимаю! — вырвалось у нее. — Посмертную маску Данте украли вы с Иньяцио Бузони?!

— Нет! — воскликнул Лэнгдон, решив блефовать до последнего. — Владелец маски разрешил нам вынести ее из здания на одну ночь.

— Владелец? — переспросила она. — Бертран Зобрист?!

— Да! Господин Зобрист попросил нас изучить пометки на ее обратной стороне. Мы встречались с ним вчера вечером!

Глаза Марты метали молнии.

— Профессор, я абсолютно уверена, что вчера вечером вы с Бертраном Зобристом не встречались.

— Как это не встречались?

Сиена остановила Лэнгдона, мягко взяв его за локоть.

— Роберт... — Она печально вздохнула. — Шесть дней тому назад Бертран Зобрист бросился с башни Бадия в нескольких кварталах отсюда.

Глава 42

ставив мотоцикл чуть севернее палаццо Веккьо, Вайента пошла вокруг площади Синьории. Шагая среди выставленных на всеобщее обозрение скульптур Лоджии Ланци, она не могла не заметить, что все они представляют собой вариации на одну и ту же тему — жестокости мужчин по отношению к женщинам.

«Похищение сабинянок».

«Похищение Поликсены».

«Персей с головой Медузы».

Замечательно, подумала Вайента, надвинув козырек пониже и пробираясь через утреннюю толпу ко входу во дворец, только что открывшийся для посетителей. Судя по всему, площадь жила своей обычной жизнью.

Никаких следов полиции, подумала Вайента. *По крайней мере пока.*

Она застегнула куртку до самого верха, убедилась, что оружие надежно спрятано, и вошла во дворец. Следуя указателям «Il Museo di Palazzo», она миновала два богато убранных внутренних дворика и поднялась по внушительной лестнице на второй этаж. В ушах у нее все еще звучало сообщение полицейского диспетчера.

Музей палаццо Веккьо... Данте Алигьери.

Лэнгдон должен быть здесь.

Скоро указатели привели Вайенту в просторное, красочно декорированное помещение — Зал Пятисот. Здесь, любуясь огромными фресками на стенах, бродили немногочисленные туристы. Искусство Вайенту не интересовало, и она быстро высмотрела в дальнем правом углу, у ведущей наверх лестницы, очередную стрелку с названием музея.

Пересекая зал, она увидела вокруг одной скульптуры кучку студентов — они посмеивались и щелкали фотоаппаратами.

Табличка рядом гласила: «Геркулес и Диомед».

Вайента взглянула на скульптуру, и ее невольно передернуло.

Перед ней были два героя греческой мифологии — оба в чем мать родила, они отчаянно боролись друг с другом. Геркулес держал Диомеда вверх ногами, собираясь швырнуть его наземь, а Диомед крепко стиснул пенис своего противника, будто говоря: «Прежде чем бросать меня, советую хорошенько подумать».

Вайента поморщилась. *Ничего себе приемчик.*

Оторвав взгляд от странной скульптурной группы, она быстро поднялась по ступеням и очутилась на высоком балконе над залом. С десяток туристов ждали открытия музея.

— Задерживают, — жизнерадостно сообщил один из них, на минутку опустив камеру.

— Почему? — спросила Вайента.

— Не знаю, но пока и тут есть на что посмотреть! — Он повел рукой, указывая на обширную панораму Зала Пятисот.

Подойдя к балюстраде, Вайента окинула взором гигантское помещение. Там только что появился один-единственный полицейский — стараясь не привлекать к себе внимания, он спокойно, без всякой спешки шагал по направлению к лестнице.

Наверное, пришел опрашивать свидетелей, подумала Вайента. Во всех движениях полицейского сквозила такая скука, что было ясно: это рутинный вызов, не имеющий ничего общего с лихорадочными поисками Лэнгдона у Порта Романа. На ее глазах представитель закона пересек зал и стал неторопливо взбираться наверх.

Если Лэнгдон здесь, почему они до сих пор не наводнили дворец?

То ли Вайента ошиблась в своих предположениях, то ли Брюдер и местная полиция до сих пор не смекнули, что к чему.

Когда полицейский одолел лестницу и двинулся ко входу в музей, Вайента отвернулась и сделала вид, что смотрит в окно. Она не забыла о своем отстранении, а с учетом того, какие у шефа длинные руки, не стоило афишировать свое присутствие.

— Aspetta!* — раздался вдруг чей-то голос.

Сердце у Вайенты ушло в пятки. Полицейский остановился прямо у нее за спиной, и она не сразу поняла, что команда донеслась из его рации.

— Attendi i rinforzi! — повторил голос.

Ждите подкрепления? Похоже, ситуация изменилась!

И тут Вайента заметила в небе за окном какую-то черную точку — она была еще далеко, но быстро приближалась к палаццо Веккьо со стороны садов Боболи.

Вертолет-разведчик, поняла Вайента. *Брюдер знает, где Лэнгдон. И направляется сюда.*

Старший координатор Консорциума Лоренс Ноултон все еще ругал себя за звонок шефу. Кому, как не ему, было знать, какую реакцию вызовет предложение просмотреть видеозапись клиента перед тем, как разослать ее по новостным порталам!

Содержание записи не имело никакого значения.

Протокол — наш царь и бог.

В голове у Ноултона вертелась присказка, которую вдалбливали молодым координаторам, только приступающим к выполнению своих обязанностей. *Слушай босса без вопроса.*

Вздохнув, он положил маленькую ярко-красную флешку перед компьютером, чтобы завтра утром не забыть выполнить задание. *Интересно, как журналисты отнесутся к этому странному фильму? Может, и смотреть его не будут?*

Да нет, будут. Его же снял Бертран Зобрист!

Мало того что Зобрист был выдающимся деятелем в области биомедицины, еще и его недавнее самоубийство наделало много шуму. Это девятиминутное видео воспримут как послание из могилы, а его зловещее содержание никому не позволит оторваться от экрана.

Через считанные минуты после отправки этот фильм станет интернет-хитом.

---

* Подождите! (*ит.*)

Глава 43

полная негодования, Марта вышла из тесной дежурки, оставив Лэнгдона и его нахалку-сестру под присмотром охранников. Она подошла к окну и, кинув взгляд на площадь Синьории, с облегчением увидела у входа во дворец полицейский автомобиль.

Наконец-то!

У Марты никак не укладывалось в голове, что Лэнгдон, человек столь известный и уважаемый, мог так бессовестно злоупотребить ее доверием и похитить бесценный музейный экспонат.

И помогал ему в этом не кто-нибудь, а Иньяцио Бузони! Немыслимо!

Решив высказать Дуомино все, что она о нем думает, Марта достала свой сотовый и набрала номер директорского кабинета в музее Опера-дель-Дуомо.

Трубку сняли почти сразу.

— Ufficio di Ignazio Busoni*, — послышался знакомый женский голос.

Марта состояла с секретаршей Иньяцио в приятельских отношениях, но сейчас ей было не до светской болтовни.

— Eugenia, sono Marta. Devo parlare con Ignazio. — *Эуджения, это Марта. Мне надо поговорить с Иньяцио.*

На другом конце линии наступило странное молчание, и вдруг секретарша истерически зарыдала в трубку.

— Cosa succede? — спросила Марта. *Что случилось?*

Она только что явилась на работу, сквозь слезы объяснила Эуджения, и узнала, что вчера вечером у Иньяцио случился обширный инфаркт. Это произошло в переулке рядом с Дуомо. Он

---

* Офис Иньяцио Бузони (*ит.*).

вызвал «скорую помощь» примерно в полночь, но врачи не успели приехать вовремя. Бузони умер.

Марта едва устояла на ногах. Утром она слышала в новостях, что вчера вечером скончался какой-то городской чиновник, но у нее и в мыслях не было, что это Иньяцио.

— Eugenia, ascoltami*, — попросила Марта и постаралась как можно спокойнее рассказать ей, что́ зафиксировала одна из камер наблюдения во дворце: Иньяцио похитил посмертную маску Данте вместе с Робертом Лэнгдоном, которого сейчас задержала служба охраны.

Марта не знала, как Эуджения отреагирует на это известие, но такой реакции она и ожидать не могла.

— Roberto Langdon? — воскликнула секретарша. — Sei con Langdon ora?! — *Ты сейчас с Лэнгдоном?*

Марта подумала, что ее подруга не уловила сути. *Да, но маска...*

— Devo parlare con lui! — почти выкрикнула Эуджения. *Я должна с ним поговорить!*

Лэнгдон стоял под пистолетами охранников в тесной дежурной комнатке, и голова у него нещадно гудела. Вдруг дверь распахнулась, и на пороге возникла Марта Альварес.

Где-то далеко за ее спиной и за стенами дворца тонко жужжал вертолет, и этому зловещему звуку аккомпанировал вой сирен. *Они поняли, где мы.*

— É arrivata la polizia**, — сообщила Марта охранникам и отправила одного из них встречать служителей закона. Другой остался на месте и упорно держал Лэнгдона на мушке.

К удивлению Лэнгдона, Марта протянула ему телефон.

— С вами хотят поговорить, — сказала она с явной растерянностью. — Здесь нет связи, так что вам придется выйти.

Вся компания выбралась из душной дежурки в просторную, залитую солнцем галерею. Из огромных окон открывался эффектный вид на площадь Синьории. Хотя на Лэнгдона по-прежнему смотрело дуло пистолета, ему полегчало уже оттого, что он покинул замкнутое пространство.

Марта жестом подозвала его к окну и дала телефон. Лэнгдон неуверенно взял его и поднес к уху.

---

*   Эуджения, послушай (*ит.*).
**   Прибыли полицейские (*ит.*).

— Алло! Роберт Лэнгдон слушает.

— Синьор, — раздался в трубке нерешительный женский голос. Говорили по-английски с сильным акцентом. — Я Эуджения Антонуччи, секретарь Иньяцио Бузони. Мы с вами встречаться вчера вечером, когда вы приходить в наш кабинет.

Лэнгдон ничего не помнил.

— Да?

— Мне очень жаль сказать вам, но Иньяцио вчера вечером умереть от сердечный приступ.

Рука Лэнгдона крепче сжала телефон. *Иньяцио Бузони умер?*

Секретарша уже плакала.

— Иньяцио позвонить мне, прежде чем умереть, — продолжала она голосом, полным скорби. — Он оставить мне сообщение и велеть, чтобы вы обязательно его получить. Сейчас я включить.

В динамике зашуршало, а затем послышался слабый голос Иньяцио Бузони.

— Эуджения, — задыхаясь, промолвил Иньяцио. Было ясно, что он превозмогает боль. — Пожалуйста, позаботься о том, чтобы Роберт Лэнгдон услышал это сообщение. Я попал в беду. Вряд ли доберусь до офиса. — Иньяцио застонал, и наступила долгая тишина. Когда он заговорил снова, его голос звучал еще слабее. — Роберт... надеюсь, тебе удалось уйти. Они по-прежнему меня преследуют... и я... мне нехорошо. Попробую вызвать врача, но... — Дуомино вновь надолго умолк, будто в последний раз собираясь с силами, а затем... — Слушай внимательно, Роберт. То, что ты ищешь, надежно спрятано. Ворота открыты для тебя, но ты поторопись. «Рай», Двадцать пятая. — Опять долгая пауза, и шепотом: — Удачи.

На этом сообщение кончилось.

Сердце Лэнгдона билось как сумасшедшее: он знал, что слышал последние слова умирающего. То, что эти слова были обращены к нему, ничуть не умеряло его волнения. *«Рай», Двадцать пятая? Ворота открыты для меня?* Лэнгдон недоумевал. *О каких воротах он говорит?* Единственным, что имело хоть какой-то смысл, было заверение Иньяцио в том, что маска надежно спрятана.

Из телефона снова донесся голос Эуджении:

— Вы понять, профессор?

— Кое-что.

— Могу я что-нибудь для вас сделать?

Лэнгдон не стал торопиться с ответом.

— Я попросил бы вас, чтобы вы никому больше не давали слушать это сообщение, — сказал он, подумав.

— Даже полиции? Сейчас прийти детектив, чтобы меня расспросить.

Лэнгдон замер. Взглянул на охранника, который не сводил с него оружия. Затем отвернулся к окну и, понизив голос, быстро проговорил:

— Эуджения... я знаю, что вы удивитесь, но прошу вас ради Иньяцио, сотрите это сообщение и не говорите полиции, что беседовали со мной. Вы меня поняли? Ситуация очень запутанная, и...

Тут Лэнгдон почувствовал, как ему в бок ткнулось дуло пистолета, и обернулся. Охранник подошел к нему вплотную и протянул свободную руку, требуя отдать телефон Марты.

На линии наступила продолжительная пауза, и наконец Эуджения сказала:

— Мой начальник доверять вам, мистер Лэнгдон... и я тоже.

Услышав короткие гудки, Лэнгдон отдал телефон охраннику.

— Иньяцио Бузони мертв, — сказал он Сиене. — Умер от сердечного приступа вчера вечером, после того как ушел из этого музея. — Лэнгдон помедлил. — Маска цела. Иньяцио спрятал ее, прежде чем умереть. И кажется, намекнул мне, где ее искать.

«Рай», Двадцать пятая.

В глазах Сиены вспыхнула надежда, но, обернувшись к Марте, Лэнгдон увидел на ее лице сомнение.

— Марта, — сказал он, — я верну вам маску Данте, но вы должны нас отпустить. Немедленно!

Марта откровенно рассмеялась.

— И не подумаю! Ведь вы ее и украли! Сейчас придет полиция...

— Signora Alvarez, — решительно перебила ее Сиена. — Mi dispiace, ma non le abbiamo detto la verità.

Лэнгдон растерялся. *Что она задумала?* Он понял ее слова. *Простите, миссис Альварес, но мы ввели вас в заблуждение.*

Марта удивилась не меньше — правда, отчасти ее удивление было вызвано тем, что Сиена вдруг свободно заговорила на итальянском без всякого акцента.

— Innanzitutto, non sono la sorella di Robert Langdon, — виноватым тоном сказала Сиена. *Прежде всего я не сестра Роберта Лэнгдона.*

Глава 44

арта Альварес неуверенно отступила назад и сложила руки на груди, не сводя взгляда со стоящей перед ней молодой блондинки.

— Mi dispiace, — продолжала Сиена на все том же превосходном итальянском. — Le abbiamo mentito su molte cose. — *Мне очень жаль. Мы солгали вам во многом.*

У охранника был не менее удивленный вид, чем у Марты, однако он не переменил позы.

По-прежнему на итальянском Сиена быстро рассказала Марте, что работает во флорентийской больнице и Лэнгдон пришел к ним вчера вечером с огнестрельной раной на голове. Сам Лэнгдон, объяснила она, абсолютно не помнит, что с ним случилось, а потому запись камеры наблюдения стала для него таким же сюрпризом, как и для Марты.

— Покажите рану, — велела Сиена.

Увидев швы на затылке Лэнгдона, Марта опустилась на подоконник, закрыла лицо руками и просидела так несколько секунд.

За последние десять минут Марта не только обнаружила, что посмертную маску Данте украли во время ее дежурства, но и выяснила, что ворами были почтенный американский профессор и ее флорентийский коллега, которому она полностью доверяла и который, как выяснилось, вчера скончался. Кроме того, молодая Сиена Брукс — эта наивная американка, сестра Роберта Лэнгдона, — оказалась врачом и призналась ей во лжи... причем не по-английски, а на чистейшем итальянском языке.

— Марта, — проникновенно сказал Лэнгдон, — я знаю, в это трудно поверить, но я действительно ничего не помню о вчерашнем вечере. Не представляю, зачем нам с Иньяцио понадобилось забирать маску!

Марта видела по его глазам, что он говорит правду.

— Я ее верну, — продолжал Лэнгдон. — Даю слово. Но я не смогу сдержать его, если вы нас не отпустите. Ситуация очень сложная, и вы должны отпустить нас немедля!

Конечно, Марте хотелось вернуть бесценную маску, но она вовсе не собиралась никого отпускать. *Где же полиция?!* Она глянула в окно — на площади Синьории так и стояла одинокая патрульная машина. *Странно, что сюда до сих пор никто не поднялся.* А еще Марта услышала вдалеке странное тихое жужжание, как будто где-то работала мотопила. И оно постепенно нарастало.

Что это такое?

Лэнгдон заговорил умоляющим тоном:

— Вы же знаете Иньяцио, Марта! Он ни за что не взял бы маску без крайней необходимости. Все так запутано! Владелец маски, Бертран Зобрист, был человек сомнительный. Мы подозреваем, что он замешан в чем-то ужасном. Мне некогда объяснять все, но я прошу вас нам поверить.

Марта только и могла, что молча смотреть на него. Все это казалось сплошной бессмыслицей.

— Миссис Альварес, — сказала Сиена, пронзив Марту суровым взглядом, — если вам небезразлично будущее — и не только ваше собственное, но и вашего ребенка, — то вы должны сейчас же позволить нам уйти.

Марта прикрыла руками живот. Ей очень не понравилась эта косвенная угроза еще не родившемуся младенцу.

Тонкое жужжание за окном определенно стало громче. Выглянув наружу, Марта не увидела источника шума, зато увидела кое-что другое.

Судя по тому, как расширились глаза охранника, он тоже это увидел.

Толпа внизу, на площади Синьории, расступилась, освобождая путь длинной веренице полицейских автомобилей с выключенными сиренами. Впереди них ехали два черных фургона, которые только что остановились у парадного входа. Оттуда высыпали бойцы в черной форме, с оружием наперевес, и побежали во дворец.

Марте стало страшно. *Что это за чертовщина?*

Охранник тоже выглядел встревоженным.

Жужжание снаружи вдруг переросло в пронзительный визг, и Марта испуганно отшатнулась, увидев вынырнувший невесть откуда маленький вертолетик. Он завис всего метрах в трех от окна и как будто уставился на людей за стеклом. Это был маленький аппарат, длиной не больше метра, с длинной черной трубкой на носу. Трубка нацелилась прямо на них.

— Он сейчас выстрелит! — закричала Сиена. — Sta per sparare! Ложитесь! Tutti a terra!

Она упала на колени рядом с окном, и Марта, похолодев от ужаса, автоматически последовала ее примеру. Охранник тоже хлопнулся рядом, инстинктивно направив пистолет на летающую машинку.

Неуклюже присев под подоконником, Марта заметила, что Лэнгдон остался стоять — он смотрел на Сиену с легким недоумением, явно не веря, что им грозит опасность. Сиена же провела на полу лишь мгновение, а потом вскочила, схватила Лэнгдона за руку и потащила прочь, в коридор. Еще через мгновение они уже бежали к главному входу.

Не вставая с коленей, охранник резко повернулся, принял позу снайпера и прицелился в спины убегающей парочке.

— Non spari! — приказала ему Марта. — Non possono scappare! — *Не стрелять! Они все равно никуда не денутся!*

Лэнгдон с Сиеной исчезли за углом, но Марта знала, что еще секунда-другая — и они наткнутся на полицейских, бегущих навстречу.

— Скорее! — подгоняла Лэнгдона Сиена, торопясь уйти тем же путем, каким они пришли. Она еще надеялась выскочить из дворца, не столкнувшись с полицией, но уже понимала, что эта надежда призрачна.

Лэнгдон тоже это понимал. Внезапно он остановился как вкопанный на пересечении двух широких коридоров.

— Так у нас ничего не получится.

— Бежим, Роберт! — Сиена отчаянно взмахнула рукой, призывая его двигаться дальше. — Не стоять же здесь без толку!

Лэнгдон как будто не слышал ее. Он пристально смотрел налево, в короткий коридор, оканчивающийся маленькой полутемной комнаткой. Ее стены были сплошь увешаны старинными картами, а посреди комнаты стоял массивный железный глобус. Глядя на эту огромную металлическую сферу, Лэнгдон вдруг закивал — сначала медленно, а потом все энергичнее и энергичнее.

— Сюда! — объявил он и кинулся к железному глобусу.

Там же тупик! Сиена нехотя последовала за ним. Коридор явно вел в недра музея, а вовсе не к выходу из него.

— Роберт! — выпалила она, наконец догнав своего спутника. — Куда вы меня тащите?

— В Армению, — отозвался тот.

— Что?!

— В Армению, — повторил Лэнгдон, даже не взглянув на нее. — Главное — не волнуйтесь.

А этажом ниже, на балконе над Залом Пятисот, Вайента, стараясь быть как можно незаметней в толпе испуганных туристов, смотрела, как люди из группы ПНР под началом Брюдера мчатся мимо нее в музей. Внизу громко хлопали двери — это полиция перекрывала выходы.

Если Лэнгдон действительно был здесь, он попал в ловушку.

К сожалению, Вайента тоже.

Глава 45

ал географических карт с дубовой обшивкой мягкого коричневого цвета и деревянным кессонированным потолком резко контрастирует с другими помещениями палаццо Веккьо, отделанными в основном камнем и штукатуркой. В этом бывшем дворцовом гардеробе уйма шкафов и кладовок, где когда-то хранилось разнообразное имущество великого герцога. Сейчас стены зала украшены картами — всего здесь пятьдесят три цветных, выполненных вручную на коже изображения мира, каким он представлялся в середине XVI века.

Эффектную картографическую коллекцию дворца венчает огромный глобус, стоящий в центре комнаты, — так называемая Mappa Mundi. Эта сфера почти двухметрового диаметра была некогда самым большим вращающимся глобусом в мире, причем, по свидетельствам современников, ее легко было раскрутить одним прикосновением пальца. Сегодня же она служит скорее последней остановкой для туристов, которые, одолев длинную анфиладу музейных залов и добравшись до этого тупичка, напоследок дивятся на глобус и отправляются восвояси.

Запыхавшиеся Лэнгдон и Сиена вбежали в Зал карт. Перед ними высилась величественная Mappa Mundi, но Лэнгдон, не удостоив ее даже мимолетного взгляда, сразу принялся шарить глазами по стенам комнаты.

— Нам нужна Армения! — воскликнул он. — Карта Армении!

С озадаченным видом Сиена поспешила к правой стене и стала искать на ней карту Армении. Лэнгдон тут же начал аналогичные поиски на левой стене, двигаясь по периметру зала.

Аравия, Испания, Греция...

Каждая карта изобиловала подробностями, что вызывало немалое удивление — ведь все они были сделаны добрых пятьсот лет тому назад, когда бо́льшая часть мира еще оставалась неисследованной.

Где же Армения?

Хотя обычно эйдетическая память Лэнгдона поставляла ему достаточно яркие образы минувшего, его воспоминания об экскурсии по тайным ходам палаццо Веккьо, на которой он побывал несколько лет назад, были довольно туманными — не в последнюю очередь по вине второго бокала «Гайя неббиоло», выпитого за ленчем перед этой прогулкой. Собственно говоря, слово «неббиоло» и означает «легкий туман». Тем не менее Лэнгдон отчетливо помнил, как им показывали в этом зале одну карту — а именно карту Армении, — обладающую уникальными свойствами.

Я знаю, что она здесь, подумал Лэнгдон. Ряд карт казался нескончаемым.

— Вон она! — вдруг провозгласила Сиена. — Армения!

Ее голос донесся из дальнего правого угла комнаты. Лэнгдон мигом кинулся туда, и Сиена показала ему найденную карту. Весь ее вид словно говорил: «Ну вот, мы нашли Армению — а дальше что?»

Лэнгдону некогда было пускаться в объяснения. Поэтому он просто взялся за массивную раму, потянул ее на себя — и вся карта повернулась вместе с куском обшитой панелями стены, обнажив потайной ход.

— Ого! — вырвалось у Сиены. — Ай да Армения!

Не тратя времени зря, она бесстрашно нырнула в открывшуюся перед ними полутемную дыру. Лэнгдон последовал за ней и быстро притворил за собой потайную дверь.

Несмотря на расплывчатость своих воспоминаний о той давней экскурсии, этот проход Лэнгдон помнил хорошо. Они с Сиеной очутились как будто бы в Зазеркалье — в невидимом дворце, мире для избранных, существующем за стенами обычного палаццо Веккьо. Когда-то доступ сюда был открыт только самому великому герцогу и особо приближенным к нему лицам.

Сразу за порогом Лэнгдон чуть помедлил, оценивая новую обстановку. Каменный коридор впереди был освещен только естественным светом, просачивающимся сквозь ряд небольших окон, и спускался к деревянной двери метрах в пятидесяти от входа.

Слева была узкая лестница, ведущая вверх, но перегороженная цепью. Табличка сбоку предупреждала: «USCITA VIETATA». Сюда-то и направился Лэнгдон.

— Куда вы? — воскликнула Сиена. — Здесь же написано «Выхода нет»!

— Спасибо, — ответил Лэнгдон с кривой усмешкой. — Я умею читать по-итальянски.

Он снял цепь с крючков, вернулся с ней обратно к потайной двери и быстро зафиксировал вращающуюся часть стены, пропустив цепь через дверную ручку и обмотав ее вокруг торчащего рядом куска арматуры. Теперь в коридор нельзя было попасть снаружи.

— Ах вот оно что... — пробормотала Сиена. — Здорово придумано!

— Надолго это их не задержит, — сказал Лэнгдон, — но много времени нам и не понадобится. Идите за мной.

Когда дверь, замаскированную картой Армении, наконец удалось выбить, агент Брюдер и его люди ворвались в узкий коридор и побежали к деревянной двери в его конце. Когда и она уступила их натиску, оттуда пахнуло прохладой, и Брюдера на миг ослепил яркий солнечный свет.

Он очутился на рабочей платформе, протянутой вдоль крыши дворца. По ней можно было добраться разве что до другой такой же двери, отстоящей от этой метров на пятьдесят, и снова войти в здание.

Брюдер глянул налево, где горой вздымалась куполообразная крыша Зала Пятисот. *Здесь им не пройти.* Он глянул направо — там зияла глубокая пропасть световой шахты. *Мгновенная смерть.*

Он снова посмотрел вперед.

— Сюда!

Вся группа кинулась по платформе к следующей двери. Над головами бойцов стервятником кружил вертолет-разведчик.

За порогом второй двери Брюдер и его люди резко остановились, сбившись в одну кучу.

Они оказались в маленькой каменной келейке. Отсюда не было выхода, кроме той двери, через которую они только что прошли. У стены стоял одинокий деревянный стол. С фресок на потолке насмешливо глазели какие-то гротескные фигуры.

Это был тупик.

Один из подчиненных Брюдера шагнул к информационному плакатику на стене.

— Подождите, — сказал он, — тут написано, что здесь есть finestra. Это что-то вроде потайного окна?

Брюдер огляделся, но не увидел никаких потайных окон. Тогда он подошел к плакатику сам.

Оказывается, когда-то эта келейка служила личным кабинетом герцогине Бьянке Каппелло, и в ней действительно было потайное окошко — una finestra segrata, — через которое Бьянка могла наблюдать, как ее муж произносит речи внизу, в Зале Пятисот.

Брюдер снова обшарил комнатку взглядом и на этот раз обнаружил в боковой стене маленькое, совсем неприметное зарешеченное оконце. *Неужто они ушли через него?*

Подойдя поближе, он внимательно изучил отверстие и убедился в том, что крупному человеку вроде Лэнгдона в него не протиснуться. Прижав лицо к решетке, Брюдер выглянул наружу, и это окончательно подтвердило его вывод насчет невозможности спастись таким путем: если бы кто-то и пролез в эту дыру, он сорвался бы вниз и, пролетев несколько этажей, разбился на полу Зала Пятисот.

Так куда же они подевались, черт их подери?!

Брюдер опять повернулся лицом к тесной каменной каморке, и на него вдруг разом навалились все разочарования этого мучительного дня. Изменив на секунду своей обычной сдержанности, он запрокинул голову и испустил яростный рев.

В крошечной комнатке он прозвучал оглушительно.

Далеко внизу, в Зале Пятисот, все туристы и полицейские вздрогнули и обернулись к зарешеченному оконцу под самым потолком. Похоже, бывший тайный кабинет герцогини теперь превратили в клетку для огромного дикого зверя.

Сиена Брукс и Роберт Лэнгдон стояли в кромешной тьме.

Несколько минут назад на глазах у Сиены Лэнгдон ловко закрепил цепью вращающуюся карту Армении, а затем повернулся и двинулся дальше.

К ее удивлению, он не пошел вперед по коридору, а направился к крутой лестнице с табличкой «USCITA VIETATA».

— Роберт! — в смятении окликнула его она. — Там же написано «Выхода нет»! И вдобавок я думала, что нам нужно *вниз*!

— Вы правы, — бросил Лэнгдон, оглянувшись через плечо. — Но иногда надо подняться вверх... чтобы спуститься вниз. — Он бодро подмигнул. — Помните пуп Сатаны?

О чем это он? Недоумевая, Сиена кинулась за ним.

— Вы что, не читали «Ад»? — спросил Лэнгдон.

Читала... но, по-моему, лет в семь.

Через пару секунд она сообразила, о чем речь.

— Ах да, пуп Сатаны! — воскликнула она. — Теперь вспомнила!

Хоть и не сразу, но Сиена поняла, что Лэнгдон имеет в виду заключительную часть «Ада». Чтобы покинуть преисподнюю, Данте вынужден ползти вниз по волосатому брюху громадного Сатаны. Когда он достигает его пупка, а тем самым и центра Земли, сила тяжести меняет направление на противоположное — и вместо того, чтобы продолжать *спускаться* в чистилище, Данте неожиданно начинает *подниматься* туда.

Сиена мало что запомнила из «Ада», но помнила, что такое описание гравитационной силы еще тогда расстроило ее своей нелепостью — очевидно, Данте не хватило гениальности на то, чтобы постичь законы физики.

Они одолели всю лестницу, и Лэнгдон открыл единственную дверь, которая там была, с надписью «SALA DEI MODELLI DI ARCHITETTURA». Пропустив Сиену внутрь, он тоже переступил порог, а потом закрыл дверь и запер ее на засов.

В простой маленькой комнатке за дверью стояли витрины с деревянными моделями архитектурных проектов Вазари, относящихся к интерьеру дворца. Сиена не обратила на эти модели никакого внимания. Зато она обратила внимание на то, что в комнате не было ни других дверей, ни окон, а следовательно, как их и предупреждали... никакого выхода.

— В середине 1300-х годов, — тихо произнес Лэнгдон, — дворец захватил герцог Афинский — он и построил этот тайный ход, чтобы спастись в случае нападения. Ход называется Лестницей герцога Афинского, ведет вниз и заканчивается крошечной дверью на улицу. Если мы сумеем туда добраться, никто не заметит, как мы вышли. — Он показал на одну из моделей. — Видите? Вот он, сбоку.

Он притащил меня сюда, чтобы любоваться моделями?

Бросив на модель встревоженный взгляд, Сиена увидела лестницу, спускающуюся с самого верха дворца до уровня земли и хитро спрятанную между внешней и внутренней стенами здания.

— Я вижу ступеньки, Роберт, — кисло сказала она, — только они на *противоположной* стороне дворца. Нам туда никак не попасть!

— Не торопитесь с выводами, — ответил он с кривой усмешкой.

Внезапно внизу раздался треск, и они поняли, что карта Армении пала под натиском их преследователей. Затаив дыхание, они прислушивались к топоту бойцов в коридоре — никто из них даже не подумал, что беглецы полезут еще выше... и уж тем более по крошечной лестнице с табличкой «Выхода нет».

Когда шум внизу стих, Лэнгдон уверенно пересек комнату, лавируя среди витрин с моделями и направляясь прямиком к чему-то вроде стенного шкафа в дальнем углу. Шкаф был величиной примерно метр на метр и находился на расстоянии чуть меньше метра от пола. Не медля ни секунды, Лэнгдон схватился за ручку и распахнул дверцу.

Сиена отпрянула в изумлении.

За дверцей открылось нечто похожее на бездну без конца и края... словно шкаф был порталом, ведущим в иной мир. Там чернела непроглядная тьма.

— За мной, — скомандовал Лэнгдон.

Он взял фонарь, висевший на стене рядом с отверстием. Затем с неожиданной ловкостью и силой вскарабкался в шкаф и исчез в кроличьей норе.

Глава 46

a soffitta, подумал Лэнгдон. *Самый впечатляющий чердак на свете.*

Воздух по ту сторону дверцы был затхлый и отдавал древностью, словно за долгие века пыль строительной штукатурки так измельчилась, что больше не оседала, а так и висела под крышей тончайшим облаком. Все вокруг скрипело и покряхтывало, и Лэнгдону почудилось, что он забрался в чрево огромного живого существа.

Утвердившись понадежнее на широкой балке потолочного перекрытия, он поднял фонарь и пронзил тьму лучом света.

Перед ним простирался уходящий в бесконечность туннель, который в разных направлениях и под разными углами пересекали балки, брусья, опоры и прочие элементы деревянной конструкции, образующей скрытый скелет Зала Пятисот.

На этот обширный чердак Лэнгдон уже заглядывал несколько лет назад во время все той же экскурсии, подернутой легкой дымкой «Неббиоло». Смотровое окошко в зале с архитектурными моделями было проделано для того, чтобы посетители могли посветить в него фонарем и сравнить реальную стропильную ферму с запланированной.

Теперь, оказавшись на самóм чердаке, Лэнгдон с удивлением обнаружил, что изнутри он очень похож на старый новоанглийский амбар: крышу дворца поддерживала традиционная конструкция с мощными вертикальными стойками и поперечными балками.

Сиена тоже залезла в шкаф вслед за Лэнгдоном и теперь, растерянно озираясь, стояла рядом с ним на балке. Лэнгдон поводил фонарем туда-сюда, чтобы помочь ей сориентироваться.

Оттуда, где они стояли, внутренний каркас чердака выглядел как длинный ряд равнобедренных треугольников, которые уменьшались в перспективе, сходясь к далекой невидимой точке. Роль пола выполняли голые поперечные балки, напоминающие массивные железнодорожные шпалы.

Показывая себе под ноги, Лэнгдон тихо проговорил:

— Сейчас мы прямо над Залом Пятисот. Если сможем перебраться на ту сторону, я найду Лестницу герцога Афинского.

Сиена с сомнением окинула взглядом деревянный лабиринт впереди. Преодолеть его можно было лишь одним способом — прыгая с балки на балку, как дети по шпалам. Каждая балка состояла из нескольких брусьев, скрепленных вместе широкими железными скобами, так что получалась довольно широкая поперечная дорожка. К сожалению, эти дорожки находились слишком далеко друг от друга.

— Я не перепрыгну, — прошептала Сиена.

Пожалуй, я тоже, подумал Лэнгдон. Падение означало верную смерть. Он направил фонарь вниз, в пустой промежуток между балками.

Метрах в двух-трех под ними виднелась подвешенная на железных прутах пыльная поверхность — своего рода пол. Хотя он выглядел прочным, Лэнгдон знал, что это всего-навсего туго натянутая материя, покрытая пылью. Это была изнанка висячего потолка Зала Пятисот — гигантской деревянной рамы для тридцати девяти картин Вазари, образующих вместе нечто вроде высокохудожественного лоскутного одеяла.

Сиена показала себе под ноги:

— Можем мы спуститься туда и перейти на ту сторону?

Тогда мы провалимся сквозь картину Вазари прямо в Зал Пятисот.

— Вообще-то есть вариант получше, — спокойно ответил Лэнгдон, решив лишний раз не пугать свою спутницу. Затем повернулся и пошел к главной продольной балке, которая тянулась вдоль всего чердака, как спинной хребет.

В свой предыдущий визит Лэнгдон не только заглянул на чердак, но и прогулялся по нему, войдя в дверь с *другого* конца. Если его не подводила память, по широкой продольной балке можно было выйти на смотровую площадку, расположенную в самом центре чердака.

Однако, добравшись до середины поперечной балки, Лэнгдон не нашел ничего похожего на удобную, специально оборудованную для туристов подвесную дорожку, которая осталась в его воспоминаниях.

Сколько же «Неббиоло» я тогда выпил?

Вместо прочного, надежного сооружения перед ним были коекак брошенные поперек балок и ничем не закрепленные доски. Чтобы воспользоваться этим хлипким мостиком, требовались нервы канатоходца.

Лэнгдон сообразил, что дорожка для туристов, начинающаяся на другом конце, доходит лишь до центральной площадки, а оттуда посетители просто-напросто возвращаются обратно. Эта же конструкция из отдельных досок, по-видимому, предназначалась только для обслуживающего персонала, которому надо было както попадать и в дальнюю половину чердака.

— Боюсь, нам предстоит смертельный номер, — пробормотал он, с беспокойством поглядывая на ненадежный мостик.

— Подумаешь! — без тени тревоги откликнулась Сиена. — Это не хуже, чем в Венеции во время наводнения.

Лэнгдон не мог не признать, что она по-своему права. Когда он в последний раз был в Венеции, всю площадь Сан-Марко затопило водой глубиной чуть ли не в полметра и он переходил из отеля «Даниели» в собор по доскам, положенным на бетонные блоки и перевернутые ведра. Конечно, одно дело промочить ноги и совсем другое — разбиться насмерть, провалившись сквозь шедевр Позднего Ренессанса...

Выбросив из головы эту неприятную мысль, Лэнгдон отважно ступил на узкую доску. Он надеялся, что его наигранная уверенность прогонит сомнения, которые втайне еще могла питать Сиена. Однако, несмотря на это внешнее спокойствие, сердце у него в груди отчаянно колотилось. Когда он дошел до середины, доска прогнулась под его весом и угрожающе затрещала. Он прибавил шагу и быстро выбрался на следующую поперечную балку, где было относительно безопасно.

Переведя дух, Лэнгдон повернулся, чтобы посветить Сиене и заодно подбодрить ее, если в этом возникнет необходимость. Но

Сиена явно не нуждалась в его поддержке. Не успел луч фонаря упасть на мостик, как она побежала по нему с замечательной ловкостью. Под ее стройным телом доска почти не прогнулась, и через несколько секунд она уже присоединилась к нему на той стороне.

Вдохновленный первым успехом, Лэнгдон повернулся к следующей доске и шагнул на нее. Сиена подождала, пока он благополучно завершит очередную переправу и обернется вместе с фонарем, а затем живо последовала за ним. Повторив то же самое еще пару раз, они вошли в ритм — две фигуры, движущиеся одна за другой при свете единственного фонаря. Снизу, сквозь тонкий потолок, до них доносилось потрескивание полицейских раций. Лэнгдон даже позволил себе слегка улыбнуться. *Мы парим над Залом Пятисот, невесомые и невидимые.*

— Так что, Роберт? — тихонько окликнула его Сиена. — Вы говорили, Иньяцио сказал вам, где искать маску?

— Скорее намекнул, — отозвался Лэнгдон и объяснил, что Иньяцио, не желая доверять тайну местонахождения маски автоответчику, передал ему информацию в завуалированной форме. — Он упомянул о рае — я думаю, это отсылка к последней части «Божественной комедии». Его точные слова: «"Рай", Двадцать пятая».

Сиена бросила на него быстрый взгляд.

— Должно быть, он имел в виду Двадцать пятую песнь.

— Согласен, — сказал Лэнгдон. Песнь — по-итальянски *канто* — примерно соответствует главе. Само это название восходит к тем давним временам, когда эпические поэмы передавались устно — «пелись», а не записывались. В «Божественной комедии» таких глав ровно сто, и они разбиты на три части:

«Ад», 1–34
«Чистилище», 1–33
«Рай», 1–33

«Рай», Двадцать пятая, подумал Лэнгдон, жалея о том, что даже его эйдетическая память не в силах воспроизвести весь текст Данте. *Какое там! Нам нужна книга.*

— Есть еще кое-что, — снова заговорил он. — Последней фразой Иньяцио было: «Ворота открыты для тебя, но ты поторопись». — Он помедлил, оглянувшись на Сиену. — Думаю, в Двадцать пятой песни содержится указание на какое-то определенное место во Флоренции. Очевидно, с воротами.

Сиена нахмурилась.

— Но в этом городе, наверное, сотни ворот.

— Да. Поэтому нам и нужно прочесть Двадцать пятую песнь «Рая». — Он бодро улыбнулся ей. — Вы, часом, не помните всю «Божественную комедию» наизусть?

Она посмотрела на него как на сумасшедшего.

— Четырнадцать тысяч строк на староитальянском, которые я прочла в детстве? — Она покачала головой. — Это у вас аномальная память, профессор. А я обычный врач.

Двинувшись дальше, Лэнгдон с огорчением подумал, что даже после всех их совместных приключений Сиена почему-то предпочитает утаивать правду о своем выдающемся интеллекте. *Обычный врач?* Лэнгдон усмехнулся про себя. *Какая поразительная скромность!* Он прекрасно помнил газетные вырезки, в которых рассказывалось о ее уникальных способностях — к сожалению, хотя и по вполне понятным причинам, среди них не было умения запоминать целиком объемистые классические поэмы.

В молчании они преодолели еще несколько переходов. Наконец во тьме замаячили обнадеживающие очертания какой-то массивной конструкции. *Смотровая площадка!* Шаткий мостик, по которому они шли, вел к гораздо более основательному сооружению с перилами. Им оставалось только добраться до него, пройти по удобной дорожке для посетителей и покинуть чердак через дверь — а там, как хорошо помнил Лэнгдон, будет уже рукой подать до Лестницы герцога Афинского.

Приближаясь к площадке, Лэнгдон взглянул на потолок, подвешенный в двух с половиной метрах под ними. До сих пор его кессоны были одинаковыми, но впереди показался кессон, который намного превосходил по размерам все остальные.

«Апофеоз Козимо I».

В огромной круглой ячейке посреди потолка Зала Пятисот Вазари разместил свою самую парадную картину. Лэнгдон часто показывал ученикам слайды с «Апофеозом Козимо I», подчеркивая его сходство с «Апофеозом Вашингтона» в нью-йоркском

Капитолии — скромное напоминание о том, что юная Америка позаимствовала у Италии отнюдь не только идею республики.

Впрочем, сегодня Лэнгдону хотелось не изучать «Апофеоз», а миновать его поскорее. Прибавив шагу, он чуть повернул голову, намереваясь шепнуть Сиене, что они почти пришли. При этом он немного сбился с прямого курса и наступил правой ногой на самый край доски — нога в чужой туфле скользнула, лодыжка подвернулась, и Лэнгдон, спотыкаясь и едва не падая, засеменил вперед, пытаясь восстановить равновесие.

Но было уже поздно.

Лэнгдон упал на колени, больно ударившись о доску, и выбросил вперед руки в попытке достать поперечную балку. Фонарь, клацнув, полетел во тьму, и натянутая материя поймала его, как страховочная сетка. Отчаянно брыкаясь, Лэнгдон все-таки сумел вскарабкаться на спасительную перекладину, однако доска под ним сорвалась и с треском рухнула на кессонное перекрытие, служащее рамой «Апофеозу» Вазари.

Раздался грохот, эхом раскатившийся по всему чердаку.

Охваченный ужасом, Лэнгдон вскочил на ноги и обернулся к Сиене.

В слабом свете лежащего внизу фонаря было видно, что она стоит на предыдущей балке, как в ловушке, без всякой возможности оттуда выбраться. Ее глаза подтвердили то, что Лэнгдон понимал и так: шум упавшей доски почти наверняка их выдал.

Наверху что-то обрушилось, и взгляд Вайенты метнулся к потолку.

— Крысы на чердаке? — пошутил турист с камерой. В его голосе слышалась тревога.

Ничего себе крысы, подумала Вайента, не сводя глаз с круглой картины в центре потолка. Под деревянными перекрытиями расплывалось маленькое облачко пыли, и Вайента могла поклясться, что в одном месте на картине появился бугорок... точно кто-то надавил на нее с другой стороны.

— Может, какой-нибудь полицейский уронил пистолет со смотровой площадки? — предположил ее сосед, разглядывая выпуклость на холсте. — Как по-вашему, что они там ищут? Ужасно интересно, правда?

— Со смотровой площадки? — встрепенулась Вайента. — Туда что, действительно можно подняться?

— Ага. — Он показал на вход в музей. — Вон за той дверью есть еще одна, которая ведет на чердак. Оттуда можно посмотреть, как устроены потолок и крыша. Вазари просто гений!

Вдруг под сводами Зала Пятисот опять прогремел голос Брюдера: «Так куда они делись, черт возьми?»

Как и полный муки вопль минуту назад, эти слова донеслись из зарешеченного окошка высоко в стене, слева от Вайенты. Очевидно, Брюдер находился за этой решеткой... на целый этаж ниже разукрашенного потолка.

Глаза Вайенты вновь остановились на вспучившемся холсте наверху.

Крысы на чердаке, подумала она. *Стараются выбраться.*

Поблагодарив туриста с камерой, она быстро, но как бы невзначай направилась к закрытой двери в музей. *Вряд ли она заперта — ведь полицейские то и дело бегают туда-сюда.*

Как обычно, чутье не подвело Вайенту.

Глава 47

это время в тени портика Лоджии Ланци стоял человек средних лет, с большим интересом наблюдая за суетой на кишащей полицейскими площади. На нем были очки «Плюм Пари» и галстук с «огурцами», а в ухе посверкивала крошечная золотая серьга.

Глядя на суматоху перед дворцом, он поймал себя на том, что снова чешет шею. За одну ночь у него появилась сыпь, которая стремительно распространялась, — маленькие гнойнички уже покрыли всю его шею, подбородок, щеки и даже веки.

Покосившись на свои руки, он увидел на ногтях кровь. Тогда он достал платок и вытер ее, а заодно промокнул и содранные болячки на шее и щеках.

Приведя себя в порядок, он вновь обратил взгляд на два черных фургона у входа в палаццо Веккьо. На заднем сиденье ближайшего из них находились двое пассажиров.

Одним был вооруженный мужчина в черной форме.

Рядом с ним сидела немолодая, но очень красивая женщина с серебристыми волосами и голубым амулетом на груди.

Мужчина в форме набирал что-то в шприц для подкожных инъекций.

Доктор Элизабет Сински рассеянно смотрела на дворец из окна фургона, думая о том, в какой же момент ситуация стала настолько неуправляемой.

— Мэм? — раздался рядом густой голос.

Качнувшись, она повернулась к своему сопровождающему. Тот взял ее за локоть и поднял шприц.

— Пожалуйста, не шевелитесь.

Острая игла вонзилась ей в руку.

— Теперь можете еще подремать, — сказал сопровождающий, введя лекарство.

Она закрыла глаза, но перед этим успела мельком заметить в тени портика на площади какого-то человека в стильных очках и модном галстуке. Он пристально наблюдал за ней. Лицо у него было красное, обметанное сыпью. На миг ей показалось, что она его знает, но когда она снова открыла глаза, чтобы проверить это, человек уже исчез.

Глава 48

Теперь Лэнгдона и Сиену разделяло на чердаке шесть метров пустого пространства. Упавшая доска лежала в двух с половиной метрах под ними, на деревянном каркасе, который служил рамой «Апофеозу» Вазари. Большой фонарь — он еще горел — покоился на самом холсте, образовав в нем небольшую ямку, как камень на батуте.

— А та доска, что у вас за спиной? — тихо спросил Лэнгдон. — Можете перетащить ее сюда?

Сиена поглядела назад.

— Если потащу, другой конец свалится на картину.

Лэнгдон боялся того же. Меньше всего ему хотелось обрушить на шедевр Вазари тяжеленную доску.

— Есть идея! — сказала Сиена и пошла вдоль балки к боковой стене. Лэнгдон двинулся параллельным курсом. По мере удаления от фонарика выбирать место для следующего шага становилось все трудней. Добравшись до стены, оба очутились почти в полной темноте.

— Вон там, — шепнула Сиена, показывая вниз. — Край каркаса. Он должен быть приделан к стене. Думаю, меня выдержит.

Не успел Лэнгдон возразить, как она слезла с балки и принялась спускаться, используя брусья-подпорки как лестницу. Скоро она уже стояла на краю деревянного кессона. Потом, медленно переступая по нему вдоль стены, как по карнизу высокого здания, двинулась к Лэнгдону. Каркас угрожающе скрипел.

Тонкий лед, подумал Лэнгдон. *Держись поближе к берегу.*

Когда Сиена достигла середины промежутка, отделявшего ее от балки, на которой он стоял, в нем снова вспыхнула надежда на то, что они успеют выбраться отсюда вовремя.

Вдруг где-то во тьме впереди хлопнула дверь и послышались быстрые шаги. Кто-то приближался к ним по мостику для посетителей. Затем они увидели свет фонаря — неизвестный водил им вокруг, осматривая чердак и с каждой секундой сокращая расстояние между собой и беглецами. Лэнгдон почувствовал, как его надежда испаряется. Кто-то шел в их сторону, отрезав им путь к спасению.

— Идите дальше, Сиена! — прошептал он, повинуясь внезапному порыву. — Вдоль всей стены! В дальнем конце есть выход. А я их отвлеку!

— Нет! — чуть ли не в голос воскликнула Сиена. — Роберт, вернитесь!

Но Лэнгдон уже пошел по балке обратно к хребту всего сооружения, бросив Сиену в темноте у боковой стены.

Когда он добрался до центральной балки, безликая фигура с фонарем уже ступила на смотровую площадку и остановилась у низких перил, направив свой фонарь прямо в глаза Лэнгдону.

Свет ослепил Лэнгдона, и он немедленно вскинул руки, показывая, что сдается. Трудно было оказаться в более уязвимом положении — на узкой дорожке высоко над Залом Пятисот, под ослепительным лучом фонаря.

Лэнгдон ждал выстрела или повелительного окрика, но все было тихо. Через некоторое время луч покинул его лицо и стал шарить в окружающей темноте явно в поисках чего-то... или кого-то еще. Свет больше не слепил Лэнгдона, и он вгляделся в смутный силуэт человека, отрезавшего ему выход. Это была женщина — поджарая, вся в черном. Он не сомневался, что под ее бейсбольной шапкой прячутся волосы, склеенные в шипы.

В памяти Лэнгдона сразу всплыл образ доктора Маркони, умирающего на больничном полу, и его тело невольно напряглось.

Она меня нашла. И теперь хочет закончить свою работу.

Лэнгдон представил себе греческих ныряльщиков, которые заплыли глубоко в подводный туннель, давно миновав точку невозврата, и вдруг уперлись в глухую каменную стену.

Убийца снова направила фонарь ему в глаза.

— Мистер Лэнгдон, — негромко сказала она, — где ваша помощница?

Лэнгдон похолодел. *Она хочет разделаться с нами обоими.*

Он намеренно оглянулся туда, где *не было* Сиены, — через плечо во тьму, откуда они пришли.

— Она тут ни при чем. Вам нужен я.

Про себя он молился, чтобы Сиена продолжала идти вдоль стены. Если ей удастся проскользнуть мимо смотровой площадки, то дальше она сможет незаметно вылезти на мостик за спиной у киллерши в черной коже и пробраться к двери.

Убийца снова подняла фонарь и обвела лучом пустой чердак за ним. Ненадолго освободившись от слепящего света, Лэнгдон внезапно заметил позади нее другую фигуру.

О Боже!

Сиена действительно кралась по поперечной балке к центральной, но, к несчастью, она была всего в каких-нибудь десяти шагах от их преследовательницы.

Осторожней, Сиена! Ты слишком близко! Она тебя услышит!

Луч опять метнулся на его лицо.

— Слушайте внимательно, профессор, — тихо произнесла убийца. — Если хотите жить, мой совет — доверьтесь мне. Мое задание отменили. У меня нет причин вам вредить. Теперь мы с вами в одной команде, и я, возможно, сумею вам помочь.

Лэнгдон слушал ее лишь краем уха. Все его внимание было сосредоточено на Сиене — сейчас он видел ее фигуру в профиль. Она ловко выбралась на дорожку за платформой, но по-прежнему находилась чересчур близко к женщине с пистолетом.

Беги! — мысленно приказал он ей. *Удирай, да поживее!*

Однако, к вящей тревоге Лэнгдона, Сиена осталась на месте. Низко пригнувшись, она замерла в тишине.

Взгляд Вайенты прощупывал тьму позади Лэнгдона. *Где же она, черт ее побери? Неужели они разделились?*

Вайенте еще предстояло найти способ увести беглецов из-под носа у Брюдера. *Это моя единственная надежда.*

— Сиена! — отважилась она на хриплый оклик. — Если вы меня слышите, слушайте внимательно. Вам нельзя попадать в лапы тех, кто сейчас внизу. Они не будут с вами миндальничать. Я знаю, как отсюда выбраться. Я вам помогу. Доверьтесь мне.

— Довериться вам? — вырвалось у Лэнгдона, да так громко, что его голос разнесся по всему чердаку. — Вы же убийца!

Сиена рядом, поняла Вайента. *Лэнгдон обращается к ней... хочет предупредить.*

Она решила сделать еще одну попытку.

— Сиена, ситуация очень сложная, но я могу вас вызволить. Подумайте сами, что вам остается. Вы в ловушке. У вас нет выбора.

— У нее есть выбор, — снова подал голос Лэнгдон. — И у нее хватит ума, чтобы убраться от вас как можно дальше.

— Все изменилось, — настаивала Вайента. — Я больше не причиню вреда ни вам, ни ей.

— Вы убили доктора Маркони! И я думаю, что именно вы стреляли мне в голову!

Вайента знала: профессор никогда не поверит, что она не собиралась его убивать.

Время разговоров прошло. Мне его ничем не убедить.

Решив не тратить время зря, она сунула руку под свою кожаную куртку и извлекла оттуда пистолет с глушителем.

Пригнувшись, Сиена молча выжидала на дорожке не больше чем в десяти метрах от женщины, пригвоздившей Лэнгдона к месту лучом фонаря. Даже в темноте силуэт этой женщины был хорошо узнаваем. К ужасу Сиены, она достала тот же пистолет, из которого стреляла в доктора Маркони.

Сейчас выстрелит, поняла Сиена. Об этом ясно говорили движения черной фигуры.

И правда, киллерша сделала в сторону Лэнгдона два угрожающих шага и остановилась у низкой ограды площадки над «Апофеозом» Вазари. Теперь она подобралась к Лэнгдону так близко, как только могла. Подняв пистолет, она направила его в грудь профессору.

— Будет немного больно, — сказала она, — но у меня нет другого выбора.

Сиена отреагировала мгновенно и инстинктивно.

Неожиданной вибрации под ногами Вайенты оказалось как раз достаточно для того, чтобы, спуская курок, она слегка покачнулась. Уже в момент выстрела она поняла, что ее оружие больше не направлено на Лэнгдона.

Кто-то бежал к ней сзади.

Бежал со всех ног.

Не опуская руки с пистолетом, Вайента резко развернулась на сто восемьдесят градусов. Во тьме на мгновение блеснули светлые волосы — кто-то мчался к ней на полной скорости. Пистолет прошипел снова, но бежавший пригнулся, чтобы распрямиться в момент столкновения, и потому оказался ниже линии огня.

Ноги Вайенты оторвались от пола, и она рухнула на низкие перила платформы. Удар пришелся в район пояса и был так силен, что ее тело перевалилось через ограду. Она замахала руками, пытаясь за что-нибудь ухватиться, но было уже поздно. Она сорвалась вниз.

В полете Вайента сгруппировалась, готовясь упасть на пыльный пол в двух с половиной метрах от платформы. Но падение оказалось мягче, чем она думала... как будто она упала в матерчатый гамак, провисший под ее тяжестью.

Лежа на спине, Вайента подняла растерянный взгляд на того, кто ее сшиб. Через перила на нее смотрела Сиена Брукс. Ошеломленная, Вайента открыла рот, чтобы заговорить, но вдруг под ней раздался громкий треск.

Ткань не выдержала ее веса.

Вайента снова полетела вниз.

На этот раз падение продолжалось три долгих секунды, и она еще успела увидеть над собой потолок, расписанный чудесными картинами. В картине прямо над ней — это было большое круглое полотно с изображением Козимо I, восседающего на облаке среди херувимов, — зияла черная дыра с рваными краями.

Затем последовал страшный удар, и весь мир Вайенты померк, обратившись в ничто.

Высоко вверху, замерев от ужаса, Роберт Лэнгдон смотрел сквозь прореху в «Апофеозе» в разверзшуюся под ним пропасть. На каменном полу Зала Пятисот неподвижно лежала женщина, и из-под ее головы быстро растекалась лужица крови. Она все еще сжимала в руке пистолет.

Лэнгдон перевел глаза на Сиену — она тоже смотрела вниз, завороженная жутким зрелищем. На ее лице застыло выражение глубочайшего шока.

— Я не хотела...

— Вы не виноваты, — прошептал Лэнгдон. — Она бы меня убила.

Сквозь порванное полотно до них донеслись испуганные крики.

Мягко взяв Сиену под локоть, Лэнгдон отвел ее от перил.

— Нам надо идти.

Глава 49

тоя в тайном кабинете герцогини Бьянки Каппелло, агент Брюдер услышал тошнотворный звук падения чего-то тяжелого и вслед за тем нарастающий гул голосов в Зале Пятисот. Он кинулся к зарешеченному окошку и выглянул в него. На нарядном каменном полу лежало... Брюдеру понадобилось несколько секунд, чтобы осознать увиденное.

Беременная администраторша музея присоединилась к нему около окна и тут же зажала рот рукой — скорченная фигурка в окружении испуганных туристов повергла ее в немой ужас. Потом взгляд женщины медленно переместился на потолок Зала Пятисот, и у нее невольно вырвался мучительный стон. Вслед за ней Брюдер тоже поднял глаза на центральную потолочную панель. В центре занимающей ее картины зияла большая дыра.

Он повернулся к администраторше.

— Как попасть наверх?

В другом конце здания запыхавшиеся Лэнгдон и Сиена сбежали с чердака и выскочили в дверь. За считанные секунды Лэнгдон отыскал маленькую нишу, хитро спрятанную за малиновой шторой. Он хорошо запомнил ее во время экскурсии по тайным ходам.

Лестница герцога Афинского.

Казалось, что крики и топот доносятся отовсюду. Они приближались, и Лэнгдон понимал, что времени у них в обрез. Он отдернул штору, и они с Сиеной проскользнули на маленькую лестничную площадку.

Не обменявшись ни словом, они начали спускаться по каменной лесенке. Она состояла из пугающе узких ступеней с головокружительно крутыми поворотами. Чем дальше они шли, тем тесней становился проход. Лэнгдону уже стало чудиться, что стены вот-вот его раздавят, но тут лестница кончилась.

Слава Богу!

Беглецы очутились в крошечной каморке, и хотя выходом из нее служила одна из самых маленьких дверей на свете, увидеть ее было счастьем. Деревянная с железными клепками, высотой всего в метр с небольшим, она была заперта на тяжелый железный засов, чтобы никто не мог проникнуть во дворец с другой стороны.

— Я слышу уличный шум, — сказала Сиена. Она еще не оправилась от потрясения. — Что там снаружи?

— Улица Нинна, — ответил Лэнгдон, вспомнив запруженную людьми пешеходную улочку. — Но там может быть полиция.

— Они нас не узнают. Они ищут блондинку и темноволосого мужчину.

Лэнгдон удивленно посмотрел на нее.

— Но это как раз мы и...

Сиена покачала головой, и на ее лице отразилась печальная решимость.

— Я не хотела, чтобы вы увидели меня такой, Роберт, но, к сожалению, в настоящее время я выгляжу именно так. — Вскинув руку, она запустила ее себе в волосы. Один рывок — и все они разом соскользнули.

Лэнгдон отпрянул, пораженный не столько тем, что Сиена носит парик, сколько ее изменившимся обликом. Сиена Брукс оказалась совершенно лысой — ее голова была бледной и гладкой, точно у ракового пациента после химиотерапии. *Вдобавок ко всему она еще и больна?*

— Знаю, знаю, — сказала она. — Долго рассказывать. Ну-ка, нагнитесь. — Она подняла парик с явным намерением надеть его на Лэнгдона.

Она это серьезно? Лэнгдон нерешительно наклонился, и Сиена нахлобучила на него свой белокурый парик. Он еле налез на Лэнгдона, но Сиена поправила его, как могла, а потом отступила назад и окинула свою работу критическим взглядом. Не слишком удовлетворенная, она снова подошла к профессору, распустила ему галстук и повязала им его голову вместо платка, заодно укрепив и плохо сидящий парик.

Затем Сиена принялась за себя: закатала штаны до колен и спустила носки до лодыжек. Когда она распрямилась, на ее губах играла ухмылка. Миловидная Сиена Брукс превратилась в скинхеда, поклонника панк-рока. Метаморфоза, которая произошла с бывшей участницей шекспировских постановок, была поразительна.

— Помните, — сказала она, — человека на девяносто процентов узнают по языку тела, так что двигайтесь, как стареющий рокер.

Стареющий — это пожалуйста, подумал Лэнгдон. *А вот насчет рокера не уверен.*

Не успел он ничего возразить, как Сиена отодвинула засов на крошечной двери и распахнула ее настежь. Потом пригнулась и выскочила на полную народу булыжную мостовую. Лэнгдон последовал за ней и выбрался на свет божий почти что на четвереньках.

Если не считать пары удивленных взглядов, которыми случайные прохожие наградили странную парочку, вынырнувшую из крохотной дверцы в основании палаццо Веккьо, их появление не вызвало ровно никакого ажиотажа. Через несколько секунд Лэнгдон и Сиена уже шагали на восток, смешавшись с толпой.

Продолжая расчесывать свои кровоточащие болячки, человек в очках «Плюм Пари» проталкивался сквозь толпу следом за Робертом Лэнгдоном и Сиеной Брукс, но на безопасном расстоянии от них. Несмотря на их ловкую маскировку, он заметил беглецов, как только те выскочили из крошечной двери на улицу Нинна, и сразу же понял, кто они на самом деле.

Всего через несколько кварталов он совсем запыхался — в груди вспыхивала острая боль, мешая ему вдохнуть поглубже. Он чувствовал себя так, будто его ударили кулаком под ложечку.

Скрипя зубами от боли, он вновь сосредоточил внимание на Лэнгдоне с Сиеной, стараясь не потерять их на людных улицах Флоренции.

Глава 50

Утреннее солнце полностью поднялось над горизонтом и отбрасывало длинные тени в узкие ущелья, вьющиеся меж зданий Старого города. Торговцы уже начали отпирать металлические решетки лавок и баров, и в воздухе разлился аромат утреннего эспрессо и свежевыпеченных *корнетти* — итальянских рогаликов.

Несмотря на сосущий голод, Лэнгдон заставлял себя шагать дальше. *Я должен найти маску... и посмотреть, что у нее на обороте.*

Ведя Сиену на север по улице Леони, Лэнгдон старался привыкнуть к ее новому облику, но пока у него это плохо получалось. Радикально изменившаяся внешность его спутницы напомнила ему о том, что он едва ее знает. Они направлялись к Соборной площади — той самой, где умер Иньяцио Бузони, успев в последний раз позвонить по телефону.

Роберт, сумел выговорить Иньяцио, едва дыша. *То, что ты ищешь, надежно спрятано. Ворота открыты для тебя, но ты поторопись. «Рай», Двадцать пятая. Удачи.*

«Рай», Двадцать пятая, повторял про себя Лэнгдон, не переставая удивляться тому, что Иньяцио так хорошо помнил текст Данте, — ведь в критический момент он уверенно сослался на конкретную песнь. Очевидно, директору музея Опера-дель-Дуомо крепко запомнился какой-то эпизод из этой песни. Лэнгдон знал: скоро он выяснит, какой именно. Для этого надо всего лишь раздобыть саму книгу, а это сделать несложно.

Голова его под париком с волосами до плеч уже начинала чесаться, и хотя ему было очень неловко в этом камуфляже, он не мог не признать, что импровизированная маскировка Сиены оказалась очень эффективной. Никто не обращал на них внимания — даже полицейские, которые только что промчались мимо них к палаццо Веккьо, торопясь на подмогу к своим товарищам.

Некоторое время Сиена шла рядом с Лэнгдоном в полном молчании, и он покосился на нее, желая убедиться, что с ней все в порядке. Судя по лицу Сиены, ее мысли витали где-то далеко — наверное, она никак не могла свыкнуться с тем, что несколько минут назад убила их преследовательницу.

— О чем замечтались? — отважился обронить он в надежде отвлечь ее от образа мертвой женщины с шипами, распростертой на каменном полу дворца.

Сиена с трудом вынырнула из своих размышлений.

— Я думала о Зобристе, — медленно сказала она. — Пыталась вспомнить, что я еще могу о нем знать.

— И?

Она пожала плечами:

— Почти все, что я знаю, извлечено из той скандальной статьи, которую он написал несколько лет назад. Она произвела на меня сильное впечатление. В медицинских кругах она распространилась мгновенно, как вирус. — Сиена вздрогнула. — Простите, я неудачно подбираю слова.

Лэнгдон мрачно усмехнулся:

— Продолжайте.

— Суть этой статьи сводилась к тому, что человечество стоит на грани вымирания и если не разразится катастрофа, которая резко понизит рост численности земного населения, наш вид не просуществует и ста лет.

Лэнгдон изумленно обернулся к ней.

— Он отвел нам только один век?

— Утверждение, конечно, смелое. Его оценка оставшегося нам времени сильно отличалась от предыдущих, но была подкреплена очень вескими научными данными. Он нажил себе уйму врагов, заявив, что все врачи должны прекратить лечить, поскольку продление людям жизни лишь усугубляет проблему перенаселенности.

Теперь Лэнгдон понимал, почему эта статья заслужила такую громкую известность в медицинском сообществе.

— Неудивительно, что на Зобриста сразу накинулись со всех сторон, — продолжала Сиена. — Политики, священники, Всемирная организация здравоохранения — все высмеяли его как безумца, который предвещает конец света просто ради того, чтобы сеять панику. Особенно их взбесило его утверждение, что дети сегодняшней молодежи, если она пожелает их произвести, в буквальном смысле станут свидетелями гибели человечества. Зобрист проиллюстрировал свои мысли «Часами Судного дня» — они показывают, что если всю историю человечества на планете спрессовать в один-единственный час... то мы сейчас доживаем его последние секунды.

— Я видел эти часы в Интернете, — признался Лэнгдон.

— Ну вот, это его выдумка, и она вызвала страшное возмущение. Но настоящая травля Зобриста началась, когда он заявил, что его открытия в генной инженерии принесут человечеству гораздо больше пользы, если будут использованы не для *лечения* болезней, а для их *создания*.

— Что?!

— Да-да, он считал, что открытые им методы следует направить на ограничение роста населения путем создания гибридных возбудителей болезней, которые современная медицина будет не в силах излечить.

У Лэнгдона мурашки поползли по коже, когда в его мозгу замелькали образы странных «дизайнерских» вирусов — таких, что стоит им раз вырваться на свободу, и их уже не остановишь.

— Всего за несколько коротких лет, — сказала Сиена, — Зобрист превратился из светила науки в абсолютного изгоя. Врачи предали его анафеме. — Она помолчала, и по лицу ее проскользнуло сочувствие. — В общем-то совсем неудивительно, что он надломился и покончил с собой. И это еще печальнее оттого, что его воззрения, возможно, справедливы.

Лэнгдон чуть не упал.

— Простите... вы считаете, что он *прав*?!

Сиена выразительно пожала плечами.

— Знаете, Роберт, если подходить к делу с чисто научной точки зрения — голая логика и никаких эмоций, — то я говорю вам без тени сомнения, что гибель нашего вида может быть предотвращена только какой-нибудь радикальной переменой. И если ее не будет, эта гибель не заставит себя ждать. И я имею в виду не пламя, серу, апокалипсис и ядерную войну... а катастрофу, связанную с перенаселенностью планеты. С математикой спорить бессмысленно.

У Лэнгдона похолодело в животе.

— Я неплохо знакома с биологией, — продолжала она, — и мы будем не первым видом, погибшим из-за того, что численность его представителей превысила критический рубеж. Представьте себе ряску на поверхности крошечного озерца в лесу — это колония водорослей, которые наслаждаются прекрасным набором питательных веществ в толще воды. Если их не контролировать, они станут размножаться так бурно, что вскоре затянут все озерцо, перекрыв дорогу солнечному свету и тем самым препятствуя выработке питательных веществ. После этого водоросли быстро высосут из своей среды обитания то, что там осталось, умрут и исчезнут без всякого следа. — Она тяжело вздохнула. — Подобное может запросто произойти и с человечеством. Причем гораздо раньше и стремительнее, чем представляется любому из нас.

Лэнгдон был совсем выбит из колеи.

— Но... это кажется невозможным.

— Не невозможным, Роберт, а лишь *немыслимым*. У человека есть примитивный защитный механизм, который отвергает всякую реальность, подвергающую его мозг чересчур сильному стрессу. Это называется *отрицание*.

— Я слышал об отрицании, — беспечно заметил Лэнгдон, — но думаю, что его не существует.

Сиена закатила глаза.

— Вы все шутите, но поверьте мне, оно вполне реально. Отрицание — важнейший элемент механизма человеческой адаптации. Без него мы каждый день просыпались бы в ужасе от того, что нам грозит смерть в самых разнообразных формах. Однако наше сознание блокирует эти экзистенциальные страхи, заставляя нас сосредоточиться на тех проблемах, которые мы можем решить, — скажем, вовремя прийти на работу или заплатить налоги. А если у нас все же появляются эти более расплывчатые экзистенциальные страхи, мы очень быстро избавляемся от них, снова фокусируя свое внимание на простых задачах и будничных хлопотах.

Лэнгдон вспомнил об одном недавнем интернет-исследовании — роль подопытных играли студенты нескольких университетов из Лиги плюща. Оно показало, что даже пользователи Сети с достаточно высоким интеллектом проявляют инстинктивную склонность к отрицанию. Согласно результатам этого исследования, огромное большинство студентов, наткнувшихся в новостях на угнетающую статью о таянии арктических льдов или вымирании видов животных, быстро уходят с этой страницы, переключаясь на что-нибудь пустячное и таким образом очищая свое сознание от страха; чаще всего такими транквилизаторами служат спортивные обзоры, забавные видеозаписи с кошками и светские сплетни.

— В мифологии древних, — заметил Лэнгдон, — герой в состоянии отрицания воплощает собой высшую степень высокомерия и гордыни. Нет человека более гордого, чем тот, кто считает себя неуязвимым перед лицом опасностей этого мира. Данте явно был с этим согласен, поскольку называл гордыню худшим из семи смертных грехов... и поместил гордецов в первый круг чистилища.

Сиена ненадолго задумалась, а потом заговорила снова:

— В своей статье Зобрист обвинял многих мировых лидеров в том, что они отвергают реальность... прячут голову в песок. И особенно резко он критиковал Всемирную организацию здравоохранения.

— Полагаю, они в долгу не остались.

— В ответ они сравнили его с религиозным фанатиком, который стоит на перекрестке с плакатом: «Конец света близок!»

— Парочку таких всегда можно увидеть на Гарвард-сквер.

— Да, и мы не обращаем на них внимания, потому что никто из нас не в силах представить себе, что это может случиться. Но поверьте мне: если люди не могут *представить* какое-то событие... это отнюдь не значит, что оно не произойдет.

— Вы говорите прямо как поклонница Зобриста.

— Я поклонница *правды*, — с ударением ответила она, — даже если эту правду трудно принять.

Лэнгдон умолк — между ним и его спутницей снова пролегло какое-то странное отчуждение, и он шел, стараясь понять, как уживаются в ней пылкие эмоции и научная отстраненность.

Сиена взглянула на него, и черты ее лица смягчились.

— Послушайте, Роберт, я же не говорю вслед за Зобристом, что ответ на проблему перенаселения — это чума, которая убьет половину обитателей земного шара. Я не говорю, что мы должны перестать лечить больных. Я говорю только, что наш теперешний путь — это путь саморазрушения. Население растет по экспоненте на ограниченной площади и при ограниченных ресурсах. Конец наступит очень быстро. Не думайте, что у нас потихоньку иссякнет бензин... скорее наш автомобиль как бы сорвется в пропасть.

Лэнгдон прикусил губу, осмысливая все услышанное.

— Кстати, насчет последнего, — хмуро добавила Сиена, указывая куда-то вверх и направо, — вон оттуда, по-моему, Зобрист и спрыгнул.

Подняв взгляд, Лэнгдон увидел, что они идут как раз мимо сурового каменного фасада музея Барджелло. За ним, возвышаясь над всеми окрестными домами, торчала гигантская свеча башни Бадия. Лэнгдон смотрел на ее верхушку, гадая, почему Зобрист с нее бросился. *Надеюсь, не потому, что он натворил что-то ужасное и у него не хватило духу дождаться последствий?*

— Критики Зобриста, — сказала Сиена, — любят подчеркивать тот парадокс, что разработанные им методы генной инженерии позволяют резко повысить среднюю продолжительность жизни.

— А это лишь усугубляет проблему перенаселения.

— Вот именно. Однажды Зобрист публично заявил, что рад был бы загнать джинна обратно в бутылку и уничтожить свой вклад в борьбу за человеческое долголетие. Мне кажется, с идеологической точки зрения это разумно. Чем дольше мы живем, тем больше наших ресурсов уходит на обеспечение стариков и больных.

Лэнгдон кивнул.

— Я читал, что в США примерно шестьдесят процентов всех затрат на здравоохранение уходит на пациентов, доживающих последние полгода своей жизни.

— Верно, и хотя наш разум говорит: «Это безумие», сердце требует: «Не дайте бабушке умереть — пусть живет подольше».

Лэнгдон снова кивнул.

— Это конфликт между Аполлоном и Дионисом — знаменитая мифологическая дилемма. Старая как мир война между сердцем и разумом, которые редко хотят одного и того же.

Кто-то рассказывал Лэнгдону, что сейчас к этой мифологической метафоре прибегают на встречах членов Общества анонимных алкоголиков, обсуждая положение пьяницы, сидящего перед стаканом с выпивкой: его мозг говорит, что спиртное повредит ему, но сердце жаждет утешения, которое оно может подарить. Мораль при этом, очевидно, такова: не думай, что тебе одному так туго приходится, — даже боги не могли поладить друг с другом.

— Агатусия заставит возликовать, — вдруг прошептала Сиена.

— Что?

Сиена подняла глаза.

— Я наконец-то вспомнила название статьи Зобриста. Она называлась «Агатусия заставит возликовать».

Лэнгдон никогда не слышал слова «агатусия», но догадался, что оно происходит от греческих «агатос» и «тусия».

— Агатусия... это значит «добрая жертва»?

— Примерно. На самом деле это означает «самопожертвование ради общего блага». — Она помедлила. — Иначе говоря, благотворительное самоубийство.

Этот термин Лэнгдону доводилось слышать и раньше. Один раз это было в связи с банкротом, который наложил на себя руки, чтобы его семья получила страховку, а в другой — когда раскаявшийся серийный убийца по своей воле расстался с жизнью, боясь, что не сможет подавить в себе желание убивать.

Однако самый жуткий пример, вспомнившийся Лэнгдону, был связан с романом 1967 года «Бегство Логана». Там изображалось общество будущего, где каждый соглашался добровольно уйти из жизни по достижении двадцати одного года — благодаря этому все могли спокойно наслаждаться юностью, не перегружая планету стариками и избытком населения. Если Лэнгдон ничего не путал, создатели экранизации романа увеличили «терминальный возраст» с двадцати одного до тридцати лет — по всей видимости, ради того, чтобы не раздражать свою основную целевую аудиторию, состоящую из молодежи в возрасте от восемнадцати до двадцати пяти.

— Насчет статьи Зобриста... — начал Лэнгдон. — Мне не совсем понятно ее название. «Агатусия заставит возликовать» — это что, сарказм? Кто должен пойти на агатусию — мы *все*?

— Вообще-то нет — это каламбур, и Зобрист имел в виду конкретного человека.

— То есть?

— Название можно прочесть как «Агатусия заставит ВОЗ ликовать». В своей статье Зобрист нападал на директора Всемирной организации здравоохранения, доктора Элизабет Сински, которая занимает этот пост уже давным-давно и, по мнению Зобриста, относится к регулированию численности населения недостаточно серьезно. В статье говорилось, что от ВОЗ будет больше толку, если директор Сински покончит с собой.

— Добрый малый этот Зобрист!

— Издержки гениальности, я полагаю. Люди с особым устройством мозгов умеют концентрироваться лучше других, но это зачастую компенсируется у них эмоциональной незрелостью.

Лэнгдону вспомнились газетные вырезки с рассказами о девочке-вундеркинде с ай-кью, равным 208, и необычно функционирующим мозгом. *Интересно*, подумал он. *Может быть, говоря о Зобристе, Сиена на каком-то подсознательном уровне говорит и о себе?* Он снова задал себе вопрос, долго ли еще она собирается хранить свою тайну.

Впереди показался ориентир, который давно высматривал Лэнгдон. По его знаку они пересекли мостовую, и Лэнгдон подвел Сиену к повороту на очень узкую улицу — даже не улицу, а переулочек. Табличка на ближайшем доме гласила: «УЛИЦА ДАНТЕ АЛИГЬЕРИ».

— Похоже, вы многое знаете о человеческом мозге, — сказал Лэнгдон. — Это было вашей специальностью в медицинском колледже?

— Нет, но я много читала в детстве. Интересовалась наукой о мозге, потому что у меня были некоторые... медицинские причины.

Лэнгдон бросил на нее любопытный взгляд, надеясь, что она продолжит.

— Мой мозг... — тихо сказала Сиена. — Он развивался иначе, чем у большинства детей, и это привело... к определенным трудностям. Я долго старалась понять, что со мной не так, и по ходу дела неплохо изучила нейробиологию. — Она поймала взгляд Лэнгдона. — Вы правы — то, что я лысая, тоже связано с состоянием моего здоровья.

Лэнгдон смущенно отвел глаза.

— Не волнуйтесь, — сказала она. — Я привыкла с этим жить.

Когда они свернули в прохладный тенистый переулок, Лэнгдон попытался мысленно подытожить все, что узнал о Зобристе и его опасных социологических теориях. Один вопрос не давал ему покоя.

— Те люди в черном, — сказал он, — которые хотят нас убить. Кто они? Это же бессмыслица. Если Зобрист создал что-то вроде зародыша потенциальной эпидемии, разве не должны все остальные объединить усилия, чтобы ее предотвратить?

— Вовсе не обязательно. Пускай Зобрист стал парией в медицинских кругах, но у него вполне может быть целый легион преданных сторонников, тоже считающих, что единственный способ спасти нашу планету — это проредить ее население. Судя по тому, что с нами происходит, эти люди в черном делают все, чтобы помочь его замыслам осуществиться.

Личная армия учеников Зобриста? Лэнгдон задумался, возможно ли такое. Действительно, в истории было полно разных фанатиков и сектантов, которые убивали себя из-за самых нелепых убеждений — веры в то, что ими предводительствует мессия, или в то, что по другую сторону Луны их ждет космический корабль, или в то, что Судный день вот-вот настанет. Рассуждения о необходимости ограничить рост населения по крайней мере имели научную основу, и все же Лэнгдон чувствовал, что с этими бойцами в черном что-то не так.

— Мне просто не верится, что отряд обученных солдат может пойти на массовое убийство невинных людей... да еще с риском заразиться и умереть вместе с ними.

Сиена кинула на него озадаченный взгляд.

— А что, по-вашему, делают солдаты, когда отправляются на войну? Как раз-таки и убивают невинных людей, рискуя собственной жизнью. Ради идеи можно пойти на все.

— Ради идеи? Это вы о чуме?

Сиена испытующе посмотрела на него своими карими глазами.

— Роберт, идея не в том, чтобы напустить на людей заразу... а в том, чтобы спасти человечество. — Она помолчала. — В своей статье Зобрист задает один, казалось бы, чисто теоретический, но очень острый вопрос, который вызвал много пересудов. Я хотела бы, чтобы вы на него ответили.

— Что за вопрос?

— Зобрист спрашивает так: если бы вы могли одним нажатием кнопки уничтожить половину человечества Земли, выбранную случайным образом, вы бы это сделали?

— Конечно, нет.

— Хорошо. А если бы вам сказали, что если вы *не* нажмете кнопку прямо сейчас, то все человечество вымрет в ближайшие сто лет? — Она помедлила. — Тогда нажали бы? Даже если бы это значило, что вы можете погубить кого-то из друзей, родных, а то и себя самого?

— Сиена, я не могу отвечать на...

— Это вопрос теоретический, — сказала она. — Убили бы вы половину населения сегодня, чтобы спасти наш вид от вымирания?

Лэнгдону совсем не нравилось обсуждать столь мрачную тему, и он очень обрадовался, увидев прямо по курсу знакомый красный вымпел на стене каменного здания.

— Смотрите, — сказал он, протягивая руку. — Пришли.

Сиена покачала головой.

— Что и требовалось доказать. *Отрицание* налицо.

Глава 51

ом Данте находится на улице Санта-Маргерита — его легко узнать по большому вымпелу с надписью «MUSEO CASA DI DANTE»*.

Сиена нерешительно посмотрела на вымпел.

— Это и вправду дом Данте?

— Не совсем, — ответил Лэнгдон. — Данте жил за углом. А это скорее... музей Данте.

Как-то раз Лэнгдон заходил в этот музей, чтобы взглянуть на его художественную коллекцию. Она оказалась не более чем собранием репродукций знаменитых работ, имеющих отношение к Данте и созданных в разных уголках мира, однако увидеть их все под одной крышей было любопытно.

В глазах Сиены вдруг заблестела надежда.

— И вы думаете, в экспозиции найдется какое-нибудь старинное издание «Божественной комедии»?

Лэнгдон усмехнулся:

— Нет, но в их сувенирной лавке продают огромные плакаты с полным текстом «Божественной комедии», напечатанным микроскопическим шрифтом.

Она посмотрела на него слегка испуганно.

— Знаю, знаю. Но это лучше, чем ничего. Одна беда: глаза у меня уже не те, что раньше, так что читать мелкий шрифт придется вам.

— È chiusa**, — окликнул их какой-то старик, увидев, что они подходят к двери. — È il giorno di riposo.

---

*   «Дом-музей Данте» (*ит.*).
**   Закрыто (*ит.*).

Сегодня выходной? Лэнгдона вдруг снова охватила растерянность. Он взглянул на Сиену.

— Разве сегодня не понедельник?

— Понедельник, — подтвердила она, — но флорентийцы предпочитают отдыхать именно в этот день.

Лэнгдон застонал от досады. Теперь он и сам вспомнил, как необычно устроен здешний рабочий календарь. Поскольку по уик-эндам доллары туристов текли более обильным потоком, многие флорентийские торговцы решили перенести день отдыха с субботы на понедельник и таким образом повысить свои доходы.

К несчастью, по той же причине отпадало и другое место, на которое Лэнгдон возлагал надежды, — один из его любимых местных магазинов под названием «Книжная биржа», где наверняка отыскалась бы парочка экземпляров «Божественной комедии».

— Какие будут предложения? — спросила Сиена.

Лэнгдон надолго задумался и наконец кивнул.

— Тут поблизости есть одно местечко, где собираются любители Данте. Думаю, у кого-нибудь из них вполне может оказаться с собой его книга. Попросим одолжить ее на минутку.

— А если там тоже закрыто? — В голосе Сиены звучало сомнение. — Почти все в этом городе стараются устроить себе выходной не в воскресенье.

— Они не могут себе этого позволить, — уверил ее Лэнгдон. — Дело в том, что это церковь.

Метрах в пятидесяти от них, в гуще толпы, человек с сыпью на коже и золотой сережкой в ухе прислонился к стене, радуясь выпавшей ему возможности перевести дух. Он по-прежнему не мог глубоко вдохнуть, а гнойнички у него на лице — особенно на верхних веках, где кожа была особенно нежная, — зудели все сильнее. Он снял свои модные очки и провел рукавом по глазам — с осторожностью, чтобы не повредить кожу. Снова надев очки, он увидел, что те, кого он преследовал, отправились дальше. Тогда он собрался с силами и заставил себя пойти за ними, стараясь дышать как можно ровнее.

В нескольких кварталах от Лэнгдона и Сиены, в Зале Пятисот, агент Брюдер стоял над изувеченным телом очень хорошо знакомой ему женщины с шипами на голове. Опустившись на колени, он забрал у нее пистолет и, прежде чем отдать его одному из подчиненных, предусмотрительно вынул обойму.

Беременный администратор музея Марта Альварес стояла немного поодаль. Она только что дала Брюдеру краткий, но весьма удививший его отчет о том, что знала о действиях Роберта Лэнгдона начиная с прошлого вечера... включая одно сообщение, которое Брюдер до сих пор пытался как следует осмыслить.

Лэнгдон утверждает, что у него амнезия.

Брюдер вынул телефон и набрал номер. Его начальник снял трубку лишь после трех гудков, и слышимость была неважная.

— Агент Брюдер? Докладывайте.

Брюдер заговорил медленно и раздельно, чтобы на другом конце линии было понятно каждое его слово.

— Мы до сих пор ищем Брюдера и девушку, но тем временем произошло еще кое-что. — Брюдер выдержал паузу. — И если это правда... то все меняется.

Шеф мерил шагами кабинет, борясь с искушением налить себе еще виски. Он понимал, что для выхода из этого кризиса ему нужна трезвая голова.

Ни разу за всю свою жизнь он не предавал клиента и не нарушал соглашения, и у него не было никакой охоты делать это сейчас. В то же время он не мог не видеть, что события развиваются совсем не так, как он предполагал, а это грозило его организации серьезными неприятностями.

Год назад знаменитый генетик Бертран Зобрист явился на борт «Мендация» и попросил предоставить ему надежное убежище. Тогда шеф решил, что Зобрист планирует втайне завершить работу над своим очередным научным проектом, запатентовать результат и тем самым увеличить свое и без того огромное состояние. Консорциуму и прежде нередко доводилось иметь дело с учеными и инженерами, которые страдали паранойей и предпочитали трудиться в полной изоляции, дабы никто не похитил их ценные идеи.

Исходя из этой гипотезы шеф дал Зобристу свое согласие и нимало не удивился, когда его клиента стали искать люди из Всемирной организации здравоохранения. Не слишком встревожило его и то, что эти поиски проводились под непосредственным руководством и наблюдением самой главы ВОЗ, доктора Элизабет Сински.

Консорциуму не впервой сталкиваться с могучими противниками.

Как и было условлено, Консорциум выполнял свои обязательства перед клиентом, не задавая никаких вопросов, и любые попытки доктора Сински найти Зобриста оставались тщетными на протяжении всего срока действия договора с ученым.

Почти всего срока.

Меньше чем за неделю до решающей даты Сински каким-то образом отыскала Зобриста во Флоренции и своей травлей довела его до самоубийства. Впервые в карьере шеф не сумел защитить клиента согласно договоренности, и это мучило его... наряду со странными обстоятельствами гибели Зобриста.

Он предпочел покончить с собой... лишь бы его не схватили?

Что же он такое скрывал, черт возьми?

После смерти ученого Сински конфисковала из его банковской ячейки некий предмет, и Консорциум волей-неволей вступил с ней в отчаянную схватку во Флоренции. Оба противника не жалели усилий на то, чтобы найти...

Найти что?

Взгляд шефа непроизвольно скользнул к полке с тяжелой книгой, которую Зобрист подарил ему две недели назад, будучи уже явно не в себе.

«Божественная комедия».

Шеф снял книгу с полки и уронил на стол — она упала с тяжелым стуком. Чуть дрожащими пальцами он открыл ее на первой странице и снова прочел дарственную надпись:

Дорогой друг! Спасибо, что помогли мне найти правильный путь. Мир тоже вам благодарен.

Прежде всего, подумал шеф, *мы с тобой никогда не были друзьями.*

Он перечитал надпись еще трижды. Затем его глаза обратились к ярко-красному кружку, которым его клиент обвел на календаре завтрашнее число.

Мир вам благодарен?

Он повернулся и долгим взглядом посмотрел на горизонт.

В тишине он думал об оставленном Зобристом видеофайле и вновь слышал голос координатора Ноултона, недавно звонившего ему по телефону. *Я подумал, что вы, возможно, захотите просмотреть его перед отправкой... содержание этой записи весьма необычно.*

Этот звонок сильно озадачил шефа. Ноултон был одним из его лучших координаторов, и он никак не ожидал услышать от него такое. Кто-кто, а уж Ноултон-то прекрасно знал, чем может быть чревато подобное нарушение протокола.

Поставив «Божественную комедию» обратно на полку, шеф подошел к бутылке и плеснул себе немного виски.

Ему предстояло принять очень трудное решение.

Глава 52

ьеза-ди-Санта-Маргерита-деи-Черки, она же так называемая церковь Данте, больше похожа на часовню, чем на церковь. Поклонники Данте почитают этот небольшой храм как священное место, где произошли два поворотных события в жизни великого поэта.

Согласно преданию, именно в этой церкви Данте — ему тогда было девять — впервые увидел Беатриче Портинари, которую он полюбил с первого взгляда и к которой его неодолимо влекло всю жизнь. Но эта любовь принесла ему одни страдания, ибо Беатриче вышла замуж за другого, а затем умерла молодой, всего в двадцать четыре года.

Несколько лет спустя в этой же церкви Данте обвенчался с девушкой по имени Джемма Донати. Если верить замечательному писателю и поэту Боккаччо, это оказалось для него неудачным выбором. Хотя у супругов были дети, они не питали друг к другу особенно нежных чувств, и после изгнания Данте ни муж, ни жена не проявляли никакого желания воссоединиться.

Любовью всей жизни для Данте всегда оставалась скончавшаяся Беатриче Портинари. Хотя он едва ее знал, память о ней оказалась настолько яркой, что вдохновила поэта на создание величайших произведений.

Знаменитая книга Данте «Новая жизнь» изобилует стихами, превозносящими «блаженную Беатриче». Еще красноречивее то, что в «Божественной комедии» Беатриче выступает ни много ни мало спасительницей и провожатой Данте в раю. В обеих книгах Данте обильно изливает тоску по своей недосягаемой возлюбленной.

Сегодня церковь Данте стала прибежищем тех, кто страдает от безответной любви. В этой церкви похоронена сама Беатриче, и к ее простой гробнице стекаются как поклонники Данте, так и невезучие влюбленные с разбитым сердцем.

Направляясь к этой церкви, Лэнгдон и Сиена сворачивали на все более узкие улочки старой Флоренции, которые под конец и вовсе стали напоминать что-то вроде пешеходных дорожек. Когда в этом лабиринте появлялся автомобиль — а такое изредка случалось, — люди прижимались к стенам домов, чтобы его пропустить.

— Церковь вон за тем углом, — сообщил Лэнгдон своей спутнице. Он надеялся, что кто-нибудь из туристов им поможет. После того как Сиена забрала у него свой парик, взамен вернув ему пиджак, они восстановили свой привычный облик, превратившись из рокера и скинхеда в университетского профессора и привлекательную молодую женщину, в связи с чем их шансы найти доброго самаритянина определенно повысились.

Снова сделавшись самим собой, Лэнгдон почувствовал большое облегчение.

Повернув на совсем уж тесную улицу Престо, Лэнгдон стал внимательнее смотреть по сторонам. Маленькая и невзрачная, Кьеза-ди-Санта-Маргерита-деи-Черки была к тому же зажата между двумя зданиями побольше, поэтому вход в нее не бросался в глаза. Чтобы не пройти мимо, лучше всего было полагаться не на зрение... а на слух. Эта странная особенность церкви Данте объяснялась тем, что в ней часто устраивались концерты, а по свободным от них дням служители включали записи предыдущих выступлений, дабы их гости могли наслаждаться музыкой в любое время.

И правда, сразу за поворотом до ушей Лэнгдона начали доноситься обрывки записанной музыки — они становились все громче, и вскоре Лэнгдон с Сиеной уже стояли перед неприметным входом. Единственным признаком того, что они пришли по адресу, была крошечная табличка — полная противоположность ярко-красному стягу у Дома-музея Данте, — гласящая, что это и есть церковь Данте и Беатриче.

Когда Лэнгдон и Сиена ступили в полумрак под церковными сводами, воздух стал ощутимо прохладнее, а музыка — громче. Интерьер святилища был скудным и простым... даже проще, чем помнилось Лэнгдону. Туристов в это утро было немного — они бродили по залу, писали в блокнотах, тихо сидели на скамьях, слушая музыку, или разглядывали экспонаты из художественной коллекции.

Если не считать алтарного образа Мадонны кисти Нери ди Биччи, почти все изначально украшавшие церковь произведения искусства уступили место современным, представляющим две знаменитости — Данте и Беатриче, — ради которых сюда и стремилось большинство посетителей. На многих картинах был изображен Данте, с обожанием взирающий на Беатриче во время их знаменитой первой встречи — той самой, когда он, по его собственному признанию, беззаветно в нее влюбился. По своему художественному достоинству картины сильно отличались друг от друга — на вкус Лэнгдона, многие из них грешили неуместной слащавостью, да и мастерство их создателей оставляло желать лучшего. На одном из этих горе-шедевров неизменная красная шапочка Данте с наушниками выглядела так, будто он украл ее у Санта-Клауса. Тем не менее их сквозная тема — тоскующий взор поэта, прикованный к его музе Беатриче, — сразу давала понять, что это церковь несчастной любви — любви неразделенной, неутоленной и неутолимой.

Переступив порог, Лэнгдон машинально повернулся влево, к скромной гробнице Беатриче Портинари. Именно туда в первую очередь направляли стопы посетители церкви Данте, хотя интересовала их не столько сама могила, сколько знаменитый предмет около нее.

Плетеная корзина.

Нынче утром эта плетеная корзина тоже занимала свое обычное место рядом с гробницей. Как всегда, она была доверху набита сложенными листочками бумаги — письмами, которые посетители написали от руки и адресовали самой Беатриче.

Беатриче Портинари превратилась в своего рода святую покровительницу влюбленных, родившихся под несчастливой звездой. По давней традиции они писали и клали в корзину обращенные к Беатриче письма, надеясь, что она как-нибудь за них порадеет — или сделает так, чтобы их полюбили в ответ, или поможет им найти истинную любовь, а может быть, даже даст силы на то, чтобы забыть умершую возлюбленную или возлюбленного.

Много лет назад, перед тем как засесть за кропотливую работу над новой книгой по истории искусств, Лэнгдон тоже заглянул в эту церковь и положил в корзину записочку, попросив музу Данте одарить его не настоящей любовью, а толикой того вдохновения, которое помогло великому флорентийцу создать столь внушительную поэму. Втайне он верил, что Беатриче и впрямь снизошла к его мольбе, ибо по возвращении домой ему удалось написать свою книгу с необыкновенной легкостью.

— Scusate! — послышался вдруг громкий возглас Сиены. — Potete ascoltarmi tutti!

Извините! Минутку внимания!

Оглянувшись, Лэнгдон увидел, что Сиена обращается к рассеянным по залу туристам. Все они повернулись к ней с немного встревоженным видом.

Мило улыбнувшись, Сиена спросила по-итальянски, нет ли у кого-нибудь с собой «Божественной комедии». Получив в ответ лишь несколько удивленных взглядов и отрицательных покачиваний головой, она повторила свой вопрос на английском, но и это не возымело успеха.

Пожилая женщина, подметающая алтарь, шикнула на Сиену и приложила палец к губам, требуя тишины.

Сиена повернулась к Лэнгдону и нахмурилась, словно говоря: «И что дальше?»

Вообще-то Лэнгдон собирался реализовать свой план несколько иначе, не прибегая к столь громогласным объявлениям, но в смысле результата он, безусловно, рассчитывал на большее. Во время прежних посещений церкви ему не раз попадались туристы с великой поэмой в руках — они перечитывали ее здесь, наслаждаясь полным погружением в мир Данте.

Не повезло.

Внимание Лэнгдона привлекла пожилая пара, сидящая поблизости от алтаря. Мужчина склонил лысую голову, уткнувшись подбородком в грудь, — его явно одолела дремота. Его супруга, напротив, выглядела вполне бодрой; из-под ее седых волос свисали белые проводки наушников.

А вот и проблеск надежды, подумал Лэнгдон и двинулся по проходу. Поравнявшись с пожилой парой, он увидел, что надеялся не напрасно: наушники дамы были подключены к айфону, лежащему у нее на коленях. Заметив, что на нее смотрят, она подняла глаза и вынула из ушей наушники.

Лэнгдон не знал, на каком языке говорит эта дама, но повсеместное распространение айфонов, айпадов и айподов породило жаргон не менее универсальный, чем стилизованные фигурки на дверях туалетов по всему миру.

— Айфон? — спросил он, вложив в свой голос побольше восхищения.

Лицо пожилой дамы просветлело, и она гордо кивнула.

— Такая умная игрушка, — тихо ответила она с британским акцентом. — Сын подарил. Я слушаю свои электронные письма. Представляете — *слушаю* письма! Эта чудо-машинка читает мне вслух. А при моих слабых глазах это большое подспорье!

— У меня тоже такой есть, — с улыбкой сказал Лэнгдон и присел рядом, стараясь не разбудить ее спящего мужа. — Но вчера вечером я умудрился его потерять.

— Ох, какая беда! А вы пробовали услугу «найди мой айфон»? Сын говорит, что...

— К сожалению, я ее так и не подключил. Очень глупо с моей стороны. — Лэнгдон робко покосился на нее и нерешительно, с запинкой проговорил: — Ради Бога, извините меня за нахальство, но не могли бы вы позволить мне на минутку воспользоваться вашим? Я хотел посмотреть кое-что в Сети. Вы бы мне этим очень помогли!

— Конечно! — Она отключила наушники и сунула устройство ему в руки. — Пожалуйста! Я так вам сочувствую!

Лэнгдон поблагодарил ее и взял айфон. Под ее причитания о том, как это ужасно — потерять такой замечательный прибор, он открыл поисковое окошко в «Гугле» и активировал голосовые команды. Услышав сигнал, Лэнгдон медленно и внятно произнес слова, по которым следовало произвести поиск:

— Данте, «Божественная комедия», «Рай», песнь Двадцать пятая.

Дама изумленно поглядела на него — похоже, это свойство айфона открылось ей впервые. Когда на крошечном экране стали появляться результаты поиска, Лэнгдон украдкой кинул взгляд на Сиену. Она листала брошюрки, лежащие рядом с корзиной писем для Беатриче.

Недалеко от Сиены, в тени, стоял на коленях какой-то человек в галстуке. Низко склонив голову, он усердно молился. Лэнгдон не видел его лица, но в душе пожалел этого одинокого беднягу, который, наверное, потерял свою любимую и пришел сюда за утешением.

Затем Лэнгдон снова переключился на айфон и через несколько секунд отыскал ссылку на полный текст «Божественной комедии» — он находился в открытом доступе, и дополнительной платы за чтение не требовалось. Открыв нужную страницу, он в очередной раз невольно восхитился достижениями современной техники. *Пора мне отучаться от своего снобизма по отношению к электронным книжкам,* напомнил он себе. *У них определенно есть свои плюсы.*

Поскольку пожилая дама пристально следила за ним, начиная проявлять озабоченность и ронять намеки насчет высоких цен на пользование Интернетом за границей, Лэнгдон понял, что много времени ему не отпустят, и целиком сосредоточился на открывшейся веб-странице.

Шрифт был мелким, но на светящемся экране его вполне можно было разобрать даже в полумраке часовни. Лэнгдон с удовольствием отметил, что ему сразу попалось популярное современное переложение великой поэмы — перевод покойного американского профессора Аллена Мандельбаума. За свою блестящую работу Мандельбаум получил от президента Италии высшую награду страны — орден Звезды итальянской солидарности. С чисто поэтической точки зрения мандельбаумовский перевод, возможно, и уступал переводу Лонгфелло, зато был гораздо более понятным.

Сегодня ясность для меня важнее красоты, подумал Лэнгдон, рассчитывая быстро отыскать в тексте упоминание о конкретном месте во Флоренции и таким образом выяснить, где Иньяцио спрятал посмертную маску Данте.

На крохотном экране айфона умещалось только шесть строк текста зараз, и, едва принявшись за чтение, Лэнгдон вспомнил, о чем идет речь в этом отрывке. В начале Двадцать пятой песни Данте говорит о самой «Божественной комедии» — о том, как физически тяжело ему было ее писать, и о своей сокровенной надежде на то, что эта поэма поможет ему когда-нибудь вновь вернуться в дорогую его сердцу Флоренцию, откуда он был изгнан с такой волчьей жестокостью.

ПЕСНЬ XXV

Коль в некий день поэмою священной,
Отмеченной и небом, и землей,
Так что я долго чах, в трудах согбенный,

Смирится гнев, пресекший доступ мой
К родной овчарне, где я спал ребенком,
Немил волкам, смутившим в ней покой...

Хотя в этих строках поэт и говорил о прекрасной Флоренции как о родине, по которой он тоскует, работая над «Божественной комедией», Лэнгдон не видел в них упоминания о каком бы то ни было конкретном месте в этом городе.

— А вы знаете, сколько стоит трафик? — вмешалась в его размышления пожилая дама, глядя на свой айфон с неподдельным волнением. — Я вспомнила: сын предупреждал меня, чтобы за границей я поменьше бродила по Интернету.

Лэнгдон уверил ее, что скоро закончит, и предложил возместить затраты, но ему все равно было ясно, что она не позволит ему прочесть всю Двадцать пятую песнь целиком.

Он быстро вывел на экран следующие шесть строк и продолжал читать.

В ином руне, в ином величьи звонком
Вернусь, поэт, и осенюсь венцом
Там, где крещенье принимал ребенком;

Затем что в веру, души пред Творцом
Являющую, там я облачился
И за нее благословлен Петром.

Лэнгдон смутно помнил и этот пассаж — тонкий намек на политическую сделку, предложенную Данте его врагами. Согласно историческим сведениям, «волки», изгнавшие Данте из Флоренции, сообщили ему, что он может вернуться в город только в том случае, если согласится на публичное унижение — встать в одиночку перед всей паствой у купели, где он крестился, одетым лишь в рубище в знак признания своей вины.

В пассаже, который сейчас прочел Лэнгдон, Данте отклонял эту сделку, заявляя, что если он когда-нибудь и вернется к своей крестильной купели, то не в рубище виновного, а в лавровом венце, как и подобает поэту.

Лэнгдон уже хотел было перейти к следующим строкам, но дама внезапно протянула руку за своим айфоном, по-видимому, пожалев о проявленном минуту назад добросердечии.

Лэнгдон даже не услышал ее протестов — за мгновение до того, как его палец коснулся экрана, глаза вернулись к уже прочтенным строкам и пробежали по ним еще раз.

Вернусь, поэт, и осенюсь венцом
Там, где крещенье принимал ребенком.

Лэнгдон замер, не сводя взгляда с этих слов. Стремясь поскорее найти упоминание о конкретном месте во Флоренции, он чуть не пропустил совершенно ясное указание в самом начале песни.

Там, где крещенье принимал...

Этот город мог похвастаться одной из самых знаменитых крестильных купелей в мире — вот уже семьсот с лишним лет в ней омывали и крестили юных флорентийцев. В их числе был и Данте.

В памяти Лэнгдона немедленно возник образ дома, в котором находилась купель. Это было внушительное восьмиугольное здание, во многих отношениях обладавшее даже более высоким священным статусом, нежели сам Дуомо. Теперь Лэнгдон был почти убежден в том, что раскрыл секрет.

Значит, на это место и намекал Иньяцио?

В сознании Лэнгдона словно блеснул золотой луч, высветив прекрасную картину — внушительные бронзовые двери, сверкающие на утреннем солнце.

Я понял, что Иньяцио хотел мне сказать!

Его последние сомнения испарились буквально через секунду, когда он вспомнил, что Иньяцио Бузони был одним из немногих флорентийцев, имеющих право отпирать эти двери.

Роберт, ворота открыты для тебя, но ты поторопись.

Лэнгдон отдал айфон обратно пожилой даме и поблагодарил ее от всего сердца.

Быстро подойдя к Сиене, он взволнованно зашептал ей:

— Я знаю, о каких воротах говорил Иньяцио! Он имел в виду *«Райские врата»*!

Сиена поглядела на него с изумлением.

— «Райские врата»? А разве они не на небесах?

— Вообще-то, — с кривой ухмылкой сказал Лэнгдон, направляясь к выходу, — если знаешь, куда смотреть, Флоренция ничем не хуже небес.

Глава 53

ернусь, поэт, и осенюсь венцом... Там, где крещенье принимал ребенком...

Слова Данте все время звучали в голове у Лэнгдона, пока он вел Сиену по узкому проулку, который назывался улицей Студио. Цель их находилась где-то впереди, и с каждым шагом он ощущал все большую уверенность, что они движутся правильным курсом и оторвались от преследователей.

Ворота открыты для тебя, но ты поторопись.

Еще перед концом проулка, похожего на ущелье, Лэнгдон услышал глухой гомон толпы. Вдруг ущелье распахнулось, и открылась просторная площадь.

Соборная площадь.

Огромная, окруженная сложной цепью строений, она была старинным религиозным центром Флоренции. Теперь это был скорее туристский центр: перед знаменитым собором толпились приезжие, стояли туристические автобусы.

Лэнгдон и Сиена вышли на южную сторону площади к боковой стороне собора, облицованного зеленым, розовым и белым мрамором. Размеры здания поражали так же, как мастерство его создателей, его протяженность казалась невероятной: в длину собор, наверное, был бы равен мемориалу Вашингтона, если его положить на землю.

Хотя строители отказались от традиционной резьбы по одноцветному камню и пышно расцветили стены, здание было чисто готическое — основательное, устойчивое, прочное. При первом посещении Флоренции архитектура показалась Лэнгдону почти безвкусной в своей увесистости, но в последующие приезды он часами разглядывал собор, зачарованный его необычной эстетикой, и в конце концов вполне оценил его эффектную красоту.

Дуомо — или, более официально, собор Санта-Мария-дель-Фьоре, подаривший прозвище Иньяцио Бузони, много веков был не только духовной сердцевиной города, но и свидетелем драм и интриг. В беспокойном прошлом собора были и долгие яростные дебаты о не понравившейся многим фреске Вазари «Страшный суд» на куполе, и трудные споры в годы конкурса на постройку самого купола.

В конце концов выгодный контракт достался Филиппо Брунеллески, который и построил купол, самый большой по тем временам, — и теперь архитектор в виде статуи сидит перед Палаццо-деи-Каноничи и с удовлетворением смотрит на свой шедевр.

Сегодня утром, глядя на красночерепичный купол, выдающееся строительное достижение своей эпохи, Лэнгдон вспомнил, как по легкомыслию решил подняться на него и на узкой, запруженной туристами лестнице пережил такой приступ клаустрофобии, каких мало случалось у него в жизни. Тем не менее он не сожалел об этом испытании — оно подвигло его прочесть увлекательную книгу Росса Кинга «Купол Брунеллески».

— Роберт? — сказала Сиена. — Вы идете?

Лэнгдон опустил взгляд и только тут сообразил, что стоит на месте, залюбовавшись архитектурой.

— Извините.

Они двинулись дальше, стараясь держаться ближе к домам. Сейчас собор был справа от них, и Лэнгдон заметил, что туристы уже выходят из боковых дверей, вычеркивая собор из списка достопримечательностей, которые необходимо увидеть.

Впереди возвышалась колокольня, второе здание из трех в соборном комплексе. Называлась она колокольней Джотто, и при взгляде на нее не оставалось сомнений, что она составляет с собором одно целое. Тоже облицованная белым и цветным мрамором, квадратная в плане, она вздымалась на головокружительную высоту — без малого сто метров. Лэнгдона всегда изумляло, что такое изящное строение простояло столько веков, выдержав и землетрясения, и непогоды, да еще с такой ношей наверху: колокола ее весили почти десять тонн.

Сиена шагала рядом с ним, нервно обшаривая глазами небо за колокольней, но беспилотник не появлялся. Несмотря на ранний час, толпа туристов была довольно плотной, и Лэнгдон старался держаться в самой гуще народа.

Подходя к колокольне, они миновали цепочку уличных художников, рисовавших грубые шаржи на туристов — подростка на гремучем скейтборде, девушку с лошадиными зубами, замахнувшуюся клюшкой для лакросса, молодоженов, целующихся на единороге. Лэнгдону показалось забавным, что этой деятельностью разрешают заниматься на тех же священных камнях, где ставил свой этюдник юный Микеланджело.

Быстро обойдя колокольню, Лэнгдон и Сиена повернули направо, через площадь перед главным входом собора. Тут народу было больше всего, туристы со всего света направляли объективы мобильников и видеокамеры вверх, на красочный главный фасад собора. Лэнгдон лишь мельком глянул наверх — его занимало другое здание, только что показавшееся. Оно стояло напротив главного входа в собор — третье строение соборного комплекса.

И самое любимое у Лэнгдона.

Баптистерий Сан-Джованни.

Так же облицованный белым и зеленым камнем, с такими же полосатыми пилястрами, как у собора, он отличается от двух других строений удивительной формой — правильного восьмигранника. Некоторые говорят, что он похож на слоеный торт: в нем четко просматриваются три яруса, и венчает его пологая белая крыша.

Лэнгдон знал, что восьмиугольная форма продиктована не эстетикой, а несет в себе христианскую символику. В христианстве число восемь символизирует второе рождение. Восьмигранник был зрительным напоминанием о шести днях творения, седьмом — когда Бог отдыхал, и дне восьмом, когда христиане рождались или «сотворялись» заново через крещение. Восьмиугольник стал обычной формой крещелен во всем мире.

Лэнгдон считал баптистерий одним из самых замечательных зданий во Флоренции, но сожалел, что место для него выбрано не совсем справедливо. Этот баптистерий в любом другом городе был бы в центре внимания. А здесь, в тени двух громадных родственников, он выглядел младшим, последышем в семье.

Пока не войдешь туда, напомнил себе Лэнгдон, мысленно увидев потрясающую мозаику интерьера, — ценители в древности говорили, что мозаика похожа на сам рай. *Если знаешь, куда смотреть*, с усмешкой сказал он Сиене, *Флоренция ничем не хуже небес.*

Веками в этом восьмигранном святилище крестили детей, становившихся потом достойными гражданами — Данте в том числе.

Вернусь... там, где крещенье принимал ребенком.

Данте был изгнан, и вернуться к этому священному месту ему не позволили, но в Лэнгдоне крепла надежда, что после невероятных событий прошлой ночи посмертная маска поэта вернулась туда вместо него.

Баптистерий, думал Лэнгдон. *Должно быть, там спрятал Иньяцио маску перед тем, как умер.* Он вспомнил отчаянный телефонный звонок Иньяцио и с холодком в спине представил себе, как толстый человек, хватаясь за грудь, ковыляет по площади к проулку и последним в своей жизни звонком сообщает, что спрятал маску в баптистерии.

Ворота открыты для тебя.

Все время, пока они пробирались в густой толпе, Лэнгдон не сводил глаз с баптистерия. Сиена двигалась так стремительно, что ему приходилось поспевать за ней чуть ли не рысью. Еще издали он увидел блестевшие на солнце массивные главные двери баптистерия.

Пятиметровой высоты, из позолоченной бронзы, они потребовали у Лоренцо Гиберти двадцати с лишним лет работы. В десять сложных барельефов на библейские сюжеты вложено столько мастерства, что Джорджо Вазари счел их «несомненно совершенными во всех отношениях... превосходнейшим творением, когда-либо созданным».

А прозвище, сохранившееся до сего дня, они получили от восторженной похвалы Микеланджело. Он объявил их настолько прекрасными, что они могли бы служить... вратами Рая.

Глава 54

Библия в бронзе, подумал Лэнгдон, любуясь великолепными дверями.

«Райские врата» Гиберти состоят из десяти квадратных панелей, расположенных вертикально, по пять в створке. На них изображены сцены из Ветхого Завета от Адама и Евы до Моисея и царя Соломона.

Веками об этом поразительном произведении шли споры среди художников и историков искусства, от Боттичелли до современных критиков: какая из панелей прекраснее? Победительницей, по мнению большинства, стала средняя панель в левой створке — Иаков и Исав, и предпочли ее, как объяснялось, из-за разнообразия использованных художественных приемов. Правда, Лэнгдон подозревал, что причиной была подпись Гиберти, которую он оставил именно на ней.

Несколько лет назад, с гордостью показывая Лэнгдону эти двери, Иньяцио Бузони виновато признался, что после пятивекового противостояния паводкам, новым вандалам, загрязненному воздуху позолоченные двери были потихоньку заменены точными копиями и теперь ожидают реставрации в Музее оперы-дель-Дуомо. Лэнгдон из вежливости не сказал, что ему это известно и на самом деле они любуются фальшивкой — притом не первой на его памяти. Первая ему встретилась случайно, когда он обследовал лабиринты собора Милости Господней в Сан-Франциско и узнал, что копии дверей Гиберти служат фасадными входами в соборе с середины двадцатого века.

Взгляд его перешел от двери к объявлению, прикрепленному рядом, и ему бросилась в глаза простая фраза на итальянском: «La peste nera». «Черная Смерть». *Господи*, подумал Лэнгдон, *она повсюду, куда ни повернусь!* Из текста следовало, что двери были заказаны «по обету» как приношение Богу — в благодарность за то, что Флоренция смогла пережить чуму.

Он снова посмотрел на «Райские врата», и снова зазвучали в голове слова Иньяцио. *Ворота открыты для тебя, но ты поторопись.*

Несмотря на обещание Иньяцио, «Райские врата» были закрыты, как во все дни, кроме религиозных праздников. Туристы обычно входили с другой стороны, через северную дверь.

Сиена стояла рядом на цыпочках, пытаясь разглядеть дверь поверх чужих голов.

— На дверях нет ручки, — сказала она. — Нет и замочной скважины. Ничего нет.

Правильно, подумал Лэнгдон. Гиберти не стал бы портить свой шедевр такой банальной вещью, как дверная ручка.

— Двери открываются внутрь. Их запирают изнутри.

Сиена на секунду задумалась, поджав губы.

— Тогда отсюда... нельзя понять, заперта дверь или нет.

Лэнгдон кивнул:

— Надеюсь, именно на это Иньяцио и рассчитывал.

Он сделал несколько шагов в сторону и взглянул на северную стену, с гораздо менее нарядной дверью — входом для туристов. Там скучающий смотритель жестом отсылал интересующихся туристов к объявлению: APERTURA 13.00 — 17.00*.

Лэнгдон был доволен. *Не откроют еще несколько часов. И внутри никого пока не было.*

Инстинктивно он хотел взглянуть на свои часы и опять вспомнил, что Микки-Мауса больше нет.

Когда он вернулся к Сиене, около нее уже стояла группа туристов — они фотографировали дверь из-за простой железной калитки, установленной в одном-двух шагах от двери, чтобы люди не подходили слишком близко к произведению Гиберти.

Калитка была из кованого железа с остриями в золотой краске и походила на обыкновенную ограду вокруг загородных домов. Объяснительный текст о «Райских вратах» был прикреплен не рядом с дверью, а к этой калитке.

---

* Открыто с 13.00 до 17.00 (*ит.*).

Лэнгдон слышал, что иногда это вводило в заблуждение туристов — вот и теперь коренастая женщина в спортивном костюме от «Джуси кутюр» протолкалась сквозь толпу, взглянула на текст, потом на железную калитку и фыркнула:

— «Райские врата»! Это надо же, совсем как забор у меня на ферме. — И затопала прочь, не дожидаясь объяснений.

Сиена взялась за ограду и с праздным видом заглянула за прутья — где там замок?

— Слушайте, — она повернулась к Лэнгдону, изумленно раскрыв глаза, — там висячий замок... и не заперт.

Лэнгдон посмотрел между прутьями — в самом деле. Замок висел так, как будто был заперт, но если вглядеться, видно было, что он открыт.

Ворота открыты для тебя, но ты поторопись.

Лэнгдон поднял глаза на «Райские врата». Если Иньяцио в самом деле отпер громадную дверь, то достаточно будет толкнуть ее. Трудность состояла в том, как войти незаметно для всей этой публики, не говоря уже об охранниках собора.

— Смотрите! — вдруг закричала где-то рядом женщина. — Он сейчас бросится! — В голосе ее был ужас. — На колокольне!

Лэнгдон обернулся и увидел, что это кричит... Сиена. Она стояла в десятке шагов от него, показывала на колокольню Джотто и кричала:

— На самом верху! Он сейчас бросится.

Мгновенно все глаза обратились к небу, к вершине колокольни. Стоявшие рядом щурились, показывали пальцами, обращались друг к другу.

— Кто-то хочет броситься?

— Где?

— Не вижу его.

— Вон там, слева?

За каких-нибудь несколько секунд всю площадь охватило волнение; по примеру соседей люди устремляли глаза на колокольню. Страх пронесся по толпе со скоростью степного пожара, и вскоре уже все в толпе задрали головы, смотрели вверх и на что-то показывали руками.

Цепная реакция, подумал Лэнгдон, понимая, что в распоряжении у него всего несколько секунд. Как только Сиена оказалась рядом, он схватился за прутья, распахнул калитку, и они вошли в узкое пространство между ней и дверью. Лэнгдон закрыл за собой калитку, и они повернулись к пятиметровой бронзовой двери. Надеясь, что понял слова Иньяцио правильно, он навалился на створку плечом.

Сначала безрезультатно. Потом с мучительной неохотой громоздкая створка стала поддаваться. *Ворота открыты*! Створка отодвинулась меньше чем на полметра, и Сиена, не теряя времени, боком скользнула внутрь. Лэнгдон медленно протиснулся за ней в темное помещение.

Вдвоем они налегли на тяжелую дверь изнутри, и она закрылась с глухим стуком. Шум с площади как отрезало; наступила тишина. Сиена показала на длинный деревянный брус, которым, очевидно, запирали дверь, закладывая в скобы по бокам от нее.

— Это, должно быть, Иньяцио вынул его для вас.

Соединенными усилиями они подняли его и заложили в скобы, накрепко заперев «Райские врата» — и себя — в баптистерии.

С минуту они постояли молча, прислонясь к двери, чтобы перевести дух. После шума и толчеи на площади здесь и вправду было покойно, как в раю.

А снаружи человек в галстуке с «огурцами» и модных очках шел сквозь толпу к баптистерию, игнорируя косые взгляды тех, кто замечал красную сыпь у него на лице.

Он подошел к ограде, за которой исчез Роберт Лэнгдон со светловолосой спутницей, и услышал глухой стук двери, запираемой изнутри.

Нет входа.

Постепенно волнение на площади улеглось. Туристы, с тревогой смотревшие на колокольню, потеряли к ней интерес. *Никого там нет*. Площадь пришла в движение.

Человек опять почувствовал зуд; сыпь донимала все сильнее. Теперь еще и пальцы распухли, кожа на них трескалась. Он засунул руки в карманы, чтобы не чесаться, и пошел вокруг здания к другому входу. В груди не прекращалась странная пульсация.

Едва свернув за угол, он ощутил острую боль в кадыке и поймал себя на том, что опять чешется.

Глава 55

сть легенда, что, войдя в баптистерий Сан-Джованни, физически невозможно не поднять глаза к потолку. Лэнгдон бывал здесь много раз, но вновь ощутил мистическую тягу пространства и посмотрел вверх.

Высоко-высоко над головой восьмигранный купол простирался, от края до края, на двадцать пять метров. Он поблескивал и мерцал, будто сложен был из тлеющих углей. Его янтарно-золотистая поверхность неровно отражала падающий свет; больше миллиона пластинок смальты, вырезанных вручную из цветного стекла, располагались шестью концентрическими кругами с изображениями библейских сцен.

Светоносный эффект сообщало верхней части зала круглое окно в вершине купола, примерно как в римском Пантеоне, и кольцо маленьких утопленных в камне окон наверху, откуда били узкие снопы света, казавшиеся почти материальными, как потолочные балки, перекрещивающиеся под разными углами.

Подойдя с Сиеной ближе к середине, Лэнгдон окинул взглядом легендарную мозаику — многоярусное изображение рая и ада, очень схожее с тем, что описано в «Божественной комедии».

Данте Алигьери видел это ребенком, подумал Лэнгдон. *Буквально — вдохновение свыше.*

Он остановил взгляд на смысловом центре мозаики. Прямо над главным алтарем восседал Иисус Христос и вершил суд над праведниками и обреченными.

По правую руку от него праведники вознаграждались вечной жизнью.

По левую — грешников жарили, побивали камнями и пожирали разнообразные твари.

За мучениями надзирал колоссальный Сатана, изображенный в виде зверя-людоеда. Лэнгдон всегда ежился при виде этого чудища, которое семь веков назад смотрело на юного Данте Алигьери, приводя его в ужас, и в конце концов вдохновило на яркое описание того, что происходит в последнем круге ада.

Страшная мозаика над головой изображала рогатого Дьявола, поедающего человека с головы. Ноги несчастного свисают из пасти чудища наподобие торчащих ног полупогребенных грешников в Дантовых Злых Щелях.

Lo'mperador del doloroso regno, продекламировал про себя Лэнгдон. *Мучительной державы властелин.*

Из ушей Сатаны вылезали две толстые змеи, тоже пожирающие грешников, так что могло показаться, будто у Сатаны три головы, в точности как описал его Данте в последней песни «Ада». Лэнгдон напряг память и вспомнил этот образ.

Когда увидел три лица на нем... и стекала из трех пастей кровавая слюна. Они все три терзали, как трепала, по грешнику...

Лэнгдон знал, что троичность сатанинского зла имеет символическое значение: она симметрична славе Троицы.

Глядя на жуткое чудище, Лэнгдон пытался представить себе, как действовала эта мозаика на молодого Данте, много лет ходившего сюда на службы и молившегося под взглядом Сатаны. Сегодня, однако, у него было неприятное чувство, что Дьявол смотрит прямо на него.

Он поспешно перевел взгляд на балкон и галерею второго этажа — единственное место, откуда разрешалось женщинам наблюдать крещение, — а потом ниже, на гробницу антипапы Иоанна XXIII: бронзовую фигуру под балдахином, возлежащую на высоте вдоль стены, что приводило на ум фокусника, демонстрирующего левитацию, или пещерного жителя.

И наконец он остановил глаза на нарядной мозаике пола, по мнению многих, отразившей каким-то образом средневековые сведения по астрономии. Взгляд его пробежал по замысловатому черно-белому орнаменту и замер на середине пола.

Вот это место. Лэнгдон знал, что именно там крестили Данте во второй половине тринадцатого века.

— «Вернусь, поэт, и осенюсь венцом... Там, где крещенье принимал ребенком», — вслух произнес он, и пустое пространство откликнулось гулким эхом. — Здесь она.

Сиена встревоженно посмотрела на центр пола, куда показывал Лэнгдон.

— Но... здесь ничего нет.

— Теперь нет, — подтвердил Лэнгдон.

Остался только восьмиугольник красно-коричневой плитки. Это одноцветное пятно на узорчатом полу выглядело как заплата — каковой оно на самом деле и было.

Лэнгдон быстро объяснил, что первоначально купелью в баптистерии был восьмиугольный бассейн в центре помещения. Современные купели подняты над полом, а в прежнее время были родственны источнику или другому водоему — в данном случае это был глубокий бассейн, и ребенка можно было погрузить в него основательно. Лэнгдон представил себе, какой крик здесь стоял, когда испуганного ребенка опускали в яму с ледяной водой.

— Крещение было холодным и пугающим, — сказал он. — Настоящий обряд посвящения. Опасный даже. Данте якобы однажды прыгнул в купель, чтобы спасти тонущего ребенка. Короче говоря, в шестнадцатом веке первоначальную купель уничтожили.

Сиена с беспокойством оглядывала баптистерий.

— Но купели, где его крестили, больше нет. Где же Иньяцио спрятал маску?

Лэнгдон понимал ее растерянность. Здесь было сколько угодно укромных мест — за колоннами, статуями, надгробиями, в нишах, в алтаре, даже наверху.

Тем не менее он вполне уверенно повернулся к двери, через которую они только что вошли.

— Мы начнем оттуда. — Он показал на стену справа от «Райских врат».

Там на возвышении за декоративной оградой стоял высокий шестигранный постамент из резного мрамора, напоминавший маленький алтарь или пюпитр. Резьба была настолько тонкая, что он был похож на перламутровую камею. На мраморном основании лежала полированная деревянная доска диаметром около метра.

Сиена нерешительно пошла туда за Лэнгдоном. Когда они поднялись по ступенькам и прошли за ограду, она присмотрелась к сооружению и беззвучно охнула, поняв, что́ перед ней.

Лэнгдон улыбнулся. *Совершенно верно, не алтарь и не кафедра*. Полированная доска была крышкой полого сооружения.

— Купель? — сказала Сиена.

Лэнгдон кивнул.

— Если бы Данте крестился сегодня, то именно здесь. — Лэнгдон глубоко вздохнул и, внутренне дрожа от нетерпения, положил ладони на дерево.

Он крепко ухватился за края крышки, сдвинул ее в сторону, осторожно стащил с мраморной опоры, опустил на пол и заглянул в темноту неширокого колодца.

От жути и неожиданности у него захватило дух.

Из темноты на него смотрело мертвое лицо Данте Алигьери.

Глава 56

щите, и найдете.

Лэнгдон стоял перед купелью и смотрел сверху на посмертную маску, и светло-желтое лицо отвечало ему взглядом невидящих глаз. Горбатый нос и торчащий подбородок делали его мгновенно узнаваемым.

Данте Алигьери.

Созерцать безжизненное лицо тоже было не слишком приятно, но в его положении было вообще что-то противоестественное. Лэнгдон не сразу понял, в чем дело.

Маска... что, плавает?

Он наклонился и посмотрел внимательнее. Купель была глубиной значительно больше метра — скорее колодец, чем мелкий бассейн. Его вертикальные стены спускались в шестиугольную емкость, заполненную водой. Но странно, маска как будто парила посередине колодца — держалась над поверхностью воды вопреки законам природы.

Лэнгдон не сразу понял, чем вызвана эта иллюзия. В центре купели был столбик, доходивший до середины ее высоты, и на нем, над самой поверхностью воды, — что-то вроде маленького металлического блюда. Это выглядело как декоративная имитация фонтана, а на тарелку, вероятно, клали младенца при крещении. Но сейчас на этом пьедестале, над водой, лежала маска Данте.

Лэнгдон и Сиена стояли, не говоря ни слова, и смотрели на угловатое лицо Данте Алигьери, запечатленное в прозрачный полиэтиленовый пакет с застежкой, словно поэта таким образом задушили. При виде этого лица, смотревшего снизу на Лэнгдона, в памяти у него всплыл страшный случай из детства, когда он в отчаянии смотрел наверх со дна колодца.

Он отогнал это воспоминание и осторожно взял маску за края, там, где у Данте были бы уши. По нынешним меркам лицо было маленькое, но старый гипс оказался неожиданно тяжелым. Лэнгдон осторожно вынул маску из купели и держал так, чтобы хорошо было видно и ему, и Сиене.

Даже под пленкой лицо выглядело на удивление живым. Гипс воспроизвел каждую морщинку и кожный изъян на лице старого поэта. Если не считать трещины посередине, маска была в идеальной сохранности.

— Переверните ее, — шепнула Сиена. — Что там внутри?

Лэнгдон уже переворачивал. На охранном видео в палаццо Веккьо было четко видно, как Лэнгдон и Иньяцио обнаруживают что-то на внутренней стороне маски — что-то настолько поразившее их, что уносят маску из дворца.

Очень осторожно, чтобы не уронить хрупкую вещь, Лэнгдон перевернул ее и положил лицевой стороной на правую ладонь. В отличие от внешней стороны, сохранившей фактуру немолодого лица, внутренняя сторона маски была совершенно гладкой. Поскольку для ношения маска не предназначена, изнутри ее залили гипсом, чтобы увеличить прочность слепка. Получилась ровная вогнутая поверхность наподобие мелкой суповой миски.

Лэнгдон не знал, что он ожидал увидеть на изнанке маски — но точно не это.

Ничего.

Совсем ничего.

Только гладкая, пустая поверхность.

Сиена тоже была в недоумении.

— Гипс, и только, — прошептала она. — Если здесь ничего нет, что вы с Иньяцио увидели?

Понятия не имею, подумал Лэнгдон, разглаживая прозрачный пластик, чтобы отчетливее видеть. *Тут ничего нет!* Лэнгдон огорченно поднес маску к столбу света и внимательно осмотрел. Когда он чуть-чуть повернул ее, ему показалось, что гипс в верхней части несколько другого цвета — будто цепочка пятнышек протянулась там, где на лицевой стороне был лоб Данте.

Неровности в гипсе? Или... что-то другое? Он резко повернулся и показал на мраморную панель, подвешенную на петлях позади них.

— Посмотрите там, — сказал он Сиене. — Нет ли полотенец.

Сиена взглянула на него недоверчиво, но послушалась и открыла этот незаметный шкафчик. За дверью обнаружился кран для пуска воды в купель, выключатель фонаря над ней — и стопка полотняных полотенец.

Сиена с удивлением посмотрела на Лэнгдона, но он побывал во многих церквях по всему миру и знал, что почти всегда у священника под рукой есть запас пеленок — на случай неприятностей, обычных у младенцев при крещении.

— Хорошо, — сказал он, взглянув на полотенца. — Подержите пока маску.

Он осторожно передал ее Сиене и принялся за дело. Прежде всего он задвинул крышку купели на место. Потом взял несколько полотенец и застелил ими получившийся стол. После этого он щелкнул выключателем в шкафу, и фонарь у них над головой осветил пространство вокруг купели и белые полотенца на ее крышке.

Сиена бережно опустила маску на полотенца, а Лэнгдон взял еще несколько штук и, пользуясь ими как кухонными рукавицами, чтобы не трогать маску голыми руками, освободил ее из пакета. Теперь посмертная маска Данте лежала лицом вверх под ярким направленным светом, как усыпленный пациент на операционном столе.

Фактура маски под резким светом выглядела еще более неровной, отчетливости морщинам и складкам добавлял и тон потемневшего от старости гипса.

Внутренняя сторона казалась гораздо свежее наружной — она была белой и чистой, а не тускло-желтой.

Сиена озадаченно наклонила голову набок.

— Вам не кажется, что с этой стороны она новее?

Действительно, разница в окраске оказалась неожиданно большой, хотя оборотная сторона наверняка была того же возраста, что лицевая.

— Неравномерное старение, — ответил Лэнгдон. — Эта сторона не подвергалась воздействию солнечного света.

Про себя он сделал заметку, что надо покупать крем от загара с вдвое большим солнцезащитным показателем.

— Подождите. — Сиена наклонилась к маске. — Смотрите! Наверное, вот что вы с Иньяцио увидели.

Взгляд Лэнгдона пробежал по гладкой белой поверхности и остановился на том же пятнышке, которое он заметил еще под прозрачным пластиком — как бы черточку поперек лба. Теперь, при резком освещении, было ясно, что это не дефект гипса... а сделано человеческой рукой.

— Это... написано, — прерывающимся голосом произнесла Сиена. — Но...

Лэнгдон рассматривал надпись. Это была цепочка вычурных рукописных букв, бледных, буро-желтых.

— И это вся надпись? — чуть ли не сердито сказала Сиена.

Лэнгдон ее почти не услышал. *Кто это написал?* — думал он. *Кто-то во времена Данте?* Это было маловероятно. Если бы так, ее бы давно обнаружил какой-нибудь историк искусства в ходе обычной чистки или реставрации и она упоминалась бы в литературе. Лэнгдон ничего такого не слышал. Ему пришла в голову гораздо более правдоподобная версия.

Бертран Зобрист.

Зобрист был владельцем маски и потому мог получить доступ к ней когда угодно. Он мог написать текст на внутренней стороне совсем недавно, потом вернуть маску на место, и никто бы об этом не узнал. *Владелец маски*, сказала Марта, *запретил открывать шкафчик в свое отсутствие даже нашим работникам.*

Лэнгдон кратко изложил свою теорию.

Сиену как будто убедила его логика, но что-то продолжало ее беспокоить.

— Не вижу смысла, — сказала она с сомнением. — Если поверить, что Зобрист тайно написал это на внутренней стороне маски и озаботился сделать этот маленький проектор, чтобы указать на маску... то почему не написал чего-то более содержательного? Это же бессмыслица. Мы с вами целый день разыскивали маску — и что мы находим?

Лэнгдон снова посмотрел на текст внутри маски. Надпись была очень короткой — всего семь букв — и вправду казалась совершенно бессмысленной.

Разочарование Сиены легко понять.

Тем не менее Лэнгдон ощущал знакомое волнение, какое возникало у него всякий раз на пороге разгадки. Он сразу понял: эти семь букв подскажут им, каков должен быть их следующий шаг.

Кроме того, от маски шел слабый запах; запах был знакомый, и сразу стало понятно, почему внутренняя сторона маски белее наружной: эта разница никак не была связана ни с возрастом, ни с солнечным светом.

— Не понимаю, — сказала Сиена. — Все буквы одинаковые.

Лэнгдон спокойно кивнул и еще раз взглянул на надпись — семь тщательно выписанных букв с обратной стороны лба.

— Семь «Р», — сказала Сиена. — И что нам с этим делать?

Лэнгдон улыбнулся и поднял на нее глаза.

— Предлагаю сделать то, что рекомендуется нам в письме.

Сиена смотрела на него в изумлении.

— Семь «Р»... это — *письмо?*

— Письмо, — подтвердил он с улыбкой. — И если вы изучали Данте, письмо совершенно понятное.

На Соборной площади человек в галстуке вытер ногти платком и потрогал гнойнички на шее. Стараясь не обращать внимания на жжение в глазах, он смотрел на недоступный баптистерий.

На вход для туристов.

Перед дверью усталый экскурсовод в блейзере курил сигарету и объяснялся с туристами, которые, очевидно, не могли понять расписание:

APERTURA 13.00 — 17.00.

Человек посмотрел на свои часы. 10.02 утра. До открытия еще несколько часов. Он понаблюдал за экскурсоводом и принял решение. Вынул золотую булавку из мочки уха и положил в карман. Потом достал бумажник и проверил его содержимое. Помимо разных кредитных карточек, в нем была небольшая пачка евро и три тысячи американских долларов.

К счастью, сребролюбие — интернациональный грех.

Глава 57

Peccatum... Peccatum... Peccatum...

Семь «Р» на внутренней стороне маски Данте повернули мысли Лэнгдона к тексту «Божественной комедии». Он перенесся в Вену, на свою лекцию «Божественный Данте: символы ада».

— Теперь мы спустились по девяти кругам ада, — разносился по аудитории его голос, усиленный динамиками, — в центр земли и встретились лицом к лицу с самим Сатаной.

Он стал показывать слайды с трехглавым Сатаной, изображенным на «La Mappa» Боттичелли, на мозаике баптистерия, ужасного демона кисти Андреа ди Чони — в черной шерсти, запачканной кровью жертв.

— Мы с вами спустились по косматой груди Сатаны, — продолжал Лэнгдон, — и в точке, где сила тяжести меняется на обратную, стали подниматься из мрачного подземья... чтобы вновь увидеть светила.

Лэнгдон продолжал менять слайды, пока не появился тот, который он уже показывал, — фреску Доменико ди Микелино в соборе: канонический Данте в красном одеянии перед стенами Флоренции.

— Если присмотреться... вы увидите эти светила.

Лэнгдон показал на небесный свод со звездами над головой Данте.

— Как видите, небо состоит из девяти концентрических сфер, охватывающих землю. Девятиярусное строение рая призвано уравновешивать девять кругов преисподней. И вы, наверное, заметили, что число девять — повторяющийся мотив у Данте.

Лэнгдон умолк, глотнул воды и подождал, когда аудитория отдышится после мучительного спуска и выхода из преисподней.

— И вот, претерпев ужасы ада, вы, наверное, с нетерпением ждете, когда вам откроется дорога в рай. К сожалению, в мире Данте все не просто. — Он театрально вздохнул. — Чтобы попасть в рай, мы все должны — фигурально и буквально — взобраться на гору.

Лэнгдон показал на фреску Микелино. На горизонте, позади Данте, виднелась коническая гора, поднимающаяся к небесам. Вокруг нее спиралью, девятью витками, сужающимися уступами шла дорога к вершине. По ней тащились нагие фигуры, претерпевая разные наказания.

— Перед вами гора чистилища, — объявил Лэнгдон. — И увы, это изнурительное восхождение — единственный путь из глубин ада к сияющему раю. На этом пути вы видите кающиеся души, каждая платит соответствующую цену за свои грехи. Завистники должны идти с зашитыми веками, дабы не алкать; гордецы — согбенными смиренно, под тяжестью громадных камней; чревоугодники — без пищи и воды, терзаемые голодом; сладострастники — сквозь пламя, чтобы очиститься от плотского жара. — Лэнгдон выдержал паузу. — Но прежде чем вам будет даровано право подняться на эту гору и очиститься от грехов, вы должны побеседовать с этим существом.

Лэнгдон поменял слайды и показал крупным планом деталь фрески, где крылатый ангел сидит на троне у подножия горы чистилища. У его ног — очередь кающихся грешников ждет разрешения подняться на гору. Но странно: у ангела длинный меч и направлен он в лицо первого человека в очереди.

— Кто знает, — спросил Лэнгдон, — что делает этот ангел?

— Хочет пронзить кому-то голову? — предположил кто-то из публики.

— Нет.

Другой голос:

— Пронзить глаз?

Лэнгдон покачал головой.

— Еще идеи?

Откуда-то из задних рядов послышался решительный ответ:

— Пишет у него на лбу.

Лэнгдон улыбнулся:

— Кажется, кто-то там основательно знаком с Данте. — Он опять показал на изображение. — Это действительно выглядит так, будто ангел намерен рассечь лоб бедняге. На самом деле — нет. Согласно Данте, ангел, охраняющий вход в чистилище, пишет что-то острием меча на лбу входящего. «И что же он пишет?» — спросите вы.

Лэнгдон сделал эффектную паузу.

— Как ни странно, он пишет одну букву, повторяя ее семь раз. Кто-нибудь знает, какую латинскую букву ангел написал семь раз на лбу Данте?

— Букву «Р»! — крикнул кто-то в зале.

Лэнгдон улыбнулся:

— Да. Букву «Р». Эта «Р» означает *peccatum*, а семикратное написание символизирует — Septem Peccatta Mortalia, то есть...

— «Семь смертных грехов»! — крикнул еще кто-то из зала.

— Точно. Поэтому, только поднявшись по всем кругам чистилища, вы искупите свои грехи. На каждом уровне ангел стирает одну букву «Р» у вас на лбу, и наконец, когда вы взошли на вершину, все семь «Р» стерты у вас со лба и вы очистились от всех грехов. — Он подмигнул. — Поэтому гора и называется чистилищем.

Лэнгдон отвлекся от своих воспоминаний и увидел, что Сиена смотрит на него из-за купели.

— Семь «Р»? — сказала она, вернув его к действительности. Она показала на маску Данте. — Вы говорите, это — письмо? И оно объясняет нам, что делать?

Лэнгдон быстро объяснил ей, как устроено чистилище, смысл букв «Р», символизирующих семь смертных грехов, и как их стирают со лба грешников.

— Надо полагать, — закончил Лэнгдон, — Бертран Зобрист, поклонник Данте, знал, что такое эти семь «Р» и что их стирают со лба по мере приближения к раю.

Сиена смотрела на него с сомнением.

— Думаете, Зобрист написал эти «Р» на маске и хотел, чтобы мы... сами стерли их с маски? Это, по-вашему, мы должны сделать?

— Мне ясно, что...

— Роберт, пусть мы сотрем буквы, что нам от этого пользы? Будет у нас просто белая маска.

— Может быть, да. — Лэнгдон ободряюще улыбнулся. — А может быть, нет. Думаю, здесь скрыто больше, чем кажется на первый взгляд. — Он протянул руку к маске. — Помните, я сказал вам, что маска внутри светлее, чем снаружи, из-за неравномерного старения?

— Да.

— Возможно, я ошибся. Слишком велик контраст, и фактура внутри зернистая.

— Зернистая?

Лэнгдон показал, что поверхность внутри гораздо шершавее... зернистая, почти как наждачная бумага.

— Художники предпочитают писать по шероховатой поверхности, потому что краска на ней держится крепче.

— И что из этого?

Лэнгдон улыбнулся:

— Вы знаете, что такое «гессо»?

— Да, это белая грунтовка на холсте, и... — Сиена осеклась, по-видимому, начиная догадываться, что хочет сказать Лэнгдон.

— Совершенно верно. Грунт дает белую шероховатую поверхность. Грунтуют холст или ненужную картину, когда хотят написать поверх нее новую.

Сиена оживилась.

— Вы думаете, Зобрист покрыл маску изнутри грунтовкой?

— Это объясняло бы, почему она изнутри шероховатая и более светлая. А возможно — и то, почему ему надо было, чтобы мы стерли семь «Р».

Последняя фраза вызвала у нее недоумение.

— Понюхайте, — сказал Лэнгдон и поднес маску к ее лицу, как священник, протягивающий гостию*.

Сиена наморщила нос.

— Грунтовка пахнет псиной?

— Не всякая. Обычная грунтовка пахнет мелом. Псиной пахнет акриловая.

— И что же?..

---

* Гостия — хлеб в виде лепешки, используется во время литургии для таинства Евхаристии.

— Она водорастворимая.

Сиена наклонила голову к плечу; Лэнгдон чувствовал, что там происходит напряженная работа мысли. Она медленно перевела взгляд на маску, а потом вдруг снова на Лэнгдона, широко раскрыв глаза.

— Думаете, под грунтовкой что-то есть?

— Это многое объяснило бы.

Сиена тут же схватилась за шестиугольную крышку купели и сдвинула ее, так что открылась вода. Она взяла полотенце, окунула в купель и подала Лэнгдону.

— Попробуйте вы.

Лэнгдон положил маску лицом на левую ладонь и взял каплющее полотенце. Выжав его, он принялся смачивать тканью то место на лбу, где были выведены семь букв «Р». Несколько раз прижав полотенце указательным пальцем, он опять окунул полотенце в купель и продолжал смачивать маску. Черные чернила стали расплываться.

— Грунт растворяется, — возбужденно сказал он. — И чернила сходят.

Проделав это в третий раз, Лэнгдон принял благочестивый вид и заговорил торжественным монотонным голосом, гулко разносившимся по баптистерию:

— Крещением водою и Духом Святым Господь Иисус Христос освободил тебя от греха и возродил к жизни новой.

Сиена посмотрела на него как на сумасшедшего. Он пожал плечами.

— По-моему, это вполне уместно.

Она закатила глаза, потом снова обратила взгляд на маску. Лэнгдон продолжал ее смачивать, и из-под грунта уже проступал ее собственный гипс желтоватого тона, как и следовало ожидать от такого древнего изделия. Когда последняя «Р» исчезла, он вытер маску сухим полотенцем и показал Сиене.

Она охнула.

Как Лэнгдон и говорил, под грунтом было действительно что-то скрыто — второй слой письмен: восемь букв, написанных прямо на желтом старом гипсе.

Но на этот раз из них сложилось слово.

Глава 58

азумные? — сказала Сиена. — Не понимаю.

Я, кажется, тоже. Лэнгдон рассматривал слово, прежде скрытое под семью «Р» на внутренней стороне лба маски.

разумные

— Разумные кто или что? — спросила Сиена.

Грешники? Лэнгдон поднял глаза на мозаику, где Сатана пожирал несчастных, которым не дано было очиститься от грехов. *Едва ли они.* Все это не укладывалось в голове.

— Там должно быть что-то еще, — уверенно сказала Сиена. — Она взяла у Лэнгдона маску и стала внимательно рассматривать. Потом несколько раз кивнула. — Да, посмотрите на конец и начало слова... по обе стороны еще какой-то текст.

На этот раз Лэнгдон разглядел бледные буквы, проступившие под мокрым грунтом с двух сторон от слова «разумные».

Сиена нетерпеливо схватила мокрое полотенце и стала прикладывать к надписи. Проступили новые слова, выписанные по дуге.

О вы, разумные, взгляни...

Лэнгдон присвистнул.

О вы, разумные, взгляните сами,
И всякий наставленье да поймет,
Сокрытое под странными стихами.

Сиена смотрела на него с недоумением.

— Что это значит?

— Это одна из самых знаменитых строф «Ада», — возбужденно ответил Лэнгдон. — Данте призывает наиболее умных читателей искать скрытый смысл в его загадочной поэме.

Лэнгдон часто цитировал эту строфу в лекциях о литературной символике. Ближайшим аналогом этого стиха была бы такая картина: автор размахивает руками и кричит: «Эй, вы, читатели! Здесь есть второй смысл, символический!»

Сиена принялась энергично оттирать изнанку маски.

— Осторожнее, — попросил Лэнгдон.

— Вы правы, — объявила Сиена, усердно стирая грунт. — Здесь остальная строфа Данте — точно как вы процитировали. — Она умолкла, окунула полотенце в воду и прополоскала.

Лэнгдон огорченно заглянул в купель: в воде клубилась растворенная грунтовка. *Наши извинения, Сан-Джованни*, подумал он: нехорошо использовать святую купель как таз.

Когда Сиена вынула полотенце из воды, с него текло. Она слегка отжала его и стала протирать всю маску круговыми движениями, словно мыла суповую тарелку.

— Сиена, это *древняя* вещь, — укоризненно сказал Лэнгдон.

— Текст на всей изнанке, — объявила она, не переставая тереть. — И написан на... — Она замолчала, наклонила голову влево, а маску повернула вправо, будто пыталась прочесть под углом.

— Как написан? — Лэнгдону не было видно.

Сиена домыла маску, вытерла сухой тканью и положила перед ним, чтобы вдвоем рассмотреть результаты ее трудов.

Увидев внутренность маски, Лэнгдон не поверил своим глазам. Вся вогнутая поверхность была исписана десятками слов. Начиная с «О вы, разумные, взгляните», они сплошной цепочкой спускались по правому краю и, достигнув низа, поднимались вверх по левому к началу и под ним снова описывали петлю, только более узкую.

Расположением своим текст поразительно напоминал спиральный путь по горе Чистилище к раю. Символог в Лэнгдоне мгновенно опознал эту фигуру. *Левая архимедова спираль*. Он отметил также число витков от первого «О» до последней точки в центре.

Девять.

Едва дыша, Лэнгдон поворачивал маску по кругу и читал текст, по спирали сходившийся к центру.

— Первая строфа — из Данте, слово в слово, — сказал он. — «О вы, разумные, взгляните сами, и всякий наставленье да поймет, сокрытое под странными стихами...»

— А дальше? — спросила Сиена.

Лэнгдон покачал головой:

— Не думаю. Нет, Данте я здесь не узнаю. Видимо, кто-то дополнил своими виршами.

— Зобрист, — прошептала Сиена. — Кто же еще?

Лэнгдон кивнул. Предположение вполне обоснованное. Поработав над «Mappa dell’Inferno», Зобрист уже продемонстрировал, что питает склонность к сотрудничеству с гениями и к переработке великих произведений искусства для своих надобностей.

— Дальше текст весьма странный, — сказал Лэнгдон, поворачивая маску и читая по спирали. — Тут говорится, что дож отрезал лошадям головы и крал кости слепой. — Он перешел к последней фразе в центре маски и с удивленным вздохом сказал: — Какие-то кроваво-красные воды.

Сиена подняла брови.

— Прямо как в ваших видениях женщины с серебристыми волосами?

Лэнгдон кивнул, озадаченно глядя на надпись.

Кроваво-красные воды... куда не смотрятся светила?..

— Смотрите, — прошептала Сиена, читая из-за его плеча. Она показала на слово в середине надписи. — Названо конкретное место.

Лэнгдон нашел это слово, на которое почему-то не обратил внимания вначале. Оно указывало на один из самых удивительных городов на свете. По спине у Лэнгдона пробежал холодок: в этом городе Данте настигла тяжелая болезнь, от которой он вскоре умер.

Венеция.

Несколько минут Лэнгдон и Сиена молча читали загадочные стихи. От мрачного текста, при том, что смысл его ускользал, веяло смертью. Слово «дож» недвусмысленно отсылало к Венеции, необыкновенному городу, прорезанному сотнями соединяющихся каналов, где веками глава государства именовался дожем.

С налету Лэнгдон не мог сообразить, на какое именно место в Венеции намекает стихотворение, но оно явно предлагало читателю следовать его указаниям.

Преклони колени и услышь воды теченье.

Лэнгдон недоуменно покачал головой и прочел следующий стих.

Затем подземный отыщи дворец, хтоническое чудище найди там.

— Роберт? — с тревогой спросила Сиена. — Что за чудище?

— Хтоническое, то есть обитающее под землей.

Он хотел еще что-то сказать, но его прервал щелчок отпираемого замка, гулко разнесшийся по баптистерию. Снаружи кто-то открыл вход для туристов.

— Grazie mille, — сказал человек с сыпью на лице. *Тысяча благодарностей.*

Засовывая в карман пятьсот долларов, смотритель нервно кивнул и оглянулся — не видел ли кто.

— Cinque minuti, — напомнил смотритель, тихонько приоткрыв отпертую дверь ровно на столько, чтобы человек мог протиснуться внутрь. Он тут же закрыл дверь, и уличный шум как отрезало. *Пять минут.*

Сначала смотритель не хотел пожалеть человека, который, по его словам, специально прилетел из Америки, чтобы помолиться в баптистерии об избавлении от ужасной кожной болезни. Но в конце концов смотритель смягчился и проявил сочувствие, чему способствовали пятьсот долларов, предложенные за пять минут в баптистерии... а также опасение, что придется провести рядом с этим заразным целых три часа до открытия.

Человек проскользнул в восьмиугольное святилище и сразу невольно поднял взгляд к потолку. *Мать честная.* Ничего подобного этому потолку он в жизни не видел. Прямо на него уставился трехглавый Дьявол, и он быстро опустил глаза.

Здание казалось пустым.

Куда они, к черту, делись?

Человек огляделся вокруг, и взгляд его остановился на алтаре. Это был четырехугольный мраморный блок в нише, отгороженной от посетителей канатом на стойках. Похоже, единственное место, где можно спрятаться. Притом в одном месте канат слегка качался, как будто его только что задели.

Лэнгдон и Сиена притаились за алтарем. Они едва успели собрать испачканные полотенца, задвинуть крышку купели и нырнуть за алтарь, захватив маску. План был — дождаться здесь, когда впустят туристов, а потом смешаться с толпой и незаметно выйти наружу.

Северную дверь только что открывали — по крайней мере на несколько секунд; Лэнгдон услышал шум с площади, который почти сразу стих, — дверь закрылась.

И в тишине послышались шаги по каменному полу.

Смотритель? Проверяет помещение перед открытием?

Он не успел погасить софит над купелью и подумал, что смотритель это заметит. *Кажется, не заметил.* Шаги быстро приближались и замерли перед канатом, через который только что перескочили Лэнгдон с Сиеной.

Стало тихо.

— Роберт, это я, — раздался сердитый голос. — Вы здесь, я знаю. Выходите, черт возьми, и объясните, что происходит.

Глава 59

*П*рятаться дальше бессмысленно.

Лэнгдон сделал знак Сиене, чтобы она оставалась на месте с маской Данте и не показывалась. Маску он опять положил в герметичный пакет.

Затем он медленно поднялся. Стоя за алтарем, как священник, Лэнгдон посмотрел на паству в составе одного человека. У незнакомца были светлые волосы, стильные очки и страшная сыпь на лице и шее. Он раздраженно почесал шею; глаза его под опухшими веками горели злобным недоумением.

— Может, объясните, Роберт, какого дьявола вы тут делаете? — сказал он, перешагнув канат и подходя к Лэнгдону. Выговор у него был американский.

— С удовольствием, — вежливо ответил Лэнгдон. — Но для начала скажите, кто вы?

Тот остановился и смотрел на него ошарашенно.

— Что вы сказали?

Глаза незнакомца показались Лэнгдону словно бы знакомыми... и голос, наверное, тоже. *Где-то я его видел... когда?* Лэнгдон спокойно повторил вопрос:

— Скажите, пожалуйста, кто вы и почему я должен вас знать?

Тот в изумлении раскинул руки.

— Джонатан Феррис! Всемирная организация здравоохранения! Я же специально прилетал за вами в Гарвард!

Лэнгдон пытался осмыслить услышанное.

— Почему вы не объявились? — рассерженно спросил незнакомец. — И что за женщина тут, черт возьми? Вы на нее теперь, что ли, работаете?

Сиена поднялась рядом с Лэнгдоном и решительно вмешалась в разговор:

— Доктор Феррис? Я Сиена Брукс. Я тоже врач. Работаю здесь, во Флоренции. Вчера ночью профессор Лэнгдон был ранен в голову. У него ретроградная амнезия, он не помнит, кто он и что с ним происходило последние два дня. Я пытаюсь ему помочь — вот почему я здесь.

Голос Сиены отдавался эхом в пустом баптистерии. Феррис слушал с недоумением, как будто смысл ее слов не доходил до него. После недолгой паузы он неуверенно отступил на шаг и оперся рукой на стойку.

— Ах ты... Господи, — пробормотал он. — Тогда понятно.

Лэнгдон увидел, как злость сходит с его лица.

— Роберт, — тихо сказал Феррис, — мы подумали, что вы... — Он помотал головой, словно стараясь привести в порядок мысли. — Мы решили, что вы переметнулись... что вас подкупили... или вам угрожали... Мы ничего не могли понять!

— Я единственная, с кем он разговаривал, — сказала Сиена. — Ему известно только, что вчера ночью он очнулся у меня в больнице и его там пытались убить. Кроме того, у него были странные видения — трупы умерших от чумы, какая-то женщина с серебристыми волосами и амулетом со змеей... она говорила ему...

— Элизабет! — выпалил Феррис. — Доктор Элизабет Сински! Роберт, это она привлекла вас к нашему делу!

— Ну, если это она, — сказала Сиена, — надеюсь, вам известно, что она в беде. Мы видели ее привязанной в фургоне, полном каких-то военных... и вид одурманенный, как будто ей дали наркотик.

Феррис опустил голову и закрыл глаза. Веки у него были красные и распухшие.

— Что у вас с лицом? — спросила Сиена.

— Простите?

— С кожей. Похоже, вы чем-то заразились? Вы больны?

Феррис как будто даже опешил, и хотя вопрос Сиены был бестактен почти до грубости, Лэнгдон и сам хотел бы его задать. Учитывая, сколько раз за этот день упоминалась чума, вид этой воспаленной, в пузыриках кожи вызывал неприятные мысли.

— Я здоров, — сказал Феррис. — Все из-за проклятого гостиничного мыла. У меня жуткая аллергия на сою, а эти душистые итальянские мыла варят из соевого масла. Дурак, что не поинтересовался.

Сиена с облегчением выдохнула и слегка опустила плечи.

— Слава Богу, что вы его не ели. Контактный дерматит пострашней анафилактического шока.

Все трое смущенно засмеялись.

— Скажите, — продолжала Сиена, — имя Бертран Зобрист вам что-нибудь говорит?

Феррис замер, как будто встретился лицом к лицу с трехглавым Дьяволом.

— Мы думаем, что нашли сейчас его послание, — сказала Сиена. — Оно, похоже, указывает на какое-то место в Венеции. Как по-вашему, может такое быть?

Глаза у Ферриса расширились.

— Черт возьми, да! Конечно! Куда оно указывает?

Сиена вздохнула, явно намереваясь рассказать о спиральном стихотворении, которое они обнаружили в маске, но Лэнгдон машинально остановил ее, положив ладонь ей на руку. Этот человек определенно казался союзником, но после сегодняшних событий инстинкт подсказывал Лэнгдону, что доверять нельзя никому. Кроме того, галстук Ферриса показался ему знакомым — не этого ли человека он видел молящимся в маленькой церкви Санта-Маргарита-де-Черки, где Данте сочетался браком? *Он следил за нами?*

— Как вы нас здесь нашли? — резко спросил Лэнгдон.

Феррис опять удивился тому, что Лэнгдон ничего не помнит.

— Роберт, вчера вечером вы позвонили мне и сказали, что у вас назначена встреча с директором музея Иньяцио Бузони. И пропали. Больше не появились. Я услышал, что Бузони найден мертвым, и забеспокоился. Я тут все утро вас искал. Увидел, что у палаццо Веккьо собралась полиция, и, пока выяснял причину, случайно увидел, как вы украдкой выходите из маленькой двери вместе с... — Он взглянул на Сиену, видимо, забыв имя.

— Сиеной Брукс, — подсказала она.

— Простите... с доктором Брукс. И пошел за вами, узнать, какого черта вы здесь делаете.

— Это вас я видел молящимся в церкви Черки?

— Да! Я пытался понять, что вы затеяли, но без толку. Из церкви вы вышли так, как будто торопились по важному делу, и я пошел за вами. Потом вы пробрались в баптистерий. Я решил, что пора с вами объясниться. Заплатил служителю, чтобы пустил меня на минутку, побыть здесь одному.

— Неосторожно с вашей стороны, — заметил Лэнгдон. — Если думали, что теперь я против вас.

Феррис покачал головой.

— У меня было чувство, что вы не можете так поступить. Профессор Роберт Лэнгдон. Я понимал: должно быть какое-то другое объяснение. Но амнезия? Невероятно. Мне бы и в голову не пришло.

Он опять нервно почесал шею.

— Слушайте, мне дали всего пять минут. Нам надо выйти, сейчас же. Если я вас нашел, то могут найти и те, кто хочет вас убить. Тут происходит много такого, о чем вы не имеете представления. Нам надо в Венецию. *Немедленно.* Главное — как выбраться из Флоренции незаметно. Люди, которые захватили доктора Сински... и охотятся за вами... у них глаза повсюду. — Он показал на дверь.

Лэнгдон не спешил соглашаться, чувствуя, что может получить сейчас кое-какие ответы.

— Кто эти люди в черном? Почему они хотят меня убить?

— Долгая история, — сказал Феррис. — Объясню по дороге.

Лэнгдон нахмурился. Ответ его не устроил. Он сделал знак Сиене, отвел ее в сторонку и тихо спросил:

— Вы ему верите? Что вы думаете?

Сиена посмотрела на него так, как будто ее спрашивал ненормальный.

— Что я думаю? Я думаю, что он из Всемирной организации здравоохранения. Что для нас это самая верная возможность выяснить, что происходит.

— А сыпь?

Сиена пожала плечами:

— Он же сказал — тяжелый контактный дерматит.

— А если он сказал неправду? — прошептал Лэнгдон. — Если это что-то другое?

— Другое? — Она посмотрела на него с удивлением. — Роберт, у него не чума, если вы об этом. Господи спаси, он *врач*. Если бы у него была смертельная болезнь и он знал, что заразен, у него хватило бы рассудка не ходить по городу, заражая всех подряд.

— А если он не понял, что это чума?

Сиена поджала губы и на секунду задумалась.

— Тогда, боюсь, и вам, и мне крышка — а также всем вокруг.

— Знаете, вы могли бы помягче с пациентом.

— Предпочитаю откровенность. — Она вручила ему прозрачный пакет с маской. — Несите нашего маленького друга.

Когда они вернулись к доктору Феррису, он как раз заканчивал тихий разговор по телефону.

— Позвонил моему водителю, — сообщил он. — Будет ждать нас снаружи в... — Он смолк, уставясь на мертвое лицо Данте Алигьери в руке у Лэнгдона. — Черт! — Он даже отпрянул. — Это еще что такое?

— Долгая история, — отозвался Лэнгдон. — Объясню по дороге.

Глава 60

ью-йоркский издатель Джонас Фокман проснулся дома от звонка служебного телефона. Он повернулся на бок и посмотрел на часы: 4.28 утра.

В издательском мире внезапные ночные тревоги так же редки, как внезапный успех книги. Раздосадованный, он слез с кровати и пошел по коридору в кабинет.

— Алло? — раздался в трубке знакомый низкий баритон. — Джонас, слава Богу, вы дома. Это Роберт. Я вас не разбудил?

— Конечно, разбудили! Сейчас четыре утра!

— Извините. Я в Европе.

В Гарварде не объясняют про часовые пояса?

— Джонас, у меня неприятности, мне нужна помощь. — В голосе Лэнгдона слышалось волнение. — Речь о вашей корпоративной карточке NetJet.

— NetJet? — Фокман иронически рассмеялся. — Роберт, мы издатели. У нас нет доли в частной авиакомпании.

— Мой друг, мы оба знаем, что вы врете.

Фокман вздохнул.

— Хорошо. Выразимся иначе. Для автора кирпичей по истории религии у нас нет доступа к частным самолетам. Если соберетесь написать «Пятьдесят оттенков иконографии», тогда поговорим.

— Джонас, сколько бы полет ни стоил, я с вами расплачусь. Даю слово. Я когда-нибудь нарушал обещание?

Если не считать, что на три года опоздал со сдачей последней книги. Тем не менее Фокман расслышал в голосе Лэнгдона настоящую тревогу.

— Скажите, что случилось? Я постараюсь помочь.

— Объяснять некогда, но мне очень нужно, чтоб вы это сделали. Вопрос жизни и смерти.

Фокман давно работал с Лэнгдоном и хорошо понимал его мрачноватый юмор, но сейчас в тоне Роберта не было и намека на шутливость. *Там что-то очень серьезное.* Фокман шумно выдохнул. *Мой финансовый директор меня повесит.* Спустя полминуты у него уже был записан маршрут, нужный Лэнгдону.

— Все нормально? — спросил Лэнгдон, почувствовав, что собеседника смутил маршрут.

— Да, просто я думал, что вы в Штатах, — сказал Фокман. — Удивлен, что вы в Италии.

— Мы оба удивлены, — сказал Лэнгдон. — Но спасибо, Джонас. Я отправляюсь в аэропорт.

Американский центр оперативного управления NetJet находится в Колумбусе, Огайо, и отдел обеспечения полетов работает круглосуточно.

Сотруднице эксплуатационной службы Деб Кир поступил заказ от корпоративного долевого владельца.

— Одну минуту, сэр, — сказала она и, поправив наушник, набрала данные на клавиатуре. — В принципе это заказ для NetJet-Европа, но я могу его провести.

Она быстро зашла на сайт европейской компании с центром в Пасу-де-Аркуш в Португалии и выяснила местоположение самолетов в Италии и поблизости от нее.

— Отлично, сэр. Кажется, у нас есть «Сайтейшн Excel» в Монако, и мы можем переправить его во Флоренцию в течение часа. Это устроит мистера Лэнгдона?

— Будем надеяться, — устало и слегка раздраженно ответил человек из издательской компании. — Очень вам признателен.

— Всегда рады помочь, — сказала Деб. — И мистер Лэнгдон намерен лететь в Женеву?

— Видимо, так.

Деб продолжала печатать.

— Готово, — наконец сказала она. — Мистер Лэнгдон вылетает из аэропорта Тассиньяно-Лукка, это около восьмидесяти километров к западу от Флоренции. Вылет в одиннадцать двадцать по местному времени. Мистеру Лэнгдону надо быть в аэропорту за десять минут до взлета. Вы не заказывали наземный транспорт и бортпитание, паспортные данные сообщили, так что все в порядке. Какие-нибудь еще пожелания?

— Разве что другой работы? — со смехом сказал он. — Спасибо. Вы меня выручили.

— Всегда рады помочь. Приятной вам ночи.

Деб дала отбой и вернулась к экрану, чтобы закончить оформление рейса. Она ввела паспортные данные Лэнгдона и хотела продолжать, но в окне замигало красное предупреждение. Деб прочла текст и удивленно раскрыла глаза.

Это какая-то ошибка.

Она попробовала еще раз ввести паспорт Лэнгдона. Снова замигало предупреждение. Это предупреждение появилось бы на компьютере любой авиакомпании мира, если бы Лэнгдон попытался забронировать билет.

Деб Кир смотрела на экран, не веря своим глазам. NetJet относилась к конфиденциальности личных данных клиентов очень серьезно, но это предупреждение перевешивало все ее правила, касающиеся конфиденциальности.

Деб Кир немедленно позвонила начальству.

Агент Брюдер закрыл мобильный телефон и стал рассаживать своих людей по фургонам.

— Лэнгдон уезжает, — объявил он. — Летит на частном самолете в Женеву. Взлет почти через час из аэропорта в Лукке, восемьдесят километров отсюда. Если не мешкать, до взлета успеем.

В это самое время взятый напрокат седан, оставив позади Соборную площадь, ехал по улице Панзани на север — к вокзалу Санта-Мария-Новелла.

Рядом с водителем сидел доктор Феррис, а сзади, полулежа на сиденье, Сиена и Лэнгдон. Идея заказать рейс на NetJet принадлежала Сиене. Направив охотников по ложному следу, они выгадают достаточно времени, чтобы не встретить помех на вокзале, который иначе был бы забит полицейскими. К счастью, до Венеции всего два часа поездом, а для местных поездок паспорт не требуется.

Лэнгдон повернулся к Сиене — она смотрела на доктора Ферриса с беспокойством. Видно было, что ему нехорошо, он дышал с трудом, как будто каждый вздох причинял ему боль.

Надеюсь, она не ошиблась насчет его болезни. Лэнгдон поглядел на его сыпь и представил себе, сколько микробов носится в тесном салоне «фиата». Даже кончики пальцев у доктора, похоже, покраснели и распухли. Лэнгдон отогнал неприятную мысль и поглядел в окно.

По дороге к вокзалу они проехали мимо гранд-отеля «Бальони», где часто проводились конференции по искусству, — Лэнгдон посещал их ежегодно. Он посмотрел на отель и вдруг осознал, что поступает сейчас так, как ни разу не поступал в жизни.

Уезжаю из Флоренции, не навестив Давида.

Он молча извинился перед Микеланджело и обратил взгляд на вокзал впереди... а мыслями устремился к Венеции.

Глава 61

*энгдон летит в Женеву?*

Туман в голове не рассеивался, и доктор Элизабет Сински чувствовала себя все хуже на тряском заднем сиденье фургона, мчавшегося из Флоренции на запад, к частному аэродрому.

Женева? В этом нет никакого смысла, сказала себе Сински.

Единственной причиной могло быть то, что в Женеве штаб-квартира Всемирной организации здравоохранения. *Лэнгдон там меня ищет?* Нелепость. Лэнгдон знал, что Сински здесь, во Флоренции.

Пронзила другая мысль.

Боже... Зобрист нацелился на Женеву?

Зобрист был неравнодушен ко всяческой символике, и если он выбрал исходной точкой заражения штаб-квартиру ВОЗ, в этом была бы даже игра ума, учитывая его долгую войну с Сински. С другой стороны, если Зобрист искал самое эффективное место для вспышки чумы, то Женева отнюдь не лучший вариант. По сравнению с другими метрополисами она географически изолирована, и в это время года там прохладно. Обычно чума распространялась из перенаселенных и теплых мест. Женева расположена на высоте более трехсот метров над уровнем моря — не самый подходящий источник пандемии. *Несмотря на всю его ненависть ко мне.*

Так что вопрос оставался: зачем туда летит Лэнгдон? Этот непонятный маршрут американского профессора был еще одним звеном в цепи его странных поступков начиная с прошлого вечера, и сколько ни старалась Сински, она не могла найти им разумного объяснения.

На чьей он стороне?

Правда, Сински познакомилась с Лэнгдоном всего несколько дней назад, но она неплохо разбиралась в людях и не могла поверить, чтобы такого человека соблазнили деньгами. *И все же вчера вечером он прервал с нами всякие контакты.* А теперь казалось, Лэнгдон носится между городами, словно какой-то шпион. *Или решил, что правда на стороне Зобриста?*

От этой мысли ее обдало холодом.

Нет, убеждала она себя, *я слишком хорошо знаю его репутацию, он на такое не способен.*

Сински познакомилась с Робертом Лэнгдоном четыре дня назад в транспортном самолете «С-130», переоборудованном под мобильный координационный центр Всемирной организации здравоохранения.

В начале восьмого самолет приземлился на аэродроме Хэнскомфилд в двадцати с небольшим километрах от Кембриджа, Массачусетс. Сински не знала, как выглядит знаменитый профессор, с которым она связалась по телефону, и была приятно удивлена видом человека, уверенно поднявшегося по трапу в хвостовую часть самолета. Он вошел с беспечной улыбкой.

— Доктор Сински, я полагаю? — Лэнгдон крепко пожал ей руку.

— Профессор, ваш приход — большая честь для меня.

— А для меня — ваше приглашение.

Лэнгдон оказался высоким красивым мужчиной с интеллигентной внешностью и низким голосом. Поскольку его забрали прямо из университета и неожиданно, он, вероятно, был в рабочем костюме — твидовый пиджак, полотняные брюки защитного цвета и мокасины. Выглядел он моложе и спортивнее, чем она ожидала, и это лишний раз напомнило ей о ее возрасте. *Я гожусь ему в матери.*

— Спасибо, что согласились приехать, профессор, — сказала она с усталой улыбкой.

Лэнгдон показал на хмурого помощника, который был прислан за ним:

— Ваш друг не оставил мне выбора.

— Хорошо. За это ему и платят.

— Красивый амулет, — сказал Лэнгдон, глядя на ее ожерелье. — Лазурит?

Сински опустила глаза на голубой амулет в форме змеи, обвившей вертикальный столбик.

— Современный символ медицины. Кадуцей — вы, конечно, знаете его название.

Лэнгдон как будто хотел что-то сказать.

Она ждала.

Но он, должно быть, передумав, только улыбнулся и вежливо переменил тему:

— Итак, почему я здесь?

Элизабет пригласила его к столику из нержавеющей стали, за которым, видимо, происходили совещания.

— Присаживайтесь. Мне надо кое-что вам показать.

Лэнгдон неторопливо подошел к столу, и Элизабет отметила, что хотя профессор явно заинтригован неожиданным вызовом, он не проявляет ни малейшего беспокойства. *Вот человек, который живет в ладу с самим собой. Будет ли он так же невозмутим, когда узнает, зачем его пригласили?* — подумала она.

Он сел, и Сински без предисловий подала ему предмет, который она с сотрудниками извлекла из депозитной ячейки каких-нибудь двадцать часов назад.

Лэнгдон внимательно рассмотрел маленький резной цилиндр и кратко охарактеризовал его назначение. Ей оно было уже известно. Этот старинный валик использовался для оттисков. На нем было вырезано страшное изображение трехглавого Сатаны и одно слово: *saligia*.

— Saligia, — сказал Лэнгдон, — это латинское мнемоническое...

— Для семи смертных грехов, — подхватила Элизабет. — Мы осведомились.

— Хорошо... — В голосе Лэнгдона слышалось недоумение. — Вы по какой-то причине хотели показать это мне?

— Да. — Сински забрала цилиндрик и стала энергично его встряхивать. Внутри загремел шарик.

Лэнгдон с удивлением наблюдал за ней и хотел уже спросить, что она делает, но в это время торец валика засветился, и она направила его на гладкий участок стенки фюзеляжа.

Лэнгдон тихо присвистнул и подошел к изображению.

— «Карта ада» Боттичелли, — сказал он. — На сюжет Дантова «Ада». Полагаю, вам это уже известно.

Элизабет кивнула. Она со своей группой нашла это изображение в Интернете, с удивлением узнав, что оно принадлежит Боттичелли, известному в первую очередь своими светлыми, идеализированными образами «Весна» и «Рождение Венеры». Сински обожала обе картины, хотя воспевали они плодородие и жизнетворную силу и были еще одним горьким напоминанием о ее собственном бесплодии. Это было единственным постоянным сожалением в ее жизни, в других отношениях чрезвычайно плодотворной.

— Я надеялась, что вы растолкуете мне символическое содержание этой картины, — сказала Сински.

В голосе Лэнгдона впервые послышалось раздражение.

— Вы за этим меня привезли? Я думал, у вас правда что-то чрезвычайное.

— Снизойдите к старческому капризу.

Лэнгдон тяжело вздохнул.

— Доктор Сински, вообще говоря, если вам надо что-то узнать о какой-то картине, лучше всего обратиться в музей, где хранится оригинал. В данном случае это Апостолическая библиотека Ватикана. В Ватикане есть великолепные искусствоведы, и они...

— Ватикан меня терпеть не может.

Лэнгдон удивился:

— И вас тоже? Я думал, только меня.

Она грустно улыбнулась:

— ВОЗ твердо убеждена, что широкая доступность контрацептивов — одно из ключевых условий здоровья планеты и в смысле предотвращения болезней, передаваемых венерическим путем, и в смысле контроля рождаемости.

— А Ватикан считает иначе.

— Да. Он потратил массу сил и денег, объясняя странам «третьего мира», какое зло несут противозачаточные средства.

— Ну да, — с улыбкой отозвался Лэнгдон, — кому, как не восьмидесятилетним старцам, давшим обет безбрачия, наставлять мир в вопросах секса.

Лэнгдон нравился ей все больше и больше.

Она встряхнула проектор, чтобы подзарядить, и снова навела на стенку.

— Профессор, посмотрите внимательнее.

Лэнгдон шагнул к проекции, всмотрелся, подошел еще ближе и вдруг застыл.

— Странно. Она изменена.

Быстро заметил.

— Да. И прошу вас объяснить, что означают эти изменения.

Лэнгдон молча рассматривал картину, задержался на десяти буквах, из которых составилось слово *catrovacer*... потом на чумной маске и на странной фразе по краю со словами «глаза смерти».

— Кто это сделал? — спросил он. — Откуда эта вещь?

— Сейчас чем меньше вы об этом знаете, тем лучше. Я рассчитывала, что вы сможете проанализировать эти изменения и объяснить нам их смысл.

— Прямо здесь? Сейчас?

— Да. Я понимаю, это с нашей стороны бесцеремонность, но не могу даже выразить, насколько это важно для нас. — Она помолчала. — Вполне может быть, что на карту поставлена наша жизнь.

Лэнгдон посмотрел на нее с тревогой.

— На расшифровку может потребоваться изрядное время, но если это так важно для вас...

— Благодарю. — Сински прервала его, пока он не передумал. — Вам надо кому-нибудь позвонить?

Лэнгдон покачал головой и сказал, что намеревался провести выходные тихо и в одиночестве.

Отлично. Сински усадила его за отдельный стол, с проектором, бумагой, карандашом и ноутбуком, имеющим надежный выход на спутник. Лэнгдон был глубоко озадачен этим интересом ВОЗ к переделанной картине Боттичелли, но послушно принялся за дело.

Решив, что он будет изучать картину несколько часов, доктор Сински занялась своими бумагами. Она слышала, как он время от времени встряхивает проектор и пишет в блокноте. Не прошло, наверное, и десяти минут, как он положил карандаш и объявил:

— Cerca trova.

Сински повернулась.

— Что?

— Cerca trova, — повторил он. — Ищите, и найдете. Вот что там зашифровано.

Сински поспешила к его столу, села рядом и зачарованно выслушала объяснение Лэнгдона, каким образом перемешаны круги Дантова ада и как, будучи расставлены в правильной последовательности, они дают итальянскую фразу *cerca trova*.

Ищите, и найдете? — удивлялась Сински. *Это желал сообщить мне маньяк?* Фраза звучала прямым вызовом. Вспомнились угрожающие слова безумца, которыми закончилась их встреча в Совете по международным отношениям. *Что ж... тогда потанцуем?*

— Вы побледнели, — сказал Лэнгдон, пристально глядя на нее. — Я так понимаю, вы ждали другого объяснения?

Сински овладела собой и поправила амулет на шее.

— Не совсем такого... Скажите, этой картой ада мне предлагают что-то искать?

— Да. Cerca trova.

— А *где* искать, не намекают?

К столу потянулись сотрудники ВОЗ, напряженно ожидая ответа. Лэнгдон потер подбородок.

— Впрямую — нет... Но могу высказать весьма правдоподобную догадку.

— Говорите, — произнесла она с неожиданной резкостью.

— Ну, как вы отнесетесь к Флоренции?

Сински стиснула зубы, стараясь не выдать своей реакции. Сотрудники же ее не так хорошо собой владели. Они обменялись изумленными взглядами. Кто-то схватил телефон и стал звонить. Кто-то поспешно вышел за дверь в носовую часть самолета.

Лэнгдон ничего не понимал.

— Я сказал что-то важное?

Чрезвычайно, подумала Сински.

— Почему вы сказали «Флоренция»?

— Cerca trova, — ответил он и быстро рассказал о давнишней загадке, связанной с фреской Вазари в палаццо Веккьо.

Ей этого было достаточно. *Значит, Флоренция.* Это не могло быть простым совпадением, раз ее мститель покончил с собой в каких-нибудь трех кварталах от палаццо Веккьо во Флоренции.

— Профессор, когда я показала вам мой амулет и сказала, что он называется кадуцеем, вы промолчали — как будто хотели возразить, но раздумали. Что вы хотели сказать?

Лэнгдон покачал головой:

— Ничего. Глупость. Профессорский педантизм иногда берет надо мной верх.

Сински посмотрела ему в глаза.

— Я спрашиваю потому, что хочу знать, можно ли доверять вам полностью. Что вы хотели сказать?

Лэнгдон сглотнул и откашлялся.

— Это не важно, но вы сказали, что ваш амулет — древний символ медицины. Правильно. Только, назвав его кадуцеем, вы допустили весьма обычную ошибку. В кадуцее две змеи на жезле с крыльями. На вашем амулете одна змея, и крыльев наверху нет. Ваш символ называется...

— Посохом Асклепия.

Лэнгдон удивленно посмотрел на нее.

— Да. Совершенно верно.

— Я знаю. Проверяла вашу искренность.

— Не понял?

— Мне было любопытно, скажете ли вы правду, не побоявшись смутить меня.

— Похоже, я не выдержал испытания.

— Больше так не делайте. Мы с вами можем работать только при условии полной откровенности.

— Работать с вами? Разве мы не закончили?

— Нет, профессор, не закончили. Мне надо, чтобы вы полетели с нами во Флоренцию и помогли кое-что отыскать.

Лэнгдон не поверил своим ушам.

— Сегодня?

— Боюсь, что да. Я еще должна рассказать вам, насколько угрожающая создалась ситуация.

— Что вы мне скажете, не имеет значения. Я не хочу лететь во Флоренцию.

— Я тоже, — хмуро отозвалась она. — Но к сожалению, время уже на исходе.

Глава 62

олуденное солнце отражалось от гладкой крыши скоростного итальянского поезда «Фреччардженто», который мчался по Тоскане, описывая плавную дугу. Несмотря на свою скорость 280 километров в час, «Серебряная стрела» почти не издавала шума, а тихий перестук колес и слабое покачивание вагона действовали на пассажиров убаюкивающе.

Для Роберта Лэнгдона последний час слился в одно неясное пятно.

Сейчас Лэнгдон и доктор Феррис сидели в salottino скоростного поезда — отдельном купе бизнес-класса с четырьмя кожаными сиденьями и складным столиком. Феррис заплатил за все купе своей кредитной карточкой — а также за минеральную воду и бутерброды. Сиена и Лэнгдон, умывшись в туалете рядом с купе, с жадностью на них набросились.

Ехать до Венеции предстояло два часа. Как только они уселись, доктор Феррис посмотрел на маску в прозрачном пакете, лежавшую на столе, и сказал:

— Нам надо сообразить, на какое место в Венеции указывает эта маска.

— И быстро, — возбужденно добавила Сиена. — Это, может быть, наш единственный шанс предотвратить угрозу со стороны Зобриста.

— Подождите. — Лэнгдон накрыл маску ладонью, словно хотел ее защитить. — Вы обещали, что как только мы сядем в поезд, вы кое-что проясните для меня касательно последних дней. Сейчас я знаю только, что ВОЗ попросила меня расшифровать изменения, сделанные Зобристом в «La Mappa». Больше ничего вы мне не сказали.

Доктор Феррис беспокойно заерзал и почесал сыпь на лице и шее.

— Понимаю, вы раздосадованы, — сказал он. — Конечно, это выбивает из колеи, когда не можешь вспомнить, что с тобой было, но с медицинской точки зрения... — Он взглянул на Сиену, ища подтверждения, и продолжил: — Очень советую не тратить силы на то, чтобы вспомнить забытые детали. При амнезии лучше всего оставить забытое забытым.

— Оставить? — Лэнгдон рассердился. — Ни черта подобного! Мне нужны ответы! Ваша организация вытащила меня в Италию, в меня стреляли, я потерял несколько дней жизни. Я желаю знать, что здесь происходит!

— Роберт, — мягко вмешалась Сиена, пытаясь его успокоить. — Доктор Феррис прав. Вам будет совсем не полезно, если на вас разом обрушится поток информации. Подумайте о тех обрывках, которые вам запомнились — женщина с серебристыми волосами, «ищите, и найдете», корчащиеся тела на «La Mappa», — эти образы беспорядочно и самопроизвольно вспыхивали у вас в мозгу и почти лишили способности думать связно. Если доктор Феррис станет подробно рассказывать о последних днях, это почти наверняка вытеснит другие воспоминания, и галлюцинации могут начаться заново. Ретроградная амнезия — опасное состояние. Несвоевременные воспоминания могут разрушительно сказаться на психике.

Такая мысль Лэнгдону в голову не приходила.

— Вы, наверное, испытываете растерянность, — сказал Феррис, — но сейчас вам надо сосредоточиться, чтобы мы могли продвинуться в наших поисках. Нам необходимо понять, о чем говорит маска.

Сиена кивнула.

Врачи, кажется, во всем согласны, подумал Лэнгдон.

Он сидел молча, мучаясь неопределенностью. Чувство было очень странное: встретить незнакомца и при этом ощущать, что ты его уже несколько дней знаешь. *Честное слово*, думал он, *где-то я уже видел эти глаза.*

— Профессор, — сочувственно произнес Феррис, — я догадываюсь, что вы не вполне мне доверяете, и это понятно, учитывая, что вам пришлось пережить. Один из побочных эффектов амнезии — легкая паранойя и недоверие.

В самом деле, подумал Лэнгдон, *если я даже своему рассудку не могу доверять.*

— Кстати о паранойе, — шутливо вставила Сиена, явно стараясь разрядить атмосферу. — Роберт увидел у вас сыпь и подумал, что вы заразились чумой.

Феррис приоткрыл пошире опухшие глаза и рассмеялся.

— Сыпь? Поверьте, профессор, будь это чума, я не лечился бы от нее антигистаминной мазью, которую продают без рецепта. — Он вынул из кармана тюбик и бросил Лэнгдону. В самом деле, тюбик с противоаллергической мазью был уже наполовину выдавлен.

— Простите меня, — сказал Лэнгдон, чувствуя себя дураком. — Трудный день.

— Пустяки, — отозвался Феррис.

Лэнгдон отвернулся; за окном проплывала, вся в приглушенных тонах, мирная панорама Тосканы. Виноградники и фермы попадались все реже, равнина сменилась предгорьями Апеннин. Скоро поезд помчится по туннелям в горах, а потом опять устремится вниз, к Адриатическому морю.

Ничего себе, еду в Венецию чуму искать, подумал он.

Странный день оставил такое впечатление, словно Лэнгдон перемещался по местности, полной лишь смутных форм и лишенной деталей. Как во сне. Чудно: от кошмаров обычно просыпаются, а у Лэнгдона было ощущение, что он, проснувшись, погрузился в новый.

— Плачу лиру за ваши мысли, — шепнула рядом Сиена.

Лэнгдон повернулся к ней с усталой улыбкой.

— Все думаю — проснусь сейчас дома, и все это окажется дурным сном.

Сиена наклонила голову к плечу с видом скромницы:

— И когда проснетесь, не огорчитесь, что меня на самом деле не было?

Лэнгдону пришлось улыбнуться.

— Нет, немножко огорчился бы.

Она похлопала его по колену.

— Хватить грезить, профессор. За работу.

Лэнгдон неохотно перевел взгляд на морщинистое лицо, смотревшее со стола пустыми глазами. Потом аккуратно взял гипсовую маску обеими руками, перевернул и на вогнутой стороне прочел начало закрученного спиралью текста:

О вы, разумные, взгляните сами...

И усомнился, что может сейчас отнести эту характеристику к себе.

Тем не менее он принялся за работу.

В трехстах километрах от поезда, в Адриатике, по-прежнему стоял на якоре «Мендаций». На нижней палубе в стеклянную кабинку координатора Лоренса Ноултона постучали, и он нажал кнопку под столом, чтобы матовая стена стала прозрачной. За стеклом обозначилась фигура невысокого загорелого мужчины.

Шеф.

Вид мрачный.

Он молча вошел, запер дверь кабинки и, нажав выключатель, снова сделал стену непрозрачной. От него пахло спиртным.

— Зобрист оставил нам видео, — сказал он.

— Да, сэр?

— Я хочу его посмотреть. Немедленно.

Глава 63

оберт Лэнгдон переписал спиральный текст с маски на бумагу, чтобы удобнее было в нем разбираться. Сиена и доктор Феррис подсели к нему, и Лэнгдон старался не обращать внимания на затрудненное дыхание и беспрерывное почесывание доктора.

Он здоров, убеждал себя Лэнгдон, пытаясь сосредоточиться на тексте.

О вы, разумные, взгляните сами,
И всякий наставленье да поймет,
Сокрытое под странными стихами...

— Как я уже говорил, — начал он, — первая строфа в стихотворении Зобриста дословно воспроизводит строфу из «Ада» Данте — он предупреждает читателя, что за словами кроется более глубокий смысл.

Аллегорическая поэма Данте настолько насыщена завуалированными отсылками к политике, религии и философии, что Лэнгдон советовал студентам изучать итальянского поэта примерно так, как изучали бы Библию, — читать между строк, отыскивать глубинный смысл.

— Специалисты по средневековой аллегории обычно пользуются при анализе двумя категориями — «текст» и «образ». Текст — буквальное содержание произведения; образ — символическое наполнение.

— Ага, — с энтузиазмом подхватил Феррис, — раз стихотворение начинается с таких строк...

— Это значит, — перебила его Сиена, что поверхностное чтение даст нам только часть его смысла. Подлинный смысл нам не откроется.

— В общем, да. — Лэнгдон обратился к тексту и продолжал читать вслух:

Ты дожа вероломного ищи —
Того, кто кости умыкнул незрячей,
Того, кто обезглавил жеребцов.

Так, с безголовыми конями и костями слепой у нас неясно, но, видимо, нам предлагают найти какого-то конкретного дожа.

— Наверное... могилу дожа? — предположила Сиена.

— Или статую, или портрет, — ответил Лэнгдон. — Дожей нет уже несколько веков.

Дожи в Венеции играли ту же роль, что герцоги в других итальянских городах-государствах, и за тысячу лет, с 697 года, их сменилось больше сотни. Правление их прекратилось в конце восемнадцатого века с наполеоновским завоеванием, но их великолепие и могущество до сих пор остаются увлекательной темой для историков.

— Как вы, наверное, знаете, — продолжал Лэнгдон, — две главные туристические достопримечательности Венеции — Дворец дожей и собор Сан-Марко, построенные дожами и для дожей. Там похоронены многие из них.

— А вы знаете, какой дож отличался каким-то особенным злодейством? — спросила Сиена.

Лэнгдон взглянул на строку, вызвавшую вопрос: «Ты дожа вероломного ищи...»

— Такого не знаю, но в стихотворении говорится не о злодействе, а о вероломстве, то есть предательстве. Это разница — особенно для эпохи Данте. Предательство — один из семи смертных грехов, самый тяжкий, и наказание за него — последний, девятый круг ада.

Предателем для Данте был тот, кто изменил доверившемуся. Самое известное и злодейское предательство в истории — предательство Христа Иудой, и Данте считал его настолько гнусным, что отправил Иуду в самую сердцевину ада, место, названное по имени самого подлого его обитателя Джудеккой.

— Так, — сказал Феррис, — значит, мы ищем дожа, совершившего предательство.

— И это ограничит нам круг претендентов, — поддержала его Сиена. Она посмотрела на стихи. — Но следующая строка... «Кто обезглавил жеребцов». — Она подняла глаза на Лэнгдона. — Был такой дож, который отрезал у лошадей головы?

Лэнгдону пришла на память отвратительная сцена из «Крестного отца».

— Такого не припомню. Но еще тут говорится, что он похитил кости слепой. — Лэнгдон посмотрел на Ферриса. — У вас в телефоне есть Интернет?

Феррис тут же вынул телефон и подержал его в распухших красных пальцах.

— Мне трудновато нажимать на кнопки.

— Давайте я. — Сиена взяла телефон. — Ищем венецианского дожа, плюс безголовые лошади и кости слепых. — Ее пальцы забегали по маленькой клавиатуре.

Лэнгдон еще раз просмотрел стихотворение и стал читать дальше.

В мусейоне премудрости священной,
Где золото сияет, преклони
Колени и услышь воды теченье.

— Мусейон — никогда не слышал этого слова, — сказал Феррис.

— Это греческое слово — храм, посвященный музам, — объяснил Лэнгдон. — В Древней Греции мусейон был местом, где собирались просвещенные люди, чтобы обмениваться идеями, обсуждать литературу, музыку, искусство. Первый мусейон был построен Птолемеем при Александрийской библиотеке задолго до рождения Христа, а затем в мире их возникли сотни.

— Доктор Брукс — сказал Феррис, с надеждой глядя на Сиену, — можете посмотреть, есть ли мусейон в Венеции?

— Вообще их там десятки, — с веселой улыбкой сказал Лэнгдон. — Теперь они называются музеями.

— А-а. Видимо, нам придется забросить сеть пошире.

Сиена продолжала набирать на телефоне текст, конкретизируя задачу.

— Так, мы ищем музей, где можем найти дожа, который отрезал головы у лошадей и крал кости слепых. Роберт, есть такой музей, которым раньше всего стоило бы заняться?

Лэнгдон уже припоминал самые известные музеи Венеции — галерея Академии, Ка-Реццонико, палаццо Грасси, собрание Пегги Гуггенхайм, музей Коррер, — но ни один не подходил под это описание.

Он еще раз посмотрел на текст.

Где золото сияет, преклони колени.

Лэнгдон сухо улыбнулся:

— В Венеции есть один музей, идеально отвечающий этому описанию — «где золото сияет».

Феррис и Сиена выжидательно смотрели на него.

— Собор Сан-Марко. Самая большая церковь в городе.

На лице Ферриса отразилось сомнение.

— Церковь — музей?

— Да. Так же как музей Ватикана. Больше того: интерьер собора Сан-Марко знаменит еще и тем, что выложен золотой плиткой.

— Золотой мусейон, — взволнованно сказала Сиена.

Лэнгдон ответил кивком. Он не сомневался, что сияющий золотом храм в стихотворении — это собор Сан-Марко. Венецианцы веками называли его La Chiesa d'Oro — Золотой церковью, — и внутренность его представлялась Лэнгдону самым поразительным церковным интерьером на свете.

— В стихотворении сказано: преклони колени, — добавил Феррис. — Где естественнее это сделать, как не в церкви?

Пальцы Сиены забегали по клавишам.

— Добавляю в поиск собор Сан-Марко. Там, вероятно, и надо искать этого дожа.

Лэнгдон знал, что там они найдут сколько угодно дожей — это в прямом смысле слова базилика дожей. Почувствовав, что направление взято правильное, он опять обратился к стихам.

Преклони колени и услышь воды теченье.

*Подземная вода. Есть ли вода под собором Сан-Марко? Что за
вопрос?* — подумал Лэнгдон. Там под всем городом вода. Все здания Венеции потихоньку уходят в воду. Лэнгдон представил себе
внутренность собора и прикинул, где можно услышать журчание
воды под полом. *А когда услышим, что должны сделать?*

Он вернулся к стихотворению и вслух прочел конец:

*Затем подземный отыщи дворец,
Хтоническое чудище найди там,
Живущее в кроваво-красных водах,
Куда не смотрятся светила.*

Образ складывался мрачный.

— Итак, — сказал Лэнгдон, — по-видимому, мы должны идти
по звуку струящейся воды в какой-то подземный дворец.

Феррис почесал щеку и недовольно спросил:

— Что такое хтоническое чудище?

— Подземное, — сказала Сиена, продолжая нажимать кнопки. — «Хтонический» значит обитающий под землей.

— Да, отчасти, — сказал Лэнгдон. — Но у этого слова есть
другие значения, связанные с мифами о чудовищах. «Хтонические» — это особая категория богов и чудовищ — Эринии, Гека-
та и Медуза, например. Они зовутся хтоническими, потому что
обитают под землей и ассоциируются с адом. — Он сделал паузу. — Но выходят из своих подземных обиталищ, чтобы нести
бедствия миру людей.

Наступило долгое молчание; Лэнгдон понял, что все они подумали об одном и том же. Это хтоническое чудище... может быть
только чумой Зобриста.

*...подземный отыщи дворец.
Хтоническое чудище найди там,
Живущее в кроваво-красных водах,
Куда не смотрятся светила.*

— Во всяком случае, — сказал он, возвращая их к сути дела, —
мы должны искать место под землей, тогда понятна последняя
строка про воду, куда не заглядывают светила.

— В самом деле, — Сиена подняла глаза от телефона, — если вода под землей, в ней не может отразиться небо. А есть в Венеции подземные озера?

— Мне о таких не известно, — ответил Лэнгдон. — Но в городе, построенном на воде, может быть что угодно.

— А что, если озеро внутри здания? — вдруг спросила Сиена, переводя взгляд с одного на другого. — Там говорится о подземном дворце. Вы как-то обронили, что Дворец дожей соединяется с собором, да? В таком случае на дворец и собор многое указывает: мусейон священной мудрости, дворец, связь с дожами — и все это расположено на главной лагуне Венеции, на уровне моря.

Лэнгдон задумался.

— Вы полагаете, что «подземный дворец» как-то связан с Дворцом дожей?

— А что? Там говорится, чтобы мы стали на колени в соборе Сан-Марко, а потом пошли по звуку струящейся воды. Может быть, этот звук приведет нас в соседний Дворец дожей. Там, может быть, нижняя часть дворца в воде.

Лэнгдон бывал во Дворце дожей много раз и знал, что никакие части его не затоплены. Этот просторный комплекс строений включал в себя и первоклассный музей, и целый лабиринт учрежденческих помещений, и внутренние дворы, и тюрьму, такую большую, что она занимала несколько зданий.

— Возможно, вы правы, — сказал Лэнгдон, — но если мы будем искать наобум, на это понадобится не один день. Предлагаю поступить так, как сказано в стихотворении. Сначала идем в собор, находим могилу или статую вероломного дожа и становимся на колени.

— А потом? — спросила Сиена.

— А потом... — Лэнгдон вздохнул. — Молимся изо всех сил, чтобы услышать журчание воды и чтобы она куда-нибудь нас привела.

В наступившем молчании Лэнгдон вспомнил встревоженное лицо Элизабет Сински, явившееся ему в галлюцинациях, и как она шептала ему из-за реки. *Время уже на исходе. Ищите, и найдете.* Где она сейчас? Цела ли? Люди в черном, конечно, уже поняли, что он и Сиена скрылись. *Они погонятся за нами — вопрос, как скоро?*

Преодолевая вдруг накатившую усталость, Лэнгдон вернулся к стихотворению. При взгляде на последнюю строчку у него возникла новая мысль. Он не знал, стоит ли заговаривать об этом. *Куда не смотрятся светила.* Может быть, это не имеет отношения к их поискам, и все же он решил поделиться своей мыслью.

— Я вот что хочу заметить.

Сиена подняла глаза от мобильного телефона.

— Три части «Божественной комедии» Данте, — сказал Лэнгдон, — «Ад», «Чистилище» и «Рай» — все три заканчиваются одним и тем же словом.

Сиена смотрела с удивлением.

— Каким словом? — спросил Феррис.

Лэнгдон показал на нижнюю строчку переписанного текста.

— Тем же самым, которым кончается это стихотворение, — «светила».

Он поднял посмертную маску Данте и показал на центр спиральной надписи.

Куда не смотрятся светила.

— Мало того, — продолжал Лэнгдон, — в финале «Ада» Данте слышит шум ручья, пробившегося через камень, и, двигаясь вдоль него... выходит из ада.

Феррис слегка побледнел.

— Черт.

И в это мгновение вагон наполнился оглушительным грохотом — поезд «Фреччарджento» ворвался в горный туннель.

В темноте Лэнгдон закрыл глаза и попытался дать отдых уму. Зобрист, может, и был безумцем, подумал он, но Данте он знал основательно.

Глава 64

Лоренс Ноултон вздохнул с облегчением.

Шеф все-таки решил посмотреть видео Зобриста.

Ноултон живо нагнулся, достал красную флешку и вставил в свой компьютер, чтобы показать шефу. Дикое девятиминутное послание Зобриста не отпускало координатора, и ему ужасно хотелось увидеть его еще и чужими глазами.

Тогда это свалится с моих плеч.

Затаив дыхание, он пустил запись.

Экран потемнел, потом кабинку наполнил тихий плеск воды. Камера начала двигаться в красноватой мгле подземной полости, и хотя шеф внешне никак не реагировал, Ноултон чувствовал, что он и недоумевает, и встревожен.

Камера перестала двигаться вперед и нацелилась вниз, на поверхность воды, затем погрузилась на метр или два и показала полированную титановую пластинку, привинченную ко дну.

В ЭТОМ МЕСТЕ И В ЭТОТ ДЕНЬ
МИР ИЗМЕНИЛСЯ НАВСЕГДА

Шеф почти незаметно вздрогнул.

— Завтра, — прошептал он, взглянув на дату. — А знаем ли мы, где «это место»?

Ноултон помотал головой.

Камера переместилась налево и показала погруженный в воду пластиковый мешок со студенистым желтовато-коричневым содержимым.

— Что это, черт побери? — Шеф придвинул кресло и вглядывался в слегка волнующийся пузырь, похожий на воздушный шарик, привязанный ко дну.

Фильм продолжался; в кабинке повисла напряженная тишина. Вскоре экран потемнел, на стене пещеры появилась странная тень с птичьим носом и завела туманную речь:

Я Тень...

Загнанный под землю, я вынужден обращаться к миру из ее глубин, из мрачной пещеры, где плещут кроваво-красные воды озера, не отражающего светил.

Но это мой рай... идеальная утроба для моего хрупкого детища.

Инферно.

Шеф повернулся к Ноултону:

— Инферно?

Тот пожал плечами.

— Я же говорю: от этого мороз по коже.

Шеф напряженно вглядывался в экран.

Носатая тень продолжала говорить еще несколько минут; она говорила о моровых язвах, о необходимой чистке населения, о собственной грядущей славе, войне с невежественными врагами, чинившими бесконечные препятствия, и о горстке верных последователей, которые понимают, что только решительными действиями можно спасти планету.

Из-за чего идет война, Ноултон не знал, но с самого утра задавался вопросом: правильную ли сторону занял в ней Консорциум?

Голос продолжал:

Я выковал орудие спасения, но наградой за мои труды – не лавры и не фанфары, а угрозы меня убить.

Смерти я не страшусь... ибо смерть превращает провидца в мученика... воплощает благородные идеи в мощные движения.

Иисус, Сократ, Мартин Лютер Кинг.

Скоро я стану с ними в один ряд.

Шедевр, который я создал, – творение самого Бога... Того, кто одарил меня умом, вооружил знаниями и вдохнул мужество, необходимое для того, чтоб выковать такое орудие.

И день уже близок.

Инферно спит рядом со мной и скоро вырвется из водного чрева... под пристальным взором хтонического чудища и всех его фурий.

При всей доблести моих деяний я, как и вы, не чужд Греху. И я повинен в самом черном из семи – в этом соблазне одиноких, которого столь немногим удалось избежать.

Гордыня.

Записав это послание, я уступил его черной тяге, страстному желанию оповестить мир о моем создании.

Пусть знает мир.

Человечество должно знать источник своего спасения... имя того, кто навеки запечатал зияющую пасть ада.

С каждым часом исход все определеннее. Математика, неумолимая, как закон всемирного тяготения, не признает сделок. То же экспоненциальное умножение жизни, которое почти убило человеческий род, теперь спасет его. Красота живого организма – будь он благом или злом – в том, что он подчиняется велению Божьему, единому для всех.

Плодитесь и умножайтесь.

И я пустил огонь... навстречу огню.

— Довольно.

Ноултон едва расслышал голос шефа.

— Сэр?

— Остановите видео.

Ноултон поставил на паузу.

— Сэр, самая страшная часть — как раз конец записи.

— Я увидел достаточно. — У шефа был больной вид. Он несколько раз прошелся по кабинке и вдруг повернулся к Ноултону. — Мы должны связаться с ФС-2080.

Ноултон задумался: тут были определенные сложности.

ФС-2080 было кодовым именем одного из самых надежных агентов шефа во внешнем мире — именно он рекомендовал Консорциуму Зобриста как клиента. В эту минуту шеф, несомненно, клял себя за то, что положился на мнение ФС-2080; работа с Бертраном Зобристом внесла хаос в тонко отлаженную структуру Консорциума.

Первопричина этого кризиса — ФС-2080.

Все удлиняющаяся цепь тяжелых неудач, связанных с Зобристом, вызывала уже опасения за судьбу не только Консорциума, но, возможно... всего человечества.

— Необходимо выяснить истинные намерения Зобриста, — сказал шеф. — Я хочу точно знать, что он там разработал и реальна ли эта угроза.

Ноултон знал, что если кто и может ответить на эти вопросы, то только ФС-2080. Кто мог лучше знать Бертрана Зобриста? А Консорциуму пора нарушить протокол и выяснить, какого рода безумное предприятие поддерживал он по неведению весь последний год.

Ноултон обдумывал возможные последствия прямого обращения к ФС-2080. Само восстановление прямого контакта было чревато определенным риском.

— Сэр, если мы свяжемся с ФС-2080, — сказал он, — нам придется проявить в вопросах некоторую деликатность.

В глазах шефа вспыхнул гнев. Он вынул мобильный телефон.

— Нам теперь не до деликатностей.

Сидя с двумя спутниками в отдельном купе «Фреччарджento», человек в галстуке с «огурцами» и стильных очках изо всех сил старался не чесать сыпь, зудевшую все сильнее. Боль в груди тоже как будто усилилась.

Когда поезд наконец вырвался из туннеля, он посмотрел на Лэнгдона — тот, видимо, пребывал в глубоком раздумье и только сейчас открыл глаза. Сиена, сидевшая рядом с ним, посмотрела на мобильный телефон, который лежал на столе без дела: в туннеле сигнала, естественно, не было.

Она хотела продолжить поиски в Интернете, но не успела даже протянуть к телефону руку, как он завибрировал и отрывисто забибикал.

Узнав звонок, Феррис сразу схватил телефон, взглянул на осветившийся экран и встал.

— Извините, — сказал он, постаравшись скрыть удивление. — Мать прихварывает. Надо ответить.

Сиена и Лэнгдон понимающе кивнули, а он быстро вышел в проход и направился к ближайшему туалету.

Там он запер дверь и принял звонок.

— Алло?

В телефоне прозвучал мрачный голос:

— Говорит шеф.

Глава 65

Туалет во «Фреччардженто» был не больше, чем в авиалайнере — только-только повернуться. Феррис закончил разговор с шефом и опустил телефон в карман.

Земля уходит из-под ног, подумал он. Вся картина мгновенно изменилась, ему нужно было сориентироваться, и на это ушло некоторое время.

Мои друзья — теперь мои враги.

Он приспустил галстук и посмотрел на свое воспаленное лицо в зеркале. Оно выглядело хуже, чем он думал. Но по сравнению с болью в груди это его мало беспокоило.

Он нерешительно расстегнул несколько пуговиц и раскрыл рубашку.

Заставил себя поглядеть в зеркало и рассмотрел голую грудь.

Господи.

Темное пятно увеличилось.

Кожа в середине груди была иссиня-черного цвета. Пятно, прежде размером с мяч для гольфа, теперь было величиной с апельсин. Он легонько тронул болезненное место и передернулся.

Он торопливо застегнул рубашку. *Только бы хватило сил сделать то, что должен сделать. Следующий час будет решающим*, подумал он. *Требуется целый ряд тонких маневров.*

Он закрыл глаза, сосредоточился и прокрутил в уме свои дальнейшие действия.

Мои друзья стали врагами, снова подумал он.

Преодолевая боль, он сделал несколько глубоких вздохов, чтобы успокоить нервы. *Ты годами обманывал людей*, напомнил он себе. *Это ты умеешь.*

Теперь он был готов вновь предстать перед Лэнгдоном и Сиеной.

Мое заключительное представление, подумал он.

В качестве последней предосторожности перед тем, как вернуться к ним, он вынул аккумулятор из телефона, сделав его бесполезным.

Как он бледен, подумала Сиена, когда Феррис вернулся в купе и с тяжким вздохом сел на свое место.

— Как вы себя чувствуете? — спросила она с искренним беспокойством.

— Все в порядке. Спасибо.

Поскольку он явно не хотел углубляться в эту тему, Сиена перешла к делу.

— Мне нужен ваш телефон, если не возражаете. Я хочу еще поискать этого дожа. Может быть, удастся кое-что выяснить до того, как попадем в Сан-Марко.

— Ну разумеется. — Феррис вынул из кармана телефон и посмотрел на дисплей. — Ах, черт, разрядился, пока я говорил. Похоже, полностью. — Он взглянул на часы. — Венеция уже скоро. Придется подождать.

В восьми километрах от итальянского берега, на «Мендации», координатор Ноултон молча наблюдал за тем, как шеф расхаживает по тесной кабинке, словно зверь в клетке. После разговора по телефону шеф о чем-то напряженно думал, и Ноултон знал, что в такие минуты его лучше не трогать.

Наконец шеф заговорил, причем таким встревоженным тоном, какой Ноултону редко доводилось слышать.

— У нас нет выхода. Мы должны показать это видео доктору Элизабет Сински.

Ноултон, хоть и старался не выдать удивления, так и застыл в своем кресле. *Этой седой ведьме? От которой мы весь год прятали Зобриста?*

— Хорошо, сэр. Попробую послать ей по электронной почте.

— Боже упаси. Утечка — и разойдется по Сети. Будет массовая истерия. Я хочу, чтобы вы в кратчайший срок доставили Сински к нам на борт.

Ноултон смотрел на него в изумлении. Он хочет, чтобы директора ВОЗ привезли на «Мендаций»?

— Сэр, такое нарушение нашего режима секретности... мы подвергаем себя...

— Выполняйте, Ноултон! НЕМЕДЛЕННО!

Глава 66

С-2080 поворачивается к окну стремительно мчащегося «Фреччарджento» и смотрит на отражение Лэнгдона в стекле. Профессор все еще бьется над загадкой, которую оставил на посмертной маске Бертран Зобрист.

Бертран, думает ФС-2080. *Как мне жить без него?*

Боль утраты нисколько не притупилась. Вечер их первой встречи до сих пор казался волшебным сном.

Чикаго. Метель...

Январь, шесть лет назад... а кажется, это было вчера. Пробираюсь по сугробам вдоль продуваемой ветром Великолепной мили*, пряча голову в воротник от слепящего снега. Твержу себе, что ни холод, ни ветер не остановят меня на моем пути. Сегодня вечером я могу услышать великого Бертрана Зобриста... живьем.

Я читаю все, что написано этим человеком, и я из тех пятисот счастливцев, кому удалось добыть билет на его выступление.

Но когда я вхожу в зал, окоченев от ветра, меня охватывает паника: зал почти пуст. Выступление отменили? Город парализован метелью... Неужели и Зобристу она помешала прийти?

Но вот и он сам.

Высокая стройная фигура появляется на сцене.

Он высок... очень высок... с живыми зелеными глазами, глубина которых, кажется, хранит в себе все тайны мира. Он окидывает взглядом пустой зал — всего десяток стойких поклонников, — и мне стыдно, что зал почти пуст.

Это Бертран Зобрист!

---

* Великолепная миля — часть Мичиган-авеню, центральной улицы Чикаго.

*Ужасные мгновения тишины — он смотрит на нас строгим
взглядом.*

*И вдруг разражается смехом, в глазах — блеск. «К чертям пу-
стую аудиторию! — провозглашает он. — Мой отель рядом.
Идемте в бар!»*

*Радостные восклицания, и наша маленькая компания перехо-
дит в бар соседнего отеля. Мы усаживаемся за отдельный столик,
заказываем напитки. Зобрист услаждает нас рассказами о своих
исследованиях, о прославивших его открытиях, делится мыслями
о будущем генной инженерии. Пустые бокалы сменяются полными, Зобрист сворачивает на другую тему — его увлечение фило-
софией трансгуманизма.*

*«Я убежден, что в трансгуманизме единственная надежда че-
ловечества уцелеть в долгой перспективе, — возвещает он, рас-
стегивая рубашку, чтобы продемонстрировать цепочку «Н+»,
вытатуированных на плече. — Как видите, я привержен ему всецело».*

*У меня такое ощущение, точно я на аудиенции у рок-звезды.
Кто бы мог подумать, что у прославленного «гения генетики»
столько обаяния, такая харизма. Всякий раз, когда он смотрит на
меня, его зеленые глаза зажигают во мне совершенно неожиданное
чувство... глубокое сексуальное влечение.*

*Проходит час за часом, и наша группа редеет, гости, прощаясь,
возвращаются к повседневной реальности. К полуночи я остаюсь
с Бертраном Зобристом наедине. Голова слегка кружится от выпитого.*

*«Спасибо за этот вечер, — говорю я ему. — Вы изумительный
учитель».*

*«Лесть? — Зобрист улыбается и наклоняется ко мне; наши
ноги соприкоснулись. — С ней вы достигнете чего угодно».*

*Флирт явно неуместен, но за окнами пустого отеля снежная
ночь, и ощущение такое, что весь мир замер.*

*«Как вы посмотрите? — говорит Зобрист. — По стаканчику
перед сном в моем номере?»*

*Я застываю и выгляжу, наверное, так, как олень в лучах фар.
Глаза Зобриста тепло поблескивают.*

*«Позволите догадку? — шепчет он. — Вы ни разу не были со
знаменитым мужчиной».*

Я чувствую, что краснею, и стараюсь скрыть нахлынувшие эмоции — смущение, волнение, страх.

«Честно говоря, мне вообще не приходилось быть с мужчиной», — отвечаю я.

Зобрист улыбается и придвигается ближе.

«Не знаю, чего вы дожидались, но позвольте мне быть вашим первым».

В этот миг все оковы сексуальных страхов и разочарований детства спадают с меня... растворяются в снежной ночи.

Впервые в жизни вожделение во мне не подавлено стыдом.

Я хочу его.

Десятью минутами позже мы у Зобриста в номере, голые, обнимаем друг друга. Зобрист не торопится, его терпеливые руки рождают неизведанные ощущения в моем неопытном теле.

Это мой выбор. Он меня не принуждал.

В объятиях Зобриста мне кажется, что все в мире правильно. Я лежу с ним, смотрю на снежную ночь за окном и знаю, что буду следовать за этим человеком повсюду.

Поезд «Фреччарджерно» замедлил ход, и ФС-2080 возвращается из блаженного забытья в безрадостную действительность.

Бертран... тебя больше нет.

Их первая ночь была первым шагом в невероятном странствии.

Он стал не только моим любовником. Он стал моим учителем.

— Мост Либерта, — говорит Лэнгдон. — Мы почти на месте.

ФС-2080 печально смотрит на воду Венецианской лагуны. Однажды они плыли здесь с Бертраном... но мирную картину вытесняет ужасное воспоминание недельной давности.

С нами не было никого, когда он бросился с башни Бадия.

Последними глазами, которые он увидел в жизни, были мои глаза.

Глава 67

айтейшн Excel» компании NetJet взлетел с аэродрома Тассиньяно, круто набрал высоту, пробившись сквозь зону сильной турбулентности, и взял курс на Венецию. Доктор Элизабет Сински почти не заметила тряского взлета; она рассеянно поглаживала свой амулет и смотрела в пустое пространство за иллюминатором.

Ей наконец перестали делать инъекции, и сознание несколько прояснилось. Агент Брюдер молча сидел рядом и, видимо, размышлял над неожиданным поворотом событий.

Все у нас шиворот-навыворот, думала она и не могла найти объяснения произошедшему.

Тридцать минут назад они примчались на маленький аэродром, чтобы перехватить Лэнгдона, который должен был в это время садиться в специально заказанный самолет. Но вместо профессора они увидели праздно стоящий «Сайтейшн Excel» и двух пилотов, которые расхаживали по взлетной полосе, то и дело поглядывая на часы.

Роберт Лэнгдон не появился.

А потом — телефонный звонок.

Когда зазвонил телефон, Сински находилась там, где провела весь день, — на заднем сиденье черного фургона. В машину с ошеломленным видом вошел агент Брюдер и протянул ей мобильный телефон.

— Срочно требуют вас.

— Кто?

— Он просит сказать вам, что у него неотложное сообщение о Бертране Зобристе.

Сински взяла телефон.

— Элизабет Сински слушает.

— Доктор Сински, мы с вами не знакомы, но моя организация последний год занималась тем, что прятала от вас Бертрана Зобриста.

Сински резко выпрямилась.

— Кто бы вы ни были, вы укрывали преступника.

— Мы не совершили ничего противозаконного, но дело сейчас...

— То, что вы совершили, называется преступлением!

Неизвестный тяжело вздохнул и заговорил совсем тихо:

— У нас с вами еще будет время обсудить этичность моих действий. Вы меня не знаете, но я о вас знаю довольно много. Мистер Зобрист хорошо платил мне за то, чтобы я не дал вам выйти на его след. Сейчас, связавшись с вами, я нарушаю строжайшее правило, мною же установленное. Считаю, однако, что у нас нет иного выхода, как объединить наши усилия. Боюсь, что Бертран Зобрист мог сотворить что-то ужасное.

Сински не представляла себе, кем может быть ее собеседник.

— Вам только сейчас пришло это в голову?

— Совершенно верно. Только сейчас.

Сински старалась прогнать туман из головы.

— Кто вы?

— Я тот, кто хочет помочь вам, пока не поздно. У меня в руках видеопослание Бертрана Зобриста. Он просил меня обнародовать его... Завтра. Считаю, нам надо немедленно увидеться.

— О чем он говорит?

— Не телефонный разговор. При встрече.

— Почему я должна вам доверять?

— Потому что сейчас я скажу вам, где Роберт Лэнгдон... и почему он ведет себя так странно.

При слове «Лэнгдон» Сински чуть не вздрогнула и с изумлением стала слушать фантастические объяснения. Собеседник ее целый год действовал заодно с ее врагом, однако интуиция подсказывала ей, что его словам можно верить.

Выбора нет — я должна согласиться.

Совместными усилиями им удалось быстро арендовать простаивающий «сайтейшн». Сински с агентами пустились в погоню за Лэнгдоном, который, по словам неизвестного, как раз подъезжал с двумя спутниками к Венеции. Обращаться к местным властям было уже поздно, но собеседник Сински утверждал, что знает, куда направится Лэнгдон.

Площадь Сан-Марко? Сински похолодела, представив себе запруженную народом площадь — самый густонаселенный участок Венеции.

— Откуда вам это известно?

— Не по телефону, — последовал ответ. — Но имейте в виду, Роберт Лэнгдон, не подозревая о том, путешествует в обществе очень опасного человека.

— Кто он? — резко спросила Сински.

— Один из ближайших последователей Зобриста. — Неизвестный тяжело вздохнул. — Человек, которому я доверял. По глупости, как выяснилось. Сейчас, я убежден, этот человек представляет собой серьезнейшую угрозу.

Когда самолет с шестью агентами и Сински взял курс на венецианский аэропорт Марко Поло, Сински вернулась мыслями к Лэнгдону. *Потерял память? Ничего не помнит?* Это многое объясняло, но добавило ей угрызений из-за того, что она втянула знаменитого профессора в такую опасную историю.

Я не оставила ему выбора.

Почти два дня назад, когда Сински вызвала Лэнгдона, она не дала ему даже съездить домой за паспортом. Вместо этого она организовала ему беспрепятственный проход через таможню флорентийского аэропорта как специальному связному Всемирной организации здравоохранения.

Когда грузный «С-130» поднялся в воздух и полетел на восток через Атлантику, Сински взглянула на сидевшего рядом Лэнгдона и заметила, что ему нехорошо. Он смотрел в глухую стену фюзеляжа.

— Профессор, у нас нет иллюминаторов. До недавнего времени это был военно-транспортный самолет.

Лэнгдон повернул к ней серое лицо.

— Да я заметил это, как только поднялся сюда. Я плохо переношу замкнутое пространство.

— Так что смотрите в воображаемое окно?

Он виновато улыбнулся.

— Что-то в этом роде.

— Тогда посмотрите лучше на это. — Она вынула фото своего высокого зеленоглазого противника и положила перед Лэнгдоном. — Это Бертран Зобрист.

Сински рассказала Лэнгдону о своем столкновении с Зобристом на Совете по международным отношениям, о его одержимости Уравнением демографического апокалипсиса, о его широковещательных заявлениях насчет глобальных благ Черной Смерти и, что самое зловещее, о его исчезновении год назад.

— Как может такой заметный человек скрыться из виду на такое долгое время?

— Ему помогают. Весьма профессионально. Может быть даже, иностранное правительство.

— Какое правительство будет помогать созданию смертельной эпидемии?

— Те же правительства, которые пытаются приобрести ядерные боеголовки на черном рынке. Не забывайте, что это самое мощное биологическое оружие и оно стоит несметных денег. Зобрист вполне мог солгать и убедить их, что его оружие имеет ограниченный радиус действия. Зобрист был единственным, кто хотя бы представлял себе, на что способно его творение.

Лэнгдон молчал.

— Во всяком случае, — продолжала Сински, — те, кто помогал Зобристу, могли помогать не ради власти или денег, а потому, что разделяли его *идеологию*. У Зобриста не было недостатка в учениках, которые сделают для него что угодно. Он действительно был знаменитостью. Между прочим, недавно выступал у вас в университете.

— В Гарварде?

Сински взяла ручку и на кромке фотографии Зобриста написала «Н» со знаком плюс.

— Вы занимаетесь символами. Этот вам знаком?

H+

Лэнгдон вяло кивнул:

— Конечно. Несколько лет назад такие афиши висели по всему кампусу. Я думал, какая-то конференция по химии.

Сински усмехнулась:

— Нет, это были афиши «Человечества-плюс», крупнейшего собрания трансгуманистов. Это эмблема их движения.

Лэнгдон наклонил голову, как бы пытаясь припомнить значение этого слова.

— Трансгуманизм, — сказала Сински, — это интеллектуальное движение, философия своего рода, и она быстро завоевывает позиции в научном сообществе. Суть ее в том, что человечество должно использовать науку, дабы преодолеть слабости, присущие человеческому организму. Другими словами, следующий этап эволюции человека должен заключаться в совершенствовании *нас самих* методами биоинженерии.

— Звучит зловеще, — сказал Лэнгдон.

— Как и во всякой перемене, это вопрос степени. Фактически мы давно этим занимаемся — разрабатываем вакцины, которые делают детей невосприимчивыми к болезням... полиомиелиту, оспе, тифу. Разница в том, что теперь благодаря достижениям Зобриста в генной терапии зародышевых клеток мы учимся создавать *наследуемый иммунитет*, такой, который образуется у человека на уровне зародышевой линии, — и все его потомки будут невосприимчивы к этой болезни.

Лэнгдон поразился:

— Значит, наш вид претерпит такую эволюцию, что станет невосприимчив, например, к тифу?

— Это, можно сказать, управляемая эволюция, — уточнила Сински. — Обычно эволюционный процесс — будь то появление ног у двоякодышащих рыб или противопоставленного большого пальца у обезьян — длится много тысячелетий. Теперь мы можем получить радикальные генетические изменения за одно поколение. Сторонники такого вмешательства считают его высшим проявлением дарвиновского принципа «выживания наиболее приспособленных» — люди становятся видом, который способен улучшить собственный эволюционный процесс.

— Берем на себя роль Бога, так, что ли?

— Полностью с вами согласна, — сказала Сински. — Но Зобрист, как и многие другие трансгуманисты, настаивает, что эволюционная *обязанность* человечества — усовершенствовать наш вид, используя все имеющиеся возможности, в том числе мутацию зародышевых клеток. Проблема в том, что наше генетическое строение подобно карточному домику — каждая деталь связана с бесчисленным количеством других и поддерживается ими, и мы не всегда понимаем, каким образом. Если мы попробуем убрать какой-то один признак, мы можем изменить этим сотни других — возможно, с катастрофическими последствиями.

Лэнгдон кивнул.

— Не зря эволюция — постепенный процесс.

— Именно. — С каждой минутой Сински чувствовала все большее расположение к профессору. — Мы вмешиваемся в процесс, который длился миллионы лет. Сейчас опасное время. Мы получили возможность воздействовать на определенные нуклеотидные последовательности генов так, что наши потомки будут обладать бо́льшей ловкостью, бо́льшей выносливостью, силой и даже интеллектом — в сущности, сверхраса. Эту гипотетическую «улучшенную породу» людей трансгуманисты называют «постчеловечеством», и некоторые верят, что таково будущее нашего вида.

— Жутковато отдает евгеникой, — заметил Лэнгдон.

При этом слове у Сински пробежал мороз по коже.

В 1940-х нацистские ученые занялись так называемой евгеникой — примитивными генетическими методами пытались повысить плодовитость тех, кто обладал «желательными» этническими признаками, и снизить рождаемость у тех, кто обладал «нежелательными».

Этническая чистка на генетическом уровне.

— Сходство есть, — согласилась Сински. — Как мы сконструируем новую человеческую породу, вообразить трудно, однако есть много неглупых людей, которые думают, что это жизненно необходимо для выживания homo sapiens. Один из авторов журнала трансгуманистов «H+» назвал манипуляцию с зародышевой линией «естественным следующим шагом» и заявил, что она «воплощает истинный потенциал нашего вида». — Сински помолчала. — В ходе дискуссии, защищаясь, они перепечатали статью из журнала «Дискавери» под названием «Самая опасная идея на свете».

— Я бы встал на сторону последних, — сказал Лэнгдон. — По крайней мере с социокультурных позиций.

— Поясните?

— Полагаю, генетическое улучшение — ну, скажем, как пластическая хирургия — будет стоить дорого. Да?

— Конечно. Не каждому будет по средствам усовершенствовать себя и своих детей.

— А это значит, что узаконенное генетическое улучшение немедленно породило бы два мира — имущих и неимущих. У нас и так расширяется пропасть между богатыми и бедными, но генная инженерия создала бы расу сверхчеловеков и тех, кого будут считать недочеловеками. Думаете, людей волнует, что один процент сверхбогатых правит миром? А теперь вообразите, что этот один процент — в буквальном смысле высшая раса, более умная, более сильная, более здоровая. И все — готова почва для рабства или этнических чисток.

Сински улыбнулась симпатичному профессору.

— Вы очень быстро оценили главную, по-моему, опасность, которую таит в себе генная инженерия.

— Оценить, может быть, и оценил, но что касается Зобриста, я по-прежнему в недоумении. Трансгуманисты ищут способ улучшить человека, сделать более здоровым, победить смертельные болезни, увеличить продолжительность жизни. А Зобрист, с его взглядами на перенаселенность, явно проповедует уничтожение людей. При этом он трансгуманист. Одно с другим не вяжется, правда?

Сински грустно вздохнула. Это был вопрос по существу, но, к сожалению, ответ на него был ясен и не сулил ничего хорошего.

— Зобрист твердо держался идеологии трансгуманизма — веровал в улучшение вида с помощью биотехнологий, но считал, что наш вид вымрет раньше, чем мы этого достигнем. Что, если не принять мер, нас убьет сама наша численность. Раньше, чем мы реализуем возможности генной инженерии.

Лэнгдон поднял брови.

— То есть он хотел проредить стадо... и этим выгадать время?

— Да. Однажды он написал, что находится в положении человека, который попал на корабль, где число пассажиров удваивается с каждым часом. И он лихорадочно строит спасательную шлюпку, чтобы успеть до того, как корабль утонет под своим грузом. — Сински помолчала. — Предлагает выбросить половину пассажиров за борт.

Лэнгдон поежился

— Страшный план.

— Чрезвычайно. И можете не сомневаться — Зобрист твердо верил, что кардинальное сокращение численности людей на Земле войдет в историю как акт высшего героизма... как момент, когда человечество выбрало путь самосохранения.

— Да, идея страшная.

— Тем более что кое-кто ее разделяет. Когда Зобрист покончил с собой, он стал для многих мучеником. Я понятия не имею, с кем мы столкнемся, прилетев во Флоренцию. Но надо быть очень осторожными. Мы будем не единственными, кто ищет его чуму, и для вашей безопасности ни одна душа в Италии не должна знать, что вы ее ищете.

Лэнгдон рассказал ей о своем друге Иньяцио Бузони, специалисте по Данте. Наверное, он сумеет провести Лэнгдона в палаццо Веккьо после закрытия, чтобы рассмотреть фреску со словами «cerca trova», которые Зобрист зашифровал в своем маленьком проекторе. А может, и прояснит для Лэнгдона странную фразу о «глазах смерти».

Сински откинула назад длинные серебристые волосы и напряженно посмотрела на Лэнгдона.

— Ищите, и найдете, профессор. Время уже на исходе.

Она ушла в грузовой отсек самолета и вернулась с самой надежной сейфовой трубкой для хранения опасных материалов — моделью с биометрическим запорным шифром.

— Дайте мне большой палец, — сказала она, положив трубку перед Лэнгдоном.

Лэнгдон удивился, но протянул ей руку.

Сински запрограммировала трубку так, что теперь только Лэнгдон мог ее открыть, и вложила в нее проектор Зобриста.

— Рассматривайте это как переносный сейф, — сказала она с улыбкой.

— С эмблемой биологической угрозы? — Лэнгдон смотрел на трубку с сомнением.

— Другого у нас нет. Зато никто на него не покусится.

Лэнгдон сказал, что хочет размять ноги, и отправился в туалет. Когда он ушел, Сински попробовала засунуть трубку в карман его пиджака. Трубка не помещалась.

Нельзя, чтобы он носил проектор у всех на виду. Сински задумалась на минуту, потом опять пошла в грузовой отсек за скальпелем и нитями. Умелым движением она взрезала подкладку пиджака и аккуратно сшила потайной карман по размеру трубки.

Когда Лэнгдон вернулся, она как раз заканчивала.

Он остановился и посмотрел на нее так, словно она обезобразила лицо «Моны Лизы».

— Вы разрезали мой любимый пиджак?

— Не волнуйтесь, профессор. Я опытный хирург. Швы вполне не профессиональные.

Глава 68

енецианский вокзал Санта-Лючия — элегантное невысокое здание из серого камня и бетона. Оно спроектировано в современном минималистском стиле, и фасад его лишен всяких надписей, если не считать крылатых букв FS, логотипа государственной железнодорожной сети Ferrovie dello Stato.

Вокзал расположен у западной оконечности Большого канала, и пассажиру достаточно сделать шаг, чтобы его сразу окружили особенные звуки, запахи и зрелища Венеции.

Для Лэнгдона первым всегда было ощущение от ее соленого воздуха — свежий ветерок, приправленный ароматом белой пиццы, которую продают уличные торговцы перед вокзалом. Сегодня ветер дул с востока и нес еще запах дизельного топлива водных такси, длинной шеренгой выстроившихся в мутной воде Большого канала. Десятки шкиперов махали руками и кричали туристам, заманивая пассажиров на свои такси, гондолы, речные трамваи вапоретто и быстроходные катера.

Хаос на воде, дивился Лэнгдон, глядя на плавучий транспортный затор. Такая толчея в Бостоне раздражала бы, а здесь казалась забавной.

На той стороне канала — рукой подать — поднимался в небо зеленый купол Сан-Симеоне-Пикколо, одной из самых эклектичных церквей в Европе. Ее необычно крутой купол и круглая алтарная часть были построены в византийском стиле, а мраморный пронаос с колоннами — явно по образцу классического греческого портика римского Пантеона. Вход украшал эффектный мраморный фронтон с рельефным изображением святых мучеников.

Венеция — это музей на открытом воздухе, думал Лэнгдон, глядя на церковные ступени, у которых плескалась вода канала. *И музей этот медленно тонет.* Но даже перспектива затопления представлялась пустяком по сравнению с опасностью, притаившейся где-то в недрах города.

И никто об этом даже не догадывается...

Слова, написанные на изнанке посмертной маски Данте, все время вертелись у него в голове, и непонятно было, куда все это его приведет. Переписанный текст лежал у него в кармане, а саму маску по предложению Сиены он завернул в газету, снова запечатал в прозрачный пакет и оставил в автоматической камере хранения на вокзале. Хранилище оскорбительное, не достойное уникального предмета — но не таскать же бесценный гипс по городу, построенному на воде.

— Роберт? — Сиена, которая шла впереди с Феррисом, направилась к такси. — У нас мало времени.

Лэнгдон поспешил к ним, хотя ему, страстному ценителю архитектуры, ускоренная поездка по каналу представлялась кощунством. Мало что могло доставить такое удовольствие, как неспешное плавание на вапоретто — главном городском транспорте — по первому маршруту, предпочтительно ночью и на открытой палубе, мимо высвеченных прожекторами соборов и дворцов.

Сегодня не удастся, подумал Лэнгдон. Вапоретто славились своей тихоходностью, и на такси, конечно, было быстрее. Но очередь к такси выглядела бесконечной.

Феррис был не расположен ждать и взял командование на себя. Пухленькой пачкой купюр он подозвал водный лимузин — лоснящийся катер из южноафриканского красного дерева. Этот транспорт, конечно, был роскошью, зато поездку обещал короткую и без посторонних — минут пятнадцать по Большому каналу до площади Сан-Марко.

Хозяин был на редкость красивый мужчина в отличном костюме от Армани и больше походил на кинозвезду, чем на шкипера. Хотя как же иначе — это Венеция, средоточие итальянской элегантности.

— Маурицио Пимпоне, — сказал шкипер, приняв их на борт, — и подмигнул Сиене. — Prosecco? Limoncello?* Шампанское?

_____
* Просекко — местное игристое вино; лимончелло — лимонный ликер.

— No, grazie*, — ответила Сиена и на беглом итальянском попросила его как можно быстрее доставить их к площади Сан-Марко.

— Ma certo**. — Маурицио опять подмигнул. — Моя лодка самая быстрая в Венеции.

Когда они сели в обитые бархатом кресла на открытой корме, Маурицио включил свой «вольво-пента» и задним ходом отошел от причала. Затем повернул руль вправо, прибавил газу и ловко повел свое большое судно сквозь гущу гондол, раскачивая их спутной волной. Гондольеры в полосатых рубашках грозили ему вслед кулаками.

— Scusate! — кричал Маурицио. — ВИПы!

Через несколько секунд он вывел катер из затора и помчался по Большому каналу на восток. Под изящной аркой моста Скальци до Лэнгдона долетел знакомый аромат seppie al nero — каракатицы в собственных чернилах — из ресторанов под навесами на берегу. За излучиной показался купол массивной церкви Сан-Джеремия.

— Святая Луция, — прошептал Лэнгдон, прочтя имя на боковом фасаде церкви. — Кости незрячей.

— Что вы сказали? — спросила Сиена, подумав, что он разгадал строчку в непонятном стихотворении.

— Да так. Чуднàя мысль. Ерунда, наверное. — Лэнгдон показал на церковь. — Видите надпись? Здесь похоронена святая Луция. Я иногда читаю лекции по агиографическому искусству — то есть изображениям христианских святых, — и мне вдруг пришло в голову, что святая Луция — покровительница слепых.

— Sì, santa Lucia***, — подхватил Маурицио, обрадовавшись, что может еще чем-то быть полезным. — Святая слепых! Вы знаете историю, нет? — Он обернулся к ним, перекрикивая шум мотора. — Лючия была такая красивая, что ее желали все мужчины. И Лючия, чтобы быть чистой перед Богом и сохранить девственность, вырезала себе глаза.

Сиена застонала:

— Вот это благочестие.

---

*   Нет, спасибо (*ит.*).
**   Ну конечно (*ит.*).
***   Да, Санта Лучия (*ит.*).

— И в награду за ее жертву Бог дал ей другие глаза, еще красивее!

Сиена посмотрела на Лэнгдона.

— Он же знает, что это бессмыслица, правда?

— Пути Господни неисповедимы. — Лэнгдон стал припоминать картины старых мастеров — десятка два — с изображением святой Луции, несущей свои глаза на блюде.

Существовали разные легенды о святой Луции, но во всех она вырывала свои глаза, вызывавшие у людей вожделение, клала на блюдо и протягивала его страстному поклоннику со словами: «Вот, получи то, чего ты так желал... и умоляю тебя, оставь меня теперь в покое!» Страшным образом вдохновило ее на эту жертву Священное Писание, наставление Христа: «И если глаз твой соблазняет тебя, вырви его и брось от себя...»

Незрячей, думал Лэнгдон, *...дожа вероломного ищи... кто кости умыкнул незрячей.*

Святая Луция была слепой, и не исключено, что это на нее указывало загадочное стихотворение.

— Маурицио! — крикнул Лэнгдон и показал на церковь Сан-Джеремия. — Мощи святой Луции в этой церкви, да?

— Немного, да, — ответил Маурицио, держа руль одной рукой и обернувшись к пассажирам, словно дорога впереди была свободна от лодок. — Но большей части нет. Санта Лючию так любили, что ее мощи разделили между церквями по всему миру. Венецианцы любят ее больше всех, конечно, и мы празднуем...

— Маурицио, — закричал Феррис. — Санта Лючия слепая, но вы-то нет. Впереди! Смотрите!

Маурицио благодушно рассмеялся и вовремя повернул голову, чтобы уйти от столкновения со встречной лодкой.

Сиена смотрела на Лэнгдона.

— Вы о чем подумали? О вероломном доже, который украл кости слепой?

Лэнгдон поджал губы.

— Не знаю.

Он кратко рассказал Сиене и Феррису историю останков святой — одну из самых странных во всей агиографии. По легенде, когда Луция отказала властному поклоннику, он велел сжечь ее на костре. Но огонь не брал ее тело. После этого люди поверили, что ее останки обладают магической силой и тот, кто владеет ими, будет жить необычайно долго.

— Волшебные кости? — сказала Сиена.

— Да, в это верили, и поэтому ее останки разошлись по всему миру. Две тысячи лет могущественные властители, чтобы отсрочить старость и смерть, пытались завладеть костями святой. Ее скелет похищали одни, потом другие, перевозили из одного места в другое, делили на части — такого не было ни с одним святым в истории. Ее останки прошли через руки по крайней мере дюжины самых могущественных людей в истории.

— Включая вероломного дожа? — предположила Сиена.

Ты дожа вероломного ищи — того, кто кости умыкнул незрячей; того, кто обезглавил жеребцов...

— Вполне возможно, — сказал Лэнгдон, вспомнив, что Данте в «Аде» упоминает ее особо. Она одна из трех «благословенных жен» — «tre donne benedette», — которые поручили Вергилию вывести Данте из преисподней. Другие две — Дева Мария и возлюбленная Данте Беатриче. Данте подобрал святой Луции самую почетную компанию.

— Если это так, — заволновалась Сиена, — тогда этот вероломный дож... который отрезал головы у лошадей...

— ...мог украсть и кости святой, — закончил Лэнгдон.

— Да. И это значительно сокращает список кандидатов. — Она повернулась к Феррису. — Вы уверены, что телефон не работает? Мы могли бы поискать в Интернете...

— Глухо. Я только что проверил. Жаль.

— Мы подъезжаем, — сказал Лэнгдон. — Какие-то ответы получим в Сан-Марко, уверен.

Собор Сан-Марко был в ребусе единственной деталью, не вызывавшей сомнений у Лэнгдона. *Мусейон мудрости священной, где золото сияет.* Лэнгдон рассчитывал, что собор откроет имя загадочного дожа... А дальше, если повезет, — место, где Зобрист решил выпустить на волю чуму. *...Подземный отыщи дворец, хтоническое чудище найди там...*

Лэнгдон всячески отгонял мысленные картины чумы — но не получалось. Он часто пытался представить себе, каким был этот невероятный город в годы расцвета — перед тем, как его ослабила чума и он пострадал от Османов, а потом и от Наполеона... Когда

Венеция гордо царствовала в Европе как ее коммерческий центр. По всем свидетельствам, не было на свете города прекраснее Венеции, по богатству и культуре ее жителей ни одно государство не могло с ней сравниться.

Но такова ирония истории, что тяга к заграничным предметам роскоши стала для нее погибелью — Черная Смерть приплыла из Китая с крысами в трюмах торговых судов. Чума, истребившая *две трети* неисчислимого населения Китая, пришла в Европу и убила каждого третьего — молодых и старых, богачей и бедных, без разбора.

Лэнгдон читал описания жизни Венеции во время вспышки чумы. Земли, чтобы хоронить мертвых, не хватало, в каналах плавали распухшие тела, и некоторые места были так завалены трупами, что рабочие, как плотогоны, скатывали их в воду и толкали к морю. Никакие молитвы не могли умилостивить чуму. Когда городские власти поняли, что чуму привезли крысы, было уже поздно. Тем не менее Венеция постановила, что каждое прибывшее судно должно простоять на рейде полных сорок дней, прежде чем ему будет позволено разгрузиться. И до сего дня число сорок — quaranta — служит мрачным напоминанием о происхождении слова «карантин».

Их катер вошел в еще одну излучину канала, и праздничный красный тент, трепещущий на ветру, заставил Лэнгдона отвлечься от мрачных мыслей и задержать взгляд на изящном трехъярусном строении слева.

CASINO DI VENEZIA*: МОРЕ ЭМОЦИЙ

Лэнгдон не совсем понимал смысл последних двух слов в применении к казино, однако знал, что само здание, эффектный ренессансный дворец, украшает собой город с шестнадцатого века. Частное жилище в прошлом, теперь это был первоклассный игорный дом, знаменитый тем, что в 1883 году здесь умер от сердечного приступа композитор Рихард Вагнер, незадолго до того закончивший оперу «Парсифаль».

За казино справа, на барочном рустовом фасаде, висел транспарант еще больше, только синий:

---

* Казино Венеции (*ит.*).

CA' PESARO: GALLERIA INTERNAZIONALE
D'ARTE MODERNA*.

Сколько-то лет назад Лэнгдон побывал там и увидел знаменитую картину Густава Климта «Поцелуй», привезенную из Вены.
Он увидел обнявшуюся пару в ослепительных одеждах из сусаль-
ного золота и навсегда влюбился в художника. И с тех пор считал,
что своим интересом к современному искусству обязан венецианскому Ка-Пезаро.

Канал расширился, и Маурицио прибавил скорость.

Показался мост Риальто — середина пути до Сан-Марко. Когда они приблизились к мосту, уже почти под ним, Лэнгдон поднял
голову и увидел одинокую неподвижную фигуру перед ограждением.

Человек мрачно смотрел на них сверху.

Лицо было знакомым... и страшным.

Серое, удлиненное, с черными мертвыми глазами и длинным
птичьим носом.

Лэнгдон внутренне сжался.

Катер нырнул под мост, и только тут Лэнгдон сообразил, что это
был просто турист, обновлявший покупку — маску чумного доктора, какие сотнями распродаются ежедневно на рынке Риальто.

Сегодня, однако, он не увидел в ней ничего карнавального.

---

*   Ка-Пезаро: Музей современного искусства (*ит.*).

Глава 69

Площадь Сан-Марко находится у южного конца венецианского Большого канала — там, где эта артерия соединяется с открытым морем. Над опасным перекрестком водных путей господствует Dogana da Mar — морская таможня, суровая треугольная крепость, над которой некогда высилась смотровая башня, помогавшая охранять Венецию от вторжений. Место башни занимает ныне массивный позолоченный шар, увенчанный флюгером в виде богини удачи; поворачиваясь на ветру, флюгер напоминает морякам, отправляющимся в плавание, о непредсказуемости судьбы.

Перед устьем канала, через которое Маурицио вел свое элегантное судно, зловеще ширилось неспокойное море. Роберту Лэнгдону много раз доводилось плыть этим путем, но всегда на борту гораздо более крупного вапоретто, и, когда их «лимузин» закачался на все более высоких волнах, ему стало слегка не по себе.

Чтобы подойти к причалу у площади Сан-Марко, им надо было пересечь участок лагуны с сотнями судов: тут были и роскошные яхты, и танкеры, и частные парусники, и большие круизные лайнеры. Это как свернуть с сельской дороги на восьмиполосную супермагистраль.

Сиена, глядя на круизный лайнер — на громадину высотой с десятиэтажный дом, проплывавшую перед ними в каких-нибудь трехстах метрах, — испытывала, похоже, такое же беспокойство. На палубах судна было полно пассажиров: все теснились у бортов, фотографируя площадь Сан-Марко с моря. Позади лайнера, оставлявшего за кормой пенный след, еще три ждали очереди пройти мимо самой знаменитой венецианской достопримечательности. Лэнгдон слыхал, что за последние годы число таких судов до того выросло, что они теперь идут бесконечной цепочкой весь день и всю ночь.

Маурицио, сидя у штурвала, оглядел череду приближающихся лайнеров, а затем посмотрел налево — на причал с навесом, до которого было недалеко.

— К «Харрис-бару»? — Он показал на знаменитый ресторан, где изобрели коктейль «Беллини». — Там до площади Сан-Марко будет близко-близко.

— Нет, везите нас прямо туда, — распорядился Феррис, показывая через лагуну на причал у площади Сан-Марко.

Маурицио благодушно пожал плечами:

— Как скажете. Крепче держимся!

Маурицио увеличил скорость, и «лимузин» начал резать довольно крупную зыбь, выходя на одну из полос движения, помеченных буями. Проходящие круизные лайнеры казались плавучими многоэтажками, в их кильватере прочие суда прыгали на воде, как пробки.

К удивлению Лэнгдона, десятки гондол пересекали лагуну тем же путем, что и «лимузин». Эти изящные одиннадцатиметровые лодки, весящие около шестисот килограммов, великолепно устойчивы на волнах. Каждой управлял гондольер в традиционной рубахе в черно-белую полоску, уверенно стоявший на возвышении слева в кормовой части и работавший одним веслом, пропущенным через уключину на правом борту. Даже при сильном волнении было видно, что каждая гондола по какой-то таинственной причине кренится на левый борт; Лэнгдон знал, что причина этой странности — асимметричное строение судна: корпус гондолы слегка загнут вправо, в противоположную от гондольера сторону, чтобы компенсировать ее склонность забирать влево из-за правосторонней гребли.

Маурицио с гордостью показал на одну из гондол, которую они обгоняли на полном ходу.

— Видите спереди металлический гребень? — прокричал он через плечо, кивая в сторону элегантного орнамента на носу. — Это ferro di prua — носовое железо, другого металла на гондоле нет. Это изображение Венеции!

Маурицио объяснил, что серповидное украшение на носу каждой венецианской гондолы имеет символический смысл. Изогнутая форма ferro знаменует собой Большой канал, шесть зубцов — это шесть sestieri, то есть районов Венеции, продолговатое лезвие наверху напоминает головной убор венецианского дожа.

Дожа, подумал Лэнгдон, мысленно возвращаясь к задаче, которую надо было решить. *Ты дожа вероломного ищи — того, кто кости умыкнул незрячей, того, кто обезглавил жеребцов.*

Лэнгдон посмотрел на берег, к которому они направлялись, — там к воде подступал небольшой парк, а за деревьями парка поднималась в безоблачное небо красная кирпичная колокольня собора Сан-Марко, и с ее головокружительной стометровой высоты глядел вниз позолоченный архангел Гавриил.

В городе, где из-за податливого грунта высоких зданий нет, эта высокая кампанила служит путеводным маяком для всех, кто решает углубиться в лабиринт венецианских каналов и улочек; заблудившийся путешественник, бросив вверх один-единственный взгляд, сразу может понять, в какой стороне площадь Сан-Марко. Лэнгдону и теперь нелегко было поверить, что эта массивная башня в 1902 году рухнула, превратилась в груду обломков на площади. Единственной жертвой при этом, что примечательно, стала кошка.

Гости Венеции могут наслаждаться ее неподражаемой атмосферой в неисчислимых завораживающих уголках, но любимым местом Лэнгдона всегда была Рива-дельи-Скьявони — широкая каменная набережная, построенная в девятом веке на поднятом со дна иле и идущая от старого Арсенала к площади Сан-Марко.

Рива, на которой много отличных кафе, элегантных отелей и сохранилась церковь, где дирижировал и преподавал Антонио Вивальди, начинается у Арсенала — старинной венецианской судоверфи, где некогда в воздухе стоял сосновый аромат кипящего древесного сока. Корабельщики смолили им ненадежные суда, и считается, что реки кипящей смолы, где мучаются грешники, появились в «Аде» Данте Алигьери благодаря впечатлениям, которые он получил на этой судоверфи.

Взгляд Лэнгдона переместился вдоль набережной влево, к ее впечатляющему концу. Там, на южном краю площади Сан-Марко, большой участок мостовой выходит к открытому морю. В золотом веке Венеции эту границу гордо называли «рубежом цивилизации».

Сегодня у этого отрезка берега шагов в триста длиной стояло, как всегда, не менее сотни черных гондол — они покачивались, стукались о причальные столбы, серповидные украшения на их носах поднимались и опускались на фоне беломраморных зданий на площади.

Лэнгдону и сейчас трудно было понять, как этот крохотный город — по площади всего два нью-йоркских Центральных парка — смог подняться из моря и стать центром крупнейшей и богатейшей империи Запада.

Маурицио правил к берегу, и Лэнгдону уже было видно, что главная площадь совершенно забита людьми. Наполеон однажды заметил, что площадь Сан-Марко — гостиная Европы, и гостей в этой гостиной было сейчас намного больше того числа, на которое она была рассчитана. Казалось, площадь под грузом восхищенной людской массы вот-вот пойдет ко дну.

— О Господи, — прошептала Сиена, глядя на толпы.

Лэнгдон не знал, почему она это сказала: то ли из страха, что Зобрист мог специально выбрать такое людное место, чтобы выпустить на волю свою чуму... то ли почувствовав, что Зобрист небезосновательно рассуждал об опасностях перенаселенности.

Венеция каждый год принимает ошеломляющее количество туристов — по оценкам, треть процента мирового населения, в 2000 году их было около двадцати миллионов. С тех пор людей на Земле стало еще на миллиард больше, и город стонет от наплыва туристов, число которых соответственно выросло на три миллиона в год. Венеция, как и вся планета, располагает ограниченным пространством, и наступит момент, когда она больше не сможет предоставлять всем, кто хочет в ней побывать, еду и ночлег, не сможет убирать все отходы, что за ними остаются.

Феррис стоял рядом, но смотрел не на берег, а на море, оглядывая все приближающиеся суда.

— Что-нибудь не так? — спросила Сиена, взглянув на него с любопытством.

Феррис резко обернулся.

— Нет, все в порядке... просто задумался. — Он посмотрел вперед и крикнул Маурицио: — Чем ближе к площади, тем лучше!

— Без проблем. — Лодочник беззаботно махнул рукой. — Пара минут!

«Лимузин» уже поравнялся с площадью Сан-Марко, и справа, господствуя над берегом, вырос величественный Дворец дожей.

Безупречный образец венецианской готической архитектуры, дворец служит примером сдержанной элегантности. Лишенный башенок и шпилей, обычных для французских и английских дворцов, он спланирован как массивный прямоугольный параллелепипед, обеспечивающий максимум внутренней площади для многочисленной администрации дожа и вспомогательного персонала.

С моря могучее здание из белого известняка выглядело бы подавляюще, не будь это впечатление аккуратно смягчено портиком, колоннадой, крытым балконом и отверстиями в форме четырехлистника. Экстерьер украшен геометрическим узором из розового известняка, что напоминало Лэнгдону Альгамбру в Испании.

Когда они приблизились к причальным столбам, лицо Ферриса стало озабоченным — судя по всему, из-за толпы перед дворцом. Люди тесно стояли на мосту и показывали друг другу на что-то в узком канале, рассекающем Дворец дожей на две большие части.

— На что они смотрят, что там такое? — нервно, требовательно спросил Феррис.

— Il Ponte dei Sospiri, — ответила Сиена. — Знаменитый венецианский мост.

Лэнгдон заглянул в тесный канал и увидел красивый резной мост-туннель, идущий аркой между двумя зданиями. *Мост вздохов*, подумал он, вспоминая один из любимых фильмов своего отрочества — «Маленький роман», основанный на легенде о том, что если юные влюбленные поцелуются под этим мостом на закате под звон колоколов на башне собора Сан-Марко, они будут любить друг друга всю жизнь. С этим глубоко романтическим поверьем Лэнгдон так до конца и не расстался, чему способствовало, конечно, то, что в фильме снялась прелестная четырнадцатилетняя дебютантка Дайан Лейн, к которой Лэнгдон мгновенно проникся мальчишеским чувством... чувством, до сих пор, надо признать, не вполне остывшим.

Много позже Лэнгдон узнал, что Мост вздохов, как это ни ужасно, получил название не от вздохов страсти, а от тех вздохов, что испускали несчастливцы. Закрытый переход, как оказалось, соединял Дворец дожей с тюрьмой, где заключенные томились и умирали, оглашая узкий канал стонами, вылетавшими из зарешеченных окон.

Лэнгдон побывал однажды в дворцовой тюрьме и, к своему удивлению, понял, что самыми страшными были не нижние камеры у воды, которые часто заливало, а камеры на верхнем этаже самого дворца, называвшиеся piombi из-за свинцовой крыши, под которой летом было нестерпимо жарко, а зимой невыносимо холодно. Знаменитый любовник Казанова, осужденный инквизицией за блуд и шпионаж, просидел в piombi пятнадцать месяцев, а затем бежал, обманув охранника.

— Sta' attento!* — крикнул Маурицио гондольеру, направляя «лимузин» в отсек у причала, откуда гондола только-только вышла. Он высмотрел место у отеля «Даниели» в какой-нибудь сотне шагов от площади Сан-Марко и Дворца дожей.

Маурицио закрепил канат вокруг столба и прыгнул на причал так лихо, словно проходил кинопробу на роль в боевике. Пришвартовав судно, он повернулся к пассажирам и подал руку.

— Спасибо, — сказал Лэнгдон мускулистому итальянцу, вытянувшему его на берег.

За ним последовал Феррис — он был какой-то задумчивый и опять поглядывал на море.

Сиена сошла последней. Помогая ей, дьявольски красивый Маурицио пристально на нее посмотрел — точно намекал, что она не прогадает, если распрощается со своими спутниками и останется с ним на судне. Сиена проигнорировала этот взгляд.

— Grazie, Маурицио, — небрежно промолвила она, не отрывая взгляда от Дворца дожей.

И, не теряя ни секунды, повела Лэнгдона и Ферриса в толпу.

---

* Берегись! (*ит.*)

Глава 70

дачно названный в честь одного из славнейших путешественников в мировой истории, международный аэропорт имени Марко Поло расположен на берегу венецианской лагуны в шести с половиной километрах к северу от площади Сан-Марко.

Благодаря преимуществам частного авиарейса Элизабет Сински, всего десять минут назад сошедшая с самолета, уже скользила по лагуне на плоскодонном суперсовременном катере «Дюбуа СР-52 блэкбёрд», который послал за ней звонивший ей незнакомец.

Шеф.

На Сински, весь день неподвижно просидевшую в фургоне, морской воздух подействовал живительно. Подставив лицо соленому ветру, она позволила серебряным волосам развеваться сзади. Последний укол сделали почти два часа назад, и наконец к ней вернулась бодрость. Впервые с прошлого вечера Элизабет Сински была собой.

Агент Брюдер со своими людьми сидел рядом. Ни один из них не произнес ни слова. Если они и испытывали озабоченность из-за предстоящей необычной встречи, они знали, что их мысли значения не имеют; решение было принято на ином уровне.

Катер двигался все дальше, и справа показался большой остров с приземистыми кирпичными строениями и дымовыми трубами. *Мурано*, поняла Элизабет, вспомнив прославленные стеклодувные фабрики.

Вот я и снова здесь — даже не верится, подумалось ей с острой печалью. *Полный круг.*

Много лет назад, студенткой, она приехала в Венецию с женихом, и они отправились на этот остров в Музей стекла. Увидев там изящное подвесное украшение из дутого стекла, жених простодушно заметил, что хотел бы когда-нибудь повесить такую вещь у них в детской. Чувство вины из-за того, что она так долго держала его в неведении, стало нестерпимым, и Элизабет наконец раскрыла ему мучительный секрет, рассказав о перенесенной в детстве астме и о злополучном глюкокортикоидном препарате, сделавшем ее неспособной родить ребенка.

Что превратило сердце молодого человека в камень — нечестность невесты или ее бесплодие, — Элизабет так никогда и не узнала. Как бы то ни было, через неделю она уехала из Венеции без обручального кольца.

Единственным сувениром, оставшимся у нее после этой невыносимо печальной поездки, был амулет из ляпис-лазури. Посох Асклепия — символ медицины, символ лекарств, и, хотя в ее случае лекарства были горьки, она носила амулет не снимая.

Драгоценный мой амулет, подумала она. *Прощальный подарок от человека, который хотел, чтобы я родила ему детей.*

Что же касается островов близ Венеции, в них она не видела сейчас ровно ничего романтического: изолированные городки на них наводили на мысли не о любви, а о карантинных поселениях, которые там некогда устраивали в попытке уберечься от Черной Смерти.

Когда катер стремительно двигался мимо острова Сан-Пьетро, Элизабет поняла, что их цель — массивная серая яхта, которая, дожидаясь их в глубоком канале, похоже, стояла на якоре.

Свинцового цвета судно казалось чем-то из программы «Стелс» — новейшим произведением американской военной мысли. Название, красовавшееся на борту ближе к корме, не говорило о характере судна ровно ничего.

«Мендаций»?

Они приближались к яхте, и вскоре Сински смогла разглядеть на юте одинокую фигуру — невысокого загорелого мужчину, смотревшего на них в бинокль. Когда катер подошел к широкой причальной платформе у кормы «Мендация», мужчина спустился по трапу им навстречу.

— Добро пожаловать на наше судно, доктор Сински! — Ладони человека с темной от загара кожей, учтиво подавшего ей обе руки, были мягкие и гладкие, отнюдь не моряцкие. — Спасибо, что согласились на эту встречу. Следуйте за мной, пожалуйста.

Минуя по мере подъема одну палубу за другой, Сински мельком приметила нечто похожее на офисы, где в кабинках вовсю трудились люди. На странной яхте было полно народу, но ни один человек не отдыхал — все работали.

Над чем?

Они продолжали подниматься, и Сински услышала, как двигатели судна вдруг усиленно заработали; яхта, мощно вспенивая воду за кормой, двинулась с места.

Куда это мы? — с тревогой подумала она.

— Я бы хотел поговорить с доктором Сински наедине, — сказал загорелый сопровождавшей ее группе и сделал паузу, чтобы взглянуть на Сински. — Если вы не против.

Элизабет кивнула.

— Сэр, — с напором произнес Брюдер, — я считаю, что доктора Сински должен обследовать судовой врач. У нее были некоторые медицинские...

— Благодарю вас, со мной все в порядке, — перебила его Сински. — Можете мне поверить.

Шеф посмотрел на Брюдера долгим взглядом, а потом показал ему на стол с едой и питьем, который накрывали на палубе.

— Передохните, подкрепитесь — не помешает. Очень скоро вам обратно на берег.

Без лишних слов шеф повернулся к агенту спиной и, проведя Сински в элегантную каюту, обставленную как кабинет, закрыл за собой дверь.

— Налить вам чего-нибудь? — спросил он, показывая на бар.

Она покачала головой, продолжая осматриваться в диковинной обстановке. *Кто этот человек? Чем он тут занимается?*

Хозяин каюты теперь испытующе глядел на нее, сведя под подбородком пальцы домиком.

— Вам известно, что мой клиент Бертран Зобрист называл вас среброволосой дьяволицей?

— Для него у меня тоже есть парочка прозвищ.

Не выказав никаких чувств, мужчина подошел к письменному столу и показал на большую книгу:

— Взгляните, пожалуйста.

Подойдя, Сински посмотрела на том. *Данте? «Ад»?* Она вспомнила ужасающие образы смерти, которые Зобрист показал ей во время встречи в Совете по международным отношениям.

— Зобрист подарил мне эту книгу две недели назад. Тут есть дарственная надпись.

Сински изучила рукописный текст на титульном листе, подписанный Зобристом.

Дорогой друг! Спасибо, что помогли мне найти правильный путь.

Мир тоже вам благодарен.

По спине Сински пробежал холодок.

— Какой путь вы помогли ему найти?

— Понятия не имею. Точнее говоря, несколько часов назад еще не имел.

— А теперь?

— Теперь я сделал редкое исключение в своем протоколе... и обратился к вам.

Сински проделала долгий путь и не была настроена выслушивать загадочные речи.

— Сэр, я не знаю, кто вы и чем, черт вас подери, занимаетесь на этом судне, но кое-что вы объяснить мне обязаны. Почему вы укрывали человека, которого усиленно разыскивала Всемирная организация здравоохранения?

На вопрос, который Сински задала на повышенных тонах, собеседник ответил спокойно и негромко:

— Я понимаю, что мы с вами преследовали очень разные цели, но сейчас предлагаю забыть о прошлом. Оно прошло. Нашего непосредственного внимания, похоже, требует будущее.

С этими словами он достал красную флешку и вставил ее в компьютер, жестом приглашая гостью сесть.

— Этот видеосюжет снял Бертран Зобрист. Он рассчитывал, что завтра я его обнародую.

Не успела она что-либо сказать в ответ, как экран потемнел и послышался тихий плеск воды. Потом чернота начала рассеиваться, место съемок постепенно обретало очертания... внутренность залитой водой пещеры... какое-то подземное озеро. Что странно, вода, казалось, светилась изнутри... излучала необычное темно-красное свечение.

Под неумолкающий плеск камера наклонилась и погрузилась в воду, фокусируясь на подернутом илом дне пещеры. К дну была привинчена блестящая прямоугольная табличка с надписью, датой и именем.

В ЭТОМ МЕСТЕ И В ЭТОТ ДЕНЬ
МИР ИЗМЕНИЛСЯ НАВСЕГДА

Дата — завтра. Имя — Бертран Зобрист.

Элизабет Сински содрогнулась.

— Что это за место?! — потребовала она ответа. — *Где* это происходит?!

И тут шеф впервые выказал признак чувства. Он испустил глубокий вздох разочарования и озабоченности.

— Доктор Сински, — сказал он, — ответ на этот вопрос я надеялся услышать от вас.

Километрах в полутора оттуда картина моря с набережной Рива-дельи-Скьявони слегка изменилась. Кто внимательно смотрел, мог заметить огромную серую яхту, только что обогнувшую длинный выступ суши на востоке. Яхта теперь двигалась к площади Сан-Марко.

«Мендаций», подумалось ФС-2080, и накатил страх.

Этот серый корпус не спутаешь ни с чем.

Шеф приближается... и время на исходе.

Глава 71

Держась около воды, Лэнгдон, Сиена и Феррис протискивались сквозь густую толпу на Рива-дельи-Скьявони, чтобы попасть на площадь Сан-Марко с юга, где она подходит к морю.

Тут скопление туристов было почти непроходимым; создавая вокруг Лэнгдона, страдавшего клаустрофобией, трудновыносимую толчею, люди плотной массой двигались к двум могучим колоннам, за которыми начиналась площадь, чтобы их сфотографировать.

Официальные ворота города, подумал Лэнгдон с иронией, зная, что это место не далее как в восемнадцатом веке еще использовали, помимо прочего, для публичных казней.

На одной из колонн высилась странноватая фигура святого Феодора, гордо стоящего над убитым легендарным драконом, который всегда казался Лэнгдону гораздо больше похожим на крокодила.

На другую колонну был водружен вездесущий символ Венеции — крылатый лев. Повсюду в городе можно видеть этого льва, гордо положившего лапу на открытую книгу, где по-латыни написано: «Pax tibi Marce, evangelista meus» («Мир тебе, Марк, мой евангелист»). По легенде, эти слова сказал святому Марку, прибывшему в Венецию, ангел, и он предрек ему еще, что в ней будут покоиться его мощи. Используя этот апокриф как оправдание, венецианцы позднее похитили мощи из Александрии и поместили в базилике Сан-Марко. Крылатый лев доныне остается эмблемой города и красуется чуть ли не на каждом углу.

Протянув руку, Лэнгдон показал путь направо, мимо колонн, через площадь Сан-Марко:

— Если потеряем друг друга, встречаемся у входа в базилику.

Спутники согласились и, обходя толпу, поспешили на площадь вдоль западной стены Дворца дожей. Знаменитые венецианские голуби, которых кормят, несмотря на запрет, и которым эта кормежка, похоже, нисколько не вредит, преспокойно клевали крошки под ногами у туристов, а иные совершали налеты на корзинки с хлебом, оставленные без присмотра на столиках кафе под открытым небом, и докучали официантам в смокингах.

В отличие от большинства европейских площадей эта величественная пьяцца имеет вид не квадрата, а буквы Г. Более короткий ее участок, так называемая пьяццетта, идет от морского берега до базилики Сан-Марко. Дальше площадь поворачивает налево на девяносто градусов, и начинается ее длинный участок от базилики до музея Коррер. Площадь здесь, что необычно, не прямоугольная, а имеет форму неправильной трапеции, существенно сужающейся к дальнему концу. Благодаря этому возникает иллюзия, как в комнате смеха: площадь выглядит намного длиннее, чем на самом деле, причем эффект усиливается рисунком плит мостовой, который соответствует расположению торговых рядов пятнадцатого века.

Продолжая двигаться к углу между двумя участками площади, Лэнгдон видел на отдалении прямо перед собой поблескивающий синий стеклянный циферблат астрономических часов на колокольне собора Сан-Марко — тот самый циферблат, сквозь который Джеймс Бонд швыряет злодея в фильме «Лунный гонщик».

Только сейчас, вступив на площадь, окруженную зданиями, Лэнгдон смог сполна оценить неповторимый дар этого города.

Звук.

Венеция, где нет никаких автомобилей, наслаждается блаженным отсутствием обычного наземного транспорта и метро, тут не услышишь сирен, тут звуковое пространство полностью отдано живому, немеханическому переплетению человеческих голосов, голубиного воркования и музыки, доносящейся из кафе под открытым небом, где скрипачи играют посетителям серенады. На слух Венеция не похожа ни на какой другой крупный город на свете.

Стоя на вымощенной плитами площади Сан-Марко, на которую от предвечернего солнца ложились длинные тени, Лэнгдон поднял глаза вверх, к шпилю колокольни, высоко вздымавшейся над площадью и господствовавшей над небом древней Венеции. На лоджии под шпилем теснились сотни людей. Сама мысль о пребывании там заставила его содрогнуться, и он, опустив взгляд обратно, продолжил путь через человеческое море.

Сиена легко могла бы поспевать за Лэнгдоном, но Феррис отставал, и она решила держаться посередине, чтобы видеть и того и другого. Но сейчас расстояние между ними стало еще больше, и она нетерпеливо оглянулась на Ферриса. Он показал на грудь, давая понять, что запыхался, и махнул ей рукой, предлагая идти дальше.

Сиена пошла и, торопясь следом за Лэнгдоном, потеряла Ферриса из виду. И все же, пока она пробиралась сквозь толпу, в ней, задерживая ее, занозой сидело странное подозрение, что Феррис отстает специально... казалось, он нарочно пытается от них отдалиться.

Давно уже взяв за правило доверять своим ощущениям, Сиена нырнула в нишу и, укрытая в тени, стала в поисках Ферриса оглядывать толпу позади себя.

Куда он делся?!

Похоже было, что он больше и не старается за ними следовать. Сиена всматривалась, всматривалась в толпу и наконец увидела его. К ее удивлению, Феррис стоял на месте и, низко пригнувшись, набирал текст на своем телефоне.

На том самом телефоне, который, сказал он мне, разрядился.

До самого нутра ее просквозил страх, и опять она знала, что этому ощущению надо доверять.

Он соврал мне в поезде.

Глядя на него, Сиена пыталась понять, чем он занят. Тайком пишет кому-то текстовое сообщение? Скрытно шарит по Интернету? Пытается разгадать тайну стихотворения Зобриста до того, как это смогут сделать Лэнгдон и Сиена?

Так или иначе, он грубо ей солгал.

Я не могу ему доверять.

У Сиены возникло побуждение кинуться к нему и поймать его с поличным, но она быстро передумала и решила скользнуть обратно в толпу, пока он ее не засек. Она продолжила путь к базилике, ища взглядом Лэнгдона. *Надо его предостеречь, сказать, чтобы он больше ничего Феррису не сообщал.*

До базилики оставалось всего шагов пятьдесят, когда чья-то рука с силой потянула ее сзади за свитер.

Она резко крутанулась и оказалась лицом к лицу с Феррисом.

Человек с покрытым сыпью лицом тяжело дышал, он явно догонял ее через толпу на пределе сил. В нем было что-то отчаянное, чего Сиена раньше не замечала.

— Извините, — проговорил он, задыхаясь. — Я потерял вас в толпе.

Чуть только посмотрев ему в глаза, Сиена уже знала точно. *Он что-то скрывает.*

Подойдя к базилике Сан-Марко, Лэнгдон, к своему удивлению, обнаружил, что двоих спутников за ним нет. Удивило его и отсутствие очереди туристов перед входом в собор. Но потом он вспомнил, что дело идет к вечеру, а в Венеции в это время дня большинство туристов, отяжелев от плотного обеда с макаронами и вином, предпочитают не приобщаться дальше к истории, а гулять по площадям или попивать кофе.

Предполагая, что Сиена и Феррис вот-вот подтянутся, Лэнгдон обратил взгляд к дверям базилики. Давая иным знатокам повод посетовать на «сбивающую с толку избыточность доступа», нижний уровень здания почти целиком состоит из пяти входов с распахнутыми бронзовыми дверьми, обрамленными группами колонн и сводчатыми арками, и потому базилика выглядит очень гостеприимно — в чем, в чем, а в этом ей не откажешь.

Один из прекраснейших в Европе образцов византийской архитектуры, собор Сан-Марко создает ярко выраженное ощущение мягкой, нежной прихотливости. Резко отличаясь от Нотр-Дам и Шартрского собора, суровых, серых, устремленных ввысь, венецианская базилика, при всей своей внушительности, имеет куда более земной вид. В ширину она больше, чем в высоту, и увенчивают ее пять выбеленных куполов-полушарий, от которых исходит некая воздушная праздничность, побудившая не одного автора путеводителей сравнить собор со свадебным тортом-безе.

С возвышения над центральным входом в собор взирает на площадь, носящую имя апостола, стройная статуя Святого Марка.

Под его ногами — заостренная арка, выкрашенная в темно-синий цвет и усеянная золотыми звездами. На этом красочном фоне стоит золотой крылатый лев — блестящий талисман Венеции.

А под ним Лэнгдон увидел одно из самых знаменитых сокровищ базилики — четверку огромных бронзовых жеребцов, на которых играло в ту минуту предвечернее солнце.

Кони собора Сан-Марко.

В любую минуту, кажется, готовые соскочить с постаментов на площадь, эти бесценные жеребцы, как и многие другие венецианские сокровища, были вывезены из Константинополя в эпоху крестовых походов. Еще одно присвоенное грабителями-крестоносцами произведение искусства — пурпурная порфировая скульптура «Тетрархи» — находится под конями у юго-западного угла собора. Композиция знаменита, помимо прочего, тем, что, когда ее в тринадцатом веке забирали из Константинополя, у одного из тетрархов откололась ступня. В 1960-е годы эту ступню каким-то чудом нашли во время раскопок в Стамбуле. Венеция попросила передать ей недостающую часть композиции, но турецкие власти ответили просто: *Вы украли скульптуру — мы сохраним за собой ступню.*

— Мистер, вы купить? — раздался женский голос, заставляя Лэнгдона опустить глаза.

Грузная цыганка держала высокий шест, на котором висели венецианские маски. Большинство — в популярном стиле volto intero: стилизованные, закрывающие все лицо белые маски, какие часто надевали женщины во время карнавала. Еще там были игривые маски Коломбины в пол-лица, несколько баут с острым подбородком и моретта — маска без тесемок. Но внимание Лэнгдона привлекли не цветные изделия, а одна серовато-черная маска на самом верху шеста: мертвые глаза, казалось, угрожающе смотрели с высоты прямо на него поверх длинного носа-клюва.

Чумной доктор. Лэнгдон отвел взгляд, не нуждаясь в лишних напоминаниях о том, зачем он приехал в Венецию.

— Вы купить? — повторила цыганка.

Лэнгдон слабо улыбнулся и покачал головой:

— Sono molto belle, ma no, grazie*.

---

*   Они очень красивые, но нет, спасибо (*ит.*).

Торговка двинулась дальше, и Лэнгдон следил глазами за зловещей чумной маской, качавшейся над толпой. Потом тяжело вздохнул и снова посмотрел на четверку бронзовых жеребцов на балконе второго этажа.

И тут его точно ударило.

Вдруг все элементы — кони собора, венецианские маски, ценности, грабительски вывезенные из Константинополя, — метнулись друг к другу и с треском соединились.

— Боже мой, — прошептал он, — я понял!

Глава 72

оберт Лэнгдон был поражен.

Кони собора Сан-Марко!

Эта величественная четверка коней, царственно поднявших шеи, украшенные декоративными хомутами, внезапно навела Лэнгдона на неожиданное воспоминание, и это-то воспоминание объяснило ему ключевой элемент таинственного стихотворения на посмертной маске Данте.

Однажды некая знаменитость пригласила его на свадебное торжество в историческом месте — на ферме Раннимид в штате Нью-Гэмпшир, где родился жеребец Дансерз Имидж, выигравший Кентуккийское дерби. Частью щедрой развлекательной программы было выступление знаменитой труппы наездников «Behind the Mask»* — поразительный спектакль, исполненный всадниками в ослепительных венецианских костюмах и масках volto intero. Их черные как смоль фризские лошади были самыми крупными, каких Лэнгдон видел в жизни. Ошеломляющие гиганты с рельефными мышцами, с ниспадающими на копыта клоками шерсти, с дико развевающимися метровыми гривами на длинных грациозных шеях, они вихрем носились по полю, выбивая громкую дробь.

Красота фризских скакунов так подействовала на Лэнгдона, что, вернувшись домой, он поискал сведения о них в Интернете и узнал, что эти кони отлично проявляли себя на войне и потому были в чести у средневековых королей, что позднее породе грозило исчезновение, но сейчас численность ее выросла. Первоначально такого коня называли по-латыни Equus robustus, а нынеш-

---

*   «За маской» (*англ.*).

ним названием порода обязана своей родине Фрисландии — исторической области в Нидерландах, где родился блестящий художник-график М. К. Эшер.

Как выяснилось, именно мощные предки фризских лошадей послужили образцом для ваятеля, сотворившего коней венецианского собора с их грубоватой красотой. Из-за красоты этих скульптур их, как было сказано на сайте, «чаще, чем какие-либо другие произведения искусства, грабительски присваивали».

Лэнгдон всегда считал, что эта сомнительная честь принадлежит Гентскому алтарю, и, чтобы проверить, так ли это, заглянул на сайт Ассоциации расследования преступлений против искусства. Четкого ранжира таких преступлений он на сайте не увидел, зато там в сжатом виде была изложена история бурной жизни скульптур как объектов грабежа и мародерства.

Четверку бронзовых коней отлил в четвертом веке до нашей эры неизвестный греческий скульптор на острове Хиос, где они оставались, пока при императоре Феодосии II их не вывезли в Константинополь, чтобы установить на Ипподроме. Затем во время Четвертого крестового похода, когда венецианцы разграбили Константинополь, дож, правивший в то время, распорядился, чтобы четыре драгоценные статуи морским путем доставили в Венецию: задача почти невыполнимая из-за их размера и веса. Кони тем не менее прибыли в Венецию, и в 1254 году их установили на фасаде собора Сан-Марко.

В 1797 году, спустя пятьсот с лишним лет, Наполеон, захвативший Венецию, забрал коней во Францию. Их перевезли в Париж и торжественно водрузили на Триумфальную арку. В 1815 году, после поражения Наполеона при Ватерлоо и его высылки, коней сняли с Триумфальной арки и отправили на барже обратно в Венецию, где их снова поставили на переднем балконе базилики Сан-Марко.

Хотя историю коней Лэнгдон в общих чертах знал и раньше, один пассаж на сайте Ассоциации обратил на себя его внимание.

Декоративные хомуты на шеи коней повесили в 1204 году венецианцы, закрывая места, где им, чтобы облегчить перевозку по морю из Константинополя в Венецию, были отпилены головы.

Дож приказал отпилить головы коням собора Сан-Марко? Это казалось Лэнгдону немыслимым.

— Роберт! — послышался голос Сиены.

Лэнгдон очнулся от своих мыслей, обернулся и увидел Сиену: она проталкивалась к нему, и Феррис был с ней рядом.

— Эти кони в стихотворении! — взволнованно крикнул Лэнгдон. — Я все про них понял!

— Что? — в замешательстве переспросила Сиена.

— Мы ведь ищем вероломного дожа, который обезглавил жеребцов!

— Да, и что же?

— Там не о *живых* жеребцах говорится. — Лэнгдон показал ей вверх, на фасад собора, где бронзовую четверку ярко освещало опускающееся солнце. — Он *этих* коней имел в виду!

Глава 73

уки доктора Сински, смотревшей видеосюжет в кабинете шефа на борту «Мендация», дрожали. Хотя она повидала в жизни немало ужасного, этот необъяснимый фильм, который снял перед самоубийством Бертран Зобрист, наполнил ее смертельным холодом.

На экране колыхалась клювастая тень, отбрасываемая на стену подземелья, с которой стекала влага. Тень говорила, гордо описывая Инферно — свое великое творение, которое должно спасти мир, проредив его население.

Спаси нас, Господи, подумала Сински.

— Мы должны... — начала она нетвердым голосом. — Мы *должны* найти эту подземную пещеру. Может быть, еще не поздно.

— Посмотрите дальше, — сказал шеф. — Там еще диковинней.

Вдруг тень от маски на мокрой стене выросла, стала огромной, и неожиданно в кадр вступила фигура.

Мать честная.

Перед глазами у Сински возник чумной доктор в полном облачении: черный плащ, леденящая маска с клювом. Чумной врач шел прямо к камере, и вот его маска, наводя ужас, заполнила весь экран.

— Самое жаркое место в аду, — прошептал он, — предназначено тем, кто в пору морального кризиса сохраняет нейтральность.

У Сински холодок пробежал по спине. Эти самые слова Зобрист оставил ей в Нью-Йорке на стойке авиакомпании год назад, когда она избежала встречи с ним.

— Я знаю, — продолжал чумной доктор, — кое-кто называет меня чудовищем. — Он сделал паузу, и Сински почувствовала, что он обращается к ней. — Я знаю: кое-кто считает меня низкой тварью без сердца и совести, которая прячет лицо под маской. — Он вновь умолк и еще приблизился к камере. — Но я не безликий аноним. И я не бессердечен.

С этими словами Зобрист снял маску и откинул капюшон плаща, обнажив лицо. Сински замерла при виде знакомых зеленых глаз, которые в прошлый раз смотрели на нее в темном зале Совета по международным делам. На экране эти глаза горели такой же страстью, но теперь в них было и кое-что новое: фанатизм безумца.

— Меня зовут Бертран Зобрист, — проговорил он, глядя в камеру. — И вот мое лицо, ничем не закрытое, — пусть его видит весь мир. А моя душа... Если бы я мог вынуть свое горящее сердце и держать его, как Амор держал объятое пламенем сердце Данте ради его возлюбленной Беатриче, вы бы увидели, что я преисполнен любви. Любви глубочайшей. Ко всем вам. Но особенной любви — к *одному* человеку.

Зобрист еще подался вперед и, проникновенно глядя в объектив, заговорил голосом, полным нежности.

— Ангел мой, — прошептал он, — сокровище мое. Ты мое блаженство, избавление от всякого греха, тобой подтверждаются все мои добродетели, ты спасение мое. Твоя нагота согревала мне ложе, твоей непреднамеренной помощи я обязан тем, что смог преодолеть пропасть, обрел силы для своего свершения.

Сински слушала с отвращением.

— Ангел мой, — продолжал Зобрист скорбным шепотом, отдававшимся эхом в призрачном подземелье. — Ты мой добрый гений и направляющая рука, Вергилий и Беатриче в одном лице, и это творение в такой же мере твое, как мое. Если мы с тобой из тех несчастливых пар, каким вовеки не суждено воссоединиться, мое утешение в том, что я оставляю будущее в твоих заботливых руках. Мои труды внизу окончены. И для меня настал час подняться к горнему миру... и вновь узреть светила.

Зобрист умолк, и слово «светила» отозвалось в гулкой пещере эхом. Затем, очень спокойно, Зобрист протянул руку к камере и прекратил съемку.

Экран погас.

— Где это подземелье может находиться, — сказал шеф, выключая монитор, — мы понятия не имеем. А вы?

Сински покачала головой. *Ни разу не видела ничего подобного.* Она подумала про Роберта Лэнгдона: может быть, ему удалось продвинуться в разгадке ребусов Зобриста?

— Не знаю, поможет ли это, — проговорил шеф, — но я, похоже, знаю, с кем Зобриста связывали узы любви. — Он помолчал. — У этого человека есть кодовое имя: ФС-2080.

Сински так и подскочила.

— ФС-2080?!

Она ошеломленно смотрела на шефа. Тот был изумлен не меньше.

— Вам это что-нибудь говорит?

Сински кивнула, словно бы не веря:

— Еще как говорит.

Ее сердце колотилось. *ФС-2080.* Она не знала, кто именно скрывается под этим шифром, но она очень хорошо знала, чтó этот шифр означает. ВОЗ взяла подобные кодовые имена на заметку уже давно.

— Движение трансгуманистов, — сказала она. — Слыхали о таком?

Шеф покачал головой.

— Попросту говоря, — начала объяснять ему Сински, — трансгуманизм — философия, которая утверждает, что люди должны применить все доступные им технологии, чтобы усилить наш вид. «Выживает сильнейший».

Шеф пожал плечами, словно бы говоря: ну и что?

— В большинстве своем, — продолжила она, — участники движения трансгуманистов — люди вменяемые: этически мыслящие ученые, футурологи, мечтатели; но, как во многих движениях, есть небольшая, но воинственная фракция, которая считает, что ход событий надо ускорить. Есть мыслители апокалиптического толка, думающие, что близится наш общий конец и кто-то должен принять решительные меры, чтобы спасти будущность нашего вида.

— И Бертран Зобрист, — заметил шеф, — надо полагать, был из этих людей?

— Именно, — подтвердила Сински. — Он был их лидером. Помимо чрезвычайно острого ума, он обладал колоссальным личным магнетизмом, и его апокалиптические статьи породили настоящий культ среди самых ярых трансгуманистов. Сегодня многие его фанатичные последователи берут себе кодовые имена, и все они составляются по одному образцу: две буквы и четыре цифры. Например, ДГ-2064, БА-2105 или имя, которое вы мне назвали.

— ФС-2080.

Сински кивнула:

— Это кодовое имя может принадлежать *только* трансгуманисту.

— Эти буквы и цифры имеют какой-нибудь смысл?

Сински показала ему на компьютер:

— Активируйте браузер. Я вам покажу.

Шеф с неуверенным видом подошел к компьютеру и вывел на экран поисковик.

— Поищите ФМ-2030, — сказала Сински, усаживаясь за ним.

Шеф напечатал: *ФМ-2030*, и появились тысячи веб-страниц.

— Щелкните по любой, — распорядилась Сински.

Шеф щелкнул по верхней, и возникла страница Википедии с фотографией красивого иранца Ферейдуна М. Эсфандиари, которого автор статьи охарактеризовал как писателя, философа, футуролога и основоположника движения трансгуманистов. Родившийся в 1930 году, он, по словам автора, сделал философию трансгуманистов достоянием широкой публики и прозорливо предсказал экстракорпоральное оплодотворение, генную инженерию и глобализацию.

Согласно Википедии, самое смелое утверждение Эсфандиари состояло в том, что новые технологии позволят ему дожить до редкого в его поколении столетнего возраста. Свою веру в технологии будущего Ферейдун М. Эсфандиари продемонстрировал тем, что изменил свое имя на ФМ-2030, взяв первые два инициала и добавив к ним год, в котором ему должно было исполниться сто лет. Увы, он не достиг своей цели, скончавшись в семьдесят от рака поджелудочной железы, но в память о ФМ-2030 ярые трансгуманисты и сегодня присваивают себе кодовые имена по такому же образцу.

Дочитав, шеф встал, подошел к окну и довольно долго с ничего не выражающим лицом смотрел на море.

— Значит, — прошептал он наконец, словно думая вслух, — любовь между Бертраном Зобристом и ФС-2080 возникла на почве... *трансгуманизма*.

— Несомненно, — подтвердила Сински. — К сожалению, мне неизвестно, кто стоит за шифром ФС-2080, но...

— Вот мы и подошли к сути, — перебил ее шеф, по-прежнему глядя в морскую даль. — *Мне* это известно. Я доподлинно знаю, кто за ним стоит.

Глава 74

десь кажется и воздух золотым.

Роберту Лэнгдону доводилось бывать во многих величественных соборах, но атмосфера Chiesa d'Oro — «Золотой церкви», как называли собор Сан-Марко, — всегда казалась ему неповторимой. Столетиями бытовало мнение, что, просто подышав этим воздухом, человек становится богаче. В эти слова вкладывали не только метафорический, но и прямой смысл.

Поскольку на внутреннее убранство собора пошло несколько *миллионов* старинных золотых пластинок, считалось, что многие плавающие в здешнем воздухе пылинки — на самом деле частички золота. Эта пронизывающая воздух золотая пыль в сочетании с ярким солнечным светом, струящимся сквозь большое западное окно, придавала атмосфере особую наполненность, помогавшую добрым христианам обретать духовное богатство и, если они глубоко дышали, богатство мирское: легкие, позолоченные изнутри.

В этот час свет низкого солнца, проходя в западное окно, создавал над Лэнгдоном подобие широкого сияющего веера или шелкового полога. Пораженный, Лэнгдон невольно ахнул, и рядом с ним Сиена и Феррис, он почувствовал, отреагировали так же.

— Куда теперь? — шепотом спросила Сиена.

Лэнгдон показал на лестницу, ведущую вверх. В музейной части собора на втором этаже имеется обширная экспозиция, посвященная коням Сан-Марко, и Лэнгдон рассчитывал, что она поможет быстро установить личность таинственного дожа, обезглавившего этих коней.

Поднимаясь по лестнице со своими спутниками, он увидел, что Феррису вновь трудно дышать, и Сиена поймала наконец взгляд Лэнгдона, что пыталась сделать уже несколько минут. Придав лицу предостерегающее выражение, она скрытно кивнула в сторону Ферриса и пошевелила губами, беззвучно произнося что-то, чего Лэнгдон не разобрал. Но прежде чем он успел ее переспросить, Феррис повернулся к ней, опоздав на долю секунды: Сиена уже отвела взгляд от Лэнгдона и смотрела прямо на Ферриса.

— Все нормально, доктор? — спросила она как ни в чем не бывало.

Феррис кивнул и стал подниматься быстрей.

Актриса она талантливая, подумал Лэнгдон, *но что она хотела мне сообщить?*

Когда они взобрались на второй уровень, вся базилика была под ними как на ладони. Собор, имеющий форму греческого креста, в плане гораздо ближе к квадрату, чем вытянутые собор Святого Петра и Нотр-Дам. Расстояние от нартекса до алтаря здесь меньше, и это придает собору Сан-Марко вид грубоватой, прочной основательности и создает ощущение большей доступности.

Но доступности не абсолютной: алтарь собора находится за алтарной преградой с колоннами, увенчанной внушительным распятием. Алтарь осенен изящным киворием и располагает одним из ценнейших в мире алтарных образов — знаменитой Pala d'Oro. Эта обширная «золотая ткань» из позолоченного серебра — ткань лишь в том смысле, что произведение «соткано» из работ мастеров прежних времен, главным образом из византийских эмалей, и заключено в единую готическую раму. Украшенная примерно тысячей тремястами жемчужин, четырьмя сотнями гранатов, тремя сотнями сапфиров, изумрудами, аметистами и рубинами, Pala d'Oro считается наряду с конями Сан-Марко одним из чудес Венеции.

С архитектурной точки зрения *базилика* — любая церковь, построенная в Европе или вообще на Западе в восточном, византийском стиле. Возведенный по образцу Юстиниановой базилики святых апостолов в Константинополе, венецианский собор по стилю до того восточен, что путеводители нередко называют посещение этого храма реальной альтернативой посещению турецких мечетей, многие из которых — византийские соборы, превращенные в мусульманские дома молитвы.

Хотя Лэнгдону никогда не пришло бы в голову считать собор Сан-Марко заменой впечатляющим мечетям Турции, он готов был признать, что даже самый большой любитель византийского искусства может сполна удовлетворить свою страсть, если побывает в так называемой сокровищнице собора, укрытой в помещениях за правым трансептом, где хранится блистательная коллекция из 283 предметов: икон, драгоценностей, чаш для причастия, вывезенных после разграбления Константинополя.

Лэнгдон с облегчением отметил, что в базилике сейчас не так людно, как могло бы быть. Туристов, конечно, много, но по крайней мере есть место для маневра. Протискиваясь сквозь группы людей или обходя их, Лэнгдон повел Ферриса и Сиену к западному окну, где можно выйти на балкон и осмотреть коней. Хотя Лэнгдон не сомневался, что сможет понять, о каком доже идет речь, его беспокоил следующий шаг: как добраться до самого этого дожа? *Что имеется в виду — его гробница? Статуя?* Тут, вероятно, потребуется чья-то помощь: статуи в главном помещении собора, в крипте под ним и в северном трансепте над саркофагами исчисляются сотнями.

Заметив молодую женщину-экскурсовода с группой, он дождался паузы в ее рассказе и вежливо спросил:

— Прошу прощения, могу я сейчас увидеть Этторе Вио?

— Этторе Вио? — Женщина посмотрела на Лэнгдона странным взглядом. — Si, certo, ma... — *Да, конечно, но...* — Она осеклась, взгляд ее просветлел. — Lei è Robert Langdon, vero?! — *Вы Роберт Лэнгдон, да?!*

Лэнгдон доброжелательно улыбнулся:

— Si, sono io*. Можно ли мне поговорить с Этторе?

— Si, si! — Женщина знаком попросила группу минутку подождать и торопливо удалилась.

Лэнгдон и Этторе Вио, хранитель музея, однажды снялись вместе в коротком документальном фильме о базилике и с тех пор поддерживали связь.

— Этторе написал книгу о базилике, — объяснил Лэнгдон Сиене. — Даже несколько книг.

---

*   Да, это я (*ит.*).

Пока Лэнгдон вел спутников по верхнему уровню к западному окну, в которое можно увидеть коней, Сиена по-прежнему выглядела странно обеспокоенной из-за Ферриса. Когда они дошли до окна и посмотрели в него против солнца, им стали видны силуэты мускулистых конских ягодиц. Туристы, гулявшие по балкону, разглядывали коней вблизи и наслаждались впечатляющей панорамой площади Сан-Марко.

— Вот и они! — воскликнула Сиена, двинувшись было к двери на балкон.

— Не совсем, — заметил Лэнгдон. — Лошади на балконе — это всего лишь копии. *Настоящих* коней Сан-Марко ради безопасности и сохранности держат внутри.

Лэнгдон повел Сиену и Ферриса по коридору к хорошо освещенной части помещения, где такие же четыре жеребца, казалось, бежали к ним рысью на фоне кирпичных арок.

— Вот оригиналы, — сказал Лэнгдон, восхищенно показав на статуи.

Всякий раз, когда он рассматривал этих коней с близкого расстояния, он не мог не поражаться фактуре поверхности и детальности мускулатуры. Лишь усиливала эффект от их кожи, от их рельефных мышц роскошная золотисто-зеленая патина, покрывавшая всю бронзовую поверхность. Вид этой четверки жеребцов, переживших бурные времена, но теперь сохраняемых в идеальных условиях, всегда напоминал Лэнгдону о важности бережного отношения к великим произведениям искусства.

— А вот и воротники, — сказала Сиена, показывая на декоративные хомуты на конских шеях. — Вы говорите, ими закрыли швы?

Лэнгдон уже рассказал Сиене и Феррису про диковинное «обезглавливание», о котором он прочел на сайте.

— Да, несомненно, — подтвердил Лэнгдон, двигаясь к информационной табличке, висящей неподалеку.

— Роберто! — громко раздался позади них дружеский голос. — Вы меня обижаете!

Лэнгдон повернулся и увидел протискивающегося сквозь толпу Этторе Вио — жизнерадостного седого человека в синем костюме, с очками на цепочке, перекинутой через шею.

— Как вы посмели приехать в мою Венецию и даже не позвонить?

Лэнгдон улыбнулся и пожал ему руку.

— Мне нравится делать вам сюрпризы, Этторе. Вы хорошо выглядите. А это мои друзья доктор Брукс и доктор Феррис.

Этторе поздоровался с ними и отступил на шаг, чтобы разглядеть Лэнгдона получше.

— Путешествуете с докторами? Вы не заболели? А почему так одеты? Итальянизируетесь?

— И не заболел, и не итальянизируюсь, — ответил Лэнгдон с усмешкой. — Мне нужны кое-какие сведения об этих конях.

Лицо Этторе стало озадаченным.

— Неужели есть что-то, чего прославленный профессор не знает?

Лэнгдон рассмеялся.

— Мне надо кое-что узнать про отпиливание конских голов для транспортировки во время крестовых походов.

По лицу Этторе Вио можно было подумать, что Лэнгдон осведомился о геморрое королевы.

— Боже мой, Роберт, — прошептал он, — мы об этом никогда не говорим. Если вас интересуют отсеченные головы, могу вам показать знаменитого обезглавленного Карманьолу* или...

— Этторе, мне надо знать, *который* из венецианских дожей приказал отпилить им головы.

— Ничего подобного не было, — защищался Этторе. — Я, конечно, слыхал эту легенду, но исторических подтверждений того, что какой-либо дож...

— Этторе, ну пожалуйста, исполните мою прихоть, — сказал Лэнгдон. — Эта легенда — про какого она дожа?

Этторе надел очки и посмотрел на Лэнгдона в упор.

— Ну хорошо. Согласно *легенде*, наших бесценных коней переправил сюда самый умный и лживый из венецианских дожей.

— Лживый?

— Да. Дож, который обманом вовлек всех в крестовый поход. — Он выжидательно глядел на Лэнгдона. — Дож, который взял деньги из казны будто бы для плавания в Египет... но потом изменил цель и разграбил Константинополь.

---

* Франческо Буссоне да Карманьола (ок. 1385–1432) — итальянский кондотьер. Обезглавлен по приговору венецианского Совета десяти.

Это можно, пожалуй, назвать вероломством, рассудил про себя Лэнгдон.

— И как его звали?

Этторе нахмурился.

— Роберт. Я считал вас знатоком мировой истории.

— Да, но мир велик, а история — вещь длинная. Прошу вашей помощи.

— Ладно, тогда — последняя подсказка.

Лэнгдон хотел запротестовать, но почувствовал, что это бесполезно.

— Этот дож прожил почти столетие, — сказал Этторе. — Настоящее чудо для тех времен. Суеверные люди объясняли его долголетие тем, что он дерзнул забрать из Константинополя мощи святой Луции и привезти их в Венецию. Святая Луция потеряла зрение, когда...

— Он умыкнул кости незрячей! — выпалила Сиена, глядя на Лэнгдона, которому пришла в голову та же мысль.

Этторе посмотрел на Сиену с удивлением.

— Можно, наверно, и так выразиться.

Феррис вдруг стал какой-то бледный, словно еще не отдышался после долгого пути через площадь и подъема по лестнице.

— Я должен добавить, — сказал Этторе, — что дож потому так сильно любил святую Луцию, что сам был слепым. В девяносто лет он стоял на этой самой площади, не видя ровно ничего, и проповедовал крестовый поход.

— Я знаю, кто это, — промолвил Лэнгдон.

— Странно было бы, если бы вы не знали! — отозвался Этторе с улыбкой.

К Лэнгдону, чья эйдетическая память гораздо лучше работала со зримыми образами, чем с абстракциями, воспоминание пришло в виде произведения искусства — знаменитой гравюры Гюстава Доре, изображающей высохшего слепого старца, который, воздев над собой руки, призывает толпу отправиться в крестовый поход. Название гравюры Лэнгдон помнил отчетливо: *Дандоло проповедует крестовый поход.*

— Энрико Дандоло, — провозгласил Лэнгдон. — Дож, который никак не хотел умирать.

— Finalmente!* — воскликнул Этторе. — Я уж испугался, что ваш ум стареет.

— Стареет, стареет, как и мое тело. Он здесь похоронен?

— Дандоло? — Этторе покачал головой. — Нет, не здесь.

— А где? — пытливо поинтересовалась Сиена — Во Дворце дожей?

Этторе снял очки и на несколько секунд задумался.

— Погодите. Дожей было так много, что я не могу припомнить...

Не успел Этторе договорить, как подбежала испуганная женщина-экскурсовод. Отведя его в сторону, она зашептала ему на ухо. Этторе напрягся, встревоженно поспешил к перилам и, перегнувшись, уставился вниз, на главное помещение собора. Потом повернулся к Лэнгдону.

— Я сейчас вернусь! — крикнул он и торопливо ушел, не сказав больше ни слова.

Лэнгдон, озадаченный, подошел к перилам и посмотрел вниз. *Что там такое делается?*

Вначале он ничего не мог разглядеть, кроме обычного коловращения туристов. Затем, однако, увидел, что лица многих обращены в одну сторону — к главным дверям, через которые в собор только что вошла внушительная группа мужчин в черной форме. Они рассыпались по нартексу, блокируя все выходы.

Люди в черном. Лэнгдон почувствовал, как его руки стиснули перила.

— Роберт! — послышался сзади голос Сиены.

Лэнгдон не отводил взгляда от агентов. *Как они нас нашли?!*

— Роберт! — позвала она его еще настойчивей. — Помогите мне, тут неприятность!

Лэнгдон удивленно повернулся на ее крик.

Где она там?

Миг спустя он нашел взглядом и Сиену, и Ферриса. На полу перед конями Сан-Марко Сиена стояла над доктором Феррисом на коленях... а он бился в конвульсиях, прижимая руки к груди.

---

* Наконец-то! (*ит.*)

Глава 75

Похоже на сердечный приступ! — крикнула Сиена.

Лэнгдон поспешил туда, где на полу, распластанный, лежал доктор Феррис. Он судорожно хватал ртом воздух.

Что с ним случилось?! Повсюду, почувствовал Лэнгдон, разом назрел кризис. Внизу агенты в черном, здесь бьется на полу Феррис; Лэнгдона точно парализовало, он не знал, куда кинуться.

Сиена села над Феррисом на корточки, распустила его галстук и рывком расстегнула несколько пуговиц рубашки, чтобы ему легче стало дышать. Но, обнажив ему грудь, она отпрянула с резким возгласом тревоги, потом прикрыла рот ладонью и неловко попятилась, не спуская глаз с голой груди лежащего.

Лэнгдон тоже это увидел.

Кожа у Ферриса на груди была неестественного цвета. По грудине зловеще расплылось фиолетовое пятно размером с грейпфрут. Можно было подумать, в него попало пушечное ядро.

— Внутреннее кровоизлияние, — сказала Сиена, подняв на Лэнгдона потрясенный взгляд. — Неудивительно, что ему весь день было трудно дышать.

Феррис замотал головой: явно хотел что-то сказать, но издавал только слабое сипение. Вокруг начали собираться туристы, и у Лэнгдона возникло ощущение надвигающегося хаоса.

— Там внизу эти агенты, — предостерег он Сиену. — Не знаю, как они нас нашли.

Удивление и страх на ее лице мгновенно сменились гневом. Она опять посмотрела на Ферриса:

— Вы нам лгали. Лгали, признавайтесь!

Феррис снова попытался заговорить, но сумел выдавить только нечленораздельные звуки. Сиена бегло обшарила его карманы, выудила бумажник и телефон, положила их себе в карман и теперь стояла над Феррисом, вперив в него обвиняющий взор.

В этот момент пожилая итальянка, протиснувшись сквозь толпу, гневно крикнула Сиене:

— L'hai colpito al petto!

Она с силой надавила на свою грудь.

— *Нет!* — воскликнула Сиена. — Искусственное дыхание его убьет! Посмотрите на его грудь! — Она повернулась к Лэнгдону. — Роберт, нам надо уходить. Немедленно.

Лэнгдон опустил взгляд на Ферриса; тот отчаянно, умоляюще на него таращился, точно хотел что-то сообщить и не мог.

— Не можем же мы его тут оставить! — исступленно возразил Лэнгдон.

— Поверьте мне, — сказала Сиена, — это не сердечный приступ. И мы уходим. *Немедленно.*

Туристы, собиравшиеся все теснее, начали криками звать на помощь. Сиена с ошеломляющей силой схватила Лэнгдона за руку и потащила из этого хаоса на балкон, где было просторней.

В первую секунду Лэнгдона ослепило. Солнце, низко опустившееся над западным краем площади, било ему прямо в глаза и омывало весь балкон золотым сиянием. Сиена повела Лэнгдона налево по террасе второго этажа, лавируя между туристами, вышедшими из помещения полюбоваться площадью и копиями коней Сан-Марко.

Когда они торопливо шли вдоль фасада базилики, лагуна была прямо перед ними. Там, на воде, внимание Лэнгдона привлек странный силуэт — ультрасовременная яхта, похожая на военный корабль из будущего.

Но времени раздумывать о яхте у него не было: дойдя до юго-западного угла базилики, они с Сиеной снова повернули налево и двинулись к пристройке, соединяющей базилику с Дворцом дожей и известной благодаря Бумажным воротам, названным так потому, что на них вывешивались для общего обозрения указы дожей.

Не сердечный приступ? Фиолетовая грудь Ферриса не шла у Лэнгдона из головы, и вдруг ему стало страшно услышать из уст Сиены настоящий диагноз. Кроме того, что-то, похоже, переменилось и Сиена перестала доверять Феррису. *Не потому ли она на лестнице старалась встретиться со мной взглядом?*

Сиена вдруг резко остановилась и, перегнувшись через изящную балюстраду, посмотрела с изрядной высоты на уединенный угол площади Сан-Марко.

— Черт, — сказала она. — Тут выше, чем я думала.

Лэнгдон уставился на нее. *Она что, хотела прыгать?!*

Сиена выглядела испуганной.

— Нельзя, чтобы они нас поймали, Роберт.

Лэнгдон вновь повернулся к базилике и увидел прямо перед собой тяжелую дверь из железа и стекла. Туристы входили в нее и выходили, и, пройдя через эту дверь, они с Сиеной, прикинул Лэнгдон, опять должны были оказаться в музее — теперь уже в глубинной части собора.

— Наверняка они перекрыли все выходы, — сказала Сиена.

Лэнгдон мысленно перебрал способы спасения и отверг все, кроме одного.

— По-моему, я видел кое-что внутри, что могло бы нам помочь.

Не имея времени даже этот способ обдумать хорошенько, Лэнгдон повел Сиену обратно внутрь базилики. Там они двинулись по периметру музея, стараясь прятаться в скоплениях туристов, многие из которых сейчас смотрели через обширное пустое пространство центрального нефа на суету вокруг Ферриса. Лэнгдон заметил, как та сердитая пожилая итальянка показала двоим агентам в черном на балкон, сообщая им, куда направились они с Сиеной.

Надо поторопиться, подумал Лэнгдон, оглядывая стены; наконец он увидел то, что искал, у большой экспозиции гобеленов.

Приспособление на стене было ярко-желтым; красная предостерегающая наклейка гласила: ALLARME ANTINCENDIO.

— Пожарная тревога? — спросила Сиена. — Такой у вас план?

— Попробуем выскользнуть вместе с толпой.

Лэнгдон взялся за рычаг. *Ну, сейчас начнется.* Понуждая себя действовать быстро, пока не передумал, он сильно потянул вниз и увидел, как механизм вдребезги разбил стеклянный цилиндрик внутри.

Вопреки ожиданиям — ни сирен, ни переполоха.

Тишина.

Он потянул рычаг еще раз.

Ничего.

Сиена смотрела на него как на сумасшедшего.

— Роберт, мы в каменном соборе, битком набитом туристами! Неужели вы думали, что эти доступные всем сигнализаторы находятся в рабочем состоянии? Ведь один-единственный шутник может...

— Конечно, думал! У нас в США законы о пожарной охране...

— Вы в Европе. У нас тут меньше юристов. — Она показала рукой Лэнгдону за спину. — И времени у нас тоже мало.

Лэнгдон повернулся к стеклянной двери, через которую они только что попали в музей, и увидел двоих агентов, торопливо входящих с балкона и сурово оглядывающих все вокруг. В одном Лэнгдон узнал того здоровяка, что стрелял по ним, когда они спасались бегством на трайке из квартиры Сиены.

Раздумывать было некогда, и Лэнгдон с Сиеной скользнули в закрытый колодец спиральной лестницы, ведущей обратно на первый этаж. Дойдя до него, они остановились на полутемной лестничной площадке и выглянули наружу. Несколько агентов, рассыпавшись по собору, охраняли выходы и прочесывали взглядами толпу.

— Если мы выйдем отсюда, нас увидят, — сказал Лэнгдон.

— Лестница идет дальше вниз, — прошептала Сиена, показывая на ленту с надписью ACCESSO VIETATO*, перегораживающую проход к продолжению лестничного колодца. За лентой лестница еще более тугой спиралью вела вниз, в кромешную темноту.

Плохой вариант, подумал Лэнгдон. *Подземная крипта, откуда уже не выберешься.*

Сиена уже перешагнула ленту и ощупью начала спускаться в спиральную шахту, исчезая во мраке.

— Тут открыто, — вполголоса сообщила она снизу.

---

* Вход запрещен.

Лэнгдона это не удивило. Крипта собора Сан-Марко отличается от многих других крипт тем, что это действующий подземный храм: в ней регулярно проходят службы над мощами Святого Марка.

— По-моему, я вижу дневной свет! — прошептала Сиена.

Как такое возможно? Лэнгдон силился припомнить свои прежние посещения этого подземного святилища. Скорее всего, подумал он, Сиена увидела lux eterna — электрический свет на гробнице Святого Марка посреди крипты. Впрочем, времени на размышления не было: на лестнице наверху послышались шаги. Лэнгдон быстро переступил ленту, постаравшись ее не пошевелить, и, перемещая ладонь вдоль грубой каменной стены, двинулся по спирали вниз, в темноту шахты.

Сиена, спустившись до конца, ждала его у лестницы. Почти не освещенная крипта была за ней еле видна. Каменный потолок в этом подземелье с колоннами и кирпичными арками был такой низкий, что это внушало тревогу. *Вся базилика опирается на эти колонны*, подумал Лэнгдон, уже ощущая прилив клаустрофобии.

— Я же говорила, — шепнула ему Сиена, на чье миловидное лицо откуда-то падал очень слабый дневной свет. Она показала на несколько небольших полукруглых окон под потолком.

Световые шахты, сообразил Лэнгдон; он и забыл, что они тут есть. За этими окнами — источниками света и свежего воздуха в тесной крипте — начинались шахты, идущие наверх, к площади Сан-Марко. Окна были застеклены и вдобавок забраны железными решетками из пятнадцати перекрывающихся колец, и хотя Лэнгдон предполагал, что они открываются изнутри, шахты начинались на высоте плеча, и он видел, что протиснуться в них будет непросто. Даже если им как-нибудь удастся проникнуть через одно из окон в шахту, выбраться наружу они не смогут: высота шахты — метра три, а сверху она закрыта тяжелой решеткой.

В тусклом свете, сочившемся в эти окна, крипта собора Сан-Марко казалась лесом, освещенным луной; частые колонны, похожие на стволы, отбрасывали на пол длинные, массивные тени. Лэнгдон обратил взор к центральной части крипты, где у гробницы Святого Марка горел одинокий светильник. Апостол, которому была посвящена базилика, покоился в каменном саркофаге за алтарем и рядами сидений для тех немногих избранных, кто получал возможность помолиться здесь, в средоточии венецианского христианства.

Вдруг рядом с ним вспыхнул крохотный свет. Лэнгдон повернулся и увидел в руке у Сиены телефон Ферриса с горящим экраном.

Лэнгдон удивился.

— Ведь Феррис сказал, что телефон разряжен.

— Он соврал, — сказала Сиена, не переставая набирать что-то на экране. — Он много о чем соврал. — Она посмотрела на телефон, нахмурилась и покачала головой. — Нет сигнала. Я подумала, может быть, я смогу узнать, где похоронен Энрико Дандоло.

Она торопливо подошла к световой шахте и подняла телефон к застекленному окну, надеясь получить сигнал.

Энрико Дандоло, подумал Лэнгдон, почти не имевший времени поразмыслить о доже: так стремительно пришлось бежать из музея. Да, сейчас им с Сиеной несладко, но посещение собора дало свой результат: они поняли, кто этот вероломный дож, обезглавивший коней... и умыкнувший кости незрячей.

Увы, Лэнгдон понятия не имел, где находится гробница Энрико Дандоло, и Этторе Вио тоже явно этого не знал. *Он знает всю эту базилику до последнего уголка... и Дворец дожей, вероятно, тоже.* То, что Этторе не смог сразу сказать, где похоронен Дандоло, наводило Лэнгдона на мысль, что эта гробница скорее всего расположена неблизко от собора Сан-Марко и Дворца дожей.

Где же она?

Лэнгдон снова посмотрел на Сиену — она теперь стояла на сплошном ряду сидений, который передвинула под одну из световых шахт. Она отперла задвижку, распахнула окно и подняла телефон Ферриса прямо в шахту.

Сверху донеслись звуки с площади Сан-Марко, и Лэнгдону вдруг подумалось, что, может быть, они с Сиеной и правда сумеют отсюда выбраться. За рядами сидений стояло несколько складных стульев, и Лэнгдон смекнул, что один из них можно будет протолкнуть наверх, в световую шахту. *Может быть, верхние решетки тоже на задвижках и открываются с этой стороны?*

Лэнгдон поспешил через полумрак к Сиене, но стоило ему пройти несколько шагов, как его остановил сильный удар по лбу. Рухнув на колени, он в первую секунду подумал, что на него напали. Нет, не напали, быстро сообразил он и обругал себя за то, что забыл простую вещь: его шестифутовый рост намного превышает высоту арок, рассчитанных на средний человеческий рост тысячу с лишним лет назад.

Стоя на коленях на жестких камнях и дожидаясь, пока погаснут искры, посыпавшиеся из глаз, он внезапно обнаружил, что смотрит на выбитую на полу надпись.

Sanctus Marcus.

Он таращился на нее довольно долго. Его внимание привлекло не имя святого, а язык, на котором оно было высечено.

Латынь.

После целого дня, в течение которого Лэнгдон был погружен в современный итальянский, он не ожидал увидеть имя Святого Марка на латыни; этот мертвый ныне язык, мгновенно вспомнилось ему, был при жизни апостола языком межнационального общения в Римской империи.

И вдруг Лэнгдону пришло в голову еще кое-что.

В начале тринадцатого века — в годы правления Энрико Дандоло и Четвертого крестового похода — языком власти во многом оставалась латынь. Венецианского дожа, завоеванием Константинополя принесшего Священной Римской империи великую славу, ни за что не похоронили бы под именем Энрико Дандоло... наверняка использовали бы латинизированное имя.

Henricus Dandolo.

И тут, точно освещенный электрической вспышкой, в его мозгу возник давно забытый образ. Озарение он испытал, стоя на коленях поблизости от алтаря, но он знал, что оно не даровано ему свыше. Всего-навсего мысленная связь, внезапно возникшая благодаря зрительному соответствию. Образом, неожиданно выскочившим из глубин памяти Лэнгдона, было латинское имя дожа... высеченное на истертой мраморной плите, вделанной в красивый каменный пол.

Henricus Dandolo.

У Лэнгдона, внутренним взором увидевшего простое надгробие дожа, перехватило дыхание. *Я там был.* Энрико Дандоло в точном соответствии со стихотворением был похоронен «в мусейоне премудрости священной, где золото сияет» — но не в базилике Сан-Марко.

Уразумев истину, Лэнгдон медленно поднялся на ноги.

— Не могу получить сигнал, — сказала Сиена, спустившись на пол и идя к нему.

— Он и не нужен, — через силу проговорил Лэнгдон. — Этот мусейон премудрости священной... — Он глубоко вздохнул. — Я... ошибся.

Сиена побледнела.

— Не говорите мне, что мы не в том музее.

— Сиена, — прошептал Лэнгдон, чувствуя себя больным. — Мы не в той стране.

Глава 76

Н а площади Сан-Марко цыганка, торгующая венецианскими масками, решила отдохнуть, прислонясь к наружной стене базилики. Она выбрала для этого любимое место — маленькую нишу между двумя металлическими решетками в мостовой, идеально подходящую, чтобы поставить увесистый шест с товаром и полюбоваться закатным солнцем.

За долгие годы она много чего повидала на площади Сан-Марко, но то странное, что сейчас привлекло ее внимание, происходило не *на* площади... а *под* ней. Услыхав громкий шум у себя под ногами, она удивленно заглянула через одну из решеток вниз, в тесную шахту глубиной метра в три. В самом низу там был открыт проем, и кто-то со скребущим звуком вталкивал через него в шахту складной стул.

К изумлению цыганки, за стулом последовала симпатичная женщина со светлыми волосами, собранными в хвостик, которую явно подпихнули снизу. Она протискивалась через проем в узкий колодец.

Поднявшись в нем на ноги, блондинка первым делом посмотрела вверх и была явно поражена, увидев цыганку, наблюдавшую за ней через решетку. Блондинка поднесла палец к губам и натужно улыбнулась. Потом разложила стул, встала на него и потянулась к решетке.

Росточка не хватает изрядно, подумала цыганка. *И что ты там делаешь-то?*

Блондинка слезла со стула и обменялась фразами с кем-то внутри подземелья. Хотя в узкой шахте ей едва хватало места, чтобы стоять рядом со стулом, она еще потеснилась, и из подвала базилики в колодец поднялся второй человек — высокий темноволосый мужчина в элегантном костюме.

Он тоже посмотрел вверх и встретился глазами с цыганкой, которую отделяла от него решетка. Потом, неловко изогнувшись, поменялся местами с блондинкой и взобрался на шаткий стул. Он был выше ее и потому сумел дотянуться до задвижки под решеткой и отодвинуть ее. После этого, встав на цыпочки, он уперся руками в решетку и толкнул ее вверх. Решетка чуть приподнялась, но ему пришлось ее опустить.

— Può darci una mano? — крикнула светловолосая женщина цыганке.

Дать тебе руку? — переспросила мысленно цыганка, не имея желания вмешиваться в такие дела. *А что ты там делаешь?*

Блондинка вытащила мужской бумажник, достала купюру в сто евро и помахала. Столько денег масками за три дня не наторгуешь. Но цыганка, не упуская случая поторговаться, покачала головой и показала два пальца. Блондинка вынула вторую купюру.

Не веря своему счастью, цыганка словно бы нехотя пожала плечами в знак согласия и, стараясь сохранять безразличный вид, нагнулась, схватилась за прутья решетки и посмотрела мужчине в глаза, чтобы обоим действовать разом.

Когда он снова толкнул решетку, цыганка потянула ее вверх руками, окрепшими за много лет ходьбы с товаром, и решетка поднялась... наполовину. Едва она подумала, что дело сделано, как внизу раздался громкий треск и мужчина исчез, рухнув обратно в шахту: складной стул не выдержал.

Железная решетка в ее руках мигом сделалась тяжелее, и она подумала было, что придется отпустить, но мысль о двухстах евро придала ей сил, и цыганка сумела-таки откинуть решетку к стене базилики, о которую она ударилась с громким лязгом.

Тяжело дыша, цыганка опустила взгляд в шахту на людей вперемешку с обломками стула. Когда мужчина встал и отряхнулся, она протянула руку за деньгами.

Женщина с конским хвостом благодарно кивнула и подняла над головой две купюры. Цыганка потянулась, но не достала.

Дай же ты ему, он выше.

Вдруг из шахты послышался шум: внизу, под базиликой, громко зазвучали сердитые голоса. Мужчина и женщина в страхе крутанулись, отпрянули от проема.

Потом наступил настоящий хаос.

Темноволосый взял командование на себя; он присел и решительно приказал женщине поставить ногу на ступеньку, которую, сплетя пальцы, сделал из ладоней. Она послушалась, и он толкнул ее вверх. Держа купюры в зубах, чтобы руки были свободны, она цеплялась за стены шахты и силилась дотянуться до верхнего края. Мужчина толкал ее выше... еще выше... наконец ее пальцы ухватились за край.

С огромным усилием, похожая на пловчиху, вылезающую из бассейна, она выбралась на мостовую. Сунув цыганке деньги, она мигом повернулась, встала у отверстия шахты на колени и протянула руку мужчине.

Поздно.

Сильные руки в длинных черных рукавах просунулись в шахту, точно хлесткие щупальца какого-то голодного чудища, схватили темноволосого за ноги и потянули обратно к проему.

— Бегите, Сиена! — крикнул он, пытаясь отбрыкиваться. — Бегите!

Цыганка увидела, как они встретились взглядами, полными боли и сожаления... и дело было кончено.

Мужчину грубо втащили через проем обратно в базилику.

Блондинка потрясенно смотрела вниз глазами, полными слез.

— Простите меня, Роберт, — прошептала она. Потом, секунду помолчав, добавила: — За все простите.

Миг — и она ринулась в гущу людей; ее конский хвост мотался туда-сюда, когда она неслась по узкому переулку Мерчериадель-Оролоджо... исчезая в пестрой венецианской толпе.

Глава 77

ихий плеск воды мягко привел Роберта Лэнгдона в сознание. Он ощутил резкий медицинский запах антисептика, смешанный с соленым запахом моря, и почувствовал, что все вокруг покачивается.

Где я?

Лишь секунды назад, казалось ему, он сражался не на жизнь, а на смерть с мощными руками, которые тащили его из световой шахты обратно в крипту. Но сейчас, как ни странно, под ним был не холодный каменный пол собора... а мягкий матрас.

Лэнгдон открыл глаза и огляделся. Он был в маленькой комнатке, похожей на больничную палату, с одним круглым окошком. Покачивание продолжалось.

Я на судне?

Последним, что Лэнгдон помнил, было то, как он лежал на полу крипты, придавленный одним из людей в черном, который сердито шипел на него: «Да хватит же дергаться!»

Лэнгдон кричал во всю глотку, звал на помощь, а агенты старались приглушить его вопли.

— Надо его забирать отсюда, — сказал один из них другому. Тот нехотя кивнул:

— Действуй.

Лэнгдон почувствовал, как сильные пальцы профессионально ощупывают шею. Затем, найдя нужное место на сонной артерии, пальцы начали жестко, сосредоточенно давить. Спустя считанные секунды в глазах у Лэнгдона помутилось, и он начал терять сознание: мозгу не хватало кислорода.

Убивают, подумал Лэнгдон. *Прямо тут, у гробницы Святого Марка.*

И нахлынула тьма — но тьма не абсолютная... скорее переливы разных оттенков серого, а среди них — отдельные неясные образы и звуки.

Лэнгдон не знал, сколько прошло времени, но восприятие окружающего так или иначе возвращалось. Судя по всему, он находился в каком-то судовом лазарете. Больничная обстановка и запах изопропилового спирта рождали странное ощущение дежавю: Лэнгдон словно прошел полный круг и очнулся, как и прошлой ночью, на незнакомой больничной койке без ясных воспоминаний о последних событиях.

Он сразу подумал о Сиене и ее безопасности. Казалось, на него и теперь глядят сверху вниз ее участливые карие глаза, полные раскаяния и страха. Лэнгдон молился о том, чтобы она спаслась и благополучно выбралась из Венеции.

Мы не в той стране, потрясенно сказал ей Лэнгдон в крипте, вспомнив, где похоронен Энрико Дандоло. Таинственный «мусейон премудрости священной», о котором говорится в стихотворении, находится совсем даже не в Венеции... а очень далеко от нее. Не зря строки Данте, с которых оно начинается, предупреждают: нужно хорошенько постараться, чтобы понять «наставленье... сокрытое под странными стихами».

Лэнгдон хотел, когда они с Сиеной выберутся из крипты, все ей объяснить, но возможности так и не представилось.

Она убежала, зная одно: что я грубо ошибся.

Внутренности Лэнгдона точно скрутило узлом.

Чума по-прежнему там...в другой стране.

В коридоре за дверью лазарета послышались тяжелые шаги, и, повернувшись, Лэнгдон увидел входящего в каюту мужчину в черном. Это был именно тот силач, что придавил его к полу крипты. Взгляд у него был как лед. Лэнгдон инстинктивно отпрянул было, но куда бежать? *Пусть делают со мной что хотят.*

— Где я? — спросил Лэнгдон, вложив в голос весь свой запас требовательности и непокорства.

— На яхте. Мы стоим на якоре около Венеции.

Лэнгдону бросилась в глаза круглая зеленая эмблема у вошедшего на форме: земной шар, а вокруг него буквы ECDC. И эмблему, и аббревиатуру Лэнгдон видел впервые.

— Нам нужно получить от вас информацию, — сказал оперативник, — и мы не можем терять время.

— С какой стати я буду вас информировать? — возразил Лэнгдон. — Вы меня едва не убили.

— Ничего подобного. Мы использовали *шиме-ваза* — удушающую технику дзюдоистов. У нас не было желания причинить вам вред.

— А кто *стрелял* в меня сегодня утром?! — возмутился Лэнгдон, отчетливо вспоминая лязг пули о крыло трайка, стремительно уносящего их с Сиеной. — Ваша пуля чуть не попала мне в поясницу!

Глаза вошедшего сузились.

— Если бы я *хотел* прострелить вам поясницу, я бы ее прострелил. Я сделал один-единственный выстрел, которым пытался пробить заднюю шину вашего мопеда, чтобы не дать вам уехать. Мне было приказано войти с вами в контакт и выяснить, какого черта вы так странно себя ведете.

Не успел Лэнгдон переварить услышанное, как в каюту вошли и двинулись к его койке еще двое в черном.

Между ними шла женщина.

Женщина-призрак.

Эфирная и неземная.

Лэнгдон мгновенно узнал в ней свое видение. Длинные серебристые волосы, красивое лицо, на шее голубой амулет из ляпислазури. В прошлый раз она явилась ему среди жуткого пейзажа с мертвыми и умирающими, и теперь Лэнгдон не сразу уразумел, что она стоит перед ним живая, во плоти.

— Профессор Лэнгдон, — сказала она, подходя к его койке с усталой улыбкой. — Я рада, что с вами ничего серьезного. — Она села и взяла его руку, чтобы узнать пульс. — Мне сообщили, что у вас амнезия. Вы меня помните?

Лэнгдон помедлил с ответом, вглядываясь в нее.

— Вы... возникали в моих видениях, хотя саму встречу я не помню.

Женщина наклонилась к нему, ее лицо выражало сочувствие.

— Меня зовут Элизабет Сински. Я директор Всемирной организации здравоохранения, и я обратилась к вам за помощью, чтобы обнаружить ...

— Новую чуму, — сообразил Лэнгдон. — Которую создал Бертран Зобрист.

Сински удовлетворенно кивнула:

— Помните, да?

— Нет, я очнулся в больнице со странным маленьким проектором и с видениями в голове, в которых *вы* требовали, чтобы я искал и нашел. Именно это я и пытался делать, но *они* хотели меня убить.

Лэнгдон кивком показал на агентов. Силач ощетинился, явно желая ответить, но Элизабет Сински движением руки велела ему молчать.

— Профессор, — мягко проговорила она. — Я вижу, вы потрясены, сбиты с толку. Я втянула вас во все это, я в ужасе от произошедшего, и мне отрадно, что вы в безопасности.

— В безопасности? — отозвался Лэнгдон. — Меня насильно удерживают на судне!

И вас тоже!

Женщина с серебристыми волосами понимающе кивнула.

— Из-за вашей амнезии многое из того, что я сейчас расскажу, боюсь, покажется вам диковинным. Но время на исходе, в вашей помощи нуждается множество людей.

Сински умолкла, словно раздумывая, как лучше продолжить.

— Прежде всего, — заговорила она, — мне надо, чтобы вы поняли: агент Брюдер и его люди никогда не пытались сделать вам ничего плохого. У них был прямой приказ: восстановить с вами контакт любыми средствами, какие понадобятся.

— Восстановить? Но я не...

— Прошу вас, профессор, просто послушайте. Все разъяснится. Я вам обещаю.

Лэнгдон откинулся на койку лазарета, и чем дольше доктор Сински говорила, тем более бурно крутились мысли у него в голове.

— Агент Брюдер и его люди — группа из Службы поддержки по надзору и реагированию. Сокращенно — ПНР. Они работают под эгидой Европейского центра профилактики и контроля заболеваний.

Лэнгдон посмотрел на нашивки с буквами ECDC. *European Centre for Disease Prevention and Control.*

— Его группа, — продолжила она, — специализируется на распознавании и нейтрализации рисков заразных заболеваний.

Грубо говоря, это спецназ для экстренного сведения к минимуму крупномасштабных угроз здоровью людей. Я ищу источник инфекции, которую создал Зобрист, мои главные надежды были связаны с вами, и, когда вы исчезли, я поручила группе ПНР вас разыскать... Это я вызвала ее во Флоренцию себе на помощь.

Лэнгдон был ошеломлен.

— Эти агенты работают *на вас*?

Она кивнула:

— Временно прикомандированы от ECDC. Вчера вечером, когда вы исчезли и перестали выходить на связь, мы подумали, что с вами что-то случилось. Только сегодня рано утром, когда наша группа технической поддержки увидела, что вы заходили в свою гарвардскую электронную почту, мы поняли, что вы живы. В тот момент казалось, что причиной вашего странного поведения может быть только переход на другую сторону... мы предполагали, что кто-то другой, кто тоже ищет источник этой инфекции, соблазнил вас большими деньгами.

Лэнгдон покачал головой:

— Полнейшая нелепость!

— Да, это выглядело крайне маловероятным, но это было единственным логически приемлемым объяснением. Ставка чрезвычайно высока, и мы должны были свести риск к минимуму. Конечно, мы и вообразить не могли, что у вас амнезия. Когда наша группа технической поддержки зафиксировала внезапную активацию вашей гарвардской электронной почты, мы установили по IP-адресу, в какой квартире во Флоренции находится компьютер, и прибыли на место. Но вы скрылись на мопеде с женщиной, и это усилило наши подозрения, что вы стали работать на кого-то еще.

— Мы мимо вас проехали! — задыхаясь от волнения, воскликнул Лэнгдон. — Я увидел вас на заднем сиденье черного фургона между оперативниками. Я решил, вы *пленница*. Казалось, что вы не в себе, что вас чем-то одурманили.

— Вы нас видели? — удивилась доктор Сински. — Как ни странно, вы не ошиблись... Они действительно делали мне уколы. — Она сделала паузу. — Но только потому, что я им так велела.

Лэнгдон был уже полностью сбит с толку. *Она велела себя одурманить?*

— Вы этого, конечно, не помните, — сказала Сински, — но, когда наш «С-130» приземлился во Флоренции, изменилось давление и у меня случился приступ позиционного пароксизмального головокружения. Это острое состояние, которое у меня иногда бывает, оно связано с нарушением деятельности внутреннего уха. Состояние преходящее и не слишком серьезное, но головокружение и тошнота такие сильные, что даже голову трудно поднять. Обычно я ложусь и терплю эту тошноту, но ситуация с Зобристом требовала неотложных действий, поэтому я попросила каждый час делать мне инъекции метоклопрамида, чтобы меня не рвало. У этого препарата есть серьезный побочный эффект: он вызывает сильную сонливость; но я по крайней мере могла отдавать распоряжения по телефону с заднего сиденья фургона. Группа ПНР хотела отвезти меня в больницу, но я им запретила до тех пор, пока мы не получим вас опять в свое распоряжение. К счастью, во время перелета в Венецию головокружение наконец прошло.

Обескураженный Лэнгдон лежал на койке без сил. *Я весь день бегал от Всемирной организации здравоохранения — от тех самых людей, чье поручение должен исполнять.*

— Теперь внимание, профессор, — требовательно продолжила Сински. — Источник инфекции Зобриста... имеете вы представление, где он может быть? — Она смотрела на него сверху вниз с видом крайне напряженного ожидания. — У нас очень мало времени.

Он далеко отсюда, хотел сказать Лэнгдон, но прикусил язык. Он поднял глаза на Брюдера — на человека, который утром в него стрелял, а потом чуть не задушил. У Лэнгдона так быстро уходила из-под ног почва, что он понятия не имел, кому можно доверять.

Сински наклонилась к нему с еще более напряженным видом.

— У нас создалось впечатление, что источник здесь, в Венеции. Это так? Скажите нам, где именно, и мы пошлем группу на берег.

Лэнгдон колебался.

— Сэр! — нетерпеливо рявкнул Брюдер. — Вам явно *что-то* известно... Говорите, где он! Вы что, не понимаете, чтó может произойти?

— Агент Брюдер! — прикрикнула на него Сински. — Хватит вам!

Снова повернувшись к Лэнгдону, она заговорила негромко:

— Учитывая, через что вы прошли, вполне можно понять, что вы сбиты с толку и не знаете, кому верить. — Она помолчала, пристально глядя ему в глаза. — Но время на исходе, и *мне* я просила бы поверить.

— Лэнгдон может подняться? — спросил новый голос.

В двери появился малорослый холеный человек с густым загаром. Он обратил на Лэнгдона изучающий, натренированно-спокойный взгляд, но Лэнгдону в этом взгляде почудилась опасность.

Сински жестом попросила Лэнгдона встать.

— Профессор, с этим человеком я предпочла бы не сотрудничать, но ситуация такова, что выбора у нас нет.

Лэнгдон неуверенно спустил ноги с койки и, встав, не сразу обрел равновесие.

— Следуйте за мной, — сказал загорелый, двинувшись к двери. — Мне надо вам кое-что показать.

Лэнгдон стоял на месте.

— Кто вы такой?

Загорелый помедлил, сведя пальцы под подбородком.

— Имя не имеет значения. Можете называть меня шефом. Я руковожу организацией... которая, увы, допустила ошибку, оказав Бертрану Зобристу помощь в преследовании его целей. Теперь я стараюсь эту ошибку исправить, пока не поздно.

— Что вы хотите мне показать? — спросил Лэнгдон.

Собеседник устремил на Лэнгдона твердый взгляд.

— То, после чего у вас не останется сомнений, что мы все на одной стороне.

Глава 78

энгдон последовал за загорелым по тесному лабиринту клаустрофобных подпалубных коридоров; доктор Сински и люди из ECDC двигались сзади цепочкой. Когда подошли к трапу, у Лэнгдона возникла было надежда, что они поднимутся к дневному свету, но нет: пришлось спускаться дальше в глубь судна.

В его недрах шеф провел их через рабочее помещение, состоящее из стеклянных кабинок, — у одних стенки были прозрачные, у других матовые. Во всех этих звукоизолированных отсеках сидели сотрудники, по горло занятые работой: кто-то печатал на компьютере, кто-то говорил по телефону. Тех, что поднимали головы и замечали проходящую группу, присутствие незнакомцев в этой части яхты, похоже, всерьез тревожило. Загорелый успокаивал их кивком и энергично двигался дальше.

Куда я попал? — спрашивал себя Лэнгдон, проходя через новые компактно спланированные рабочие зоны.

Наконец хозяин вошел в просторный конференц-зал, остальные друг за другом проследовали за ним. Когда расселись, он нажал кнопку, раздалось шипение и стеклянные стены стали непрозрачными. Лэнгдон, никогда такого не видевший, был сильно удивлен.

— Где мы находимся? — не выдержал он наконец.

— На моем судне — на «Мендации».

— На «Мендации»? — переспросил Лэнгдон. — От латинского слова, означающего ложь? У греков бог обмана — Псевдолог, римляне называли его Мендацием.

На шефа эрудиция Лэнгдона, похоже, произвела впечатление.

— Это мало кто знает.

Не слишком благородное название, подумал Лэнгдон. Мелкий божок, властвующий над духами неправды и фальсификации.

Владелец судна достал красную флешку и вставил в электронное устройство у дальней стены. Огромный плоский жидкокристаллический экран ожил, верхний свет померк.

После нескольких секунд молчаливого ожидания Лэнгдон услышал тихий плеск воды. Поначалу он подумал, что звук доносится из-за борта, но потом понял, что он идет из динамиков экрана. Медленно проступило изображение: мокрая стена пещеры, на ней колышется красноватый свет.

— Этот видеосюжет снял Бертран Зобрист, — сказал хозяин. — И попросил меня обнародовать его завтра.

Молча, не веря своим глазам, Лэнгдон смотрел диковинный фильм... озеро в каком-то подземелье, подернутое рябью... камера опускается в воду... приближается к запачканному илом плиточному полу, к нему привинчена табличка с надписью: В ЭТОМ МЕСТЕ И В ЭТОТ ДЕНЬ МИР ИЗМЕНИЛСЯ НАВСЕГДА.

Подписано: БЕРТРАН ЗОБРИСТ.

Дата — *завтра*.

Господи! Лэнгдон в полумраке повернулся к Сински, но она с отсутствующим видом уставилась в пол: она явно уже видела фильм и была не в силах смотреть его еще раз.

Камера стала поворачиваться влево, и Лэнгдон, к своему смятению, увидел в воде слегка колеблющийся прозрачный пластиковый мешок с густой желто-коричневой жидкостью. На поверхность мешок не всплывал: похоже, нежную сфероподобную оболочку соединяла с полом какая-то привязь.

Что за чертовщина? Лэнгдон смотрел на раздутый пузырь из пластика во все глаза. Вязкое содержимое, казалось, медленно кружится... точно варево.

У Лэнгдона перехватило дыхание. *Вот она, новая чума Зобриста.*

— Остановите фильм, — сказала в темноте Сински.

Изображение застыло: пластиковый мешок в воде, не всплывающий из-за привязи... жидкое, герметически замкнутое облачко, висящее в пространстве.

— Думаю, вы догадались, что это такое, — сказала Сински. — Вопрос — как скоро оно вырвется наружу? — Она подошла к экрану и показала на маленькую надпись на прозрачном пластике. — Увы, это нам говорит, из чего сделан мешок. Можете прочесть?

С бьющимся сердцем Лэнгдон вгляделся в надпись, которая явно была товарным знаком: Solublon®.

— «Солюблон». Эта компания — крупнейший в мире изготовитель пластика, растворимого в воде, — сказала Сински.

У Лэнгдона свело мышцы живота.

— То есть мешок... *растворяется*?!

Сински мрачно кивнула.

— Мы связались с компанией-производителем и получили неутешительные сведения: они делают десятки сортов пластика, который растворяется за любое время от десяти минут до десяти недель — смотря какой выбран сорт. Время растворения, кроме того, немного варьируется в зависимости от характера воды и температуры, но нет сомнений, что Зобрист тщательно учел эти факторы. — Она сделала паузу. — Мешок, мы полагаем, растворится к...

— Завтрашнему дню, — перебил ее шеф. — Эту дату Зобрист обвел кружком в моем календаре. И она же значится на табличке.

Лэнгдон сидел в темноте, не в силах вымолвить ни слова.

— Покажите ему остальное, — сказала Сински.

Фильм пошел дальше; камера теперь скользила по подсвеченной воде и сумрачным стенам подземелья. Лэнгдон не сомневался, что именно про это место говорилось в стихотворении: *в кроваво-красных водах, куда не смотрятся светила.*

Вспоминались картины ада у Данте... река Коцит, текущая через пещеры преисподней.

Озеро это, где бы оно ни находилось, обступали мшистые стены — стены искусственные, чувствовал Лэнгдон. У него, кроме того, возникло ощущение, что снята лишь малая часть обширного внутреннего пространства; на это указывали, например, очень бледные вертикальные тени на стенах. Тени были широкие, столбообразные и шли через равные расстояния.

Колонны, сообразил Лэнгдон.

Потолок пещеры поддерживают колонны.

Водоем находится не в пещере, а в огромном зале.

Затем подземный отыщи дворец...

Но не успел Лэнгдон открыть рот, как его внимание привлекла новая тень на стене... тень, похожая на человеческую, с длинным носом-клювом.

Боже милостивый...

Тень заговорила — слова звучали глухо, это был пугающий ритмический шепот, разносящийся над водами:

Я ваше спасение. Я Тень.

Следующие несколько минут Лэнгдон смотрел самое жуткое кино в своей жизни. Горячечный монолог безумного гения — Бертрана Зобриста в обличье чумного доктора — изобиловал отсылками к «Аду» Данте, и суть его речей была совершенно ясна: численность человечества неконтролируемо растет, и это ставит под вопрос само его существование.

Голос с экрана вещал:

Сидеть сложа руки – значит приветствовать Дантов ад, где все мы погрязнем в грехе, будем голодать и задыхаться от тесноты. И я отважился принять вызов. Кто-то отшатнется в ужасе, но спасение никогда не дается даром. Когда-нибудь мир оценит красоту моей жертвы.

Лэнгдон содрогнулся, увидев, как на экране, одетый чумным доктором, внезапно появился сам Зобрист. Когда он затем сорвал маску, Лэнгдон уставился на худое лицо, на безумные зеленые глаза, понимая, что вот оно наконец — лицо того, кто заварил всю эту кашу. Зобрист заговорил теперь о любви к человеку, которого назвал своим добрым гением:

Я оставляю будущее в твоих заботливых руках. Мои труды внизу окончены. И для меня настал час подняться к горнему миру... и вновь узреть светила.

Фильм кончился, и в последних словах Зобриста Лэнгдон узнал концовку дантовского «Ада».

В темном конференц-зале Лэнгдон почувствовал: все страхи, которые он испытал сегодня, кристаллизовались в нечто определенное, реальное и ужасающее.

Бертран Зобрист обрел лицо... и голос.

В зале зажегся свет, и Лэнгдон увидел, что все смотрят на него в ожидании.

Элизабет Сински, встав, с застывшим лицом нервно поглаживала свой амулет.

— Профессор, — сказала она, — времени у нас, как вы понимаете, крайне мало. Единственная обнадеживающая новость на данный момент — то, что до сих пор не было сообщений об обнаружении патогена или о вспышке инфекции, поэтому можно предполагать, что оболочка из солюблона пока цела. Но мы не знаем, *где искать*. Наша задача — нейтрализовать угрозу до того, как мешок прорвется. Но это, конечно, удастся сделать только в том случае, если мы немедленно выясним, где он находится.

Теперь встал и агент Брюдер, пристально глядя на Лэнгдона.

— Вы приехали в Венецию, как мы предполагаем, потому, что именно здесь рассчитываете найти источник новой чумы Зобриста.

Лэнгдон обвел глазами напряженные лица собравшихся. Всех томил страх, все надеялись на чудо, а ему нечем было их порадовать.

— Мы не в той стране, — сказал Лэнгдон. — То, что вы ищете, находится в полутора тысячах километров отсюда.

Когда «Мендаций» пошел по широкой дуге, беря курс на венецианский аэропорт, глубинный рокот двигателей яхты, заработавших на полную мощь, отдался эхом у Лэнгдона внутри. На борту царила дикая суматоха. Шеф метнулся из конференц-зала, на ходу отдавая громогласные приказы. Элизабет Сински схватила телефон и потребовала от пилотов «С-130», чтобы немедленно готовили транспортный самолет ВОЗ к вылету из Венеции. Агент Брюдер уткнулся в ноутбук в попытке заранее создать там, куда они направлялись, передовую группу.

Там, очень далеко от Венеции.

Шеф вернулся в конференц-зал и деловито обратился к Брюдеру:

— Есть что-нибудь от венецианских властей?

Тот покачал головой:

— Ничего. Они ищут, но Сиена Брукс исчезла напрочь.

Лэнгдон ушам своим не поверил. *Они ищут Сиену?*

Сински договорила по телефону и переспросила:

— Что, никак не могут ее найти?

Шеф покачал головой.

— Если вы не против, ВОЗ, я считаю, должна санкциониро-
вать задержание ее силой при необходимости.

Лэнгдон вскочил на ноги.

— Почему?! Сиена Брукс тут совершенно ни при чем!

Шеф метнул на Лэнгдона взгляд темных глаз.

— Профессор, мне есть что рассказать вам про мисс Брукс.

<u>*Глава 79*</u>

 оропливо протиснувшись через толпу туристов на мосту Риальто, Сиена Брукс снова перешла на бег; она двинулась на запад вдоль Большого канала по набережной Фондамента-Вин-Кастелло.

Роберт у них в руках.

Она и сейчас видела его отчаянные глаза, смотревшие на нее из световой шахты, когда оперативники тащили его обратно в крипту. Она почти не сомневалась, что захватившие его люди тем или иным способом быстро уговорят его сообщить им все, к чему он пришел.

Мы не в той стране.

Но еще намного трагичней было сознание, что эти люди не преминут открыть Лэнгдону глаза на истинное положение дел.

Простите меня, Роберт.

За все простите.

Поймите, у меня не было выбора.

Как ни странно, Сиена уже скучала по Лэнгдону. Среди венецианских толп она чувствовала, как погружается в знакомое одиночество.

Ничего нового.

Сиена Брукс с детства чувствовала себя одинокой.

Исключительно одаренная интеллектуально, Сиена росла как чужестранка... как инопланетянка в чуждом ей мире. Она пыталась дружить, но у сверстниц и сверстников на уме были пустые вещи, которые ее не интересовали. Она понуждала себя уважать старших, но они в большинстве своем казались ей взрослыми детьми, не понимающими даже простейших основ окружающего мира и, что самое неприятное, не питающими к нему любопытства и не испытывающими тревог на его счет.

Я чувствовала себя неприкаянной.

И Сиена Брукс научилась быть призраком. Невидимкой. Научилась быть хамелеоном, притворщицей, изображающей из себя всего-навсего одно из бесчисленных лиц в толпе. Она не сомневалась, что детская страсть к актерской игре — одно из проявлений мечты всей ее жизни, мечты о том, чтобы стать кем-то еще.

Стать нормальной.

Выступление в шекспировском «Сне в летнюю ночь» помогло ей почувствовать себя частью чего-то, и взрослые исполнители, поддерживая ее, обращались с ней как с равной. Радость, однако, длилась недолго: она испарилась в ту минуту, когда Сиена, сойдя со сцены после премьеры, оказалась в окружении изумленных репортеров, а остальные актеры тихо прошмыгнули в боковую дверь, никем не замеченные.

Теперь и они меня возненавидели.

К семи годам Сиена прочла достаточно медицинской литературы, чтобы диагностировать у себя глубокую депрессию. Когда она сказала об этом родителям, они были ошарашены — обычная их реакция на все странное в дочери. Так или иначе, они послали ее к психиатру. Врач задал ей массу вопросов, которые Сиена уже задавала себе сама, и прописал амитриптилин в комбинации с хлордиазепоксидом.

Сиена в ярости вскочила на ноги.

— Амитриптилин?! — возмутилась она. — Я хочу быть более счастливым человеком, а не зомби!

Психиатр, к его чести, сохранил перед лицом этой вспышки полное спокойствие и предложил другое решение:

— Что ж, Сиена, если вы не хотите принимать препараты, давайте испробуем более холистический подход. — Он сделал паузу. — Создается впечатление, что вы не можете выйти из круга тягостных мыслей о себе и о том, что вы не вписываетесь в окружающий мир.

— Это правда, — ответила Сиена. — Я пытаюсь перестать, но не могу!

Он спокойно улыбнулся ей.

— Конечно, не можете. Человеческий ум физически не в состоянии прекратить деятельность. Душа жаждет эмоций и будет продолжать искать топливо для этих эмоций — положительных или отрицательных. Ваша проблема в том, что вы подбрасываете им не то топливо.

Сиена никогда раньше не слышала, чтобы о душевной жизни рассуждали так механистически, и мигом была заинтригована.

— А как мне подбросить им другое топливо?

— Вам надо изменить точку приложения своего интеллекта, — сказал психиатр. — Сейчас вы думаете большей частью о себе. Задаетесь вопросом, почему *вы* не вписываетесь... и что с *вами* не так.

— Это правда, — повторила Сиена. — Но я стараюсь решить эту проблему. Я стараюсь вписаться. Как я смогу решить проблему, если не буду о ней думать?

Врач усмехнулся.

— Я полагаю, что размышление о проблеме... *и есть* ваша проблема.

И он предложил ей попробовать отвлечь внимание от себя, от своих проблем... и обратить его на окружающий мир... и на его проблемы.

Вот когда все переменилось.

Она начала тратить всю энергию не на жалость к себе... а на жалость к другим. Целиком отдалась благотворительной деятельности, разливала суп в приютах для бездомных, читала книги слепым. Невероятно, но никто из тех, кому Сиена помогала, казалось, даже не замечал, что она не похожа на других. Они просто были рады, что кому-то есть до них дело.

День ото дня Сиена трудилась все неистовей, сознание, что столько людей нуждается в ее помощи, не давало ей спать по ночам.

— Сиена, притормози! — уговаривали ее. — Спасти мир тебе все равно не по плечу!

Какие ужасные слова.

Занимаясь общественной деятельностью, Сиена познакомилась с несколькими членами одной местной благотворительной группы. Когда они пригласили ее поехать с ними на месяц на Филиппины, она ухватилась за эту возможность.

Сиена воображала, что они будут снабжать пищей бедных рыбаков или крестьян в сельской местности — в настоящей стране природных чудес, судя по тому, что она читала: восхитительные морские берега, красивейшие равнины... Поэтому, когда группа обосновалась среди толп Манилы — самого густонаселенного города в мире, — Сиена пришла в ужас. Она никогда раньше не видела такой массовой бедности.

И что может изменить помощь отдельным людям?

На каждого человека, которого Сиена могла накормить, приходились сотни других, смотревших на нее несчастными глазами. Манила — это шестичасовые транспортные пробки, удушающее загрязнение среды и страшный сексуальный рынок, где торговля идет главным образом несовершеннолетними; их зачастую продают сводникам родители, находящие утешение уже в том, что их дети по крайней мере будут сыты.

Среди этого хаоса, в окружении детской проституции, попрошайничества, карманного воровства и многого, что еще хуже, Сиену вдруг точно парализовало. Повсюду вокруг, видела она, над человечностью берет верх первобытный инстинкт выживания. *Когда человек приходит в отчаяние... он превращается в животное.*

Мрачная депрессия нахлынула на Сиену с новой силой. Внезапно она увидела человечество таким, какое оно есть. Увидела и поняла: мы — вид, дошедший до края.

Я ошибалась, подумалось ей. *Мне и правда не по плечу спасти мир.*

Словно обезумев, Сиена бросилась бежать по городским улицам, она проталкивалась через скопления людей, отпихивала их, сбивала с ног в поисках свободного пространства.

Меня душит человеческая плоть!

Она бежала и снова чувствовала на себе людские взгляды. Она опять выбилась из общей массы. Высокая светлокожая блондинка с мотающимся сзади конским хвостом. Мужчины пялились на нее как на голую.

Когда ноги обессилели, она понятия не имела, где находится. Вытерев слезы пополам с пылью, она увидела, что стоит в окружении лачуг — в необъятном городе, застроенном жилищами из кусков ржавого металла и листов картона. Со всех сторон доносился плач грудных детей, в воздухе висела вонь экскрементов.

Я вбежала в адские врата.

— Turista... — глумливо произнес сзади густой мужской голос. — Magkano?*

Сиена резко обернулась и увидела троих парней; они приближались, истекая слюной, как волки. Она мигом поняла, что они опасны, и метнулась прочь, но они стали окружать ее, точно стая хищников.

Сиена принялась звать на помощь, но никто не обращал на крики внимания. Всего в нескольких шагах сидела на автомобильной шине старуха и счищала ржавым ножом гниль с луковицы. Она даже головы не подняла.

Когда Сиену схватили и потащили в хибару, у нее не было иллюзий насчет того, что сейчас произойдет, и ее объял всепоглощающий ужас. Она отбивалась как могла, но парни были сильные, они быстро повалили ее на старый грязный матрас.

Они разодрали на ней рубашку, царапая нежную кожу. Когда она закричала, ей засунули рваную рубашку в рот так глубоко, что она подумала: «Все, сейчас задохнусь». Потом ее перевернули на живот, притиснув лицом к вонючей кровати.

Сиена Брукс всегда питала жалость к тем невеждам, что способны верить в Бога, живя в мире, где столько страданий; но теперь она молилась... молилась всем сердцем.

Прошу тебя, Господи, избавь меня от этого зла.

Но сквозь молитву она слышала, как парни издевательски гогочут, а их грязные руки тем временем стаскивали с ее брыкающихся ног джинсы. Потом один улегся ей на спину, взмокший и тяжелый, и его пот потек по ее коже.

Вот, значит, как это у меня будет в первый раз.

Вдруг молодчик скатился с ее спины, и глумливый гогот сменился воплями злости и страха. Теплый пот внезапно заструился по спине сильнее... а с нее на матрас, расплываясь красным пятном.

Перевернувшись, Сиена увидела старуху — она с полуочищенной луковицей и ржавым ножом стояла над насильником, а у того из спины обильно текла кровь.

Потрясая окровавленным ножом, старуха грозно смотрела на остальных, пока все трое не дали деру.

Потом, не говоря ни слова, она помогла Сиене кое-как одеться.

— Salamat, — прошептала Сиена сквозь слезы. — Спасибо.

---

*   Туристка... Почем? (*тагальск.*)

Старуха постучала по своему уху, показывая, что глухая.

Сиена свела ладони, закрыла глаза и наклонила голову в знак почтения. Когда открыла глаза, женщины уже не было.

Сиена покинула Филиппины немедленно, даже не попрощавшись с другими членами группы. О том, что случилось, никому не рассказывала. Надеялась, что, игнорируя произошедшее, заставит тягостное воспоминание поблекнуть, — но, похоже, сделала себе этим только хуже. Месяц проходил за месяцем, а ее все мучили ночные кошмары, и она нигде не чувствовала себя в безопасности. Стала заниматься боевыми искусствами, но, хотя быстро освоила приемы «дим-мак», позволяющие убить человека, всюду, куда бы она ни пошла, ей чудилась опасность.

Вернулась депрессия, усилившись десятикратно, и под конец Сиена перестала спать совсем. Причесываясь, всякий раз замечала, что волосы выпадают целыми прядями, с каждым днем лезут все сильней. К ее ужасу, за считанные недели она наполовину облысела; диагноз поставила себе сама: телогеновая алопеция — вызванное стрессом выпадение волос, от которого нет иного лечения, кроме борьбы с самим стрессом. Видя в зеркале свою лысеющую голову, она каждый раз чувствовала, как сердце начинает бешено биться.

Я стала похожа на старуху!

В конце концов у нее не осталось другого выхода, как обрить голову. По крайней мере старухой она больше не выглядела. Просто больной. Чтобы люди не думали, что она лечится от рака, она купила светлый парик и стянула на нем волосы хвостиком. Хотя бы наружно она снова была собой.

Внутри, однако, Сиена Брукс изменилась.

Я паршивая овца.

В отчаянной попытке освободиться от прошлого она поехала в Америку и поступила в медицинский колледж. К медицине она всегда испытывала склонность и надеялась теперь, что, став врачом, будет чувствовать себя полезной... хоть *что-то* будет делать, чтобы по крайней мере меньше боли было в этом несчастном мире.

Медицина, несмотря на долгие учебные дни, давалась ей легко, и, пока однокурсники корпели над книгами, Сиена находила время для заработка выступать на сцене. Шекспиром, конечно, тут и не пахло, но благодаря владению речью и феноменальной памяти она не ощущала актерство как работу — скорее оно было убежищем, где Сиена могла забыть, кто она такая... и стать *кем-то еще.*

Все равно кем.

Уйти от своей личности Сиена пыталась с раннего детства — с тех пор, как научилась говорить. Ребенком она отказалась от своего первого имени: Фелисити — в пользу второго: Сиена. Фелисити означало «счастливая», а она знала, что к ней это не относится совершенно.

Отвлечь внимание от своих проблем, напоминала она себе. *Сосредоточиться на проблемах мира.*

Паника, овладевшая ею на запруженных людьми улицах Манилы, породила в Сиене глубочайшее беспокойство из-за перенаселенности планеты. Именно тогда она натолкнулась на статьи Бертрана Зобриста, специалиста по генной инженерии, выдвинувшего чрезвычайно прогрессивные теории, касающиеся этой проблемы.

Он гений, поняла она, читая его работы. Никогда раньше у Сиены не возникало такого суждения о человеке, и чем больше она читала Зобриста, тем сильней чувствовала, что заглядывает в родственную душу. Его статья «Спасти мир вам не по плечу» напомнила Сиене то, что ей все говорили в детстве... но мнение Зобриста было прямо противоположным.

Вам ПО ПЛЕЧУ спасти мир, писал Зобрист. *Если не вы, то кто? Если не сейчас, то когда?*

Сиена тщательно изучала математические выкладки Зобриста, усваивая его предсказания мальтузианской катастрофы и надвигающегося краха нашего вида. Рассуждения на таком уровне доставляли ей интеллектуальное удовольствие, но при этом усиливали стресс: она видела всю картину нашего будущего... математически гарантированного... очевидного... неизбежного.

Почему больше никто этого не видит?

Хотя идеи Зобриста пугали Сиену, она стала ими одержима; она смотрела его видеопрезентации, прочла все, что он опубликовал. Услыхав, что он едет в Соединенные Штаты с лекционным турне, она тотчас поняла, что непременно должна его увидеть. И вот настал вечер, изменивший весь ее мир.

Улыбка осветила ее лицо сейчас, в одну из редких блаженных минут, даруемых воспоминаниями о том волшебном вечере... такую же минуту она пережила всего несколькими часами раньше, когда ехала в поезде с Лэнгдоном и Феррисом.

Чикаго. Метель...

Январь, шесть лет назад... а кажется, это было вчера. Пробираюсь по сугробам вдоль продуваемой ветром Великолепной мили, пряча голову в воротник от слепящего снега. Твержу себе, что ни холод, ни ветер не остановят меня на моем пути. Сегодня вечером я могу услышать великого Бертрана Зобриста... живьем.

Зал почти пуст, когда Бертран появляется на сцене, и он высок... очень высок... с живыми зелеными глазами, глубина которых, кажется, хранит в себе все тайны мира.

«К чертям пустую аудиторию! — провозглашает он. — Идемте в бар!»

Нас всего горстка, и вот мы за уединенным столиком, слушаем, как он говорит о генетике, о народонаселении и о своем новом увлечении... о трансгуманизме.

Напитки сменяются новыми, и у меня такое ощущение, точно я на аудиенции у рок-звезды. Всякий раз, когда он смотрит на меня, его зеленые глаза зажигают во мне совершенно неожиданное чувство... глубокое сексуальное влечение.

Ничего похожего со мной раньше не бывало.

И вот мы наедине. Голова слегка кружится от выпитого.

«Спасибо за этот вечер, — говорю я ему. — Вы изумительный учитель».

«Лесть? — Зобрист улыбается и наклоняется ко мне; наши ноги соприкоснулись. — С ней вы достигнете чего угодно».

Флирт явно неуместен, но за окнами пустого отеля снежная ночь, и ощущение такое, что весь мир замер.

«Как вы посмотрите? — говорит Зобрист. — По стаканчику перед сном в моем номере?»

Я застываю и выгляжу, наверное, так, как олень в лучах фар.

Глаза Зобриста тепло поблескивают.

«Позволите догадку? — шепчет он. — Вы ни разу не были со знаменитым мужчиной».

Я чувствую, что краснею, и стараюсь скрыть нахлынувшие эмоции — смущение, волнение, страх.

«Честно говоря, мне никогда не приходилось быть с мужчиной», — отвечаю я.

Зобрист улыбается и придвигается ближе.

«Не знаю, чего вы дожидались, но позвольте мне быть вашим первым».

В этот миг все оковы сексуальных страхов и разочарований детства спадают с меня... растворяются в снежной ночи.

И вот уже мы, голые, обнимаем друг друга.

«Расслабься, Сиена», — шепчет он, и его терпеливые руки рождают неизведанные ощущения в моем неопытном теле.

Я нежусь в объятиях Зобриста, и мне кажется, что все в мире правильно, наконец я знаю, что моя жизнь имеет цель.

Я нашла Любовь.

И буду следовать за ней повсюду.

Глава 80

Hа палубе «Мендация» Лэнгдон, ухватившись за поручень из полированного тика, встал как мог твердо и постарался отдышаться. Над морем воздух был прохладней, и рев низко пролетающих авиалайнеров подсказывал ему, что они приближаются к венецианскому аэропорту.

Мне есть что рассказать вам про мисс Брукс.

Стоя около него у поручня, шеф и доктор Cински приглядывались к нему, но молчали, давая ему время прийти в себя. То, что они рассказали ему внизу, настолько ошеломило и огорчило его, что Сински вывела его на палубу подышать.

Морской воздух бодрил, но в голове у Лэнгдона не прояснялось. Максимум, что он мог, — это смотреть пустым взглядом на бурлящий кильватерный след судна и пытаться отыскать в только что услышанном хоть каплю логики.

По словам шефа, Сиена Брукс и Бертран Зобрист не один год были любовниками. Они вместе активно участвовали в некоем подпольном трансгуманистическом движении. Ее полное имя — Фелисити Сиена Брукс, но она также использовала кодовое имя ФС-2080: два первых инициала плюс год, когда ей должно исполниться сто лет.

В голове не укладывается!

— Я познакомился с Сиеной Брукс по другим каналам, — сказал Лэнгдону шеф, — и я ей доверял. Поэтому, когда она в прошлом году пришла ко мне и предложила встретиться с богатым потенциальным клиентом, я согласился. Оказалось, что это Бертран Зобрист. Он нанял меня обеспечить ему убежище для тайной работы над неким «шедевром». Я подумал, что он разрабатывает какую-то новую технологию и ищет защиты от пиратства... или, может быть, занимается передовыми генетическими исследованиями, которые нарушают этические правила, установленные ВОЗ... Я не задавал ему вопросов, но, поверьте, я и вообразить не мог, что он создает... новую чуму.

Лэнгдон мог только кивать... тупо и ошарашенно.

— Зобрист был без ума от Данте, — продолжал шеф, — и потому решил, что будет скрываться во Флоренции. Моя организация предоставила ему в этом городе все, в чем он нуждался: тайную лабораторию с жилым помещением, фальшивые имена и подпольные средства связи, у него был личный помощник, который ведал его безопасностью и обеспечивал его всем необходимым, включая еду. Зобрист никогда не пользовался своими кредитными картами и не появлялся на публике, поэтому выследить его было невозможно. Мы даже снабдили его средствами изменения внешности, фальшивыми именами и альтернативными документами для тайных поездок. — Он помолчал. — Чем он явно воспользовался, чтобы поместить там, где он хотел, мешок из солюблона.

Сински резко выдохнула, не скрывая досады.

— ВОЗ с прошлого года пыталась вести за ним слежку, но он как будто исчез с лица земли.

— Даже Сиена не знала, где он, — сказал шеф.

— Что-что, простите? — Лэнгдон поднял глаза и сглотнул, избавляясь от кома в горле. — Вы, кажется, сказали, что они были любовниками.

— Да, но он резко все обрубил, когда ушел в подполье. Хотя направила его к нам именно Сиена, моя сделка с ним предполагала, что он скроется с нашей помощью от всех на свете, включая Сиену. Судя по всему, уйдя в подполье, он послал ей прощальное письмо, где написал, что очень болен, что жить ему осталось около года и он не хочет, чтобы она видела, как он угасает.

Зобрист бросил Сиену?

— Сиена пыталась связаться со мной, чтобы получить сведения о нем, — сказал шеф, — но я не отвечал на ее звонки. Желание клиента было для меня превыше всего.

— Две недели назад, — продолжила Сински, — Зобрист пришел в банк во Флоренции и анонимно арендовал сейфовую ячейку. После его ухода к нам поступили сведения, что установленная в банке новая система распознавания лиц идентифицировала его как Бертрана Зобриста, хоть он и изменил внешность. Мои люди вылетели во Флоренцию и за неделю нашли его убежище. Там никого не было, но мы обнаружили свидетельства того, что он создал некий чрезвычайно заразный патоген и спрятал где-то в другом месте.

Несколько секунд она молчала.

— Мы бросили на поиски Зобриста все силы. На следующее утро мы перед рассветом засекли его на набережной Арно и немедленно бросились в погоню. И тогда он забрался на Бадию, прыгнул и разбился насмерть.

— Вполне возможно, он так и так собирался это сделать, — добавил шеф. — Он был убежден, что ему недолго осталось жить.

— Как выяснилось, — сказала Сински, — Сиена тоже его искала. Каким-то образом она узнала, что наша группа вылетела во Флоренцию, и села нам на хвост, предполагая, что мы его выследим. К сожалению, она увидела прыжок Зобриста своими глазами, — вздохнула Сински. — Можно себе представить, какая это травма: видеть, как кончает с собой твой возлюбленный и наставник.

До Лэнгдона, чувствовавшего себя больным, с трудом доходил смысл того, что он слышал. Единственным человеком во всей этой истории, кому он доверял, была Сиена, и теперь они ему твердят, что она не то, чем себя изображала? Нет, что бы ему ни говорили, он не мог поверить, что Сиена разделяла стремление Зобриста создать новую чуму.

Или все же...

Убили бы вы, спросила его Сиена, *половину населения сегодня, чтобы спасти наш вид от вымирания?*

Лэнгдон похолодел.

— Когда Зобриста не стало, — рассказывала дальше Сински, — я употребила свое влияние, чтобы банк согласился открыть его сейфовую ячейку. Зобрист надо мной подшутил: оставил там письмо, адресованное мне... и странное маленькое устройство.

— Проектор, — догадался Лэнгдон.

— Именно. В письме он выразил желание, чтобы я первой побывала в эпицентре, который можно отыскать только с помощью его «Карты ада».

У Лэнгдона возникла перед глазами измененная картина Боттичелли, которую высвечивал крохотный проектор.

— Зобрист, — добавил шеф, — поручил мне доставить доктору Сински содержимое ячейки, но лишь *после* завтрашнего утра.

Когда мы узнали, что доктор Сински забрала содержимое раньше, мы запаниковали и начали действовать: старались завладеть тем, что он оставил, чтобы исполнить желание клиента в точности.

Сински посмотрела на Лэнгдона.

— Я не надеялась разобраться в карте вовремя и поэтому подключила вас. Помните вы сейчас про это хоть что-нибудь?

Лэнгдон покачал головой.

— Мы тихо переправили вас во Флоренцию, и там вы договорились о встрече с человеком, на помощь которого рассчитывали.

С Иньяцио Бузони.

— Вы встретились с ним вчера вечером, — продолжила Сински, — а потом исчезли. Мы думали, что с вами что-то случилось.

— И были правы, — сказал шеф. — С вами *действительно* кое-что случилось. Стремясь получить проектор, мы поручили Вайенте, нашему агенту, после прилета во Флоренцию сесть вам на хвост. Но где-то в районе площади Синьории она вас потеряла. — Он нахмурился. — Это была критическая ошибка. И Вайента имела наглость взвалить вину на птицу.

— На птицу?

— Голубь, видите ли, проворковал. По словам Вайенты, позиция у нее была идеальная, она наблюдала за вами из темной ниши, но тут подошли несколько туристов. Она сказала: вдруг под окном над ее головой громко проворковал голубь, туристы из-за этого остановились и заперли Вайенту в нише. Когда она смогла опять скрытно выйти в переулок, вас уже не было. — Он с отвращением покачал головой. — В общем, потеряла вас на несколько часов. Потом все-таки нашла — но теперь с вами был еще один человек.

Иньяцио, подумал Лэнгдон. *Вероятно, мы с ним выходили в тот момент из палаццо Веккьо с маской.*

— Она успешно следовала за вами в направлении площади делла Синьория, но потом, судя по всему, вы с ним увидели ее и пустились бежать: один в одну сторону, другой в другую.

Похоже на правду, подумал Лэнгдон. *Иньяцио унес маску и спрятал в баптистерии, а потом у него не выдержало сердце.*

— И тут Вайента допустила ужасную ошибку, — сказал шеф.

— Выстрелила мне в голову?

— Нет, слишком рано обнаружила себя. Притащила вас на допрос, хотя вы ничего еще толком не знали. Нам надо было выяснить, расшифровали ли вы карту, сообщили ли доктору Сински то, что она хотела знать. Вы наотрез отказались что-либо говорить. Заявили, что скорее умрете.

Я же искал источник смертельной инфекции! И вероятно, подумал, что вас наняли добыть биологическое оружие!

Мощные двигатели судна внезапно дали задний ход, замедляя его движение на подходе к дебаркадеру при аэропорте. На отдалении Лэнгдон увидел невзрачный корпус транспортного самолета «С-130», стоящего под заправкой. Надпись на фюзеляже гласила: ВСЕМИРНАЯ ОРГАНИЗАЦИЯ ЗДРАВООХРАНЕНИЯ.

Появился Брюдер, лицо у него было мрачное.

— Выясняется, что единственная группа реагирования, отвечающая требованиям и способная прибыть туда не позже чем через пять часов, — это *мы.* То есть помощи ждать неоткуда.

У Сински опустились плечи.

— Координация с местными властями?

На лице у Брюдера выразилось сомнение.

— Я считаю, пока не надо. Точного местоположения мы сейчас не знаем, поэтому что́ они могут сделать? К тому же операция по локализации инфекции требует профессиональной подготовки, которой у них и близко нет, так что они могут скорее навредить, чем помочь.

— Primum non nocere, — кивнув, тихо произнесла Сински по-латыни основное правило медицинской этики: прежде всего — не навреди.

— И напоследок, — сказал Брюдер. — О Сиене Брукс пока ничего. — Он перевел взгляд на шефа. — Вы не знаете, связана ли Сиена в Венеции с кем-либо, кто может ей помочь?

— Я бы не удивился, — ответил шеф. — У Зобриста всюду есть последователи, и, насколько я знаю Сиену, она употребит все доступные средства, чтобы выполнить задачу, которую себе поставила.

— Ее нельзя выпускать из Венеции, — сказала Сински. — Мы понятия не имеем, в каком состоянии сейчас этот мешок из солюблона. Если кто-нибудь его обнаружит, легкого прикосновения скорее всего хватит, чтобы пластик порвался и возбудитель инфекции попал в воду.

Наступило молчание: все вполне сознавали тяжесть ситуации.

— Боюсь, у меня тоже плохая новость, — сказал Лэнгдон. — Этот самый мусейон премудрости... — Он сделал паузу. — Сиене известно, где он находится. Она *знает,* куда мы направляемся.

— Как так?! — Сински в тревоге повысила голос. — Вы же говорили, вы не успели ей сообщить, к чему пришли! Сказали ей только, что вы не в той стране!

— Да, — промолвил Лэнгдон, — но она знала, что мы ищем место, где похоронен Энрико Дандоло. Чтобы выяснить, где его гробница, достаточно потратить пару минут на поиск в Интернете. А когда она до нее доберется... растворяющийся мешок оттуда явно недалеко. В стихотворении сказано, что журчание текущей воды должно привести в подземный дворец.

— Черт! — вырвалось у Брюдера, и он в бешенстве удалился.

— Опередить нас там она никак не сможет, — заметил шеф. — Мы стартуем раньше.

Сински тяжело вздохнула.

— Я не так в этом уверена. Самолет у нас небыстрый, а Сиена Брукс, похоже, способна на многое.

Когда «Мендаций» причалил, Лэнгдон поймал себя на том, что испытывает беспокойство, глядя на неуклюжий «С-130» на взлетной полосе. Он выглядел малопригодным для полетов, и в нем не было иллюминаторов. *Неужели я на нем прилетел?* Лэнгдон совершенно этого не помнил.

То ли из-за покачивания плавучей пристани, то ли из-за нараставшего предчувствия, что в самолете разыграется клаустрофобия, Лэнгдон вдруг ощутил прилив тошноты. Он повернулся к Сински.

— Я не уверен, что хорошо перенесу полет.

— Все будет нормально, — заверила она его. — Вам, конечно, сегодня туго пришлось, к тому же у вас наверняка есть токсины в организме.

— *Токсины?* — Лэнгдон невольно сделал шаг назад. — О чем вы говорите?

Сински отвела взгляд: она явно сказала больше, чем хотела.

— Простите меня, профессор. К сожалению, ваше медицинское состояние, как я только что узнала, несколько сложнее, чем банальное ранение головы.

Лэнгдона пронзил страх: ему представилось темное пятно на груди Ферриса, лежащего на полу базилики.

— Что со мной не так? — настойчиво спросил Лэнгдон.

Сински заколебалась — похоже, не знала, как лучше отвечать.

— Давайте сначала сядем в самолет.

Глава 81

Расположенное чуть восточнее живописной церкви Санта-Мария-деи-Фрари, ателье «Пьетро Лонги» всегда было одним из лучших в Венеции поставщиков исторических костюмов, париков и тому подобного. Среди его клиентов — кинокомпании, театральные труппы, а также известные публике лица, заказывающие себе наряды для экстравагантнейших балов в дни карнавала.

Вечерело, и служащий ателье уже собирался его закрывать, когда колокольчик на двери громко звякнул и в помещение ворвалась привлекательная блондинка с конским хвостом. Она дышала так, словно пробежала не один километр. Стремительно подошла к столу, дико и отчаянно глядя карими глазами на служащего.

— Мне надо поговорить с Джорджо Венчи, — сказала она, задыхаясь.

А кому не надо? — подумал служащий. Но видеть волшебника не дано никому.

Джорджо Венчи, главный модельер ателье, творил свое волшебство без свидетелей, с клиентами встречался очень редко и всегда по предварительной договоренности. Человеку чрезвычайно богатому и влиятельному, Джорджо сходили с рук определенные чудачества, и в их числе была страсть к уединению. Он ел один, летал на частном самолете и постоянно жаловался на растущее число туристов в Венеции. Он был не из тех, кто любит человеческое общество.

— Мне очень жаль, — сказал служащий с заученной улыбкой, — но синьора Венчи нет на месте. Могу я быть вам полезен?

— Джорджо здесь, — заявила она. — Его квартира наверху. Я видела в ней свет. Мы с ним друзья. Дело крайне срочное.

Она вся горела ярким пламенем. *Друзья? Интересно.*

— Могу я сообщить Джорджо ваше имя?

Она взяла на столе клочок бумаги и быстро написала короткую строчку из букв и цифр.

— Дайте ему, — сказала она, протягивая бумажку служащему. — И, прошу вас, поторопитесь. Время не ждет.

Служащий неуверенно взял листок, поднялся наверх и положил на длинный раздвижной стол со швейной машинкой, за которой, сосредоточенно сгорбясь, сидел Джорджо.

— Signore, — прошептал ему служащий. — Вас хочет видеть женщина. Говорит, крайне срочное дело.

Не отрываясь от работы и не поднимая глаз, Джорджо протянул руку, взял бумажку и посмотрел на нее.

Швейная машинка разом умолкла.

— Пусть немедленно идет сюда, — скомандовал Джорджо, разрывая листок на мелкие кусочки.

Глава 82

ассивный транспортный самолет «С-130», набирая высоту, заложил вираж и с ревом полетел через Адриатику на юго-восток. Роберт Лэнгдон на борту испытывал подавленность и в то же время плыл куда-то без руля и ветрил: давило отсутствие иллюминаторов, а в озадаченном мозгу крутился водоворот вопросов, оставшихся без ответа.

Ваше медицинское состояние, сказала ему Сински, *несколько сложнее, чем банальное ранение головы.*

От одной мысли о том, что может стоять за этими словами, у него начинало колотиться сердце, но расспросить Сински не было возможности: она обсуждала с группой ПНР стратегию и тактику локализации инфекции. Здесь же сидел с телефоном в руке Брюдер: говорил с людьми из органов правопорядка о Сиене Брукс, следил за мерами, которые принимались для ее задержания.

Сиена...

Лэнгдон по-прежнему старался освоиться с мыслью, что она вовлечена в эту историю более сложно, чем ему представлялось. Когда самолет набрал высоту, маленький человечек, называвший себя шефом, пересек салон и сел напротив Лэнгдона. Он свел пальцы треугольником под подбородком, поджал губы.

— Доктор Сински попросила меня проинформировать вас... постараться объяснить ваше положение.

Лэнгдон и предположить не мог, как этот человек сумеет пролить хоть какой-то свет на всю эту путаницу.

— Как я уже начал вам рассказывать, — продолжал шеф, — толчок событиям дало то, что мой агент Вайента притащила вас на допрос преждевременно. Мы понятия не имели, насколько вы продвинулись, исполняя поручение доктора Сински, и не знали, что́ вы ей успели сообщить. Но мы боялись, что если она узнает, где наш клиент оставил плоды своего труда, оберегать которые он нас нанял, то конфискует их или уничтожит. Нам надо было добраться до этого места раньше ее, а для этого сделать так, чтобы вы работали не на Сински... а *на нас*. — Шеф помолчал, постукивая кончиками пальцев друг о друга. — К сожалению, мы уже раскрыли вам свои карты... и вы, конечно же, нам нисколько не доверяли.

— И поэтому вы мне выстрелили в голову? — гневно спросил Лэнгдон.

— Нет, мы разработали план, целью которого было заручиться вашим доверием.

Лэнгдон почувствовал себя совершенно потерянным.

— Как можно заручиться доверием человека... которого вы похитили и подвергли допросу?

Шеф поерзал — ему явно было неловко.

— Профессор, вам знакомо такое семейство химических веществ: бензодиазепины?

Лэнгдон покачал головой.

— Эти фармацевтические средства используют, помимо прочего, для лечения посттравматического стресса. Как вы, может быть, знаете, человека, пережившего страшное событие — например, автокатастрофу или сексуальное насилие, — воспоминания о нем, хранящиеся в долговременной памяти, могут лишить здоровья на долгие годы. Но сейчас бензодиазепины позволяют нейроспециалистам лечить посттравматический стресс, так сказать, загодя.

Лэнгдон слушал его молча, не понимая, к чему он клонит.

— Когда формируются воспоминания о новых событиях, — продолжал шеф, — они примерно двое суток хранятся у нас в кратковременной памяти, а потом переходят в долговременную. Используя новые сочетания бензодиазепинов, можно с легкостью подвергнуть кратковременную память *чистке*... по существу, стереть ее содержимое до того, как эти воспоминания о недавних событиях будут переданы в долговременную память. Например, если жертве насилия дать бензодиазепин в течение нескольких часов после случившегося, она может избавиться от этих воспоминаний навсегда и травма не станет частью ее личности. Единственный минус — то, что несколько дней жизни будут целиком вычеркнуты из памяти.

Лэнгдон пялился на коротышку, не веря своим ушам.

— Вы *намеренно* вызвали у меня амнезию?!

Шеф виновато вздохнул:

— Увы, да. Химическим путем. Без малейшего риска. Но что было, то было: мы очистили вашу кратковременную память. — Он помолчал. — Пока вы были без сознания, вы что-то бормотали про чуму, но мы предположили, что на вас подействовали образы, которые высветил проектор. Мы и представить себе не могли, что Зобрист сотворил новую чуму. — Он снова помолчал. — И еще вы бормотали: «Зарево... зарево» — или что-то вроде этого.

Вазари. Вероятно, это было все, что проектор ему подсказал к тому моменту. *Cerca trova*.

— Но... я думал, что амнезия вызвана раной в голове. Кто-то в меня выстрелил.

Шеф покачал головой:

— Никто, профессор, в вас не стрелял. У вас нет раны в голове.

— Что?! — Пальцы Лэнгдона сами собой потянулись к опухшему и зашитому месту на затылке. — Что это тогда такое, спрашивается?!

Он задрал себе волосы и открыл обритое место.

— Составная часть иллюзии. Мы сделали на коже вашей головы маленький надрез и сразу же зашили. Надо было уверить вас, что на вас покушались.

Так это не пулевая рана?!

— Мы хотели, — сказал шеф, — чтобы вы, когда очнетесь, думали, что вас пытались убить... что вы в опасности.

— Меня *действительно* пытались убить! — закричал Лэнгдон так, что все в салоне «С-130» к нему обернулись. — Доктора Маркони, врача в больнице, хладнокровно расстреляли у меня на глазах!

— Так вам *показалось*, — ровным тоном промолвил шеф, — но так не было. Вайента работала на меня. Квалификация для подобных дел у нее была отменная.

— Для каких дел? Для убийств? — не унимался Лэнгдон.

— Нет, — спокойно возразил шеф. — Для *имитации* убийств.

Лэнгдон смотрел и смотрел на собеседника, невольно вспоминая, как врач с седеющей бородой и мохнатыми бровями повалился на пол, как из груди у него потекла кровь.

— Пистолет Вайенты стрелял холостыми, — сказал шеф. — Он привел в действие радиоуправляемый детонатор, и на груди у доктора Маркони разорвался пакет с красной жидкостью. Так что он жив и здоров.

Ошеломленный услышанным, Лэнгдон опустил веки.

— А... больничная палата?

— Изобразили на скорую руку, — объяснил шеф. — Профессор, я понимаю, воспринять все это сразу очень трудно. Нам пришлось орудовать быстро, но ваше сознание было затуманено, поэтому идеального жизнеподобия и не требовалось. Вы очнулись и увидели спектакль, который мы перед вами разыграли: сцену нападения в исполнении наших актеров в больничных декорациях.

У Лэнгдона кружилась голова.

— Именно этим сильна моя компания, — сказал шеф. — Мы очень искусно творим иллюзии.

— А Сиена? — спросил Лэнгдон, протирая глаза.

— Я должен был действовать исходя из субъективной оценки положения, и я решил объединить с ней усилия. Главной моей задачей было защитить творение клиента от доктора Сински, и это желание было у нас с Сиеной общим. Чтобы завоевать ваше доверие, Сиена спасла вас от мнимого убийства и вывела в переулок. Такси, которое там стояло, тоже было наше, на заднем стекле — еще один радиоуправляемый детонатор, чтобы создать эффект стрельбы. Такси привезло вас в квартиру, которой мы по-быстрому придали нужный вид.

Убогая квартирка Сиены, подумал Лэнгдон; теперь он понимал, почему обстановка выглядела так, словно ее купили на распродаже старья. И понятно стало, почему так кстати подвернулся «сосед», чья одежда подошла Лэнгдону идеально.

Инсценировка от начала до конца.

Даже отчаянный телефонный звонок из больницы был имитацией. *Сиена — это Даникова!*

— Когда вы думали, что звоните в американское консульство, — продолжал шеф, — вы набрали номер, который написала вам Сиена. И говорили с человеком на борту «Мендация».

— То есть я не в консульство звонил...

— Нет, не в консульство.

Оставайтесь в своей комнате, потребовал от него «сотрудник консульства». *Скоро за вами приедут.* Потом, когда появилась Вайента, Сиена вовремя увидела ее через улицу и вслух сделала вывод. *Роберт, власти вашей страны пытаются вас убить! Вам нельзя обращаться ни к каким властям! Ваша единственная надежда — понять смысл того, что показывает проектор.*

Шеф и его таинственная организация — черт ее разберет, что она такое, — умело переориентировали Лэнгдона, заставив работать не на Сински, а на себя. Иллюзия была полной.

Сиена великолепно обвела меня вокруг пальца, подумал он скорее с печалью, чем со злостью. За то короткое время, что они провели вместе, он успел к ней привязаться. Самым неприятным, самым тяжелым для Лэнгдона был вопрос: как такая светлая, отзывчивая душа могла всецело проникнуться маниакальными планами борьбы с перенаселенностью, которые вынашивал Зобрист?

Я говорю вам без тени сомнения, втолковывала ему Сиена, *что гибель нашего вида может быть предотвращена только какой-нибудь радикальной переменой... С математикой спорить бессмысленно.*

— А все эти публикации о Сиене? — спросил Лэнгдон, вспомнив программку шекспировского спектакля и заметки о ребенке с необычайно высоким коэффициентом интеллекта.

— Подлинные, — ответил шеф. — Самые действенные иллюзии те, что включают в себя максимум реальности. Времени на создание обстановки у нас было в обрез, и мы мало чем для этого располагали, кроме компьютера Сиены и ее личных бумаг. Мы не думали, что вы станете их рассматривать, — разве только если усомнитесь, кто она такая.

— И не думали, что я воспользуюсь ее компьютером, — добавил Лэнгдон.

— Да, тут мы дали маху. Сиена не ожидала, что люди Сински доберутся до этой квартиры, поэтому, когда появилась группа

ПНР, она запаниковала и вынуждена была импровизировать. Укатила с вами на мопеде, всеми силами стараясь поддерживать иллюзию. Поскольку всей нашей операции грозило разоблачение, у меня не было иного выхода, как отстранить Вайенту, но она нарушила процедуру и пустилась вас преследовать.

— Она едва меня не убила, — заметил Лэнгдон и рассказал шефу про противоборство на чердаке палаццо Веккьо, про то, как Вайента прицелилась ему в грудь. *Будет немного больно... но у меня нет другого выбора.* Про то, как Сиена метнулась к ней и перекинула через перила, как Вайента полетела вниз и разбилась насмерть.

Шеф шумно вздохнул, обдумывая услышанное.

— Я сомневаюсь, что Вайента хотела вас убить... ее пистолет стрелял только холостыми. Она стремилась вас захватить: это одно давало ей в тот момент надежду, что ее примут обратно. Видимо, она подумала, что, если выстрелит в вас холостым патроном, вы поймете, что она не убийца и все предыдущее было инсценировкой.

Шеф помолчал, размышляя, а затем продолжил:

— Не рискну гадать, чего хотела Сиена: убить Вайенту или всего лишь помешать выстрелу. Я начинаю понимать, что знал Сиену Брукс не так хорошо, как мне казалось.

И я, подтвердил мысленно Лэнгдон, хотя, вспоминая потрясение и раскаяние на лице молодой женщины, чувствовал: она не желала смерти оперативнице с торчащими прядями волос, она почти наверняка поступила с ней так по ошибке.

Лэнгдону казалось, что его куда-то уносит... и что он совершенно одинок. Он повернулся в надежде увидеть землю в иллюминатор, но взгляд уперся в фюзеляж.

Я больше не могу тут находиться.

— Нормально себя чувствуете? — спросил шеф, глядя на Лэнгдона с беспокойством.

— Нет, — ответил Лэнгдон. — Какое там.

Ничего, жить будет, подумал шеф. *Ему просто надо освоиться в новой реальности.*

Американский профессор выглядел так, словно налетевшее торнадо подняло его, понесло, закрутило и бросило наземь в чужой стране, контуженного и ничего не соображающего.

Людям, которые были объектами операций Консорциума, редко становилась ясна подоплека разыгранных вокруг них спектаклей, и, если это происходило, шеф, безусловно, никогда не видел последствий своими глазами. Теперь, однако, помимо чувства вины, которое он испытывал, воочию глядя на замешательство Лэнгдона, он ощущал тяжкий груз ответственности за весь нынешний кризис.

Я связался с клиентом, с которым не надо было связываться. С Бертраном Зобристом.

Я доверился человеку, которому не надо было доверяться. Сиене Брукс.

Сейчас шеф летел в эпицентр событий — в средоточие инфекции, которая, если ее не остановить, может быть, превратит весь мир в зону бедствия. Он подозревал, что если и выйдет из этой переделки живым, то Консорциум последующих неприятностей не переживет. Обвинениям и разбирательствам конца не будет.

Вот как все для меня кончится, да?

Глава 83

не нужен воздух, думалось Лэнгдону. *Хотя бы вид на что-то... панорама...*

Фюзеляж без окон, казалось, смыкался вокруг него. И конечно, ухудшал его самочувствие диковинный рассказ о том, что произошло с ним сегодня на самом деле. Мозг вспухал от вопросов, оставшихся без ответа... большей частью о Сиене.

Как ни странно, он тосковал по ней.

Она притворялась, напомнил он себе. *Использовала меня.*

Лэнгдон молча поднялся и, покинув шефа, прошел в носовую часть. Дверь кабины была открыта, и проникавший сквозь нее дневной свет манил его, точно маяк. Не замеченный пилотами, Лэнгдон встал в дверном проеме и подставил лицо теплым лучам солнца. Простор впереди был манной небесной. Ясное голубое небо выглядело таким мирным... таким незыблемым.

Нет ничего незыблемого, напомнил он себе, по-прежнему делая усилия, чтобы принять в свое сознание мысль о катастрофе, которая может произойти.

— Профессор, — проговорил тихий голос у него за спиной, и он повернулся.

Повернулся и в изумлении сделал шаг назад. Перед ним был доктор Феррис. В последний раз Лэнгдон его видел, когда он, задыхаясь, корчился на полу базилики Сан-Марко. Теперь он стоял, прислонясь к переборке самолета, на голове бейсболка, пастозное розовое лицо намазано каламиновой мазью. Видно было, что грудь у него плотно перевязана, дышал он мелко, часто. Если Феррис и впрямь был носителем какой-то инфекции, никого, похоже, не волновало, что он может ее передать.

— Вы... *живы?* — произнес Лэнгдон, вытаращив на него глаза.

Феррис устало кивнул:

— Более или менее.

Он вел себя теперь совсем иначе: былой нервозности не чувствовалось.

— Но я думал... — Лэнгдон осекся. — Хотя... я уж и не знаю вообще, что теперь думать.

Феррис сочувственно улыбнулся:

— Вам сегодня лгали, лгали и лгали. Хочу извиниться перед вами. Думаю, вы уже догадываетесь, что я не работаю в ВОЗ и что не я привез вас из Кембриджа.

Лэнгдон кивнул, слишком уставший, чтобы чему-нибудь еще удивляться.

— Вы работаете на шефа.

— Да. Он послал меня оказывать вам и Сиене экстренное содействие на месте... и помогать вам уходить от ПНР.

— Что ж, вы делали свое дело великолепно, — сказал Лэнгдон, вспомнив, как Феррис появился в баптистерии, как убедил его, что он сотрудник ВОЗ, как затем помог им с Сиеной выбраться из Флоренции, избегая поимки группой, посланной Сински. — Вы, ясное дело, никакой не врач.

Феррис покачал головой:

— Нет, я только разыгрывал эту роль. Нашей с Сиеной задачей было поддерживать в вас иллюзию и добиться, чтобы вы расшифровали для нас то, что сообщил проектор. Шефу необходимо было найти творение Зобриста и защитить его от Сински.

— Вы не знали, что это чума? — спросил Лэнгдон, все еще тревожась из-за странной сыпи и внутреннего кровоизлияния у Ферриса.

— Конечно, нет! Когда вы упомянули про чуму, я подумал, что это всего-навсего вымысел, которым Сиена решила вас подстегнуть. И я подыграл. Мы сели на венецианский поезд... и вдруг все переменилось.

— Почему?

— Шеф посмотрел диковинное видео Зобриста.

Да, фильм сильнодействующий.

— Он понял, что Зобрист сумасшедший?

— Именно. Шефу внезапно стало ясно, во что ввязался Консорциум, и он пришел в ужас. Он решил немедленно переговорить с человеком, лучше всех знавшим Зобриста — с ФС-2080, — и выяснить, известно ли ей о том, что совершил Зобрист.

— С ФС-2080?

— Простите, с Сиеной Брукс. ФС-2080 — ее кодовое имя для этой операции. Трансгуманистические штучки. А связаться с Сиеной шеф мог только через меня.

— Телефонный звонок в поезде, — сообразил Лэнгдон. — Ваша «прихварывающая мать».

— Говорить с шефом в вашем присутствии я, конечно, не мог и поэтому вышел. Он сообщил мне про видео, и я ужаснулся. У него была надежда, что Сиена, как и он, действовала вслепую, но, когда я сказал ему, что она разговаривала с вами про чуму и при этом не выказывала намерения выйти из игры, он понял, что она разделяет идеи Зобриста. Из союзника Сиена мгновенно превратилась в противника. Он велел мне сообщать ему о том, что будет происходить в Венеции... и сказал, что пошлет группу задержать Сиену. Агент Брюдер и его люди едва не поймали ее в базилике Сан-Марко... но ей удалось скрыться.

Лэнгдон отрешенно смотрел в пол; перед ним и сейчас стояли милые карие глаза Сиены — глаза, которыми она поглядела на него сверху перед бегством.

Простите меня, Роберт. За все простите.

— Она крепкий орешек, — сказал Феррис. — Вы, вероятно, не видели, как она ударила меня в базилике.

— Ударила вас?

— Да. Когда оперативники вошли в собор, я хотел криком дать им знать, где находится Сиена, но она, похоже, это предугадала. И саданула мне прямо в грудь косточкой ладони.

— Что?!

— Я и увидеть ничего не успел. Похоже, какой-то удар из арсенала боевых искусств. У меня имелся там уже приличный кровоподтек, поэтому боль была адская. Более-менее пришел в себя только минут через пять. Сиена увела вас на балкон раньше, чем очевидцы успели сообщить, что она сделала.

Ошарашенный, Лэнгдон вспомнил, как пожилая итальянка закричала на Сиену: *L'hai colpito al petto!* — и ударила себя в грудь кулаком.

Нет! — крикнула в ответ Сиена. *Искусственное дыхание его убьет! Посмотрите на его грудь!*

Проигрывая эту сцену в уме, Лэнгдон понял, как быстро Сиена Брукс соображает на ходу. До чего же ловко она его одурачила с переводом слов итальянки! Пожилая женщина вовсе не предлагала сделать Феррису искусственное дыхание... она выкрикнула гневное обвинение: *Ты его в грудь ударила!*

В хаосе событий Лэнгдон не обратил на это внимания.

— Вы, наверно, уже поняли, что Сиене Брукс палец в рот не клади, — сказал Феррис с болезненной улыбкой.

Лэнгдон кивнул. *Да, понял.*

— Люди Сински доставили меня на «Мендаций» и сделали мне перевязку. Шеф попросил меня вылететь с ним в качестве, так сказать, советника: кроме вас, я был единственным, кто общался сегодня с Сиеной.

Лэнгдон снова кивнул, думая, откуда у Ферриса сыпь.

— А что у вас с лицом? — спросил он. — И кровоподтек на груди. Это не...

— Чума? — рассмеялся Феррис и покачал головой. — Не знаю, говорили вам или нет, но я сегодня *дважды* изображал врачей.

— Что-что, простите?

— В баптистерии вы сказали, что мое лицо вам кажется знакомым.

— Да. Слегка. Глаза, пожалуй... Вы объяснили это тем, что везли меня из Кембриджа... — Лэнгдон приумолк. — Но теперь я знаю, что не везли, так что...

— Мы действительно виделись до того. Но не в Кембридже. — Феррис пристально смотрел на Лэнгдона: догадается или нет? — Я был первым, кого вы увидели, когда очнулись в палате сегодня утром.

Лэнгдон постарался припомнить унылую маленькую палату. Его сознание тогда было затуманено, и воспринимал он все смутно, но он был более или менее уверен, что первым, кого он увидел, прийдя в сознание, был бледный немолодой врач с кустистыми бровями и неопрятной седеющей бородой, говоривший только по-итальянски.

— Нет, — сказал Лэнгдон. — Первым, кого я увидел, был доктор Маркони...

— Scusi, professore*, — перебил его Феррис с безупречным итальянским выговором. — Ma non si ricorda di me?** — Он ссутулился, как пожилой человек, пригладил воображаемые мохнатые брови и провел ладонью по несуществующей сивой бороде. — Sono il dottor Marconi***.

Лэнгдон разинул рот.

— Доктор Маркони — это были... *вы?*

— Вот почему вам показались знакомыми мои глаза. Я никогда раньше не носил накладную бороду и брови и, к сожалению, понятия не имел, что у меня сильнейшая аллергия на латексный клей. Кожа воспалилась, стала гореть. Наверняка вы ужаснулись, когда меня увидели... ведь у вас на уме была чума.

Лэнгдон мог только смотреть на него во все глаза; ему вспомнилось, как доктор Маркони чесал себе щеки и подбородок перед тем, как появилась Вайента и он упал с кровавой раной в груди на больничный пол.

— В довершение всех бед, — продолжал Феррис, показывая на забинтованную грудь, — когда наша операция уже шла, детонатор сдвинулся. У меня не было возможности его поправить, и, когда он сработал, пострадало незащищенное место. У меня сломано ребро и большой кровоподтек. Весь день были трудности с дыханием.

А я думал, у него чума.

Феррис глубоко вздохнул и поморщился от боли.

— Пожалуй, мне пора сесть... А вам, я вижу, скучать не дадут, — добавил он, отходя, и движением руки показал Лэнгдону за спину.

Тот обернулся и увидел, что к нему идет доктор Сински; длинные серебристые волосы ниспадали ей на плечи.

— Вот вы где, профессор!

Вид у директора ВОЗ был усталый, но Лэнгдон, к своему удивлению, заметил в ее глазах какой-то свежий проблеск надежды. *Она что-то обнаружила.*

— Извините, что покинула вас, — сказала Сински, подойдя к Лэнгдону. — Я координировала работу и кое-что пыталась узнать.

* Извините, профессор (*ит.*).
** Вы меня не помните? (*ит.*)
*** Я доктор Маркони (*ит.*).

А вас, я вижу, тянет к солнечному свету, — добавила она, показав на открытую дверь кабины.

Лэнгдон пожал плечами:

— В вашем самолете совсем нет иллюминаторов.

Она сочувственно улыбнулась:

— Кстати о свете. Шеф, надеюсь, пролил его на последние события?

— Да; правда, ничего приятного я не услышал.

— Я тоже, — согласилась она и оглянулась, проверяя, нет ли кого в пределах слышимости. — Можете не сомневаться, — сказала она вполголоса, — последствия для него и его организации будут серьезными. Об этом я позабочусь. Но сейчас нам всем надо сосредоточиться на том, чтобы найти вместилище инфекции до того, как пластик растворится и она выйдет наружу.

И до того, как Сиена прибудет на место и ускорит этот процесс.

— Мне надо поговорить с вами о здании, где похоронен Дандоло.

Лэнгдон рисовал себе мысленно эту впечатляющую постройку с тех самых пор, как понял, о каком «мусейоне премудрости священной» идет речь.

— Я только что узнала кое-что очень интересное, — сказала Сински. — Мы связались по телефону с одним местным историком. Я не стала, конечно, ему объяснять, зачем нам понадобилась гробница Дандоло, но спросила, знает ли он, что находится под ней, и угадайте, что он ответил. — Она улыбнулась. — Вода.

— Правда? — удивленно переспросил Лэнгдон.

— Да. Похоже, нижние уровни здания затоплены. Горизонт грунтовых вод под ним столетие за столетием повышался, и как минимум два нижних уровня сейчас погружены в воду. Он говорит, там, безусловно, имеются всевозможные воздушные карманы и частично затопленные помещения.

Боже мой. Лэнгдону вспомнилась диковинно подсвеченная подземная пещера из фильма Зобриста, на замшелых стенах которой виднелись бледные вертикальные тени колонн.

— Это зал, залитый водой, — сказал Лэнгдон.

— Вот именно.

— Но... как Зобрист в него попал?

Глаза Сински блеснули.

— Вот это самое удивительное. Вы не представляете, что мы сейчас узнали.

В ту самую минуту всего в каком-то километре от венецианского берега на узком вытянутом острове Лидо со взлетной полосы аэропорта Ничелли взмыл в темнеющее вечернее небо элегантный сверхлегкий «Сессна сайтейшн мустанг».

Владельца самолета, видного модельера одежды Джорджо Венчи, на борту не было, но он дал пилотам указание доставить обаятельную молодую пассажирку, куда ей нужно.

Глава 84

ревнюю византийскую столицу окутала темнота.

Вдоль берегов Мраморного моря зажглись прожекторы, освещая блестящие купола мечетей и стройные минареты. Настал *акшам* (вечер), и по всему городу из громкоговорителей лились навязчивые напевные звуки *азана* — призыва к молитве.

Ла-иляха-илля-Ллах.

Нет бога, кроме Бога.

В то время как правоверные спешили в мечети, все остальные, не глядя на них, продолжали жить своей обычной жизнью: шумные студенты пили пиво, бизнесмены заключали сделки, торговцы громко предлагали прохожим специи и ковры, а туристы глазели на все это и дивились.

Перед ними был разделенный мир, город, где действовали противоположные силы: религиозное начало — и светское; древность — и современность; Восток — и Запад. Расположенный на границе между Европой и Азией, этот вечный город — в буквальном смысле мост между Старым Светом... и светом еще более старым.

Стамбул.

Хотя этот город уже не столица Турции, ему на протяжении веков довелось быть центром трех империй: Византийской, Латинской и Османской. Поэтому Стамбул с полным правом можно назвать одним из самых исторически разнообразных городов планеты. Дворец Топкапы, Голубая мечеть, Семибашенный замок и многие, многие другие памятники насыщены легендами о битвах, о славе, о поражениях.

Сегодня, летя сквозь густеющий в вечернем небе грозовой фронт над кипучим городским многолюдьем, готовился к посадке в аэропорту Ататюрка транспортный самолет «С-130». В его кабине Роберт Лэнгдон, пристегнутый к откидному сиденью позади пилотов, испытывал великое облегчение от возможности смотреть наружу через стекло.

После еды и очень нужного ему часового сна в хвосте самолета он чувствовал, что бодрости и сил прибавилось.

Справа Лэнгдон видел огни Стамбула: в черноту Мраморного моря вдавался светящийся полуостров, похожий на рог. Это была европейская часть, отделенная от азиатской лентой воды, извилистой и темной.

Пролив Босфор.

Сверху Босфор казался широким разрезом, раной, рассекающей Стамбул надвое. Но Лэнгдон знал, что на самом деле это жизненно важная артерия городского бизнеса. Босфор мало того что дарит городу не один берег, а целых два, но еще и связывает Средиземное море с Черным, позволяя Стамбулу служить промежуточной станцией между двумя мирами.

Чем ниже самолет спускался сквозь пелену тумана, тем пристальнее Лэнгдон вглядывался в город на отдалении, стараясь увидеть массивную постройку, где они собирались вести поиски.

Здание, где погребен Энрико Дандоло.

Оказывается, Энрико Дандоло — тот самый вероломный венецианский дож — был похоронен не в Венеции; его останки обрели покой в сердце твердыни, которую он завоевал в 1202 году... в сердце города, раскинувшегося под ними. Дандоло, что вполне уместно, похоронили в самом великолепном храме покоренного города, в здании, которое поныне остается жемчужиной всего региона.

В Айя-Софии.

Построенная к 360 году нашей эры, Айя-София была православным собором до 1204 года, когда захватившие город участники Четвертого крестового похода под водительством Энрико Дандоло превратили собор в католический храм. Позднее, в пятнадцатом веке, после завоевания Константинополя султаном Мехмедом Фатихом, его сделали мечетью, и он оставался мусульманским домом молитвы до 1935 года, когда в здании устроили музей.

В мусейоне премудрости священной, где золото сияет... — вспомнилось Лэнгдону.

Айя-София украшена золотыми пластинками в еще большем числе, чем собор Сан-Марко; но мало того — «Айя-София» в переводе с греческого означает «Священная Премудрость».

Лэнгдон воображал себе колоссальное здание и пытался осознать тот факт, что где-то под ним имеется темное озеро, в котором колышется под водой на привязи и медленно растворяется, готовясь выпустить содержимое на волю, пластиковый мешок.

Лэнгдон молился о том, чтобы они не опоздали.

— Нижние уровни здания затоплены, — сказала ему ранее Сински и взволнованно пригласила жестом пройти с ней в рабочую зону, оборудованную в самолете. — Вы не представляете, что мы сейчас узнали. Слыхали про кинодокументалиста Гёкселя Гюленсоя?

Лэнгдон покачал головой.

— Когда я искала информацию об Айя-Софии, — объяснила Сински, — выяснилось, что о ней имеется фильм. Его снял Гюленсой несколько лет назад.

— Об Айя-Софии сняты десятки фильмов.

— Да, — сказала она, дойдя до рабочей зоны, — но не такие, как этот. — Она повернула к нему ноутбук. — Вот, прочтите.

Лэнгдон сел. На экран была выведена статья — компиляция из нескольких новостных источников, включая газету «Хюрриет дейли ньюс», — где речь шла о последнем фильме Гюленсоя «В глубинах Айя-Софии».

Едва начав читать, Лэнгдон сразу понял, почему Сински так взволновалась. Первые же слова заставили Лэнгдона удивленно вскинуть на нее глаза. *С аквалангом?*

— Я знаю, — сказала она. — Читайте, читайте.

Лэнгдон углубился в статью.

С АКВАЛАНГОМ ПОД АЙЯ-СОФИЕЙ

Кинодокументалист Гёксель Гюленсой со своей группой аквалангистов-исследователей выявил труднодоступные затопленные помещения, находящиеся в десятках метров под чрезвычайно популярным среди туристов стамбульским религиозным сооружением.

По ходу изысканий они обнаружили многочисленные архитектурные чудеса, в том числе затопленные могилы детей-мучеников, похороненных восемь столетий назад, и заполненные водой туннели, соединяющие Айя-Софию с дворцом Топкапы, с дворцом Текфур и с легендарными подземельями под тюрьмой Анемас.

«Я убежден, что под Айя-Софией гораздо больше всего интересного, чем над ее полом», — заявил Гюленсой, рассказав, как загорелся идеей сделать этот фильм после того, как увидел старую фотографию: группа исследователей плывет на лодке по большому полузатопленному залу под Айя-Софией.

— Вы явно не промахнулись со зданием! — воскликнула Сински. — И похоже, что под собором есть огромные воздушные карманы, куда можно добраться, причем часто даже и без акваланга... Там-то, наверно, Зобрист и снял свое видео.

За их спинами, тоже глядя на экран ноутбука, стоял агент Брюдер.

— И похоже, — сказал он, — что подземные водные пути ведут из-под собора в самые разные места. Если солюблон растворится до нашего появления, остановить распространение содержимого не будет никакой возможности.

— Насчет содержимого... — отважился спросить Лэнгдон. — Есть у вас о нем какое-то представление? О его *точном характере*. Это патоген, понятное дело, но...

— Мы проанализировали видеокадры, — ответил Брюдер, — и склонны считать, что там действительно биологический, а не химический материал... то есть нечто *живое*. Небольшой размер мешка наводит на мысль, что содержимое чрезвычайно заразно и способно к репликации. Как оно может распространяться — через воду наподобие бактериальной инфекции или еще и воздушным путем, как вирус, мы не знаем, но считаем возможным и то и другое.

— Мы сейчас собираем данные, — сказала Сински, — о температуре грунтовых вод в этом районе. Пытаемся понять, для каких инфекций эти подземные зоны могут служить благоприятной средой, но дело в том, что Зобрист был исключительно талантлив и вполне мог создать нечто с совершенно необычными характеристиками. Подозреваю, что он не случайно выбрал именно это место.

Брюдер кивнул, как бы говоря, что многое теперь решит судьба, и кратко сообщил, как он оценивает необычный механизм распространения, основанный на растворимости солюблона, — механизм, блеск и простоту которого они все начинали осознавать. Погрузив мешок в подземные воды, Зобрист поместил его в чрезвычайно стабильную инкубационную среду: благоприятная и постоянная температура воды, никакой солнечной радиации, кинетический буфер и полное безлюдье. Выбрав пластик с нужным временем растворения, Зобрист мог оставить возбудитель без присмотра на известный ему, Зобристу, период созревания, после чего чума в заданный момент выходит на свободу.

Для этого Зобристу даже не нужно возвращаться на то место.

Внезапный толчок, означавший, что они приземлились, заставил Лэнгдона вернуться на откидное сиденье в кабине. Пилоты включили мощное торможение, а затем подрулили к дальнему ангару, где массивный самолет и остановился.

Лэнгдон надеялся, что их встретит целая армия сотрудников ВОЗ в защитной одежде, готовых отражать биологическую угрозу. Как ни странно, единственным, кто их дожидался, был шофер большого белого фургона с ярко-красным крестом, одинаковым в высоту и в ширину.

Красный крест? — подумал Лэнгдон, но, посмотрев еще раз, понял, кто отправил фургон. *Швейцарское посольство.*

Он отстегнул ремень безопасности и среди пассажиров, готовящихся выходить, отыскал взглядом Сински.

— А где все? — недоуменно спросил ее Лэнгдон. — Где люди из ВОЗ? Где турецкие власти? Или все они там, в Айя-Софии?

Вопросы, судя по виду Сински, были из разряда неудобных.

— Дело в том, — сказала она, — что местные власти мы решили пока не привлекать. В нашем распоряжении самая опытная группа ПНР из ECDC, и мы сочли за лучшее на данный момент действовать тихо, не создавая большой паники.

Брюдер и его люди тем временем застегивали большие черные рюкзаки со всевозможным снаряжением: с костюмами биозащиты, с респираторами, с устройствами электронного поиска. Перекинув свой рюкзак через плечо, Брюдер подошел к Лэнгдону.

— В общем, так, — сказал он. — Входим в здание, находим гробницу Дандоло, слушаем, что там за вода течет, а потом мы с ребятами думаем и решаем, подключать ли другие силы.

Лэнгдон уже предвидел трудности.

— Айя-София вечером закрывается, без местных властей мы даже войти не сможем.

— Тут все нормально, — заверила его Сински. — Я связалась со швейцарским посольством, а они позвонили хранителю музея «Айя-София» и попросили организовать частную экскурсию для важной персоны. Хранитель согласился.

Лэнгдон чуть было не рассмеялся ей в лицо.

— Частная экскурсия для директора Всемирной организации здравоохранения в сопровождении целой армии со средствами спецзащиты? Вам не кажется, что это вызовет кое-какие вопросы?

— Группа ПНР и все снаряжение останутся в машине, а в здание для оценки ситуации войдем втроем: Брюдер, вы и я, — сказала Сински. — Кроме того, их не для меня попросили устроить экскурсию. Важная персона — вы.

— Что, простите?!

— Музейщикам сказали, что в Стамбул прибывает знаменитый американский профессор с исследовательской группой, что он хочет написать статью о символике Айя-Софии, что вылет у него задержался на пять часов и он не успевает до закрытия собора. Поскольку завтра утром ему и его группе уже улетать, нет ли возможности...

— Я понял, — сказал Лэнгдон.

— Музей посылает сотрудника, чтобы встретил нас там лично. Оказалось, он большой поклонник ваших работ об искусстве ислама. — Сински устало улыбнулась Лэнгдону, стараясь выглядеть полной оптимизма. — Нас заверили, что вы получите доступ во все уголки здания.

— Еще важнее то, — добавил Брюдер, — что весь собор будет в нашем распоряжении.

Глава 85

оберт Лэнгдон безучастно смотрел в окно фургона, который мчался вдоль моря по шоссе, соединяющему аэропорт Ататюрка с центром Стамбула. Швейцарские дипломаты каким-то образом упростили таможенную процедуру, и Лэнгдон, Сински и сопровождавшие их оперативники прошли ее за считанные минуты.

Сински распорядилась, чтобы шеф и Феррис остались на борту «С-130» с несколькими сотрудниками ВОЗ и продолжали попытки напасть на след Сиены Брукс.

Хотя никто всерьез не верил, что Сиена сможет добраться до Стамбула вовремя, были опасения, что она позвонит кому-нибудь из последователей Зобриста в Турции и попросит его помочь осуществить безумный план Зобриста до того, как люди Сински успеют вмешаться.

Неужели Сиена способна совершить массовое убийство? Лэнгдон все еще не мог освоиться со случившимся за день. Как ни горька была правда, приходилось смотреть ей в лицо. *Ты не знал ее, Роберт. Она обвела тебя вокруг пальца.*

На город начал сыпаться мелкий дождик, и Лэнгдон, слушая ритмичный звук «дворников», вдруг почувствовал усталость. Справа, в Мраморном море, светились ходовые огни роскошных яхт и массивных танкеров, которые шли либо к городскому порту, расположенному впереди по ходу движения фургона, либо от него. Вдоль всего берега над подсвеченными куполами мечетей вздымались тонкие и элегантные минареты, молчаливо напоминая о том, что хотя Стамбул — современный, светский город, сердцевина его укоренена в религии.

Эту трассу длиной километров в пятнадцать Лэнгдон всегда находил одной из самых приятных на вид дорог Европы. Великолепный образец стамбульского сочетания старого с новым, она местами идет вдоль стены Константина, построенной более чем за шестнадцать веков до рождения человека, в честь которого трасса теперь названа, — Джона Ф. Кеннеди. Американский президент с восхищением относился к деятельности Кемаля Ататюрка, построившего на развалинах империи Турецкую республику.

Авеню Кеннеди, с которой открываются неповторимые морские виды, вьется среди красивых рощ и старинных садов, минует порт Еникапы и, наконец, идя между городскими кварталами и проливом Босфор, поворачивает на север, к Золотому Рогу. Там над городом высится османская твердыня — дворец Топкапы. Занимавший стратегическое положение у Босфора, дворец ныне чрезвычайно любим туристами, которых восхищают и здешние виды, и поразительная коллекция османских сокровищ, включая плащ и меч, якобы принадлежавшие самому пророку Мухаммаду.

До дворца мы не доедем, сообразил Лэнгдон, помня, что их цель — Айя-София. Она вздымалась над центром города не так уж далеко впереди.

Когда они свернули с авеню Кеннеди и непрямым путем двинулись через многолюдный город, Лэнгдон, оглядывая толпы на улицах и тротуарах, почувствовал: то, о чем говорилось в течение дня, осаждает его с новой силой.

Перенаселенность.

Чума.

Извращенные устремления Зобриста.

Хотя Лэнгдон все это время отлично понимал, на что нацелена операция группы ПНР, в полной мере он осознал происходящее только сейчас. *Мы направляемся к эпицентру.* Он представил себе медленно растворяющийся мешок с желто-коричневой жидкостью и удивился, как его, Лэнгдона, угораздило попасть в такой переплет.

Странное стихотворение, которое они с Сиеной обнаружили на обороте посмертной маски Данте, в итоге привело его сюда, в Стамбул. Направляя группу ПНР в Айя-Софию, Лэнгдон знал, что, когда он и его спутники там окажутся, им будет чем заняться:

В мусейоне премудрости священной,
Где золото сияет, преклони
Колени и услышь воды теченье.
Затем подземный отыщи дворец.
Хтоническое чудище найди там,
Живущее в кроваво-красных водах,
Куда не смотрятся светила.

Лэнгдон вновь с тревогой подумал о том, что почти такой же сценой кончается заключительная песнь Дантового «Ада». После долгого спуска в глубины преисподней Данте и Вергилий достигают ее нижней точки. Дальше пути нет, но они слышат журчание воды, текущей по камням, и идут по руслу этого ручейка сквозь трещины и расщелины... прочь от ужасов ада:

Там место есть...
Оно приметно только из-за гула
Ручья, который вытекает тут,
Пробившись через камень, им точимый...
Мой вождь и я на этот путь незримый
Ступили, чтоб вернуться в ясный свет.

Сочиняя свое стихотворение, Зобрист, конечно же, вдохновлялся картиной, нарисованной Данте, но, похоже, поставил в ней все с ног на голову. Да, Лэнгдону и его спутникам надо будет ориентироваться по журчанию воды, но в отличие от Данте они будут не подниматься прочь из ада... а спускаться в него.

Фургон лавировал по все более узким улицам, где людей было все больше, и Лэнгдон начал понимать извращенную логику, заставившую Зобриста выбрать в качестве эпицентра новой чумы сердцевину Стамбула.

Здесь Восток встречается с Западом.
Здесь мировой перекресток.

Стамбул много раз в своей истории становился жертвой губительных эпидемий, убивавших огромное количество жителей. Именно этот город на последней стадии Черной Смерти называли в Османской империи «средоточием чумы», и болезнь, как говорили, уносила в нем за день более десяти тысяч жизней. На нескольких знаменитых миниатюрах того времени можно видеть, как горожане, объятые отчаянием, роют на близлежащих полях Таксим общие могилы для наваленных грудами трупов.

Лэнгдон уповал на то, что слова Карла Маркса: «История повторяется дважды» — здесь все-таки не сбудутся.

Повсюду на мокрых от дождя улицах ничего не подозревающие люди занимались обычными вечерними делами. Миловидная турчанка звала детей домой ужинать; два старика потягивали что-то за столиком кафе под открытым небом; муж и жена, хорошо одетые, шли под зонтиком, взявшись за руки; мужчина в смокинге спрыгнул с автобуса и побежал по улице, укрывая от дождя скрипку в футляре: явно спешил на концерт.

Лэнгдон вглядывался в лица, пытаясь вообразить себе обстоятельства каждой из этих жизней.

Массы состоят из отдельных личностей.

Он закрыл глаза, отвернулся от окна и постарался настроиться на более оптимистический лад. Но не тут-то было. Из тьмы сознания выступили образы, которые меньше всего хотелось увидеть. Мрачная панорама приморского города, где царят мор, пытки и казни. Питер Брейгель Старший, «Триумф смерти».

Фургон повернул направо на улицу Торун, и на миг Лэнгдону показалось, что они уже у цели. Слева возвышалась в тумане огромная мечеть.

Но это была не Айя-София.

Голубая мечеть, быстро сообразил он, узнав эти шесть устремленных в небо желобчатых минаретов-карандашей с острыми шпилями и многочисленными балконами — так называемыми шерефе. Лэнгдон читал когда-то, что экзотический, сказочный вид этих минаретов повлиял на архитектуру знаменитого Замка Золушки в Диснейуорлде. Своим названием Голубая мечеть обязана слепящему морю голубых керамических плиток, украшающих интерьер.

Мы уже близко, подумал Лэнгдон, когда фургон повернул на улицу Кабасакал и поехал вдоль обширной площади Султанахмет, которая расположена на полпути между Голубой мечетью и Айя-Софией и славится видами на оба сооружения.

Прищурившись, Лэнгдон смотрел вперед сквозь мокрое ветровое стекло, искал глазами силуэт Айя-Софии, но дождь и фары ухудшали видимость. Что еще хуже, транспорт на улице, похоже, встал.

Впереди Лэнгдон видел только вереницу задних огней.

— Там какое-то мероприятие, — сказал водитель. — Кажется, концерт. Быстрее будет пешком.

— Далеко? — спросила Сински.

— Нет, через площадь ходу минуты три. Тут безопасно.

Сински кивнула Брюдеру, а затем повернулась к людям из ПНР:

— Оставайтесь в машине. Постарайтесь подъехать к зданию как можно ближе. Агент Брюдер очень скоро с вами свяжется.

После чего Сински, Брюдер и Лэнгдон вышли из фургона и двинулись через засаженную деревьями площадь Султанахмет.

Лиственные деревья на ней давали им, когда они поспешно шли по дорожкам, какое-никакое укрытие от усиливавшегося дождя. Там и сям попадались на глаза указатели, направляющие туристов к многочисленным достопримечательностям на площади: к египетскому обелиску из Луксора, к Змеиной колонне из святилища Аполлона в Дельфах, к Милевой колонне, некогда служившей «нулевой отметкой», от которой в Византийской империи отсчитывались все расстояния.

Наконец они вышли из-под деревьев к круглому пруду в центре площади. Оказавшись на открытом месте, Лэнгдон поднял глаза и посмотрел на восток.

Айя-София.

Не здание, а... гора.

Поблескивавшая от дождя громада собора казалась целым городом. Невероятно широкий центральный купол, серебристо-серый и ребристый, словно бы покоился на скоплении менее крупных построек с куполами. По углам здания, довольно далеко от центрального купола, из-за чего их с трудом можно было считать элементами того же сооружения, возвышались четыре увенчанных серебристо-серыми шпилями минарета, каждый с одним балконом.

Сински и Брюдер, двигавшиеся целеустремленно и быстро, вдруг разом остановились, взгляды их поднимались выше... выше... а умы пытались справиться с размерами того, что перед ними предстало.

— О Господи, — тихо простонал Брюдер, не веря своим глазам. — Нам надо будет обыскивать... *вот это?*

Глава 86

еня взяли в плен, думал шеф, расхаживая взад-вперед по салону стоящего перед ангаром транспортного самолета «С-130». Он согласился полететь в Стамбул, чтобы помочь Сински в ее стараниях предотвратить беду.

Шеф надеялся, что сотрудничество с Сински смягчит последствия, которые может иметь для него то, что он, сам того не сознавая, способствовал кризису. *Так или иначе, я теперь в ее власти.*

Как только самолет подрулил к правительственному ангару в аэропорту Ататюрка, Сински и ее люди сошли с него, а шефу и нескольким сотрудникам Консорциума глава ВОЗ велела остаться на борту.

Шеф попытался было выйти подышать воздухом, но путь ему с каменными лицами преградили пилоты. Они напомнили ему указание доктора Сински: всем находиться в самолете.

Плохо, подумал шеф, садясь. Неопределенность собственного будущего начала всерьез его беспокоить.

За долгие годы деятельности шеф привык быть первичной силой, кукловодом, тем, кто дергает за веревочки, — и вдруг его могущества как не бывало.

Зобрист, Сиена, Сински.

Каждый из них по-своему бросил ему вызов... даже манипулировал им.

Теперь в транспортном самолете ВОЗ без иллюминаторов, по странному стечению обстоятельств ставшем для него тюремной камерой, он приходил к мысли, что удача от него отвернулась...

что его нынешнее положение — возможно, некое кармическое воздаяние за нечестную жизнь.

Я зарабатываю свой хлеб ложью.

Я поставщик дезинформации.

Хотя шеф не один торговал ложью в этом мире, он утвердил себя как самая крупная рыба в пруду. Рыбешка помельче — совсем другая порода, даже отдаленных сравнений с ней шеф не любил.

Доступные через Интернет фирмы с такими названиями, как Alibi Company или Alibi Network, делают по всему миру хорошие деньги, помогая неверным мужьям и женам изменять своим супругам тайком. Обещая клиенту ненадолго «остановить время», чтобы он мог безнаказанно побыть вне семьи, эти организации достигли немалого мастерства в сотворении иллюзий: фальшивые деловые совещания, фальшивые визиты к врачу, даже фальшивые свадьбы — и все это подкрепляется имитацией приглашений, поддельными брошюрами, авиабилетами, подтверждениями из отелей и даже специальными контактными телефонными номерами (на самом деле — номерами Alibi Company, где опытные профессионалы изображают из себя служащих отелей или еще кого-нибудь, кого надо изобразить ради иллюзии).

Шеф, однако, никогда не тратил время на такую мелочевку. Обман, которым он занимался, всегда был крупномасштабным, шеф обслуживал тех, кто мог заплатить за высококачественную работу миллионы долларов.

Правительства.

Крупные корпорации.

Время от времени — какую-нибудь важную и сверхбогатую персону.

Этим клиентам для достижения их целей Консорциум предоставлял все свои технические средства, людей, опыт и творческие ресурсы. Помимо прочего, им гарантировалось, что в любом случае от иллюзии, сфабрикованной, чтобы придать их обману правдоподобие, никакая ниточка к ним не приведет.

Задаваясь целью поднять фондовый индекс, оправдать войну, выиграть выборы или выманить террориста из укрытия, сильные мира сего полагались на масштабные схемы дезинформации, формировавшие у людей ложные представления.

Так было всегда.

В шестидесятые русские создали целую фальшивую шпионскую сеть, не один год специально позволявшую британцам перехватывать данные, которые вводили их в заблуждение. В 1947 году близ Розуэлла, штат Нью-Мексико, ВВС США устроили целую инсценировку, чтобы катастрофу, случившуюся с секретным летательным аппаратом, выдать за падение НЛО. А сравнительно недавно всему миру внушили, что в Ираке есть оружие массового уничтожения.

Почти три десятилетия шеф помогал могущественным людям защищать, сохранять и наращивать свое могущество. Хотя он был исключительно аккуратен в выборе клиентов, его не оставляли опасения, что когда-нибудь он возьмется за то, за что браться не следует.

И вот этот день настал.

Шеф был убежден, что всякий грандиозный крах — следствие чего-то одного, произошедшего в некий роковой миг: случайной встречи, неверного решения, неосторожного взгляда.

В его случае, думал он сейчас, этот миг был без малого двенадцать лет назад, когда он взял на службу молодую студентку медицинского колледжа, искавшую возможность заработать. Острый ум, блестящее владение речью и дар импровизации сразу выделили ее среди всех сотрудников Консорциума.

Сиена Брукс была будто создана для этой работы.

Характер деятельности шефа Сиена поняла мгновенно, и он почувствовал, что у нее самой есть секреты. Сиена выполняла его задания почти два года, заработала круглую сумму, позволившую оплатить обучение в колледже, а потом неожиданно заявила, что уходит. Она хочет спасти мир, объяснила она ему, и Консорциум — не лучшее место, где можно приложить к этому усилия.

Шеф и подумать не мог, что Сиена Брукс вдруг снова объявится почти через десять лет, причем не просто, а с подарочком: со сверхбогатым потенциальным клиентом.

С Бертраном Зобристом.

Шефа передернуло.

Во всем виновата Сиена.

Она была в курсе плана Зобриста с самого начала.

Голоса сотрудников ВОЗ, говоривших по телефонам и споривших недалеко от него за импровизированным столом совещаний в самолете, стали разгоряченными.

— Сиена Брукс?! — закричал один из них в телефон. — Вы уверены? — Некоторое время он слушал, хмурясь. — Понятно, жду подробностей. Остаюсь на линии.

Он прикрыл телефон ладонью и повернулся к коллегам.

— Судя по всему, Сиена Брукс покинула Италию вскоре после нас.

Все за столом застыли.

— Как так? — спросила одна сотрудница. — Мы взяли под наблюдение аэропорт, мосты, железнодорожный вокзал...

— Аэродром Ничелли, — ответил он. — На Лидо.

— Невозможно. — Она покачала головой. — Ничелли — крохотный. Оттуда нет рейсов. Его используют только для местных полетов на вертолетах и...

— Каким-то образом Сиена Брукс получила доступ к частному самолету, который там стоял в ангаре. Подробности они выясняют. — Он снова поднес телефон к уху. — Да, я слушаю. Ну что? — Пока он слушал, плечи его опускались все ниже, ниже, и наконец он сел. — Понял. Спасибо.

Он дал отбой. Коллеги вопросительно смотрели на него.

— Самолет с Сиеной на борту направился в Турцию, — сказал сотрудник ВОЗ и потер глаза.

— Надо позвонить в Европейский командный центр по воздушному сообщению! — заявил кто-то. — Пусть заставят его повернуть обратно!

— Поздно. Двенадцать минут назад самолет приземлился на частном аэродроме Хезарфен всего в двадцати с чем-то километрах отсюда. Сиена Брукс с него сошла.

Глава 87

о древнему куполу Айя-Софии дождь уже барабанил вовсю.

Почти тысячу лет это была самая большая церковь на свете, и даже сейчас представить себе еще более грандиозный храм было трудно. Увидев Айя-Софию снова, Лэнгдон вспомнил, что император Юстиниан, когда собор построили, гордо провозгласил: «Соломон, я тебя превзошел!»

Сински и Брюдер все более целеустремленной походкой шли к колоссальной постройке, которая по мере их приближения, казалось, увеличивалась еще и еще.

Вдоль дорожек здесь были установлены старинные пушечные ядра Мехмеда Завоевателя, служившие внушительным напоминанием о том, что история Айя-Софии насыщена насилием: победители, захватывавшие город, не однажды приспосабливали здание к своим религиозным нуждам.

У южного фасада Лэнгдон увидел справа три пристройки с куполами, похожие на силосные башни. Это были мавзолеи султанов, у одного из которых — Мурада III — якобы родилось более ста детей.

В вечернем воздухе резко прозвучал сигнал мобильника; Брюдер вынул телефон, посмотрел, кто звонит, и отрывисто спросил:

— Что у вас?

Он слушал и качал головой, не веря своим ушам.

— Как это могло случиться? — Выслушав до конца, он вздохнул. — Ясно, держите меня в курсе. Мы уже у здания. — Он дал отбой.

— Что там такое? — спросила Сински.

— Нам надо смотреть в оба, — сказал Брюдер, оглядывая окрестности собора. — Похоже, мы будем тут не одни. — Он посмотрел на Сински. — Они говорят, Сиена Брукс в Стамбуле.

Лэнгдон уставился на Брюдера во все глаза. Невероятно было и то, что Сиена сумела так быстро попасть в Турцию, и то, что, успешно выбравшись из Венеции, она готова рискнуть свободой и даже жизнью ради осуществления плана Зобриста.

У Сински было не менее встревоженное лицо; она открыла рот, желая, видимо, расспросить Брюдера о подробностях, но, судя по всему, передумала.

— Куда теперь? — спросила она Лэнгдона.

Он показал рукой, что надо идти налево и завернуть за юго-западный угол собора.

— К фонтану для омовений, — сказал он.

Встреча с сотрудником музея была назначена у обнесенного ажурной решеткой сооружения, которое в прошлом служило для ритуальных омовений перед мусульманской молитвой.

— Профессор Лэнгдон! — послышался мужской голос, когда они приблизились к фонтану.

Из-под восьмиугольной крыши над ним вышел человек и, улыбаясь, взволнованно замахал руками:

— Сюда, профессор, сюда!

Лэнгдон со спутниками поспешили к нему.

— Здравствуйте, меня зовут Мирсат, — сказал он по-английски с акцентом. Голос худощавого лысеющего турка в профессорских очках и сером костюме был полон энтузиазма. — Это огромная честь для меня!

— Нет, это для нас огромная честь, — отозвался Лэнгдон, пожимая Мирсату руку. — Спасибо вам за гостеприимство и за готовность оказать экстренную помощь.

— Что вы, что вы!

— Меня зовут Элизабет Сински, — сказала доктор Сински. Она поздоровалась с Мирсатом за руку и показала ему на Брюдера. — А это Кристоф Брюдер. Мы помогаем профессору Лэнгдону в его работе. Очень обидно, что наш вылет так задержался. Мы ценим одолжение, которое вы нам делаете.

— Никакого одолжения! Рад помочь! — горячо заверил их Мирсат. — Для профессора Лэнгдона я готов провести экскурсию в любое время. Его маленькая книга «Христианские символы в мусульманском мире» самая популярная в нашем сувенирном магазине.

Правда? — подумал Лэнгдон. *Надо же, теперь я знаю то единственное место на свете, где она продается.*

— Пойдем? — спросил Мирсат, предлагая следовать за ним.

Группа торопливо миновала небольшое открытое пространство, вошла на территорию при соборе и двинулась туда, где первоначально был главный вход в здание, — к трем глубоким аркам с массивными бронзовыми дверями.

Там их дожидались два вооруженных охранника. Увидев Мирсата, они отперли и распахнули одну из дверей.

— Sağ olun, — произнес Мирсат одну из немногих турецких фраз, с которыми Лэнгдон был знаком: очень вежливое «спасибо».

Они вошли в собор, и охранники со стуком, отдавшимся эхом среди каменных стен, закрыли за ними тяжелую дверь.

Лэнгдон и его спутники оказались в нартексе Айя-Софии — в узком помещении, обычном для христианских храмов и служившем архитектурным буфером между двумя мирами — церковным и светским.

Крепостные рвы духа — так частенько называл нартексы Лэнгдон.

Напротив были другие двери, и Мирсат, когда группа пересекла нартекс, открыл одну из них. За дверью Лэнгдон вопреки ожиданию увидел не главное помещение собора, а еще один нартекс, несколько более просторный, чем первый.

Эсонартекс, сообразил Лэнгдон. Он и забыл, что Айя-София была снабжена двумя уровнями защиты от внешнего мира.

Словно готовя вошедшего к тому, что ждало его впереди, эсонартекс был украшен намного более богато, чем нартекс. Стены из полированного камня отражали свет изящных люстр. В противоположной стене виднелись четыре двери, а над ними — великолепная мозаика, которая мигом приковала к себе восхищенное внимание Лэнгдона.

Мирсат подошел к самой большой из дверей — к обшитой бронзовыми листами громадине.

— Императорские врата, — вполголоса произнес Мирсат, сам не свой от энтузиазма. — В византийские времена в них мог входить только император. Для туристов мы их обычно не открываем, но сегодня у нас особый случай.

Мирсат потянулся было к вратам, чтобы их открыть, но приостановился.

— Прежде чем мы войдем, — тихо сказал он, — позвольте спросить: нет ли чего-то внутри, что вы хотите увидеть в первую очередь?

Лэнгдон, Син
ски и Брюдер переглянулись.

— Есть, — ответил Лэнгдон. — Увидеть, конечно, хотелось бы многое, но, если можно, давайте начнем с гробницы Энрико Дандоло.

Мирсат непонимающе дернул головой.

— Прошу прощения... Вы сказали, что хотите посмотреть... на гробницу Дандоло?

— Да.

Мирсат выглядел обескураженным.

— Но, сэр... У Дандоло очень простая гробница. Никакой символики. Не самое интересное у нас.

— Я знаю, — вежливо сказал ему Лэнгдон. — И все же мы будем вам очень признательны, если вы нас к ней приведете.

Мирсат посмотрел на Лэнгдона долгим взглядом, а потом поднял глаза к мозаике прямо над вратами, только что восхитившей Лэнгдона: к созданной в девятом веке мозаичной иконе Христа Пантократора с Новым Заветом в левой руке, благословляющего правой.

И тут, словно музейщика внезапно осенило, рот Мирсата растянулся в понимающей улыбке, и он шутливо погрозил Лэнгдону пальцем:

— Хитрец! Ох, хитрец!

— Что, простите? — недоуменно переспросил Лэнгдон.

— Не беспокойтесь, профессор, — заговорщически шепнул ему Мирсат. — Я никому не скажу, что вам *на самом деле* здесь нужно.

Сински и Брюдер озадаченно взглянули на Лэнгдона.

Все, что он мог сделать, — это пожать плечами; Мирсат между тем отворил тяжелую дверь и пригласил их войти.

Глава 88

Восьмое чудо света — так иногда называли то, что они увидели перед собой, и, стоя в главном помещении собора, Лэнгдон не испытывал желания оспаривать эту характеристику.

Когда группа, переступив порог, вошла в грандиозное святилище, Лэнгдон еще раз убедился, что Айя-Софии нужно лишь мгновение, чтобы потрясти человека самими своими размерами.

Помещение было так велико, что даже знаменитые европейские соборы казались по сравнению с ним карликами. Лэнгдон знал, что отчасти это ошеломляющее впечатление огромности возникает благодаря зрительной иллюзии, которую создает византийская планировка: *наос* — святилище — здесь имеет не крестообразную форму, как в позднейших соборах, а прямоугольную с ярко выраженным центром.

Это здание на семьсот лет старше, чем Нотр-Дам, подумал Лэнгдон.

Взяв маленькую паузу, чтобы освоиться с размерами собора, Лэнгдон поднял взгляд к широкому золотому куполу, чья высота — более пятидесяти метров. Сорок ребер, подобных лучам солнца, идут от его верхней точки к кольцевой аркаде из сорока арочных окон. Днем проходящий через эти окна свет отражается — и повторно отражается — в частичках стекла, вкрапленных в отделку купола, покрытого изнутри золотыми пластинками; так возникает «мистический свет», которым славится Айя-София.

Лэнгдон знал лишь один случай, когда атмосфера этого помещения, пронизанного золотом, была верно запечатлена в живописи. *Джон Сингер Сарджент*. Неудивительно, что, создавая знаменитую картину, изображающую интерьер Айя-Софии, американский художник ограничил свою палитру оттенками одной краски.

Золотой.

Блестящий золотой купол, который часто уподобляли небесному своду, покоится на четырех громадных арках, а каждую из них, в свой черед, поддерживают полукупола и тимпаны. Эти элементы опираются еще на один ярус полукуполов и арок меньшего размера, создавая эффект каскада архитектурных форм, нисходящих от небес к земле.

Также от небес к земле, но более прямым путем, идут длинные тросы, верхними концами прикрепленные к куполу и поддерживающие многочисленные люстры, которые, кажется, висят так низко, что рослый посетитель рискует удариться головой. На самом деле это еще одна иллюзия, возникающая из-за огромности святилища: от люстр до пола — более трех с половиной метров.

Колоссальная величина Айя-Софии, как и размер многих других великих религиозных сооружений, служила двум целям. Во-первых, это было свидетельство перед Богом о том, на что человек готов пойти, чтобы выразить свое благоговение перед Ним. Во-вторых — средство шоковой терапии своего рода, применяемой к молящемуся: физическое пространство, где он оказывался, было столь внушительно, что он чувствовал себя карликом, его «я» уничтожалось, его физическое бытие и космическое значение до того уменьшались, что он превращался в пылинку перед лицом Господа... в ничтожный атом в руках Творца.

Пока человек не умалится, Бог ничего не может из него сделать. Эти слова произнес в шестнадцатом веке Мартин Лютер, но идея, стоящая за ними, присутствовала в сознании зодчих с самого зарождения религиозной архитектуры.

Лэнгдон посмотрел на Брюдера и Сински; их взгляды чуть раньше были возведены к куполу, но теперь они потупили глаза.

— Господи Иисусе, — проговорил Брюдер.

— Да! — взволнованно согласился Мирсат. — Плюс Аллах с Мухаммадом!

Лэнгдон усмехнулся, а их экскурсовод показал Брюдеру на алтарную часть собора, где высоко над полом по бокам от мозаичного изображения Иисуса висят два массивных диска с каллиграфически написанными арабской вязью словами «Аллах» и «Мухаммад».

— В этом музее, — объяснил Мирсат, — мы стремимся показать посетителям, как одно святилище по-разному использовали две религии, и поэтому христианская символика тех времен, когда Айя-София была церковью, соседствует здесь с исламской символикой того периода, когда она была мечетью. — Он гордо улыбнулся. — Какие бы трения ни возникали между двумя религиями в реальном мире, их символы, мы считаем, уживаются между собой неплохо. Вы наверняка со мной согласитесь, профессор.

Лэнгдон кивнул в знак искреннего согласия, помня, однако, что, когда здание превратили в мечеть, все христианские иконы были замазаны побелкой. Близкое соседство восстановленной христианской символики с мусульманской производило гипнотическое впечатление, тем более что отношение к зрительным образам и стилистика их в двух религиях диаметрально противоположны.

Если христианская традиция поощряет прямое изображение Иисуса Христа и святых, ислам делает упор на каллиграфии и орнаментах, в которых отражается красота Божьей вселенной. Исламская традиция говорит, что только Аллах мог сотворить жизнь, а раз так, то человеку не подобает творить подобия чего-либо живого. Он не должен изображать ни богов, ни людей, ни даже животных.

Лэнгдон вспомнил, как объяснял это однажды студентам: «Мусульманский Микеланджело, к примеру, никогда бы не написал лик Бога на потолке Сикстинской капеллы; он начертал бы там Божье *имя*. Всякого, кто изобразил бы лицо Бога, мусульмане сочли бы святотатцем».

Затем Лэнгдон заговорил о причине этого различия.

«И христианство, и ислам логоцентричны, — сказал он студентам, — то есть в центре их внимания *Слово*. Согласно христианской традиции Слово стало плотью, как сказано в Евангелии от Иоанна: «И Слово стало плотию и обитало с нами». Допустимо поэтому изображать Слово в человеческом облике. Исламская традиция, напротив, говорит, что Слово *не становилось* плотью и должно поэтому оставаться *словом*... чаще всего принимая форму того или иного каллиграфически написанного имени, священного для мусульман».

Один из студентов Лэнгдона резюмировал эти сложности забавной и точной заметкой на полях: «Христианин любит лица, мусульманин — слова».

— Здесь перед нами, — продолжил Мирсат, жестом предлагая взглянуть в дальний конец величественного помещения, — уникальный пример соединения христианства с исламом.

Он показал на символы двух религий в просторной апсиде: на Деву Марию с Младенцем, глядящую с потолка на *михраб* — на полукруглую нишу, ориентированную в сторону Мекки. Расположенное поблизости возвышение, к которому ведет лестница, напоминает кафедру христианского проповедника, но на самом деле это *минбар*, откуда имам обращается к правоверным в пятницу. А сооружение, похожее на христианские церковные хоры, — это *махфиль* для муэдзина, на котором он преклоняет колени и произносит славословия во время общей молитвы.

— Мечети и соборы удивительно схожи между собой, — сказал Мирсат. — Восточные и западные традиции не настолько различны, как можно подумать!

— Мирсат, — нетерпеливо подал голос Брюдер. — Мы бы хотели поскорее увидеть гробницу Дандоло.

На лице Мирсата возникло легкое недовольство: похоже, он счел такую спешку проявлением неуважения к зданию.

— Да, — подтвердил Лэнгдон. — Простите, что торопим вас, но у нас очень жесткий график.

— Как вам будет угодно, — сказал Мирсат и показал на высокий балкон справа. — Давайте поднимемся и подойдем к гробнице.

— Туда? — изумленно спросил Лэнгдон. — Разве Энрико Дандоло похоронен не в крипте?

Как выглядит сама гробница, Лэнгдон помнил, но где именно она находится в соборе — нет. Ему представлялось какое-то сумрачное подземелье.

Мирсата его вопрос, похоже, сильно удивил.

— Нет, профессор, гробница Энрико Дандоло, безусловно, наверху.

* * *

Что, черт возьми, такое происходит? — недоумевал Мирсат.

Когда Лэнгдон попросил показать ему гробницу Дандоло, Мирсат решил, что это уловка. *Гробница Дандоло никого не интересует.* Мирсат предположил, что на самом деле Лэнгдон хочет увидеть загадочный памятник древности рядом с гробницей Дандоло — мозаичный деисус с Христом Пантократором, который не без оснований считают одним из самых таинственных произведений религиозного искусства в Айя-Софии.

Лэнгдон взялся за изучение деисуса, но не хочет это афишировать, решил Мирсат: профессор, видимо, пишет тайком от коллег статью об этой мозаике.

Но теперь Мирсат был в смятении. Лэнгдон не может не знать, что деисус находится на втором этаже. Почему же он разыграл такое изумление?

Или ему действительно нужна гробница Дандоло?

Озадаченный, Мирсат повел посетителей к лестнице мимо одной из двух знаменитых урн Айя-Софии — огромного сосуда вместимостью в тысячу двести литров с лишним, вырезанного из цельного куска мрамора в эллинистическую эпоху.

Молча поднимаясь по ступенькам с тремя гостями, Мирсат не знал, что и думать. Спутники Лэнгдона совершенно не выглядели научными работниками. Один похож на военного: накачанный, с прямой осанкой, одет во все черное. А женщина с серебристыми волосами... Мирсату казалось, он ее уже видел. *По телевизору, что ли?*

Он начинал подозревать, что подлинная цель посещения отличается от официальной. *Что им на самом деле тут нужно?*

— Еще немного — и мы на месте, — бодро сказал Мирсат на площадке перед последним участком лестницы. — Наверху мы увидим гробницу Энрико Дандоло и, конечно... — он помолчал, глядя на Лэнгдона, — знаменитый мозаичный деисус.

Никакой реакции.

Лэнгдон, получается, прилетел сюда не ради деисуса. Как это ни странно, ему и его спутникам нужна именно гробница Дандоло.

Глава 89

огда Мирсат вел их на второй этаж, Лэнгдон видел, что Брюдер и Сински озабочены. Этот подъем, казалось, не имел никакого смысла. Лэнгдон прокручивал в уме подземное видео Зобриста... и думал о документальном фильме о затопленных помещениях под Айя-Софией.

Мы должны были спускаться!

Так или иначе, где бы ни находилась гробница Дандоло, им ничего не оставалось, как следовать указаниям Зобриста. *В мусейоне премудрости священной, где золото сияет, преклони колени и услышь воды теченье.*

Когда они наконец поднялись на второй уровень, Мирсат повел их направо вдоль края балкона, с которого открывался головокружительный вид на главное помещение собора. Лэнгдон, однако, сосредоточенно смотрел прямо перед собой.

Мирсат вновь горячо заговорил про мозаичный деисус, но Лэнгдон его не слушал.

Он уже видел цель.

Гробницу Дандоло.

Она оказалась в точности такой, какой Лэнгдон ее помнил: в полированный каменный пол была вмурована прямоугольная плита из белого мрамора, ее отгораживали цепи, висящие на столбах.

Стремительно подойдя к ней, Лэнгдон прочел высеченную надпись:

HENRICUS DANDOLO

Пока остальные подтягивались, Лэнгдон уже начал действовать: перешагнул через заградительную цепь и встал перед самой плитой.

Мирсат громко запротестовал, но Лэнгдон, не обращая на него внимания, упал на колени, как будто вознамерился молить о чем-то вероломного дожа.

А потом, исторгая из уст Мирсата крики ужаса, Лэнгдон положил на плиту ладони и опустил к ней голову. Он сам понимал при этом, что похож на мусульманина, кланяющегося Мекке. Ошеломленный Мирсат теперь онемел, и все здание, казалось, объяла гробовая тишина.

Сделав глубокий вдох, Лэнгдон повернул голову направо и осторожно прижал к плите левое ухо. Камень был холодный.

Звук, который доносился через него, был слышен совершенно отчетливо.

Боже мой.

Внизу, казалось, звучала концовка Дантового «Ада».

Лэнгдон медленно повернул голову к Брюдеру и Сински.

— Я слышу, — прошептал он. — Слышу, как течет вода.

Брюдер перескочил через цепь и припал к плите рядом с Лэнгдоном. Через несколько секунд он энергично закивал.

Теперь, когда они услышали журчание воды, оставался один вопрос: *куда она течет?*

На Лэнгдона вдруг нахлынули образы из фильма: полузатопленная пещера, мрачно подсвеченная красным... где-то внизу.

Затем подземный отыщи дворец.
Хтоническое чудище найди там,
Живущее в кроваво-красных водах,
Куда не смотрятся светила.

Когда Лэнгдон встал и вышел обратно за цепную ограду, Мирсат уставился на него снизу вверх взглядом, полным тревоги и осуждения. Лэнгдон был выше турецкого экскурсовода, наверное, на целую голову.

— Мирсат, — начал Лэнгдон, — простите меня. Ситуация, как видите, необычная. На объяснения у меня времени нет, но хочу задать вам очень важный вопрос об этом здании.

Мирсата хватило лишь на вялый кивок:

— Слушаю вас...

— Из-под плиты Дандоло сюда доходит журчание воды, которая куда-то течет. Нам надо знать, *куда* она течет.

Мирсат покачал головой:

— Не понимаю. Воду под полом можно услышать везде в Айя-Софии.

Все застыли.

— Да, — сказал Мирсат, — особенно когда идет дождь. Площадь крыши здесь — примерно девять тысяч квадратных метров, вода должна с нее куда-то стечь, и часто на это уходит не один день. Обычно она не успевает полностью стечь до следующего дождя. Журчание воды здесь обычный звук. Может быть, вы знаете, что под Айя-Софией есть обширные пустоты с водой. Об этом даже сняли документальный фильм...

— Понятно, понятно, — перебил его Лэнгдон, — но не знаете ли вы, *куда именно* течет вода, которая журчит под гробницей Дандоло?

— Конечно, знаю, — ответил Мирсат. — Туда же, куда стекает *вся* дождевая вода с крыш Айя-Софии. В городское водохранилище.

— Нет, — вмешался Брюдер, выходя за ограждение. — Мы не водохранилище ищем. Нас интересует большой подземный зал, и в нем, вероятно, есть колонны.

— Точно, — сказал Мирсат. — Древнее городское водохранилище — *цистерна* — именно это собой и представляет: большой подземный зал с колоннами. Весьма впечатляющий, между прочим. Его соорудили в шестом веке для хранения питьевой воды. Сейчас уровень воды там всего метр с небольшим, но...

— Где?! — прогремел Брюдер; его голос отдался под сводами гулким эхом.

— Вы про... водохранилище? — испуганно спросил Мирсат. — Оно всего в квартале отсюда, чуть к востоку от собора. — Он показал рукой направление. — Называется Еребатан-сарай.

Сарай? — удивленно подумал Лэнгдон. *А есть и Топкапы-сарай.* По пути от аэропорта им часто попадались указатели с этим названием.

— Но... — спросил он, — *сарай*, кажется, означает «дворец»?

Мирсат кивнул:

— Да. Наше древнее водохранилище по-турецки называется Еребатан-сарай. То есть подземный дворец.

Глава 90

огда доктор Элизабет Сински с Лэнгдоном, Брюдером и ошарашенным экскурсоводом Мирсатом стремительно вышла из Айя-Софии, лило как из ведра.

Затем подземный отыщи дворец, повторяла про себя Сински.

Чтобы попасть к городскому водохранилищу — к Еребатансараю, — надо было пройти чуть назад, в сторону Голубой мечети, и взять немного к северу.

Мирсат шел впереди.

Сински ничего не оставалось, как рассказать Мирсату, кто они с Брюдером, и объяснить, что им надо как можно скорее попасть в подземный дворец: там назревает угроза здоровью множества людей.

— Сюда! — сказал Мирсат и повел их через темный парк. Громада Айя-Софии была теперь позади них, впереди поблескивали сказочные шпили Голубой мечети.

Торопливо идя рядом с Сински, агент Брюдер кричал в телефон: сообщал о происходящем группе ПНР, давал ей указание подъехать ко входу в водохранилище.

— Похоже, Зобрист решил атаковать систему городского водоснабжения, — говорил Брюдер, учащенно дыша. — Мне понадобится схема всех входных и выходных труб, связанных с водохранилищем. Мы запустим процедуру изоляции и локализации в полном объеме. Нужно будет создать физический и химический барьеры, нужен будет вакуумный...

— Погодите, — перебил его Мирсат. — Вы меня не поняли. Водохранилище не снабжает город водой. Теперь уже нет!

Брюдер опустил телефон и уставился на экскурсовода.

— Что вы сказали?

— В водохранилище брали питьевую воду в древние времена, — объяснил Мирсат. — Но теперь этого нет. Мы модернизировались.

Брюдер остановился под деревом, мало-мальски защищавшим от дождя, и остальные тоже встали.

— Мирсат, — спросила Сински, — вы уверены, что никто не пьет воду из этого водохранилища?

— Совершенно уверен, — ответил Мирсат. — Вода просто там стоит... и просачивается, уходит в землю.

Сински, Лэнгдон и Брюдер обменялись неуверенными взглядами. Сински не знала, тревожиться ей или испытывать облегчение. *Если никто постоянно этой водой не пользуется, зачем Зобристу понадобилось заражать ее?*

— Когда мы несколько десятилетий назад модернизировали наше водоснабжение, — продолжил Мирсат, — водохранилище перестали использовать, и теперь это просто озеро в подземном зале. — Он пожал плечами. — Сейчас это достопримечательность для туристов, и ничего больше.

Сински резко повернулась к Мирсату. *Достопримечательность для туристов?*

— Погодите-ка... В это водохранилище — туда *пускают туристов?*

— Конечно, — сказал Мирсат. — Там каждый день бывают тысячи человек. Это впечатляющее место. Там над водой сделали мостки... есть даже небольшое кафе. Вентиляция там неважная, поэтому довольно душно и воздух сырой, но все равно туристы любят туда приходить.

Сински устремила взгляд на Брюдера, и ей было ясно, что опытный сотрудник службы ПНР рисует мысленно ту же картину, что и она: темное сырое подземелье со стоячей водой, где зреет патоген. В довершение кошмара — туристы, весь день гуляющие по мосткам над самой водой.

— Он сотворил биоаэрозоль, — заявил Брюдер.

Сински подавленно кивнула.

— Что это значит? — спросил Лэнгдон.

— Это значит, — ответил Брюдер, — что инфекция может распространяться *по воздуху.*

Лэнгдон молчал, и Сински видела, что до него доходит, какого масштаба может достичь кризис.

Мысль о патогене, передающемся через воздух, уже приходила ей в голову, но ложное представление, будто водохранилище снабжает город водой, позволяло ей надеяться, что Зобрист избрал биоформу, которая может существовать лишь в водной среде. Водные бактерии живучи и устойчивы к изменениям внешних условий, но распространяются они медленно.

Чего не скажешь о патогенах, чей способ распространения — воздушно-капельный.

Тут все происходит очень быстро.

— Если по воздуху, — сказал Брюдер, — то, вероятно, это вирус.

Вирус, мысленно согласилась с ним Сински. *Самый быстрораспространяющийся патоген, какой только мог выбрать Зобрист.*

Выпустить вирус, распространяющийся по воздуху, в водную среду — решение необычное, однако живых организмов, чья инкубация проходит в жидкости, но которые в зрелом состоянии существуют в воздушной среде, предостаточно: комары, споры плесени, бактерии, вызывающие болезнь легионеров, микотоксины, динофлагелляты и даже люди. Сински мрачно представляла себе, как вирус насыщает собой воду в подземном зале... и как потом мельчайшие инфицированные капельки поднимаются в сырой воздух.

А Мирсат тем временем озабоченно смотрел через забитую транспортом улицу. Проследив за его взглядом, Сински увидела приземистое красное с белым кирпичное здание с единственной дверью. Она была открыта, и за ней угадывалась лестница, ведущая вниз. Снаружи под зонтиками стояли в ожидании хорошо одетые люди, швейцар регулировал поток посетителей, спускающихся по лестнице.

Какой-то подземный дансинг?

Сински прочла то, что было написано на здании золочеными буквами, и ей сдавило грудь. Она увидела, что клуб называется «Цистерна», что зал сооружен в 523 году нашей эры, но, кроме того, она поняла, почему Мирсат так встревожен.

— В подземном дворце, — пробормотал Мирсат, — похоже... сегодня концерт.

Сински трудно было этому поверить.

— Концерт в водохранилище?!

— Там большое помещение, — ответил он. — Его часто используют как культурный центр.

Брюдер, решив, что разговоров с него довольно, устремился к зданию. За агентом, лавировавшим в потоке машин, которые ползли по улице Алемдар, бросились остальные.

Вход в водохранилище загораживали несколько посетителей, ждавших очереди войти: три женщины в паранджах, двое туристов, державшихся за руки, мужчина в смокинге. Они теснились в дверях, укрываясь от дождя.

Снизу до Сински доносились звуки классической европейской музыки. *Берлиоз, судя по оркестровке*, подумала она, но, кого бы ни играли, здесь, в Стамбуле, исполнение европейской классики казалось неуместным.

У самого входа на нее повеяло теплым воздухом, который волнами поднимался из глубокого замкнутого подземелья, куда вела лестница. Этот воздух нес с собой не только звуки скрипок, но и специфические запахи сырости и густого скопления людей.

А еще он был насыщен дурными предчувствиями, которыми Сински все глубже проникалась с каждым вдохом.

Когда по лестнице, весело болтая, поднялась к выходу компания туристов, швейцар позволил нескольким ожидающим войти.

Брюдер тут же двинулся было к лестнице, но швейцар мягким движением руки остановил его.

— Одну минутку, сэр. Помещение наполнено. Подождите совсем немного, и кто-нибудь выйдет. Спасибо за понимание.

Брюдер готов был вломиться, невзирая ни на что, но Сински положила руку ему на плечо и заставила сделать шаг в сторону.

— Подождите, — велела она ему. — Ваши люди еще не подъехали, вы не можете начинать обыск в одиночку. — Она показала на табличку на стене около двери. — Водохранилище огромное.

Текст на информационной табличке описывал подземный зал величиной с собор: длина — почти два футбольных поля, площадь потолка — более девяти тысяч квадратных метров, его поддерживает целый лес из трехсот тридцати шести мраморных колонн.

— Посмотрите-ка сюда, — сказал Лэнгдон, стоявший в нескольких шагах. — Вы не поверите.

Сински повернулась к нему. Лэнгдон показал на афишу концерта, висевшую на стене.

Боже милостивый.

Директор ВОЗ не ошиблась, определив стиль исполняемой музыки как романтический, но вещь, которую играли сегодня, написал, оказалось, не Берлиоз, а другой композитор-романтик: Ференц Лист.

Этим вечером глубоко под землей Стамбульский государственный симфонический оркестр исполнял одно из самых знаменитых произведений Листа — «Данте-симфонию», вдохновленную дантовскими образами сошествия в ад и возвращения из ада.

— Симфония играется здесь каждый вечер в течение недели, — сказал Лэнгдон, рассматривая изящную афишу. — Бесплатные концерты за счет анонимного спонсора.

Кто этот анонимный спонсор, Сински не составило труда догадаться. Да, очередное проявление любви Бертрана Зобриста к драматическим эффектам, но еще, похоже, и безжалостный практический расчет. Неделя бесплатных концертов — это тысячи посетителей в дополнение к обычному их числу, все спускаются вниз, в тесное подземелье... где дышат зараженным воздухом, а потом они разносят инфекцию по городам и весям.

— Сэр, — сказал швейцар Брюдеру. — Могут войти два человека.

Брюдер повернулся к Сински:

— Сообщите местным властям. Что бы мы там внизу ни нашли, нам понадобится помощь. Когда явятся мои люди, пусть свяжутся со мной по рации. Я спущусь и постараюсь сообразить, где Зобрист мог оставить эту штуку.

— Без респиратора? — спросила Сински. — Мы не можем быть уверены, что мешок из солюблона до сих пор цел.

Брюдер нахмурился, подставив ладонь потоку теплого воздуха из двери.

— Мне тяжело это произносить, но если инфекция вышла наружу, то уже, вероятно, заражен весь город.

У Сински на уме было то же самое, но она не хотела этого говорить при Лэнгдоне и Мирсате.

— К тому же, — добавил Брюдер, — я видал, что происходит с толпой, когда появляется моя команда в защитных костюмах. Запросто можно вызвать панику и давку.

Сински решила не перечить Брюдеру: он, так или иначе, специалист и бывал в похожих ситуациях.

— Разумная линия поведения у нас одна, — сказал ей Брюдер. — Предполагать, что мешок цел, и постараться локализовать заразу.

— Хорошо, — согласилась Сински. — Действуйте.

— Есть еще одна проблема, — вмешался Лэнгдон. — Сиена.

— В смысле? — спросил Брюдер.

— С какой бы целью она ни прилетела в Стамбул, она очень хорошо знает языки и, может быть, немного понимает по-турецки.

— И что?

— Ей известно, что в стихотворении говорится про «подземный дворец», — продолжил Лэнгдон. — Буквальный перевод этих слов на турецкий мог подсказать ей, что... — Он показал на надпись «Еребатан-сарай» над входом. — Что надо идти прямо сюда.

— Да, — устало согласилась Сински. — Не исключено, что она это поняла и обошлась без Айя-Софии.

Брюдер бросил взгляд на единственную дверь и вполголоса выругался.

— Так, но даже если она уже там и хочет разорвать солюбло-новый мешок, пока мы его не обезвредили, она, во всяком случае, находится там недолго. Это огромный зал, и скорее всего она понятия не имеет, где искать мешок. В присутствии всей этой публики она вряд ли может влезть в воду незамеченной.

— Сэр! — опять обратился к Брюдеру швейцар. — Желаете пройти в зал?

Брюдер видел, что через улицу переходит еще одна группа любителей музыки, и кивком подтвердил швейцару, что сейчас спустится.

— Я с вами, — заявил Лэнгдон.

Брюдер повернулся и преградил ему путь.

— Ни в коем случае.

— Агент Брюдер, — решительно сказал Лэнгдон, — мы попали в это положение отчасти потому, что Сиена Брукс весь день водила меня за нос. И, как вы только что сказали, мы все, может быть, уже заражены. Я буду вам помогать, хотите вы или нет.

Брюдер несколько секунд смотрел на него, потом уступил.

* * *

Когда Лэнгдон вошел в дверь и стал спускаться за Брюдером по крутой лестнице, он почувствовал, как из недр водохранилища струится теплый воздух. Влажный ветер нес с собой звуки «Данте-симфонии» Листа, а вместе с ними — знакомый, хоть и трудноопределимый запах... запах человеческой массы в замкнутом пространстве.

Вдруг Лэнгдон почувствовал, как его обволакивает что-то призрачное: точно незримая рука, поднявшись из-под земли, ведет длинными пальцами по его телу.

Музыка.

Мощный хор — казалось, в сотню голосов — исполнял знаменитое место симфонии, четко выводя каждый слог мрачного дантовского текста.

— Lasciate ogne speranza, — пели сейчас, — voi ch'entrate.

Эти слова — самые известные во всем Дантовом «Аде» — неслись вверх от подножия лестницы подобно трупному запаху.

Под звучный аккомпанемент духовых хор повторил предостережение еще раз:

— Lasciate ogne speranza voi ch'entrate!

Оставь надежду, всяк сюда входящий!

Глава 91

одземелье, подсвеченное красным, наполняла музыка, вдохновленная картинами ада: стенания хора, диссонирующие звуки струнных, раскатистый грохот литавр, заставлявший всю пещеру дрожать какой-то сейсмической дрожью.

Пол в этом подземном мире, сколько Лэнгдон мог видеть, заменяла гладкая вода — темная, неподвижная, похожая на стекло или на черный лед ночного зимнего пруда в Новой Англии.

Воды, куда не смотрятся светила.

Из этих вод ровными рядами, которые казались бесконечными, поднимались сотни мощных дорических девятиметровых колонн, поддерживающих сводчатый потолок пещеры. Снизу каждую колонну освещал свой собственный красный прожектор, и все это напоминало какой-то сюрреалистический лес, уходящий в темную даль, или зрительную иллюзию, сотворенную с помощью зеркал.

Лэнгдон и Брюдер приостановились у подножия лестницы, завороженные открывшимся им призрачным зрелищем. Этот красноватый свет, казалось, испускало само подземелье; осматриваясь, Лэнгдон почувствовал, что дышит очень мелко и часто.

Воздух тут оказался тяжелее, чем он думал.

Слева, поодаль от лестницы, были места для слушателей. Концерт проходил в глубине подземного зала, на полпути к дальней стене, где было сооружено обширное возвышение. Несколько сотен слушателей сидели концентрическими дугами вокруг оркестра, еще около сотни стояли позади сидячих мест. Были и такие, кто слушал музыку, стоя на мостках; прислонясь к массивным перилам, они смотрели на воду.

Лэнгдон невольно принялся оглядывать скопление расплывчатых силуэтов в поисках Сиены. Но ее видно не было. Посетители были одеты кто во что: смокинги, платья, бишты*, паранджи, а на иных даже шорты и спортивные свитерки. В багровом свете Лэнгдону почудилось, что эта чрезвычайно пестрая людская масса собралась ради какого-то оккультного ритуала.

Если Сиена здесь, подумал он, *засечь ее будет почти невозможно.*

В этот момент мимо них, кашляя, прошел к лестнице плотный мужчина. Брюдер резко повернулся и, пока тот поднимался к выходу, внимательно смотрел ему вслед. У Лэнгдона слегка запершило в горле, но он сказал себе, что это воображение, ничего больше.

Брюдер, пока еще не решив, как действовать, ступил на ветвящиеся мостки. То, что лежало перед ним, напоминало лабиринт Минотавра. Узкий настил довольно быстро расходился в три стороны, каждый из путей, в свой черед, приводил к развилке, и все вместе было сложной сетью мостков над водой, идущих между колоннами и пропадающих в темноте подземелья.

Я очутился в сумрачном лесу, вспомнилось Лэнгдону зловещее начало «Божественной комедии», *утратив правый путь во тьме долины.*

Перегнувшись через перила, Лэнгдон вгляделся в воду. На удивление прозрачная, она позволяла увидеть подернутый илом плиточный пол, до которого от поверхности было, наверное, метр с небольшим.

Брюдер быстро глянул вниз, неопределенно хмыкнул и, подняв глаза, стал осматриваться дальше.

— Видите что-нибудь похожее на место, где Зобрист снял свой фильм? — спросил он.

Тут везде на это место похоже, подумал Лэнгдон, оглядывая высокие сырые стены. Он показал Брюдеру направо, на самую отдаленную от концертного возвышения с его многолюдьем часть подземелья.

— По-моему, где-то в той стороне.

Брюдер кивнул:

— Мне тоже так кажется.

---

* Бишт — верхняя одежда мусульманского мужчины, обычно обильно расшитая золотыми нитями.

Они торопливо зашагали по мосткам и, дойдя до развилки, двинулись вправо, к самым глухим уголкам подземного дворца.

Пока они шли, Лэнгдон понял, что при желании тут очень легко спрятаться и остаться на ночь. Зобрист, чтобы снять свое видео, возможно, так и поступил. Хотя, конечно, если он щедро оплатил эту неделю концертов, он мог просто-напросто попросить администрацию оставить его тут на какое-то время одного.

Впрочем, какая сейчас разница?

Брюдер прибавил шагу, словно подсознательно подлаживаясь под убыстряющийся темп музыки, в которой послышался каскад нисходящих полутоновых задержаний.

Данте и Вергилий спускаются в ад.

Лэнгдон пристально всматривался в замшелые стены, которые высились справа на отдалении, сравнивая их с тем, что видел на экране. Всякий раз, доходя до развилки мостков, они с Брюдером брали правее, стараясь отдалиться от скопления людей, углубиться в пещеру как можно больше. Оглянувшись, Лэнгдон поразился тому, какое расстояние они прошли.

Они уже почти перешли на бег; несколько раз им встречались блуждающие единичные посетители, но в самой глубине подземелья было совершенно безлюдно.

Брюдер и Лэнгдон были одни.

— Повсюду одно и то же, — падая духом, сказал Брюдер. — Где начать?

Лэнгдон тоже не знал, что делать. Никакая примета из видео, которое он помнил очень живо, не бросалась ему здесь в глаза.

Лэнгдон изучал мягко подсвеченные информационные таблички, расположенные там и сям вдоль мостков. На одной было сказано, что емкость водохранилища — восемьдесят тысяч кубометров. Другая указывала на колонну, отличную от остальных: ее в ходе строительства выломали из более старого сооружения по соседству. На третьей был воспроизведен древний резной символ, который на колонне теперь трудно разглядеть: «глаз плачущей курицы», льющей слезы по рабам, погибшим при строительстве «цистерны».

И на этой же табличке было написано одно-единственное слово, прочтя которое, Лэнгдон встал как вкопанный.

Брюдер тоже остановился, повернулся:

— В чем дело?

Лэнгдон показал ему.

На табличке, сопровождаемое стрелкой-указателем, значилось имя страшной горгоны — отвратительного монстра с женским лицом:

МЕДУЗА =>

Брюдер посмотрел и пожал плечами:

— Ну и что?

У Лэнгдона колотилось сердце. Ведь Медуза, по верованиям древних греков, не просто ужасное существо со змеями вместо волос, взгляд которого обращает человека в камень, она важная представительница семейства подземных чудищ... чудищ, называемых хтоническими.

Затем подземный отыщи дворец.
Хтоническое чудище найди там...

Табличка показывает направление, сообразил Лэнгдон и бросился бежать по мосткам. Брюдер едва за ним поспевал; Лэнгдон двигался в темноте зигзагом, следя за стрелками. Наконец он достиг тупика: маленькой смотровой площадки у правой стены водохранилища.

И увидел перед собой нечто невероятное.

Над водой возвышался огромный обтесанный кусок мрамора, на котором было высечено лицо змееволосой Медузы. Еще более диковинной встречу с ней делало то, что голова была повернута на сто восемьдесят градусов и стояла на темени.

Как те, прóклятые, подумалось Лэнгдону, вспомнившему грешников на «Карте ада» Боттичелли, закопанных в Злых Щелях вниз головой.

Брюдер, тяжело дыша, встал рядом с ним у перил и озадаченно уставился на перевернутую Медузу.

Лэнгдон подозревал, что эта резная голова, служившая сейчас основанием колонны, была, вероятно, откуда-то грабительски вывезена как дармовой строительный материал. На темя ее поставили, несомненно, из-за суеверного представления, что в таком положении она не может причинить людям вреда своими чарами. Тем не менее Лэнгдон не мог отрешиться от зловещих ассоциаций.

«Ад» Данте. Концовка. Центр Земли, где сила тяжести меняет направление. Где верх становится низом.

От предчувствий у него мурашки побежали по коже. Сквозь красноватую мглу Лэнгдон вгляделся в изваяние Медузы. Ее волосы-змеи большей частью были в воде, но глаза, находясь выше поверхности подземного озера, смотрели влево.

Лэнгдон со страхом наклонился над перилами и, повернув голову, проследил глазами за взглядом Медузы, устремленным в пустой угол подземелья — в угол, который Лэнгдон мигом узнал.

Вот оно, место, выбранное Зобристом.

Вот он, эпицентр.

Глава 92

гент Брюдер, тихонько скользнув под перилами, погрузился в воду, которая была ему по грудь. Холодная влага, проникнув сквозь одежду, заставила мышцы напрячься. Пол водохранилища был скользкий, но давал ногам прочную опору. Он немного постоял, осматриваясь, глядя, как от него расходятся по воде круги.

Брюдер задержал дыхание. *Медленно*, сказал он себе. *Не создавать турбулентности.*

Стоя над ним у перил, Лэнгдон оглядывал мостки вокруг.

— Все в порядке, — прошептал он. — Вас никто не видит.

Брюдер повернулся к огромной опрокинутой голове Медузы, ярко освещенной красным прожектором. Теперь, когда он оказался вровень с перевернутым чудищем, его величина впечатляла еще сильнее.

— Двигайтесь точно туда, куда она смотрит, — прошептал Лэнгдон. — Зобрист любил символику и театральность... Не удивлюсь, если он поместил свое произведение прямо на линии ее губительного взгляда.

Великие умы мыслят одинаково. Брюдер был рад, что американский профессор настоял на своем и спустился с ним; эрудиция Лэнгдона почти сразу привела их в этот дальний угол водохранилища.

Под доносящиеся издалека звуки «Данте-симфонии» Брюдер достал тонкий водонепроницаемый фонарик «Товатек», погрузил его в воду и включил. Яркий галогеновый луч, пронзив воду, осветил плиточный пол.

Аккуратно, напомнил себе Брюдер. *Не дай Бог что-нибудь задеть.*

И, не говоря ни слова, он осторожно, медленно побрел через подземное озеро, методично водя туда-сюда фонариком, как миноискателем.

Стоя у перил, Лэнгдон почувствовал, что ему начинает сдавливать горло. В сыром и спертом воздухе подземелья не хватало кислорода. Глядя, как Брюдер аккуратно движется через водохранилище, профессор внушал себе, что все будет хорошо.

Мы не опоздали.

Наружу ничего не вырвалось.

Брюдер и его люди устранят опасность.

Тем не менее нервы у Лэнгдона были напряжены до предела. Всю жизнь страдавший клаустрофобией, он знал, что не может не испытывать тут тревоги ни при каких условиях. *Тысячи тонн земли над головой... земли, которая держится лишь на ветхих колоннах.*

Он постарался отогнать эту мысль. Еще раз оглянулся: не привлекли ли они с Брюдером чье-нибудь внимание?

Нет.

Те немногие, что стояли на мостках сравнительно недалеко, все смотрели в другую сторону — туда, где играл оркестр. Никто, судя по всему, не видел, как Брюдер медленно перемещается в воде в дальнем углу полузатопленного зала.

Лэнгдон перевел взгляд на руководителя группы ПНР, перед которым по-прежнему, освещая ему путь, призрачно колебался подводный галогеновый луч.

И тут, глядя на него, Лэнгдон боковым зрением вдруг уловил слева какое-то движение. Из воды перед Брюдером выросло что-то черное, зловещее. Лэнгдон повернулся и стал всматриваться в темную фигуру, чуть ли не предполагая, что это всплыл какой-то подводный левиафан.

Брюдер резко остановился: он явно тоже увидел.

Колыхаясь, черное поднялось на всю девятиметровую высоту стены в дальнем углу. Призрачный силуэт был очень похож на фигуру чумного доктора в фильме Зобриста.

Это тень, с облегчением сообразил Лэнгдон. *Тень Брюдера.*

Брюдер стал отбрасывать эту тень, когда приблизился к подводному прожектору, и она падала сейчас, казалось Лэнгдону, точно так же, как падала тень Зобриста в его видео.

— То самое место, — сказал Лэнгдон Брюдеру. — Вы близко от цели.

Брюдер кивнул и мелкими шагами двинулся дальше. Лэнгдон, идя по мосткам, держался с ним вровень. Оперативник перемещался еще и еще, и Лэнгдон, на секунду отвернувшись от него, бросил очередной быстрый взгляд в сторону слушателей: не заметил ли кто-нибудь Брюдера?

Нет.

Когда Лэнгдон снова перевел глаза на Брюдера в воде, ему внезапно показалось, что на мостках под ногами что-то блеснуло отраженным светом.

Он посмотрел вниз и увидел крохотную красную лужицу.

Кровь.

Странные дела: Лэнгдон стоял прямо в ней.

У меня идет кровь?

У Лэнгдона ничего не болело, но он стал лихорадочно проверять, нет ли какой-нибудь раны или телесной реакции на невидимые токсины в воздухе. Из носа кровь не текла, из-под ногтей, из ушей — тоже.

Недоумевая, откуда могла взяться кровь, Лэнгдон огляделся, убеждаясь, что он действительно один на этих мостках.

Лэнгдон опять посмотрел на лужицу и заметил на этот раз, что к ней течет крохотная струйка. Мостки были слегка наклонены, и красная жидкость, перемещаясь по ним откуда-то, скапливалась у его ног.

Там кто-то ранен, подумал Лэнгдон. Он быстро взглянул на Брюдера, который приближался к середине водоема.

Лэнгдон торопливо пошел по мосткам вдоль струйки. Впереди, он видел, мостки заканчивались тупиком, а струйка между тем расширилась, потекла свободнее. *Что за чертовщина?* Это уже был небольшой ручеек. Перейдя на легкий бег, Лэнгдон быстро добрался до стены, где настил обрывался.

Тупик.

В угрюмой полутьме он увидел на мостках большую лужу, поблескивающую красным, словно кого-то здесь только что убили.

И вдруг, глядя на красную жидкость, капающую с настила в водоем, он понял, что ошибся.

Это не кровь.

Красная подсветка в подземном зале и красный цвет мостков породили обман зрения: капли, на самом деле прозрачные, казались кровавыми.

Всего-навсего вода.

Но вместо облегчения он ощутил оглушающий страх. Лужа на мостках... а еще и брызги на перилах... и следы обуви.

Кто-то вылез тут из воды.

Лэнгдон крутанулся, желая сообщить Брюдеру, но тот был далеко, к тому же оркестр оглушительно заиграл фортиссимо, где главенствовали медные духовые и литавры. Внезапно Лэнгдон почувствовал, что рядом с ним кто-то есть.

Я здесь не один.

Дальнейшее спрессовалось в считанные секунды. Лэнгдон повернулся к стене, в которую упирались мостки. Там в густой тени в трех-четырех шагах от него смутно виднелась округлая фигура, похожая на большой камень, закутанный в черную ткань. Лужа натекла с этой ткани. Фигура не шевелилась.

А потом пришла в движение.

Распрямилась, вскинула голову без черт лица, которая была спрятана в колени.

В черной парандже у стены, сжавшись в комок... — мелькнуло в голове у Лэнгдона.

Традиционная мусульманская женская одежда не оставляет участков открытой кожи, но, когда перед Лэнгдоном оказалась сетка, закрывающая лицо, он успел разглядеть два темных глаза, смотревших на него в упор сквозь узкую прорезь в ткани.

И вмиг все стало понятно.

Сиена Брукс рванулась из своего укрытия. Включив с первого же шага спринтерскую скорость, она врезалась в Лэнгдона, свалила его на мостки и понеслась по ним прочь.

Глава 93

гент Брюдер, который шел по грудь в воде, остановился. Только что впереди на дне водохранилища под галогеновым лучом фонарика блеснул металл.

Едва дыша, Брюдер сделал осторожный шаг вперед, боясь резким движением потревожить воду. Сквозь ее незамутненную толщу он видел теперь гладкий титановый прямоугольник, привинченный к полу.

Табличка Зобриста.

Вода была такая прозрачная, что, казалось ему, приглядись — и сможешь прочесть завтрашнюю дату и слова:

В ЭТОМ МЕСТЕ И В ЭТОТ ДЕНЬ
МИР ИЗМЕНИЛСЯ НАВСЕГДА

Не торопись, действуй обдуманно, сказал себе Брюдер, почувствовав прилив уверенности. *У нас еще есть целая ночь, чтобы это остановить.*

Помня видео Зобриста, Брюдер плавно переместил луч влево от таблички: там должен быть мешок из солюблона, не всплывающий из-за привязи. Напрягая зрение, Брюдер вглядывался в освещенную воду — и ничего не понимал.

Мешка не было.

Он сдвинул луч еще влево; теперь фонарик светил прямо туда, где на видео колыхался мешок.

Ничего.

Но... он же был здесь!

Стиснув зубы, Брюдер сделал еще один осторожный шаг к табличке и медленно обвел лучом всю зону вокруг нее.

Нет мешка. Только табличка.

На мгновение вспыхнула надежда: может быть, эта угроза, как и очень многое, что было сегодня, — только иллюзия?

Может быть, это был розыгрыш?!

Может быть, Зобрист всего лишь хотел напугать нас?!

А потом Брюдер увидел.

Слева от таблички, едва различимая на полу, лежала бечевка. Безжизненная, как дохлый водяной червяк. На одном конце ее — крохотный пластиковый зажим с лоскутками прозрачного солюблона.

Не двигаясь, Брюдер смотрел на остатки пластикового мешка. Они были похожи на клочья лопнувшего воздушного шарика.

Он медленно осознавал истину.

Мы опоздали.

Он представил себе, как погруженный в воду мешок растворяется, лопается... выпускает губительное содержимое... как оно поднимается на поверхность.

Дрожащим пальцем он погасил фонарик и несколько секунд постоял в темноте, пытаясь собраться с мыслями.

Эти мысли почти сразу оформились в молитву.

Помоги нам всем, Господи.

— Агент Брюдер, повторите! — крикнула Сински в рацию, спустившись в водохранилище до половины лестницы в попытке улучшить слышимость. — Я не поняла!

Снизу, овевая ее, струился к открытой наверху двери теплый воздух. Группа ПНР уже прибыла, ее участники ждали сообщения от Брюдера и готовились к операции, сосредоточившись позади здания, чтобы их защитные костюмы не бросались в глаза.

— ...обрывки мешка... — затрещал в наушниках Сински голос Брюдера. — ...и ...наружу.

Что?! Молясь, чтобы это оказалось обманом слуха, Сински ринулась дальше вниз по ступенькам.

— Повторите! — потребовала она почти у подножия лестницы, где оркестровая музыка звучала громче.

Теперь Брюдера было намного лучше слышно.

— ...повторяю... инфекция выпущена в воду!

Сински пошатнулась, наклонилась вперед и едва не упала перед входом в подземный зал. *Как это могло случиться?!*

— Мешок растворился, — громко, резко прозвучал голос Брюдера. — Инфекция в воде!

Сински прошиб холодный пот; она подняла глаза от пола и попыталась понять, что за подземный мир открылся перед ней здесь. Сквозь красноватый сумрак она увидела широкую водную гладь, из которой росли сотни колонн. Но самое главное — она увидела людей.

Сотни людей.

Сински обвела взглядом ничего не подозревающую массу слушателей, которых Зобрист поймал в смертельную ловушку. И выпалила то, что подсказал инстинкт:

— Агент Брюдер, идите сюда немедленно. Мы сию же секунду начинаем эвакуацию людей.

Брюдер отозвался мгновенно:

— Категорически нет! Перекройте выход! Чтобы все до единого оставались здесь!

Директор Всемирной организации здравоохранения Элизабет Сински привыкла к тому, чтобы ее приказы выполнялись без обсуждения. На секунду ей показалось, что она ослышалась. *Перекрыть выход?!*

— Доктор Сински! — загремел поверх музыки голос Брюдера. — Вы меня слышите?! Перекройте этот чертов выход!

Брюдер повторил еще раз, но это было излишне. Сински знала, что он прав. Перед лицом грозящей пандемии единственно разумный способ действий — локализация.

Сински безотчетно взялась за свой амулет из ляпис-лазури. *Пожертвовать меньшинством, чтобы спасти большинство.* Преисполняясь решимости, она поднесла к губам рацию.

— Вас поняла, агент Брюдер. Отдаю распоряжение перекрыть выход.

Но не успела Сински отвернуться от водохранилища, вид которого ее ужасал, и отдать приказ преградить людям выход из-под земли, как вдруг она почувствовала, что в гуще слушателей неспокойно.

Невдалеке показалась женщина в черной парандже. Она стремительно двигалась в ее сторону по мосткам, где было полно людей, расталкивая их направо и налево. Похоже, направлялась прямо к Сински и к выходу.

За ней кто-то гонится, поняла Сински, увидев и преследователя.

И тут Сински замерла. *Это Лэнгдон!*

Взгляд Сински метнулся от него обратно к женщине в парандже. Она приближалась очень быстро и теперь кричала всем, кто был вокруг, что-то по-турецки. Сински турецкого не знала, но, судя по реакции людей, бегущая кричала им: «Пожар!» — или что-то в этом роде.

По подземному залу покатилась волна паники, и вдруг оказалось, что к лестнице бегут не только женщина в черном и Лэнгдон, но и все остальные.

Повернувшись к приближающейся толпе спиной, Сински отчаянно завопила своим людям наверх через лестничную клетку:

— Заприте дверь! Перекройте выход! СЕЙЧАС ЖЕ!

К тому моменту как Лэнгдон, завернув за угол, вбежал на лестницу, Сински уже поднялась по ней до половины; надрывая голос, она раз за разом требовала, чтобы закрыли дверь. Сиена Брукс, которой мешала тяжелая мокрая паранджа, карабкалась за ней по пятам.

Преследуя Сиену, Лэнгдон чувствовал, как сзади накатывает волна охваченных ужасом посетителей концерта.

— Перекройте выход! — вновь закричала Сински.

Перескакивая на длинных ногах через три ступеньки, Лэнгдон быстро настигал Сиену. Наверху, он видел, тяжелая двустворчатая дверь водохранилища начала закрываться внутрь.

Слишком медленно.

Сиена догнала Сински, схватила за плечо, использовала его как опору и бешено устремилась дальше — к выходу. Сински споткнулась, рухнула на колени, и дорогой ее сердцу амулет, ударившись о бетонную ступеньку, раскололся надвое.

Преодолев побуждение помочь упавшей, Лэнгдон ринулся мимо нее к площадке над лестницей.

До Сиены ему оставалось совсем чуть-чуть, он почти уже мог дотянуться до нее рукой, но она выскочила на площадку, а дверь закрывалась недостаточно быстро. Не сбавляя темпа, Сиена ловко изогнулась стройным телом и боком втиснулась в узкую щель между створками.

Она уже была наполовину снаружи — и вдруг застряла в полушаге от свободы: паранджа зацепилась за задвижку. Сиена извивалась, стараясь высвободиться, а между тем Лэнгдон, протянув руку, схватил ее за паранджу. Он держал крепко, тянул материю к себе, наматывал на руку, пытался втащить Сиену назад, но она боролась исступленно, и внезапно Лэнгдон почувствовал, что держит только мокрую скомканную ткань.

Дверь почти захлопнулась, сдавив ткань и едва не прищемив Лэнгдону руки. Но смятая паранджа, зажатая между створками, мешала тем, кто толкал их снаружи, закрыть дверь полностью.

Сквозь узкую щель Лэнгдон увидел, как Сиена Брукс мчится по людной улице; ее обритая голова отсвечивала под фонарями. На ней были тот же свитер и джинсы, что и утром, и в Лэнгдоне вдруг поднялось горькое чувство: *меня предали.*

Это продлилось всего какое-то мгновение. Мощная, сминающая сила, налетев, придавила Лэнгдона к двери.

Это была толпа бегущих из подземного зала.

Лестничную клетку оглашали крики ужаса и смятения; звуки симфонического оркестра сменились какофонией. Давка усиливалась, Лэнгдону стало тяжело дышать, грудь, притиснутая к двери, заболела.

Дверь, не выдержав, распахнулась, и Лэндона вытолкнуло на темную улицу, как пробку из бутылки шампанского. Спотыкаясь, он еле удержался, чтобы не упасть на мостовую. Позади него подземелье извергало из себя людской поток, похожий на лавину муравьев, спасающихся из отравленного муравейника.

Из-за здания, услыхав шум, наконец появились люди из ПНР в полном защитном облачении и респираторах. Их вид мгновенно усилил панику.

Лэнгдон отвернулся от них и стал искать взглядом Сиену. Но видел только транспорт, уличные огни и людской хаос.

И вдруг слева, вдалеке, среди прохожих на вечерней улице мелькнул и исчез за углом слабый отсвет на безволосой голове.

Лэнгдон бросил отчаянный взгляд назад, надеясь увидеть Сински, или полицейских, или хотя бы одного человека из ПНР, не одетого в громоздкий защитный костюм.

Никого.

Лэнгдон понял, что должен действовать сам.

И без колебаний кинулся догонять Сиену.

Внизу, в самой глубине водохранилища, по пояс в воде стоял в одиночестве агент Брюдер. В темноте отдавались эхом крики объятых страхом туристов и музыкантов, проталкивающихся к выходу и исчезающих на лестничной клетке.

Дверь закрыть не успели, понял Брюдер, к своему ужасу. *Локализация не удалась.*

<h1 style="text-align: center;">Глава 94</h1>

рирожденным бегуном Роберт Лэнгдон не был, но, много лет посещая бассейн, он развил мускулатуру ног, к тому же шаги у него были длинные. За считанные секунды добежав до угла, он обогнул его и оказался на более широкой улице. Он обшарил взглядом оба тротуара.

Она должна быть здесь!

Дождь перестал, и вся хорошо освещенная улица была Лэнгдону отчетливо видна. Спрятаться было негде.

Но Сиена куда-то исчезла.

Переводя дыхание, уперев руки в бедра, Лэнгдон стоял на углу и оглядывал мокрую улицу. Единственным, что двигалось по ней, был городской автобус, который отъезжал от остановки шагах в пятидесяти.

Неужели села на автобус?

Это казалось рискованным решением. Сунуться в эту ловушку, зная, что все будут тебя искать? С другой стороны, если она думала, что никто не видел, за какой угол она свернула, и если автобус по случаю как раз стоял на остановке, она могла воспользоваться возможностью...

Могла.

Сверху на кабине автобуса светилась программируемая строка, показывающая, куда он едет. Одно-единственное слово: ГАЛАТА.

Лэнгдон подбежал к пожилому человеку, стоявшему под навесом около ресторана. Он был красиво одет: длинная рубаха с вышивкой, белый тюрбан.

— Прошу прощения, — обратился к нему запыхавшийся Лэнгдон. — Вы говорите по-английски?

— Конечно, — ответил тот, обеспокоенный настоятельным тоном Лэнгдона.

— *Галата!* Есть такое место?

— Галата? — переспросил незнакомец. — Мост Галата? Башня Галата? Порт Галата?

Лэнгдон показал на отходящий автобус.

— Галата! Куда он едет — туда и мне надо!

Человек в тюрбане подумал пару секунд, провожая автобус глазами.

— Мост Галата, — сказал он. — Этот мост идет от Старого города через залив.

Лэнгдон простонал, его взгляд еще раз исступленно метнулся вдоль улицы — но Сиены видно не было. Между тем завыли сирены, к водохранилищу пронеслись машины экстренных служб.

— Что-нибудь случилось? — встревоженно спросил незнакомец.

Лэнгдон еще раз посмотрел вслед автобусу; он знал, что действует наудачу, но другого выхода не было.

— Да, сэр, — ответил Лэнгдон. — Случилось, и мне нужна ваша помощь. — Он показал на гладкий серебристый «бентли», который служащий ресторана только что подогнал с парковки. — Это ваша машина?

— Да, но...

— Подвезите меня, — сказал Лэнгдон. — Я понимаю, вы меня первый раз видите, но дело пахнет катастрофой. Это вопрос жизни и смерти.

Человек в тюрбане посмотрел профессору в глаза долгим взглядом, словно исследуя его душу. Наконец кивнул:

— Залезайте.

«Бентли» так рванул с места, что Лэнгдон схватился за сиденье. Владелец машины явно был опытным водителем, он ловко лавировал на скорости, и погоня за автобусом, похоже, доставляла ему удовольствие.

Не проехав и трех кварталов, он уже пристроился автобусу в хвост. Наклонившись вперед, Лэнгдон всматривался в заднее окно автобуса. Но свет в нем был тусклый, и Лэнгдон видел только неясные силуэты пассажиров.

— Держитесь за автобусом, пожалуйста, — сказал Лэнгдон. — И есть у вас телефон?

Хозяин «бентли» вынул из кармана сотовый телефон и протянул пассажиру; Лэнгдон горячо его поблагодарил, но тут же понял, что понятия не имеет, кому звонить. Контактных номеров Сински и Брюдера у него не было, а звонить в Швейцарию в ВОЗ — на это ушла бы целая вечность.

— Как мне позвонить в местную полицию? — спросил Лэнгдон.

— Один-пять-пять, — ответил человек за рулем. — Из любого места в Стамбуле.

Лэнгдон набрал номер и очень долго слышал одни гудки. Наконец автоответчик сказал ему по-турецки и по-английски, что из-за большого количества звонков ему придется подождать на линии. *Не из-за того ли, что случилось в водохранилище, все эти звонки?* — подумал Лэнгдон.

В подземном дворце сейчас, наверно, полный хаос. Он представил себе Брюдера, бредущего в воде, и задался вопросом, что он там обнаружил. У Лэнгдона было гнетущее чувство, что он знает ответ.

Сиена побывала в воде раньше Брюдера.

Впереди вспыхнули тормозные огни автобуса, и он остановился на остановке. Водитель «бентли» тоже затормозил и встал метрах в пятнадцати за автобусом. Лэнгдону было отлично видно, кто сходит с автобуса и кто садится. Вышли только трое, и все мужчины, но Лэнгдон, зная способность Сиены к перевоплощению, внимательно всматривался в каждого.

Потом опять перевел взгляд на заднее окно автобуса. Стекло там было дымчатое, но лампы в салоне сейчас горели ярко, и Лэнгдон видел пассажиров гораздо лучше. Он наклонился вперед, вытянул шею и чуть ли не прижался лицом к ветровому стеклу «бентли», высматривая Сиену.

Я решил действовать наудачу... неужели проиграл?!

И тут он ее заметил.

В самом хвосте автобуса — худые плечи, бритый затылок.

Это может быть только Сиена.

Когда автобус поехал, свет в нем снова стал тусклым. За мгновение до того, как бритая голова погрузилась во мглу, Сиена обернулась лицом к заднему окну.

Лэнгдон пригнулся. *Увидела она меня?* Тем временем человек в тюрбане тронулся с места, не отпуская автобус.

Улица теперь пошла вниз, к берегу, и Лэнгдон увидел перед собой огни на мосту, низко нависавшем над водой. Мост, похоже, был полностью забит транспортом. Да и весь участок перед ним был запружен машинами.

— Рынок специй, — сказал хозяин «бентли». — Он очень популярен дождливыми вечерами.

Он показал на длиннющее здание на берегу, над которым возвышалась одна из самых красивых мечетей Стамбула. Новая мечеть, сообразил Лэнгдон, судя по двум знаменитым высоким минаретам. Рынок специй превосходил размерами большой американский торговый центр, и Лэнгдону видно было, как люди сплошным потоком выходят и входят в его огромную арочную дверь.

— Alo! — негромко прозвучало где-то в машине. — Acil Durum! Alo!*

Лэнгдон опустил взгляд на телефон у себя в руке. *Полиция.*

— Алло! — закричал Лэнгдон, подняв телефон к уху. — Меня зовут Роберт Лэнгдон. Я действую по поручению Всемирной организации здравоохранения. В подземном водохранилище случилось чрезвычайное происшествие, и я преследую женщину, которая несет за него ответственность. Она едет на автобусе в районе Рынка специй в сторону...

— Подождите, пожалуйста, — сказал дежурный. — Я соединю вас с диспетчером.

— Нет, постойте!..

Но Лэнгдона опять перевели в режим ожидания. Хозяин «бентли» испуганно повернулся к нему:

— Чрезвычайное происшествие в подземном водохранилище?!

Лэнгдон начал было рассказывать ему о случившемся, но вдруг лицо водителя озарилось багровым светом, как у демона.

Тормозные огни!

Голова в тюрбане дернулась, и «бентли» резко затормозил прямо за автобусом. Лампы в автобусе снова ярко загорелись, и Лэнгдон увидел Сиену очень отчетливо. Она стояла у задней двери, раз за разом дергала за шнур экстренной остановки и колотила в дверь, требуя ее выпустить.

---

*   Алло! Служба экстренной помощи! Алло! (*турецк.*)

Заметила меня, сообразил Лэнгдон. И еще, несомненно, Сиена заметила пробку на мосту Галата и поняла, что не может себе позволить в нее попасть.

Лэнгдон мигом открыл дверь машины, но Сиена уже соскочила с автобуса и ринулась в темноту. Лэнгдон кинул сотовый телефон обратно владельцу.

— Сообщите в полицию о том, что случилось! Скажите, чтобы оцепили район!

Человек в тюрбане испуганно кивнул.

— И большое вам спасибо! — крикнул Лэнгдон. — Teşekkürler!*

Крикнул и бросился вниз по наклонной улице следом за Сиеной, которая бежала прямо в скопление людей у Рынка специй.

---

* Спасибо! (*турецк.*)

Глава 95

рехсотлетний стамбульский Рынок специй — один из крупнейших крытых рынков в мире. Построенный в форме буквы Г, этот обширный комплекс состоит из восьмидесяти восьми сводчатых залов с сотнями торговых точек и рядов, где местные торговцы экспансивно предлагают покупателям вкусный товар со всех концов земли. Здешнее разнообразие приводит в оторопь: тут и специи, и фрукты, и травы, и непременный рахат-лукум.

Вход в здание рынка — массивная готическая каменная арка — находится на углу Чичек-пазары и улицы Тахмис, и утверждают, что за день через эту арку проходит более трехсот тысяч человек.

Лэнгдону, бежавшему к рынку сквозь густую толпу, казалось, что все триста тысяч пришли сюда разом. Не отпуская взглядом Сиену, он изо всех сил старался ее догнать. Между ними теперь было всего шагов двадцать; она двигалась, не сбавляя скорости, прямиком ко входу на рынок.

Добежав до арки, она попала в самое многолюдье и стала пробираться, проталкиваться внутрь. С порога бросила взгляд назад, и Лэнгдон увидел отчаянные глаза маленькой девочки... потерявшей голову от испуга.

— Сиена! — закричал он.

Но она кинулась в человеческое море и исчезла в нем.

Лэнгдон нырнул следом; он налетал на людей, протискивался, вытягивал шею — и наконец увидел, как она повернула налево, в западное крыло здания.

Его окружали горы экзотического товара — индийского карри, иранского шафрана, китайского цветочного чая; он двигался по многоцветному коридору, где преобладали оттенки желтого и коричневого. Каждый шаг приносил новый запах: пикантные грибы, горькие коренья, мускусные масла насыщали своими ароматами воздух, где стоял оглушительный гул голосов на всех языках. Настоящий пир для зрения и обоняния... под непрекращающийся говор толпы.

Многотысячной толпы.

Ощутив мучительный приступ клаустрофобии, Лэнгдон едва не остановился, но усилием воли погнал себя дальше в глубь рынка. Он видел Сиену, до нее было недалеко, но она пробивалась вперед со стальным упорством. Она явно была намерена идти до конца... куда бы это ее ни привело.

На мгновение Лэнгдон заколебался: зачем он ее преследует?

Ради справедливости? Но, отдавая себе отчет в том, что́ Сиена совершила, Лэнгдон и думать боялся, как сурово ее накажут, если поймают.

Чтобы предотвратить пандемию? Но что сделано — то сделано.

Лавируя в гуще незнакомых людей, Лэнгдон внезапно понял, почему ему так хочется догнать Сиену Брукс.

Мне нужно получить ответы.

Сиена, до которой оставалось каких-нибудь десять шагов, направлялась к выходу в конце западного крыла. Вдруг она бросила еще один взгляд назад, в глазах ее читался страх из-за того, что Лэнгдон так близко. Повернувшись вперед, споткнулась и начала падать.

Головой Сиена налетела на плечо человека, шедшего впереди. Он пошатнулся, а она выбросила вбок правую руку, ища, за что уцепиться. Нашла только край бочки с каштанами, в отчаянии схватилась за него и опрокинула бочку на себя, засыпая пол ее содержимым.

Три прыжка — и Лэнгдон уже был там, где она упала. Посмотрел вниз, но увидел только поваленную бочку и каштаны. Никакой Сиены.

Торговец дико кричал.

Куда она делась?!

Лэнгдон огляделся, но Сиены как не бывало. К тому времени как его взгляд обратился к западному выходу, до которого было

всего-навсего шагов пятнадцать, он понял, что ее картинное падение отнюдь не было случайным.

Лэнгдон бросился к выходу и выбежал на огромную площадь,
где тоже было полно народу. Стал искать Сиену глазами, но
тщетно.

Прямо перед ним, по ту сторону многополосной городской
трассы, был мост Галата, пересекающий широкий залив Золотой Рог.
Справа ярко светились над площадью два минарета Новой мечети.
А слева — ничего, только площадь... запруженная людьми.

Гудок автомобиля заставил Лэнгдона опять посмотреть вперед,
где площадь отделяла от воды трасса. И тут он увидел Сиену, она
оторвалась от него шагов на сто и перебегала дорогу, лавируя
между несущимися машинами; ее едва не расплющило в лепешку
между двумя грузовиками. Она направлялась к морю.

Слева от Лэнгдона на берегу Золотого Рога был транспортный
узел, где жизнь кипела вовсю: автобусы, такси, паромы, прогулоч-
ные катера.

Лэнгдон кинулся через площадь к шоссе. Оказавшись перед
ограждением, взглянул на приближающиеся фары и, удачно рас-
считав прыжок, благополучно преодолел первое из нескольких
двухполосных дорожных полотен. Секунд пятнадцать, осле-
пляемый фарами и оглушаемый сердитыми гудками, Лэнгдон
рывками двигался от разделительной полосы к разделительной
полосе: останавливался, бежал, лавировал — и наконец, пере-
скочив через ограждение, приземлился на травянистом морском
берегу.

Сиена, хотя он по-прежнему ее видел, была уже далеко впереди: минуя стоянки такси и автобусов, она рванула прямо к пристани — туда, где причаливали и отчаливали всевозможные суда:
экскурсионные баржи, водные такси, частные рыболовные катера,
быстроходные моторные лодки. На той стороне Золотого Рога
мерцали огни города, и Лэнгдон не сомневался: если Сиена пере-
правится через залив, надежды настигнуть ее не останется, беглян-
ка исчезнет, по всей вероятности, навсегда.

Оказавшись наконец у воды, Лэнгдон повернул налево и бросился бежать вдоль мостков, привлекая удивленные взгляды туристов из очереди на подплывающий теплоход-ресторан — на одно
из целой флотилии безвкусно украшенных судов с навесами, ими-

тирующими купола мечетей, с золотыми завитушками на бортах, с мигающими неоновыми огнями.

Лас-Вегас на Босфоре, мысленно простонал Лэнгдон, несясь мимо.

Сиена, заметил он издали, уже не бежала. Остановилась на той части пристани, у которой стояли частные катера, и обратилась к владельцу одного из них.

Не пускай ее на борт!

Приблизившись, он увидел, что Сиена разговаривает с молодым человеком, стоящим у штурвала элегантного катера и, похоже, собирающимся отплыть прямо сейчас. Владелец вежливо улыбался, но отрицательно качал головой. Сиена продолжала говорить и жестикулировать, но он повернулся к штурвалу: судя по всему, отказал ей наотрез.

Лэнгдон подбегал все ближе, Сиена на мгновение повернулась к нему, и выражение ее лица показалось ему совершенно отчаянным. Между тем заработали, вспенивая воду, два подвесных мотора, и катер двинулся от причала.

И тут Сиена взлетела в воздух. Прыгнув с причала, она со стуком приземлилась на фибергласовую корму. Почувствовав толчок, молодой человек изумленно повернулся к ней. Затем перевел двигатели катера, отдалившегося от берега уже метров на двадцать, на холостой ход. И, сердито крича, двинулся на корму к непрошеной пассажирке.

Когда он приблизился к ней, Сиена легко отступила в сторону, схватила мужчину за запястье и, используя скорость его собственного движения, перекинула его через кормовой борт. Он плюхнулся в воду головой вперед. Спустя пару секунд вынырнул, отплевываясь, дико колотя по воде руками и выкрикивая что-то по-турецки — ругательства, ясное дело.

С бесстрастным видом Сиена кинула ему в воду спасательную подушку, перешла к штурвалу и включила передачу обоих моторов.

Двигатели взревели, и катер рванулся вперед.

Лэнгдон, тяжело дыша, стоял на пристани и смотрел, как изящное белое судно скользит по воде прочь, превращаясь в призрачный силуэт в темноте. Он поднял взгляд к горизонту, понимая, что Сиене теперь доступен не только противоположный берег, но и вся обширная сеть водных путей между Черным и Средиземным морями.

Ищи-свищи.

Владелец катера выбрался на берег, поднялся на ноги и кинулся звонить в полицию.

Глядя, как удаляются фонари угнанного катера, Лэнгдон испытывал острое ощущение одиночества. Звук мощных моторов постепенно замирал вдалеке.

И вдруг звук оборвался.

Лэнгдон вгляделся в темноту залива. *Заглушила двигатели?*

Огни катера перестали удаляться, они мягко покачивались на небольших волнах Золотого Рога. Почему-то Сиена Брукс остановила судно.

Кончился бензин?

Он прислушался, подняв ладони к ушам, и теперь ему стал слышен тихий рокот моторов на холостом ходу.

Если бензин не кончился, в чем же дело?

Лэнгдон ждал.

Десять секунд. Пятнадцать. Тридцать.

Потом, неожиданно, моторы снова зазвучали громче — вначале как-то нерешительно, а затем уверенней. К изумлению Лэнгдона, огни катера двинулись по широкой дуге, и вот уже нос судна смотрит обратно.

Она возвращается.

Катер приближался, и Лэнгдон теперь уже видел Сиену у штурвала, она смотрела вперед отсутствующим взглядом. Метров за тридцать от пристани сбавила ход и благополучно подошла к тому же месту, где катер стоял. После чего заглушила моторы.

Тишина.

Лэнгдон, не веря случившемуся, таращился на нее сверху вниз.

Она не поднимала глаз.

И внезапно закрыла лицо руками. Сгорбилась, и ее стала бить дрожь. Когда она наконец посмотрела на Лэнгдона, ее глаза были полны слез.

— Роберт! — прорыдала она. — Я не могу больше бегать. Мне некуда податься.

Глава 96

Инфекция выпущена.

Элизабет Сински стояла у подножия лестницы, ведущей к водохранилищу, и оглядывала покинутый людьми зал. Респиратор затруднял ей дыхание. Хотя вся зараза, какая здесь могла быть, вероятно, уже на нее подействовала, Сински, когда она в сопровождении группы ПНР вошла в опустевшее помещение, испытывала облегчение от того, что на ней защитный костюм. Агенты, как и она, были одеты в пухлые комбинезоны, соединенные с воздухонепроницаемыми шлемами, и группа выглядела как отряд астронавтов, проникший в космический корабль инопланетян.

Сински знала, что наверху, на улице, сотни перепуганных слушателей и десятки музыкантов в смятении жмутся друг к другу, что многим оказывают помощь после травм, полученных в давке. Наверняка были и такие, кто покинул место событий. Она чувствовала, что легко отделалась: всего-навсего ушибленное колено и разбитый амулет.

Быстрее вируса, думала Сински, *распространяется только страх.*

Дверь наверху была теперь заперта, герметизирована, и ее охраняла турецкая полиция. До ее прибытия Сински предполагала, что с местными полицейскими, когда они тут окажутся, начнется выяснение, кто здесь главный, но, едва они увидели костюмы биозащиты и услышали предостережения Сински, все потенциальные конфликты исчезли в зародыше.

Мы можем рассчитывать только на себя, думала директор ВОЗ, глядя на лес колонн, отраженных в воде. *Спускаться сюда никто не жаждет.*

Позади нее двое оперативников натягивали поперек прохода на лестницу огромное полиуретановое полотнище и прикрепляли его к стене тепловой пушкой. Двое других выбрали удобное место на мостках и начали устанавливать электронное оборудование, как криминалисты, готовящиеся обследовать место преступления.

Это оно и есть, подумала Сински. *Место преступления.*

Она в очередной раз вспомнила женщину в мокрой парандже, убежавшую из водохранилища. По всему выходило, что Сиена Брукс, рискуя собственной жизнью, намеренно сорвала операцию ВОЗ по локализации инфекции, чтобы исполнить извращенную волю Зобриста. *Она спустилась сюда и разорвала мешок из солюблона...*

Лэнгдон пустился преследовать Сиену по темным улицам, и у Сински до сих пор не было сведений ни о нем, ни о ней.

Надеюсь, с профессором Лэнгдоном ничего не случилось, думала она.

Агент Брюдер в одежде, с которой капало, стоял на мостках, смотрел пустым взглядом на перевернутую голову Медузы и думал, как быть дальше.

Как сотрудник службы ПНР Брюдер привык мыслить на макроуровне, отметая всю менее важную моральную и персональную конкретику, сосредоточиваясь на том, чтобы спасти как можно больше жизней не только сейчас, но и в дальней перспективе. Угроза собственному здоровью до этого момента мало его волновала. *Я окунулся прямо в эту заразу*, думал он теперь, упрекая себя за рискованное поведение и вместе с тем зная, что выбора у него не было. *Нам нужно было действовать быстро.*

Усилием воли Брюдер переключился мысленно на текущую задачу: на план «Б». Когда локализация не удается, план «Б», увы, всегда один: *увеличить радиус*. Борьба с инфекцией зачастую напоминает борьбу с лесным пожаром: иной раз приходится отступить, намеренно проиграть сражение в надежде выиграть войну.

Брюдер все еще допускал, что на эту минуту возможна даже и полная локализация. Скорее всего Сиена Брукс разорвала мешок за считанные минуты до всеобщей паники и бегства. Если так, то люди, хотя их количество исчислялось сотнями, возможно, не успели заразиться, потому что были слишком далеко от источника инфекции.

Кроме Лэнгдона и Сиены, подумал Брюдер. *Оба побывали здесь, в эпицентре, а теперь находятся где-то в городе.*

У Брюдера была и другая забота на уме: его продолжала беспокоить одна нестыковка. Он так и не нашел в воде поврежденного пластикового мешка как такового. Брюдеру казалось: если, ударив по мешку ногой, разорвав его или еще как нибудь, содержимое из него выпустила Сиена, то солюблоновая оболочка должна плавать где-то поблизости.

Но Брюдер ее не нашел. Остатки мешка куда-то пропали. Брюдер сильно сомневался, что Сиена могла унести это расползающееся месиво с собой.

Так где же мешок?

Брюдера грызло чувство, что он чего-то не знает. Но как бы то ни было, он сосредоточился на локализации, на ее стратегии в новых условиях, требовавшей ответа на один ключевой вопрос.

Каков теперешний радиус распространения инфекции?

Брюдер знал, что ответ будет получен через считанные минуты. Его группа уже установила на мостках на разных расстояниях от эпицентра переносные устройства для обнаружения вируса. Эти устройства — приборы ПЦР — основаны на так называемой полимеразной цепной реакции.

Агент Брюдер сохранял надежду. Поскольку вода в подземном озере стоячая и времени прошло очень мало, можно было рассчитывать, что приборы ПЦР зафиксируют заражение сравнительно небольшой зоны, которую затем удастся дезинфицировать химикалиями и отсасывающими воду устройствами.

— Готовы? — спросил через мегафон техник.

Агенты в разных местах водохранилища утвердительно подняли большие пальцы.

— Проверяйте образцы, — треща, скомандовал мегафон.

По всему подземному залу аналитики склонились к приборам ПЦР. Каждый прибор приступил к анализу образца воды, взятого в одной из точек на концентрических дугах вокруг таблички Зобриста.

Все затихли в ожидании, молясь о том, чтобы загорелись только зеленые лампочки.

А потом началось.

На ближайшем к Брюдеру приборе замигала красная лампочка, сигнализирующая о наличии вируса. Мышцы Брюдера напряглись, и он перевел взгляд на следующий прибор.

Он тоже замигал красным.

Нет...

В подземелье поднялся тихий ошеломленный говор. Брюдер в ужасе смотрел, как один за другим все приборы ПЦР, включая ближайший к выходу, замигали красным.

О Господи... — думалось ему. Море мигающих красных огней отвечало на вопрос яснее ясного.

Радиус заражения огромен.

Все водохранилище кишит вирусами.

Глава 97

оберт Лэнгдон смотрел сверху вниз на Сиену Брукс, сгорбившуюся у штурвала катера, и тщетно пытался понять происходящее.

— Я знаю, что вы презираете меня, — прорыдала она, глядя на него сквозь слезы.

— Презираю вас?! — воскликнул Лэнгдон. — Да я понятия не имею, *кто вы такая!* Вы только и делали, что лгали мне!

— Я знаю, — тихо сказала она. — Простите меня. Я пыталась сделать то, что считала правильным.

— Распространить чуму?

— Нет, Роберт, вы не понимаете.

— Я *отлично* все понимаю! — возразил Лэнгдон. — Вы влезли в воду, чтобы разорвать мешок из солюблона! Вы стремились высвободить вирус Зобриста, пока не приняты меры по локализации!

— Мешок из солюблона? — Сиена смотрела на него недоуменно. — Не знаю, о чем вы говорите, Роберт. Я спустилась в водохранилище, чтобы *не дать* вирусу Бертрана распространиться... чтобы *выкрасть* его и уничтожить навсегда... чтобы никто, включая доктора Сински и ВОЗ, не мог его изучать.

— Выкрасть? Но что плохого могла сделать ВОЗ?

Сиена испустила долгий вздох.

— Вы многого не знаете, Роберт, но все это уже не важно. Мы очень сильно опоздали. У нас не было никаких шансов.

— Как не было шансов?! Вирус должен был выйти на свободу *завтра!* Зобрист выбрал эту дату, и если бы вы не вошли в воду...

— Роберт, я *не выпускала* вируса! — закричала Сиена. — Я вошла в воду, чтобы его найти, но было уже поздно. Там ничего не было.

— Не верю, — сказал Лэнгдон.

— Знаю, что не верите. И не виню вас в этом. — Она сунула руку в карман и достала намокший буклет. — Но может быть, это поможет вам поверить. — Она кинула буклет Лэнгдону. — Нашла незадолго перед тем, как войти в воду.

Он поймал сложенный лист и открыл. Это была программка семи ежедневных исполнений «Данте-симфонии».

— Посмотрите на даты, — сказала она.

Лэнгдон прочел даты, потом, удивленный, прочел их еще раз. Почему-то он был уверен, что сегодняшний концерт был первым из семи, организованных для того, чтобы целую неделю люди приходили в зараженный зал. Программка, однако, говорила иное.

— Сегодня был *заключительный* концерт? — спросил Лэнгдон, подняв глаза на Сиену. — Оркестр уже неделю как играл?

Сиена кивнула.

— Я была так же удивлена, как вы. — Она помолчала, угрюмо глядя на Лэнгдона. — Вирус уже выпущен, Роберт. Выпущен неделю назад.

— Этого не может быть, — возразил Лэнгдон. — Ведь дата — *завтра*. Зобрист даже сделал табличку с завтрашним числом.

— Да, я видела ее в воде.

— То есть вы знаете, что у него на уме был *завтрашний* день.

Сиена вздохнула.

— Роберт, я скрывала от вас то, как хорошо я знала Бертрана. Он был ученый, он был нацелен на достижение результата. Сейчас мне ясно, что дата на табличке — это не дата *высвобождения* вируса. Тут другое, тут кое-что более важное для его целей.

— Что именно?

Взгляд Сиены стал мрачно-торжественным.

— Это дата глобального насыщения. Математически предсказанный момент, после которого вирусом будет заражен весь мир... все люди до единого.

Лэнгдона пробрала дрожь до самого нутра — и все-таки он не мог отделаться от подозрения, что Сиена лжет. Он видел в ее версии прокол, и, кроме того, она уже доказала, что верить ей нельзя ни в чем.

— Одна проблема, Сиена, — сказал он, глядя на нее в упор. — Если эта чума уже разошлась по всему миру, почему люди не заболевают?

Сиена отвела взгляд, вдруг неспособная смотреть ему в глаза.

— Если эта чума гуляет целую неделю, — не отступал Лэнгдон, — почему люди не умирают?

Она медленно повернулась к нему.

— Потому что... — начала она. Слова застревали у нее в горле. — Бертран не чуму создал. — Ее глаза опять налились слезами. — А кое-что намного более опасное.

Глава 98

есмотря на кислород, исправно поступавший из респиратора, Элизабет Сински была точно в бреду. С тех пор как приборы ПЦР обнаружили жуткую истину, прошло пять минут.

Наши возможности улетучились уже давно.

Мешок из солюблона, как стало ясно, растворился еще на прошлой неделе — скорее всего в день первого из концертов; Сински теперь знала, что оркестр играл семь вечеров подряд. Несколько лоскутков солюблона на конце бечевки сохранились только потому, что эта часть мешка была намазана клеем для более прочного соединения с зажимом.

Инфекция неделю гуляет на свободе.

Не имея возможности изолировать патоген, люди из ПНР развернули в подземном зале импровизированную лабораторию и сосредоточили внимание на взятых образцах: анализ, классификация, оценка угрозы. Таков был их обычный порядок действий в неблагоприятных случаях. На данный момент приборы ПЦР твердо установили только один факт, касающийся вируса, и этот факт никого не удивил.

Вирус распространяется и воздушным путем.

Содержимое мешка, судя по всему, поднялось к поверхности воды, и в воздухе возник инфицированный аэрозоль. Сински знала: *его не так уж много и нужно, тем более в замкнутом помещении вроде этого.*

Вирусы распространяются среди населения гораздо быстрее, чем бактерии или химические патогены, и их проникающая способность намного выше. Вирусы — это паразиты. Они входят в организм и заражают клетку-хозяина за счет так называемой ад-сорбции. Затем вводят в эту клетку свою ДНК или РНК, пораба-щают ее и принуждают к репликации вируса, то есть к его вос-произведению во множестве экземпляров. Когда экземпляров накапливается достаточно, новые вирусы прорывают оболочку клетки, убивают ее и ищут другие клетки, которые можно атако-вать; процесс повторяется.

Зараженный вирусом человек, кашляя, чихая или просто дыша, посылает в окружающую среду мелкие капельки; они некоторое время плавают в воздухе, и если их вдыхает другой человек, тот же процесс начинается в его организме.

Экспоненциальный рост, думала Сински, вспоминая графики, которыми Зобрист иллюстрировал взрывное увеличение населения Земли. *Зобрист использует экспоненциальное размножение вируса для борьбы с экспоненциальным ростом числа людей.*

Но главным, что ее жгло, был вопрос: как поведет себя этот вирус?

Точнее: *как он будет атаковать организм?*

Вирус Эбола воздействует на способность крови к свертыванию, вызывая неостановимое кровотечение. Хантавирус наруша-ет работу легких. Онковирусы способствуют развитию рака. Ви-рус ВИЧ атакует иммунную систему, вызывая СПИД. Для меди-ков не секрет, что будь вирус ВИЧ способен распространяться по воздуху, он мог бы привести к вымиранию человечества.

Что же делает с людьми вирус Зобриста, черт бы его драл?

Что бы он ни делал, эффект явно не был быстрым... пациентов с необычными симптомами в больницы города пока не поступало.

С нетерпением ожидая ответа, Сински двинулась в сторону лаборатории. Она увидела Брюдера: он стоял у подножия лестни-цы, где его сотовый телефон худо-бедно ловил сигнал, и вполго-лоса с кем-то по нему разговаривал.

Она поспешила к Брюдеру; он как раз заканчивал, когда она подошла.

— Ясно, — сказал агент; его лицо выражало изумление и ужас. — И подчеркиваю еще раз: строжайшая конфиденциаль-ность. Никаких посторонних глаз на данный момент, только ваши. Позвоните мне, если еще что-то узнаете. Спасибо.

Он дал отбой.

— Что там такое? — требовательно спросила Сински.

Брюдер медленно перевел дух.

— Я говорил со старым знакомым из Центра профилактики и контроля заболеваний в Атланте.

Сински взорвалась:

— Вы их известили без моей санкции?

— Беру ответственность на себя, — ответил он. — На его молчание можно положиться, и нам нужны гораздо более обширные данные, чем можно получить в этой импровизированной лаборатории.

Сински бросила взгляд на горстку оперативников из ПНР, которые брали пробы воды и снимали показания портативных приборов. *Он прав.*

— Мой знакомый, — продолжил Брюдер, — сейчас находится в хорошо оснащенной микробиологической лаборатории, и он только что подтвердил существование чрезвычайно заразного и ранее неизвестного патогенного вируса.

— Погодите! — перебила его Сински. — Как он мог так быстро получить образцы?

— Очень просто, — напряженным голосом ответил Брюдер. — Он взял на анализ свою собственную кровь.

Смысл услышанного Сински поняла мгновенно.

Вирус уже распространился по всему миру.

Глава 99

Энгдон шел медленно, чувствуя себя каким-то бесплотным: он точно смотрел необычайно явственный кошмарный сон. *Что может быть опаснее чумы?*

С тех пор как Сиена вылезла из катера, она ничего больше не сказала; она поманила Лэнгдона за собой по безлюдной дорожке, усыпанной гравием, которая уводила от пристани и от скопления людей.

Хотя плакать Сиена перестала, Лэнгдон чувствовал, что внутри у нее буря эмоций. Он слышал дальние сирены, но Сиена на эти звуки не реагировала. Она смотрела себе под ноги ничего не выражающим взглядом, словно загипнотизированная ритмическим хрустом гравия.

Они вошли в небольшой парк, и Сиена привела его в густую рощицу, надежно скрывшую их от посторонних. Они сели на скамейку, с которой был виден залив. На той его стороне над жилыми домами, которыми застроен холмистый берег, возвышалась древняя башня Галата. Город, как ни удивительно, выглядел отсюда спокойным и безмятежным — ничего общего, думал Лэнгдон, с тем, что, вероятно, происходит в водохранилище. Сейчас уже, предполагал он, Сински и группа ПНР скорее всего поняли, что опоздали и не смогут остановить чуму.

Сиена, сидя с ним рядом, тоже смотрела через залив.

— У меня не так много времени, Роберт, — сказала она. — Власти рано или поздно выследят меня. Но до этого я расскажу вам правду... всю, как она есть.

Лэнгдон молча кивнул. Сиена вытерла глаза и повернулась на скамейке к нему лицом.

— Бертран Зобрист... — начала она. — Он был моим первым возлюбленным. И он стал моим учителем.

— Мне это уже сообщили, Сиена, — сказал Лэнгдон.

Она посмотрела на него изумленно, но продолжила говорить, словно боясь потерять разгон:

— Я познакомилась с ним в восприимчивом возрасте, и его идеи и интеллект покорили меня. Бертран считал, и я с ним согласна, что наш вид стоит на грани катастрофы... что нам грозит жуткий конец и он приближается куда быстрей, чем кто-либо осмеливается признать.

Лэнгдон ничего не говорил в ответ.

— Все детство, — сказала Сиена, — я хотела спасти мир. И все мне говорили одно: «Спасти мир тебе все равно не по плечу, так что не пытайся, не жертвуй своим счастьем». — Она приумолкла, и по напряженному лицу было видно, что она едва сдерживает слезы. — Потом я встретила Бертрана — красивого, блестящего человека, который сказал мне, что нам по плечу спасти мир, мало того — это наша моральная обязанность. Он ввел меня в круг единомышленников — людей с потрясающими дарованиями и интеллектом... людей, поистине *способных* изменить будущее. Впервые в жизни, Роберт, я почувствовала, что не одна.

Лэнгдон мягко улыбнулся, понимая, сколько боли стоит за ее словами.

— Мне кое-что ужасное пришлось пережить до этого, — продолжила Сиена прерывающимся голосом. — Такие вещи трудно оставить в прошлом... — Она отвела взгляд от Лэнгдона и в смятении прикоснулась ладонью к бритой голове. Но затем собралась и опять повернулась к нему. — Может быть, поэтому единственное, что меня держит, — это вера в нашу способность стать лучше, чем мы есть... в нашу способность действовать ради того, чтобы избежать всеобщей катастрофы.

— И Бертран тоже в это верил? — спросил Лэнгдон.

— Свято верил. Бертран возлагал колоссальные надежды на человечество. Он был трансгуманист, он был убежден, что мы стоим на пороге великолепной переходной эпохи, когда человек станет иным. Его ум был обращен в будущее, он заглядывал в него и видел то, что мало кто способен даже вообразить. Он понимал, что возможности технологии поразительны, верил, что за несколько поколений люди как биологический вид могут переме́ниться радикально. Что генетика может сделать нас здоровее, умнее, сильнее и даже способнее к состраданию. — Она помолчала. — Но он видел одно препятствие. Он не думал, что нам отпущено достаточно времени для осуществления этой возможности.

— Перенаселенность... — промолвил Лэнгдон.

Она кивнула:

— Мальтузианская катастрофа. Бертран не раз говорил мне, что чувствует себя святым Георгием, пытающимся убить хтоническое чудище.

Лэнгдон не понял, что она имеет в виду.

— Медузу?

— Да — в метафорическом смысле. Медуза, как и все племя хтонических божеств, потому живет под землей, что связана с Матерью Землей напрямую. Хтонические существа всегда считались символами...

— Плодовитости, — догадался Лэнгдон, удивляясь, как это не пришло ему в голову раньше. *Деторождения. Многолюдства.*

— Да, плодовитости, — подтвердила Сиена. — Бертран уподоблял хтоническому чудищу нашу самоубийственную склонность к бесконтрольному размножению. Он говорил о переизбытке потомства как о чудище, которое маячит на горизонте... с которым надо начинать борьбу сейчас, пока оно не пожрало нас всех.

Наша сексуальная энергия оборачивается злом для нас самих, подумал Лэнгдон. *Хтоническое чудище.*

— И Бертран решил сразиться с этим чудищем... но каким оружием?

— Поймите, прошу вас, — сказала она, пытаясь оправдаться, — из этого положения простых выходов нет. Приходится жертвовать меньшим, чтобы спасти большее, а это всегда тяжелое, неприятное дело. Человек, отрезающий ногу трехлетнему ребенку, страшный преступник... если только он не врач, который спасает ребенка от гангрены. Иногда необходимо выбирать меньшее из двух зол. — К ее глазам опять подступили слезы. — У Бертрана была благородная цель, в этом я убеждена... но средства...

Она отвернулась. Она была на грани срыва.

— Сиена, — негромко, мягко проговорил Лэнгдон. — Мне надо понять, что произошло. Объясните мне, что Бертран сделал. *Что* он выпустил в мир?

Сиена опять посмотрела на него; в ее нежных карих глазах стоял мучительный страх.

— Он выпустил вирус, — сказала она. — Вирус особого типа.

У Лэнгдона сперло дыхание.

— Какой вирус?

— Бертран создал так называемый *вирусный вектор*. Это вирус, специально сконструированный для того, чтобы вносить в атакуемые клетки генетическую информацию. — Сиена помолчала, давая ему время усвоить услышанное. — Вирусный вектор... не *убивает* клетку-хозяина... а внедряет в нее определенный элемент ДНК, по сути дела *модифицируя* ее геном.

Лэнгдону нелегко было это осмыслить. *Вирус изменяет нашу ДНК?*

— Коварство этого вируса, — продолжила Сиена, — в том, что человек не догадывается о его присутствии в организме. Человек нормально себя чувствует. Вирус не вызывает явных симптомов, сигнализирующих о том, что он меняет что-то в наших генах.

У Лэнгдона в жилах бурно запульсировала кровь.

— А что он в них меняет?

На мгновение Сиена прикрыла глаза.

— Роберт, — прошептала она, — как только вирус был выпущен в водохранилище, пошла цепная реакция. Каждый, кто спустился в подземелье и дышал этим воздухом, заразился. Он стал носителем вируса... ничего не подозревающим сообщником, передающим вирус дальше. Инфекция начала распространяться экспоненциально, она охватила планету, как лесной пожар. Сейчас заражено уже все население Земли. Вы, я... *каждый*.

Лэнгдон вскочил со скамьи и стал в исступлении ходить взад-вперед.

— Что он с нами делает? — спросил он.

Сиена долго не отвечала.

— Эта инфекция может... оставить человека без потомства. — Она поерзала, ей было крайне неуютно. — Бертран сотворил вирус бесплодия.

Лэнгдон был ошеломлен. *Вирус, лишающий нас потомства?* Лэнгдон знал, что некоторые вирусы могут вызывать бесплодие, но чрезвычайно заразный патоген, распространяющийся по воздуху и лишающий нас способности к деторождению *на генетическом уровне*, — это пришло, казалось, из другого мира... из какой-то оруэлловской антиутопии*.

— Бертран часто рассуждал о таком вирусе теоретически, — тихо произнесла Сиена, — но я никогда не думала, что он попытается его создать... и тем более не думала, что он в этом преуспеет. Когда я узнала из письма Бертрана, что он его создал, я пришла в ужас. Я бросилась искать Бертрана, хотела взмолиться, чтобы он уничтожил свое творение. Но опоздала.

— Постойте. — Лэнгдон наконец обрел голос. — Если вирус *всех на свете* делает бесплодными, то не будет новых поколений, человечество начнет вымирать... немедленно.

— Да, — ответила она слабым голосом. — Но Бертран совершенно не хотел, чтобы оно вымирало — он хотел прямо противоположного, — и поэтому он создал вирус, активирующийся *случайным образом*. Да, Инферно сейчас внедрен в ДНК всех и каждого и будет передан всем грядущим поколениям, но проявляться он будет только у определенного процента людей. Вирус есть у всех, но бесплодной окажется лишь некая *доля* населения, попал в нее человек или нет — зависит от случая.

— Какая... *доля?* — услышал Лэнгдон свой вопрос. Невероятно было уже то, что такие вещи произносятся вслух.

— У Бертрана, как вы знаете, постоянно на уме была Черная Смерть — чума, которая без разбора уничтожила треть населения Европы. Он был убежден, что природа обладает механизмом самопрореживания. Бертран обсчитал воспроизводство населения математически и получил результат, который его опьянил: *один из трех* — ровно то соотношение, которое нужно, чтобы численность человечества начала уменьшаться с разумной скоростью.

Чудовищно, подумал Лэнгдон.

— Черная Смерть проредила Европу и проложила путь к Ренессансу, — сказала Сиена, — и Бертран теперь сотворил Инферно — современный катализатор мирового обновления, трансгу-

---

* Имеется в виду роман «1984» английского писателя Джорджа Оруэлла (1903–1950).

манистическую Черную Смерть. Разница та, что заболевшие не погибнут, у них просто не будет детей. Поскольку вирус Бертрана заразил весь мир, каждый третий из людей теперь бесплоден... и так будет все время. Похоже на рецессивный ген... который передается всему потомству, но проявляется только у небольшой его части.

У Сиены дрожали руки. Она продолжала:

— Бертран написал мне гордое письмо, он утверждал, что Инферно — очень элегантное и гуманное решение проблемы. — Ей опять пришлось вытереть глаза. — Да, этот способ куда мягче, чем Черная Смерть. Не будет больниц, переполненных умирающими, не будет гниющих трупов на улицах, не будет горя от безвременной смерти близких. Нет, просто будет появляться на свет намного меньше детей. Рождаемость по всей планете начнет неуклонно снижаться, и в какой-то момент рост населения сменится убылью. — Она помолчала. — Эффект будет гораздо сильнее, чем от чумы, она только на время уменьшила нашу численность, создала всего-навсего локальную яму в графике роста. Инферно Бертрана — долговременное решение, решение навсегда... *трансгуманистическое* решение. Бертран был генный инженер, он работал с зародышевой линией. Он решал проблемы на корневом уровне.

— Это генетический терроризм... — вполголоса проговорил Лэнгдон. — Это меняет саму природу человека, делает нас фундаментально другими, чем мы всегда были.

— Бертран думал иначе. Он мечтал исправить роковой изъян в человеческой эволюции... Этот изъян в том, что мы слишком плодовиты. Человечество — организм, который, при всем своем беспримерном интеллекте, оказался не способен сдерживать собственный рост. Ни бесплатная контрацепция, ни просвещение, ни государственные поощрительные меры — ничто не работает. У нас рождаются и рождаются дети... хотим мы того или нет. Вам известно, что центры профилактики и контроля заболеваний недавно обнародовали статистику: в США почти *половина* беременностей — незапланированные? А в менее развитых странах эта цифра — более семидесяти процентов.

Лэнгдон был знаком с этими данными, но до него только сейчас начало доходить, что они означают. Как биологический вид люди ведут себя подобно кроликам, завезенным на острова в Тихом океане. Размножаясь там бесконтрольно, кролики нанесли такой ущерб экосистеме, что в итоге вымерли.

Бертран Зобрист переделал нас как вид... Желая спасти человечество... он превратил нас в менее плодовитые существа.

Лэнгдон глубоко вздохнул и посмотрел на суда на Босфоре: его самого точно несли куда-то морские волны. Сирены приблизились, их вой шел уже от пристани, и Лэнгдон почувствовал, что время на исходе.

— Самое страшное, — сказала Сиена, — не то, что Инферно вызывает бесплодие, а то, какие *возможности* этот вирус открывает. Вирусный вектор, распространяющийся воздушно-капельным путем, — это квантовый скачок, достижение, намного опережающее свое время. Бертран внезапно вывел нас из темных веков генной инженерии и отправил прямиком в будущее. Он подарил человечеству доступ к процессу эволюции, предоставил ему возможность работать над своими видовыми свойствами, так сказать, широкими мазками. И открыл этим ящик Пандоры. Бертран создал ключ к изменению нашей природы... и если этот ключ попадет не в те руки — помоги нам, Господи. Эту технологию *нельзя* было разрабатывать. Как только я прочла письмо, где Бертран объяснил, как он достиг своей цели, я сожгла его. И твердо решила найти этот вирус и уничтожить целиком и полностью.

— Ничего не понимаю! — Лэнгдон еле сдерживал гнев. — Если вы хотели уничтожить вирус, почему не сотрудничали с доктором Сински и ВОЗ? Почему не обратились в американские центры контроля? Или еще куда-нибудь?

— Да вы шутите! Государственные организации *ни в коем случае* нельзя допускать к таким технологиям! Подумайте сами, Роберт. На протяжении всей нашей истории все прорывные технологии, которые создала человеческая мысль, от простого огня до атомной энергии, использовались в *военных* целях, и *почти всегда* к этому прикладывали руку государственные власти. Откуда, по-вашему, взялось биологическое оружие? Его источник — исследования, которые велись в таких местах, как ВОЗ и центры контроля. Технология Бертрана — генетический вирусный вектор, заражающий огромные массы людей, — самое мощное оружие, что когда-либо создавалось. Она прокладывает путь к таким ужасам, каких мы и представить себе не можем, включая *адресное* биологическое оружие. Вообразите патоген, атакующий только тех, чей генетический код содержит определенные этнические маркеры. Это будет широкомасштабная этническая чистка на генетическом уровне!

— Я понимаю ваши тревоги, Сиена, очень даже понимаю, но ведь эта технология может работать и *на пользу* людям. Разве это открытие не дар небес для генетической медицины? Не исключено, что с его помощью можно было бы делать прививки всему населению Земли.

— Теоретически — да, но, к несчастью, мой опыт заставляет меня ждать худшего от любых властей.

Издалека до Лэнгдона донесся рокот вертолета. Он посмотрел через ветви деревьев на небо над Рынком специй и увидел огни летательного аппарата, который, огибая холм, быстро двигался к пристани.

Сиена напряглась.

— Мне надо уходить, — сказала она, вставая, и бросила взгляд на запад — в сторону моста Ататюрка. — Думаю, смогу перебраться через мост пешком, а на том берегу...

— Вы останетесь здесь, Сиена! — отрезал Лэнгдон.

— Роберт, я вернулась потому, что должна была с вами объясниться. И я это сделала.

— Нет, Сиена, — возразил Лэнгдон. — Вы вернулись потому, что всю жизнь были в бегах, а теперь поняли, что так продолжаться не может.

Сиена съежилась от этих слов.

— Разве у меня есть выбор? — спросила она, наблюдая, как вертолет прочесывает залив прожектором. — Найдут — тут же посадят.

— Вы не сделали ничего плохого, Сиена. Не вы создали этот вирус... и не вы его выпустили.

— Да, но я всячески старалась помешать Всемирной организации здравоохранения его найти. Если меня не упрячут в турецкую тюрьму, я предстану перед каким-нибудь международным трибуналом по обвинению в биотерроризме.

Треск вертолета стал громче, и Лэнгдон поглядел в сторону пристани. Вертолет завис на месте, винт рассекал воздух, прожектор шарил по воде.

Сиена, казалось, готова была броситься бежать в любую секунду.

— Послушайте меня, пожалуйста, — мягко промолвил Лэнгдон. — Я понимаю, вы очень много пережили, вы страшно напуганы, но постарайтесь взглянуть на вещи шире. Этот вирус сотворил Бертран. *Вы* пытались помешать ему распространиться.

— Но мне не удалось.

— Да, и теперь, когда все заражены, биологам и медикам нужно понять, что он собой представляет в точности. Вы *единственный* человек, который хоть что-то о нем знает. Может быть, есть возможность его нейтрализовать... или выработать какие-то упредительные меры. — Лэнгдон буравил ее взглядом. — Сиена, мир *должен* узнать то, что знаете вы. Вам нельзя просто взять и исчезнуть.

Сиену била крупная дрожь — она из последних сил сдерживала тоску и тревогу, готовые излиться широким потоком.

— Роберт, я... я не знаю, что делать. Я даже не знаю теперь, кто я такая. Посмотрите на меня. — Она провела рукой по безволосой голове. — Я превратилась в чудовище. Как я смогу взглянуть людям в глаза...

Лэнгдон шагнул к ней и обнял ее. Он чувствовал, что она вся дрожит, чувствовал, какая она хрупкая. Он ласково зашептал ей на ухо:

— Сиена, я знаю, что вы хотите убежать, но я вам не позволю. Рано или поздно вам надо научиться *кому-то* доверять.

— Не могу... — Она рыдала. — Не знаю, как этому научиться... Лэнгдон обнял ее крепче.

— Начните с малого. Сделайте первый маленький шажок. Доверьтесь *мне*.

Глава 100

еф, сидевший в транспортном самолете «С-130» без окон, вздрогнул от резкого стука чего-то металлического по фюзеляжу. Снаружи кто-то колотил по крышке люка рукояткой пистолета, требуя, чтобы его впустили.

— Всем оставаться на местах, — распорядился пилот «С-130», направляясь к люку. — Это турецкая полиция. Только что подъехали.

Шеф и Феррис обменялись быстрыми взглядами.

По шквалу панических возгласов из уст сотрудников ВОЗ на борту шеф уже понял, что локализация не удалась. *Зобрист осуществил свой план*, думал он. *И моя компания ему в этом поспособствовала.*

Из-за люка послышались властные голоса мужчин, что-то кричавших по-турецки.

Шеф вскочил на ноги.

— Не открывайте им! — потребовал он.

Пилот резко остановился и уставился на шефа:

— Это еще почему?

— ВОЗ — организация, оказывающая международную помощь, — ответил шеф, — а этот самолет — суверенная территория!

Пилот покачал головой:

— Нет, сэр, этот самолет стоит в турецком аэропорту, и, пока он не покинет турецкое воздушное пространство, в нем действуют законы Турции.

Пилот прошел к выходу и откинул люк. В самолет заглянули два человека в форме. Взгляды, которыми они окинули салон, были холодными, суровыми.

— Кто командир воздушного судна? — спросил один из них с сильным акцентом.

— Я, — отозвался пилот.

Полицейский протянул ему два листа бумаги.

— Ордеры на арест. Эти два пассажира должны пройти с нами.

Пилот пробежал глазами ордеры и посмотрел на шефа и Ферриса.

— Позвоните доктору Сински, — сказал шеф пилоту из ВОЗ. — Мы участники международной чрезвычайной операции.

Один из полицейских посмотрел на шефа с нескрываемой насмешкой.

— Доктору *Элизабет* Сински? Директору Всемирной организации здравоохранения? Так ведь она-то и санкционировала ваш арест.

— Этого не может быть, — возразил шеф. — Мы с мистером Феррисом прилетели в Турцию, чтобы *помогать* доктору Сински.

— Значит, вы плохо ей помогаете, — сказал второй полицейский. — Доктор Сински связалась с нами и указала на вас двоих как на участников биотеррористического заговора на территории Турции. — Он достал наручники. — К следователю на допрос.

— Требую адвоката! — закричал шеф.

Через несколько секунд они с Феррисом были уже в наручниках. Их насильно вывели из самолета и грубо затолкали на заднее сиденье черного седана. Машина рванулась с места, пересекла предангарную площадку и направилась в дальний угол аэропорта, где в заборе из металлической сетки была заранее проделана брешь, чтобы она могла проехать. За забором седан какое-то время прыгал по ухабам среди мусора и пришедшей в негодность авиационной техники и наконец остановился у старого производственного здания.

Двое в форме вышли из седана и осмотрелись. Удовлетворенные тем, что не увидели «хвоста», они сняли полицейскую форму и убрали подальше. Потом помогли Феррису и шефу выйти из машины и сняли с них наручники.

Шеф потер запястья, чувствуя, что он не из тех, кто легко переносит лишение свободы.

— Ключи под ковриком, — сообщил ему один из агентов, показывая на припаркованный поблизости белый фургон. — На заднем сиденье сумка, там все, что вы хотели: паспорта, деньги, телефоны, одежда и еще кое-какие мелочи, которые мы сочли нелишними.

— Спасибо, — сказал шеф. — Молодцы.

— Мы профессионалы, сэр.

Оба турка сели обратно в черный седан и без лишних слов укатили.

Сински ни за что не позволила бы мне уйти, напомнил себе шеф. Обдумав свое положение еще по дороге в Стамбул, он связался по электронной почте с местным отделением Консорциума и дал своим людям знать, что ему и Феррису может понадобиться эвакуация.

— Думаете, она не оставила бы нас в покое? — спросил Феррис.

— Сински? — Шеф покачал головой. — Конечно, нет. Хотя прямо сейчас, подозреваю, у нее другие заботы.

Они с Феррисом влезли в белый фургон, и шеф, порывшись в сумке, убедился, что документы в порядке. Обнаружив бейсболку, надел ее. В сумке оказалась также и бутылочка односолодового виски «Хайленд парк».

Молодцы.

Шеф посмотрел на янтарную жидкость и сказал себе, что надо подождать до завтра. Но тут в его воображении возник мешок из солюблона, и пришла мысль, что неизвестно, каким он вообще будет — завтрашний день.

Я нарушил свое главное правило, подумал он. *Я предал клиента.*

Шеф ощущал странную легкость; он знал, что с завтрашнего дня весь мир только и будет говорить что о катастрофе, в которой он сыграл весьма существенную роль. *Если бы не я, этого бы не случилось.*

Впервые в жизни он не чувствовал, что незнание служит полным моральным оправданием. Пальцы сами отвинтили крышку от бутылки виски.

Получи удовольствие, сказал он себе. *Как бы то ни было, твои дни сочтены.*

Шеф сделал хороший глоток из бутылки, наслаждаясь теплом, разливающимся по горлу.

Вдруг темноту озарили прожекторы и голубые мигалки полицейских машин, подъехавших сразу отовсюду.

Шеф лихорадочно повернулся в одну сторону, в другую... и застыл как камень.

Не спастись.

Когда к фургону, наставив на него оружие, стали приближаться турецкие полицейские, шеф в последний раз глотнул виски и молча поднял руки над головой.

На этот раз полицейские, он знал, были настоящие.

Глава 101

вейцарское консульство в Стамбуле расположено в лоснящемся суперсовременном небоскребе «1. Левент-плаза». Башня с вогнутым фасадом из голубого стекла похожа на футуристический монолит, вставленный в панораму древнего города.

С тех пор как Сински, покинув подземный зал, устроила в консульстве временный командный пункт, прошло около часа. В местных новостях шли срочные репортажи о паническом бегстве с последнего исполнения «Данте-симфонии» Листа. Подробностей пока не было, но присутствие международной оперативной медицинской группы в защитных костюмах породило массу опасений и домыслов.

Поглядев в окно на огни Стамбула, Сински ощутила глубокое одиночество. Инстинктивно потянулась к груди, где всегда висел амулет, но теперь его не было. Две половинки разбитого посоха Асклепия лежали перед ней на столе.

Директор ВОЗ только что созвала экстренные совещания, которые должны были начаться в Женеве через несколько часов. Специалисты из разных областей уже отправились в путь, и сама Сински намеревалась вскоре вылететь, чтобы ввести их в курс дела. К счастью, кто-то из ночного персонала принес ей кружку настоящего, обжигающе горячего кофе по-турецки, которую Сински быстро осушила.

В открытую дверь к ней заглянул молодой сотрудник консульства.

— Мадам! Вас хочет видеть Роберт Лэнгдон.

— Благодарю вас. Пригласите его ко мне.

Двадцатью минутами раньше Лэнгдон связался с Сински по телефону и сообщил ей, что не смог догнать Сиену Брукс, что она угнала катер и вышла на нем в море. Сински уже знала об этом от властей, которые продолжали прочесывать район, но пока безрезультатно.

Когда высокая фигура Лэнгдона появилась в дверях, она едва его узнала. Костюм грязный, темные волосы спутаны, глаза запавшие, измученные. Сински встала.

— Профессор, что с вами?

Лэнгдон устало улыбнулся:

— Вечер был не из легких.

— Садитесь, пожалуйста. — Она показала ему на стул.

— Инфекция Зобриста, — без предисловий начал он, сев. — Вероятно, она стала распространяться неделю назад.

Сински кивнула, стараясь не выдавать своей нервозности.

— Да, мы пришли к тому же заключению. Никаких сообщений о симптомах пока нет, но мы взяли пробы и уже ведем интенсивные исследования. К сожалению, пройдут дни, а может быть, и недели, пока мы по-настоящему поймем, что это за вирус... и на что он способен.

— Это вирусный вектор, — сказал Лэнгдон.

Сински удивленно вскинула голову. Странно было уже то, что он знает этот термин.

— Что, простите?

— Зобрист создал вирусный вектор, распространяющийся воздушно-капельным путем и способный изменять человеческую ДНК.

Сински резко поднялась с места, опрокинув стул. *Это невозможно в принципе!*

— На каком основании вы это утверждаете?

— Сиена, — тихо промолвил Лэнгдон. — Она мне сказала. Полчаса назад.

Сински уперлась руками в стол и посмотрела на Лэнгдона с внезапным недоверием.

— Так она не убежала?

— Убежала, — ответил он. — Была свободна, понеслась в море на угнанном катере и запросто могла исчезнуть навсегда. Но передумала. Вернулась по собственной воле. Сиена хочет помочь тем, кто борется с этим кризисом.

С губ Сински сорвалась горькая усмешка.

— Прошу прощения, но я не склонна доверять мисс Брукс, особенно когда она делает такие далеко идущие заявления.

— А я ей верю, — твердо сказал Лэнгдон. — И если она говорит, что это вирусный вектор, советую вам отнестись к ее словам серьезно.

Сински вдруг почувствовала, что обессилена. Ее ум пытался осмыслить услышанное. Она подошла к окну и стала смотреть наружу. *Вирусный вектор, изменяющий ДНК?* Какой бы невероятной и ужасающей эта идея ни выглядела, Сински должна была признать: своя зловещая логика в ней есть. Зобрист, так или иначе, был специалистом по генной инженерии и очень хорошо понимал, что мельчайшая мутация в одном-единственном гене может иметь катастрофические последствия для всего организма, вызвать рак, нарушения в работе органов, заболевание крови. Такая, к примеру, тяжелая болезнь, как муковисцидоз, при котором человек буквально тонет в слизи, вызывается крохотным дефектом регуляторного гена в седьмой хромосоме.

Специалисты сейчас начали лечить подобные генетические заболевания с помощью простейших вирусных векторов, вводимых прямо в организм пациента. Эти незаразные вирусы запрограммированы на то, чтобы, распространяясь по телу пациента, заменять поврежденные участки ДНК. Новая наука, однако, имеет, как и всякая наука, свою оборотную сторону. Вирусный вектор может нести благо или вред... в зависимости от целей разработчика. Если вирус злонамеренно запрограммирован на то, чтобы вставлять *поврежденные* фрагменты ДНК в здоровые клетки, результат может быть губительным. А если к тому же созданный в лаборатории болезнетворный вирус высокозаразен и передается воздушно-капельным путем...

Перспектива заставила Сински содрогнуться. *Какой генетический ужас замыслил Зобрист? Каким способом он решил проредить человеческое стадо?*

Сински знала, что поиски ответа могут занять не одну неделю. Генетический код человека — химический лабиринт, который выглядит бесконечным. Обследовать его в надежде найти одно специфическое изменение, вызванное вирусом Зобриста, все равно что искать иголку в стогу сена... не зная даже, где, на какой планете этот стог находится.

— Элизабет? — вывел ее из размышлений густой голос Лэнгдона.

Сински повернулась к нему от окна.

— Вы меня слышите? — спросил он, по-прежнему спокойно сидя. — Сиена так же сильно хотела уничтожить этот вирус, как вы.

— Я всей душой в этом сомневаюсь.

Лэнгдон выдохнул, встал.

— Вы должны меня выслушать. Незадолго до смерти Зобрист написал Сиене письмо, в котором объяснил, что он сделал. Он в точности описал действие этого вируса... то, как он будет атаковать нас... как достигнет целей, поставленных Зобристом.

Сински застыла. *Есть письмо?!*

— Когда Сиена прочла, что именно Зобрист создал, она пришла в ужас. Она хотела его остановить. Она считала, что *никто*, включая Всемирную организацию здравоохранения, не должен иметь доступа к этому вирусу — настолько он опасен. Понимаете теперь? Сиена пыталась *уничтожить* вирус... а не выпустить его.

— Есть письмо? — властным тоном спросила Сински, сосредоточенная в эту минуту на одном. — *С конкретным описанием?*

— Сиена сказала мне, что получила такое письмо.

— Нам оно *необходимо*! Имея конкретные данные, мы сэкономим месяцы, мы гораздо раньше поймем, что это за вирус и что с ним можно сделать.

Лэнгдон покачал головой:

— Вы не дослушали. Когда Сиена прочла письмо Зобриста, она *ужаснулась*. И немедленно сожгла письмо. Она не хотела, чтобы кто-либо...

Сински стукнула по столу кулаком.

— Она уничтожила то единственное, что могло бы помочь нам подготовиться? И вы хотите, чтобы я ей доверяла?

— Я понимаю, что прошу вас о многом, что ее действия говорят не в ее пользу, но, чем обрушивать на нее громы и молнии, не целесообразнее ли будет принять во внимание, что у Сиены уникальный ум и поразительная память? — Лэнгдон сделал паузу. — Может быть, она сумеет что-то вспомнить из письма Зобриста — что-то важное для нас?

Сински сощурила глаза и еле заметно кивнула.

— Раз так, профессор, то как вы мне предлагаете поступить?

Лэнгдон показал на пустую кофейную кружку.

— Предлагаю попросить еще кофе... и выслушать, какое единственное условие Сиена поставила.

Сердце Сински лихорадочно застучало, и она бросила взгляд на телефон.

— У вас есть с ней связь?

— Есть.

— Говорите, чего она требует.

Лэнгдон сказал ей, и Сински погрузилась в раздумье.

— Я думаю, надо на это пойти, — добавил Лэнгдон. — Что вы теряете?

— Если все, что вы сказали, правда, то я согласна. — Сински подвинула к нему телефон. — Звоните.

К удивлению Сински, Лэнгдон не взял телефона. Он встал и пошел к двери, сказав на ходу, что вернется через минуту. Озадаченная, Сински вышла за ним и увидела, как он идет через приемную консульства, толчком открывает стеклянную дверь и оказывается на площадке перед лифтами. Она подумала было, что он хочет покинуть здание, но он, не вызвав лифта, тихо скользнул в женскую уборную.

Через несколько секунд он появился с женщиной лет тридцати с небольшим. К тому, что это и есть Сиена Брукс, Сински надо было еще привыкнуть. Привлекательная блондинка с конским хвостом, которую Сински видела во Флоренции, преобразилась. Голова у нее была совсем лишена волос — видимо, выбрита.

Войдя в кабинет, она и Лэнгдон молча сели перед столом Сински.

— Прошу прощения, — быстро заговорила Сиена, — я знаю, что нам очень многое надо обсудить, но позвольте мне вначале сказать вам то, что мне крайне необходимо сказать.

В ее тоне Сински почувствовала горечь.

— Да, конечно. Слушаю вас.

— Мадам, — начала Сиена тихим, прерывающимся голосом, — вы директор Всемирной организации здравоохранения. Вам лучше, чем кому бы то ни было, известно, что мы как биологический вид стоим на грани коллапса... что человечество растет неконтролируемо. Год за годом Бертран Зобрист пытался повести диалог с влиятельными лицами вроде вас, чтобы обсудить надвигающуюся беду. Посещал бесчисленные организации, которые, он считал, имели возможность что-то сделать: Институт всемирного наблюдения, Римский клуб, «Попьюлейшн мэттерз», Совет по международным отношениям — но никто в них ни разу не отважился вступить с ним в содержательный разговор о *реальном* решении. Ответ всегда сводился к планам просвещения по части контрацепции, к налоговым льготам для малодетных, звучали даже рассуждения о колонизации Луны! Неудивительно, что Бертран потерял рассудок.

Сински внимательно смотрела на Сиену, никак не реагируя внешне. Сиена глубоко вздохнула.

— Доктор Сински, Бертран обращался к вам лично. Он умолял вас признать, что мы на краю... умолял согласиться на обсуждение в той или иной форме. Но вы вместо того, чтобы выслушать его предложения, назвали его сумасшедшим, внесли в черный список потенциальных биотеррористов, устроили слежку и загнали его в подполье. — Голос Сиены окреп от негодования. — Бертран погиб в одиночестве, а все потому, что такие, как вы, не хотели даже чуть-чуть приоткрыть свое сознание, допустить даже крохотную возможность, что в нынешних катастрофических обстоятельствах может потребоваться малоприятное решение. Все, что говорил Бертран, было правдой... и за это его подвергли остракизму. — Сиена утерла слезы и пристально взглянула на Сински через стол. — Поверьте мне, я-то знаю, каково это — быть в полном одиночестве... а самое тяжкое одиночество на свете испытывает человек, которого не поняли. Оно может лишить его связи с реальностью.

Сиена умолкла, и воцарилась напряженная тишина.

— Вот и все, что я хотела сказать, — прошептала она.

Сински долго, изучающе смотрела на нее, потом села.

— Мисс Брукс, — сказала она, стараясь изо всех сил, чтобы голос звучал спокойно, — я признаю вашу правоту. Да, раньше я не слушала... — Она положила руки на стол, сплела пальцы и посмотрела Сиене прямо в глаза. — Но теперь я слушаю.

Глава 102

асы в приемной швейцарского консульства давно уже пробили час ночи.

Блокнот на столе Сински был весь заполнен: краткие записи, вопросы, графики... Директор Всемирной организации здравоохранения уже пять минут с лишним ничего не говорила. Она неподвижно стояла у окна и смотрела в ночь.

За ее спиной Лэнгдон и Сиена молча сидели в ожидании, допивая кофе по-турецки, наполнивший кабинет своим особым густым ароматом, где ощущались фисташки.

Тишину нарушало только слабое гудение потолочных ламп дневного света.

Сиена чувствовала, как колотится сердце, и задавалась вопросом, о чем думает Сински, узнав правду во всей ее жестокой наготе. *Бертран создал вирус бесплодия. Отныне каждый третий не сможет иметь детей.*

Рассказывая, Сиена видела, как сменяют друг друга эмоции, испытываемые Сински: ее лицо, при всей сдержанности Элизабет, их отчетливо выдавало. Вначале — оглушенность фактом: Зобрист создал вирусный вектор, передающийся воздушно-капельным путем. Затем — краткий прилив надежды, когда она узнала, что вирус *не убивает* человека. А после этого... медленно ввинчивающийся ужас: ей стало ясно, что огромной доле населения Земли суждена бездетность. Заметно было: весть о том, что вирус воздействует на способность человека к *деторождению*, глубоко затронула Сински на личном уровне.

Сама же Сиена испытывала колоссальное облегчение. Она сообщила директору ВОЗ все, что содержалось в письме Бертрана. *У меня больше нет тайн.*

— Элизабет! — подал голос Лэнгдон.

Сински медленно вынырнула из своих раздумий. Лицо ее, когда она снова обратила его к ним с Сиеной, было осунувшимся.

— Сиена, — заговорила она ровным тоном, — сведения, которыми вы поделились, будут очень полезны для подготовки нашей стратегии в этой тяжелой ситуации. Я ценю вашу искренность. Наверняка вам известно, что пандемические вирусные векторы обсуждались *теоретически* как возможное средство иммунизации больших групп людей, но все считали, что эта технология — дело далекого будущего.

Сински вернулась к своему столу и села за него.

— Простите меня... — Она покачала головой. — Мне и сейчас все это кажется какой-то научной фантастикой.

Еще бы, подумала Сиена. Так воспринимался каждый крупный скачок в медицине: пенициллин, анестезия, рентгеновские лучи, первые наблюдения в микроскоп за делением клеток.

Доктор Сински опустила глаза на свой блокнот.

— Через несколько часов я буду в Женеве, там меня ждет шквал вопросов. Не сомневаюсь, что первый из них будет о том, нет ли способа противодействовать этому вирусу.

Сиена тоже так думала.

— Скорее всего, — продолжила Сински, — первое предложение будет таким: проанализировать вирус Бертрана, понять его как можно лучше, а затем попытаться разработать другой его штамм — штамм, который мы *перепрограммируем* на возвращение человеческой ДНК в первоначальное состояние. — Взгляд, который Сински обратила к Сиене, оптимистическим назвать было трудно. — Можно ли создать такой контрвирус вообще, я не знаю, но давайте порассуждаем гипотетически. Мне бы хотелось услышать ваше мнение.

Мое мнение? Сиена в нерешительности посмотрела на Лэнгдона. Профессор кивнул ей, посылая совершенно ясный сигнал: *Раз уж вы так далеко зашли — говорите все, что на уме. Режьте правду-матку.*

Сиена откашлялась, повернулась к Сински и заговорила твердым, звонким голосом:

— Мадам, я много лет пребывала с Бертраном в мире генной инженерии. Как вы знаете, человеческий геном — чрезвычайно деликатное образование... карточный домик. Чем больше мы вносим в него поправок, тем больше шансов, что мы по ошибке заменим не ту карту и вся постройка рухнет. Я лично считаю, что пытаться после того, что произошло, вернуть все в прежнее состояние крайне опасно. Бертран был исключительно талантливым и прозорливым генным инженером. Он опередил других на годы и годы. И я сейчас не убеждена, что можно предоставить кому-то другому возможность копаться в человеческом геноме в надежде все поправить. Даже если вы разработаете нечто такое, что, как вы думаете, должно подействовать как надо, попытка это применить означает новое *инфицирование* всего населения.

— Вполне согласна, — сказала Сински, похоже, нисколько не удивленная услышанным. — Но это, конечно, еще не все. Мы, может быть, даже и *не захотим* ничего исправлять.

Ее слова застали Сиену врасплох.

— Что, простите?

— Мисс Брукс, я могу не соглашаться с методами, которые Бертран использовал, но его оценка состояния человечества верна. Планета столкнулась с серьезной проблемой перенаселенности. Если мы нейтрализуем вирус Бертрана, не имея практически осуществимого альтернативного плана... мы просто вернем все на круги своя.

Сиена была явно потрясена, и Сински, глядя на нее, добавила с усталой усмешкой:

— Не ожидали услышать от меня такое?

Сиена покачала головой:

— Я вообще уже не знаю, чего ожидать от кого-либо.

— Тогда удивлю вас еще раз, — продолжила Сински. — Как я уже говорила, в ближайшие часы главы ведущих мировых организаций, занимающихся охраной здоровья, соберутся в Женеве обсудить кризис и подготовить план действий. Более важного совещания у меня не было за все годы работы в ВОЗ. — Она посмотрела молодому медику в глаза. — Сиена, я бы хотела, чтобы *вы* приняли в нем участие.

— Я? — Сиена отпрянула. — Но я не генный инженер. Все, что я знаю, я уже вам рассказала. — Она показала на блокнот Сински. — Все, что я могу предложить, уже тут записано.

— Далеко не все, — вмешался Лэнгдон. — Сиена, любой осмысленный разговор об этом вирусе потребует *контекста*. Чтобы дать свой ответ на произошедшее, доктору Сински и ее коллегам нужна будет моральная основа. Она явно считает, что вы сможете внести в ее выработку уникальный вклад.

— Подозреваю, что мои моральные суждения не придутся ВОЗ по вкусу.

— Скорее всего не придутся, — согласился Лэнгдон, — но это тем более означает, что вам надо там быть. Вы из числа тех, кто мыслит по-новому. Вы выдвигаете контрдоводы. Вы сможете помочь этим людям понять образ мыслей таких визионеров, как Бертран, — блестящих личностей, чья убежденность заставляет их брать дело в свои руки.

— Бертран не был первым.

— Не был, — подтвердила Сински, — и он не будет последним. Месяца не проходит, чтобы ВОЗ не обнаружила лабораторию, где ученые запускают руки в серые зоны биологии: экспериментируют со стволовыми клетками человека, выводят химер — генетически смешанные виды, не существующие в природе. Это очень тревожно. Наука идет вперед так быстро, что никто больше не знает, где границы допустимого.

Сиена не могла не согласиться. Совсем недавно два видных вирусолога, Фушье и Каваока, создали чрезвычайно патогенный вирус-мутант H5N1. Цели исследователей были чисто научными, но некоторые свойства их творения сильно обеспокоили специалистов по биобезопасности и вызвали бурные споры в Интернете.

— Чем дальше, тем, боюсь, будет мрачнее, — сказала Сински. — Мы на пороге таких новых технологий, каких и вообразить не можем.

— И новых философских течений, — добавила Сиена. — Движение трансгуманистов вот-вот из периферийного превратится в мейнстрим. Одно из его фундаментальных положений — что мы как люди морально обязаны *участвовать* в своей собственной эволюции... использовать нашу технологию для усовершенствования вида, для сотворения более совершенного человека — более здорового, более сильного, более умного. Скоро все это станет возможным.

— А вам не кажется, что такие воззрения противоречат эволюционному пониманию жизни?

— Нет, — твердо ответила Сиена. — Люди тысячелетиями развивались шаг за шагом, попутно изобретая новые технологии: научились обогреваться, добывая огонь трением, создали сельское хозяйство, чтобы прокормиться, разработали вакцины для борьбы с болезнями; а теперь на очереди генетические инструменты, которыми мы сможем приспосабливать наши тела к меняющемуся миру. — Она помолчала. — Я считаю, что генная инженерия — всего-навсего очередной этап долгого человеческого прогресса.

Сински, погруженная в глубокие раздумья, ответила не сразу.

— Значит, вы полагаете, что мы должны встретить эти новшества с распростертыми объятиями.

— Если мы их отвергнем, — сказала Сиена, — мы так же недостойны жизни, как пещерный человек, который замерзает до смерти, потому что боится разжечь огонь.

Ее слова долго висели в воздухе; тишину первым нарушил Лэнгдон.

— Не хочу выглядеть ретроградом, — промолвил он, — но я вырос на теории Дарвина и не могу не усомниться в том, что попытки *ускорить* естественный процесс эволюции разумны.

— Роберт, — с жаром возразила ему Сиена, — генная инженерия — не ускорение эволюционного процесса. Это естественный ход событий! Вы забываете, что Бертрана Зобриста сотворило не что иное, как *эволюция*. Его несравненный интеллект — продукт того самого процесса, что описал Дарвин... эволюции во времени. Его редкостный дар ученого-генетика не результат какого-то откровения свыше... это плод многолетнего интеллектуального прогресса человечества.

Лэнгдон молча обдумывал услышанное.

— И как дарвинист, — продолжила она, — вы знаете, что природа всегда находила способы сдерживать рост общего числа людей: эпидемии, голод, наводнения. Но позвольте вас спросить: может быть, на этот раз она нашла другой способ? Вместо того чтобы насылать на нас страшные беды и казни... может быть, она в процессе эволюции создала ученого, который отыскал иной путь к уменьшению нашей численности с течением времени? Без чумы. Без смертей. Просто большее согласие между биологическим видом и средой его обитания...

— Сиена, — перебила ее Сински. — Время позднее. Нам пора ехать. Но хочу все же кое-что уточнить для себя. Вы не раз говорили мне сегодня, что Бертран не был злодеем... что он любил человечество, просто его стремление спасти наш вид было таким сильным, что он счел столь решительные меры оправданными.

Сиена кивнула.

— Цель оправдывает средства, — произнесла она фразу, приписываемую флорентийскому политическому мыслителю Макьявелли.

— Так скажите мне, — спросила Сински, — верите ли вы, что цель оправдывает средства? Считаете ли вы, что благородное желание Бертрана спасти мир давало ему право выпустить этот вирус?

В комнате повисло напряженное молчание.

Сиена наклонилась к столу, в глазах ее читалась твердая убежденность.

— Доктор Сински, я уже вам говорила, что считаю действия Бертрана *безответственными* и чрезвычайно опасными. Если бы я могла его остановить, я бы сделала это не задумываясь. *Очень* вас прошу мне поверить.

Элизабет Сински потянулась к Сиене через стол и мягко взяла обе ее руки в свои.

— Я верю вам, Сиена. Верю каждому вашему слову.

Глава 103

еред рассветом воздух в аэропорту Ататюрка был холодным и сырым. Над летным полем у частного терминала висел легкий туман.

Лэнгдону, Сиене и Сински помог выйти из машины встретивший их перед зданием сотрудник ВОЗ.

— К вашему вылету все готово, мадам, — сказал он, вводя всех троих в скромное помещение терминала.

— А как насчет мистера Лэнгдона? — спросила Сински.

— Частный рейс во Флоренцию. Его временный паспорт уже на борту.

Сински удовлетворенно кивнула.

— А другое мое поручение?

— Уже выполняется. Посылка будет отправлена в ближайшее время.

Сински поблагодарила сотрудника, и он пошел к самолету. Она повернулась к Лэнгдону:

— Уверены, что не хотите лететь с нами?

Она устало улыбнулась ему и отвела назад длинные серебристые волосы.

— В нынешних обстоятельствах, — ответил Лэнгдон легким тоном, — от специалиста по искусству вряд ли будет много пользы.

— Вы уже принесли массу пользы, — возразила Сински. — Больше, чем вы думаете. И не в последнюю очередь... — Она сделала движение рукой, желая показать ему на Сиену, но молодой женщины рядом не было: она отстала шагов на двадцать. В глубокой задумчивости Сиена стояла у большого окна и смотрела на ожидающий их «С-130».

— Спасибо, что оказали ей доверие, — тихо сказал Лэнгдон. — Похоже, ей не часто его оказывали.

— Я думаю, нам с Сиеной Брукс многому предстоит друг у друга научиться. — Сински протянула ему руку. — Счастливого пути, профессор.

— И вам, — отозвался Лэнгдон, пожимая ей руку. — Удачи в Женеве.

— Удача нам очень нужна, — сказала она и кивнула на Сиену. — Даю вам пару минут попрощаться. Буду ждать ее в самолете.

Идя через терминал, Сински безотчетно сунула руку в карман. Нащупав там две половинки разбитого амулета, она вынула их и крепко сжала в руке.

— Не расстраивайтесь из-за посоха Асклепия! — крикнул ей вдогонку Лэнгдон. — Можно склеить. Эта беда поправимая.

— Спасибо! — отозвалась Сински, махнув ему рукой. — Надеюсь, что поправимо не только это.

Сиена Брукс стояла в одиночестве у окна и смотрела на огни вдоль взлетной полосы, которые из-за низко стелющегося тумана и густеющих туч казались какими-то призрачными. Поодаль на диспетчерской вышке гордо реял турецкий флаг: на красном фоне — полумесяц и звезда, старинные османские символы, пережившие империю.

— О чем задумались, Сиена? — раздался густой голос у нее за спиной.

— Будет гроза, — сказала она не оборачиваясь.

— Вижу, — тихо отозвался Лэнгдон.

После паузы Сиена повернулась к нему.

— Жаль, что вы не летите в Женеву.

— Очень мило с вашей стороны, — ответил он. — Но вам предстоит обсуждать там будущее, зачем вам нужен такой балласт, как немолодой, консервативно мыслящий профессор?

Сиена посмотрела на него озадаченно.

— Вы считаете себя слишком пожилым для меня?

Лэнгдон рассмеялся.

— Сиена, я, *разумеется*, слишком пожилой для вас!

Она неловко, смущенно переступила с ноги на ногу.

— Ну что ж... но вы знаете, как меня найти. — Она по-девчоночьи дернула плечами. — В смысле... если захотите со мной повидаться.

Он улыбнулся:

— Непременно захочу.

Она слегка воспряла духом, и все же повисло долгое молчание: ни он, ни она не знали, как попрощаться.

Сиена глядела на американского профессора, и вдруг на нее нахлынуло непривычное чувство. Она встала на цыпочки и поцеловала его в губы. Когда отодвинула лицо, глаза были полны слез.

— Я буду скучать, — прошептала она.

Лэнгдон ласково улыбнулся и обнял ее.

— Я тоже.

Они стояли так и стояли, обоим хотелось продлить объятия. Наконец Лэнгдон заговорил:

— Есть старинное изречение... его часто приписывают самому Данте... — Он помолчал. — Помни нынешний день... ибо с него начинается вечность.

— Спасибо, Роберт, — сказала Сиена, у которой слезы уже текли по щекам. — Я наконец чувствую, что у меня есть цель.

Лэнгдон прижал ее к себе крепче.

— Вы всегда говорили, что хотите спасти мир. Теперь вы имеете шанс, Сиена.

Она мягко улыбнулась ему и отстранилась. Идя в одиночку к самолету, Сиена думала обо всем, что случилось... и обо всем, что еще может случиться... обо всех возможных вариантах будущего.

Помни нынешний день, повторяла она про себя, *ибо с него начинается вечность*.

Поднимаясь по трапу, Сиена молилась, чтобы Данте оказался прав.

Глава 104

ледное послеполуденное солнце низко стояло над флорентийской Соборной площадью, заставляя отсвечивать белый мрамор колокольни Джотто и создавая длинные тени, ложившиеся на величественный собор Санта-Мария-дель-Фьоре.

Заупокойная служба по Иньяцио Бузони уже началась, когда Роберт Лэнгдон вошел в собор, отыскал себе место и сел. *Это правильно,* подумал он, *что последняя дань воздается Иньяцио именно здесь, в древнем храме, которому он посвятил столько лет жизни.*

В отличие от живописного фасада интерьер собора суров и аскетичен. Но сегодня, как ни странно, в этих стенах царила торжественность. Со всей Италии собрались здесь правительственные чиновники, друзья, коллеги из мира искусства почтить память жизнерадостного толстяка, которого любовно прозвали Дуомино.

Пресса сообщала, что Бузони умер во время поздней прогулки вокруг Дуомо и что такие прогулки были его любимым времяпрепровождением.

Тон выступлений был на удивление мажорным: друзья и родственники вспоминали о покойном не без юмора, один коллега заметил, что с любовью Бузони к искусству Возрождения могла сравниться, по его собственному признанию, только его любовь к спагетти болоньезе и крем-карамели.

После службы, когда все перемешались и стали с нежностью к Иньяцио рассказывать друг другу об эпизодах из его жизни, Лэнгдон прошелся по собору, восхищаясь произведениями искусства, которые Иньяцио так любил... «Страшный суд» Вазари на куполе, витражи Донателло и Гиберти, часы Уччелло, мозаичный пол, на который далеко не все обращают внимание.

В какой-то момент Лэнгдон остановился перед знакомым лицом — перед изображением Данте Алигьери. На легендарной фреске Микелино великий поэт стоит на фоне горы Чистилища и держит в руке, как смиренное приношение, свой шедевр — «Божественную комедию».

Невольно Лэнгдон задумался: какие мысли возникли бы у Данте, узнай он о том воздействии, что его эпический труд оказал на мир столетия спустя, в эпоху, которую даже он, гений, не смог бы нарисовать в воображении?

Он обрел вечную жизнь, подумал Лэнгдон, вспомнив взгляд древнегреческих философов на славу. *Пока люди произносят твое имя, ты не умер.*

Был ранний вечер, когда Лэнгдон пересек площадь Святой Елизаветы и вернулся в элегантный отель «Брунеллески». Поднявшись в номер, он, к своему облегчению, увидел большую посылку.

Наконец-то доставили.

То, что я попросил Сински выслать.

Лэнгдон торопливо разрезал клейкую ленту, которой была запечатана коробка, и вынул драгоценное содержимое, удовлетворенный тем, что оно было тщательно упаковано и завернуто в воздушно-пузырчатую пленку.

К удивлению Лэнгдона, в коробке лежало еще кое-что. Элизабет Сински, как оказалось, употребила свое влияние, чтобы вернуть ему даже то, о чем он не просил. Лэнгдону прислали его одежду: рубашку с пуговицами на воротнике, брюки защитного цвета и поношенный пиджак из харрисовского твида, причем каждая вещь была тщательно вычищена и выглажена. Он получил обратно, причем в начищенном виде, даже свои туфли. Он обнаружил в коробке и свой бумажник, что тоже его порадовало.

А последняя находка заставила Лэнгдона ухмыльнуться. Да, он испытал облегчение из-за того, что вещь вернулась... но в то же время был смущен тем, что так ею дорожит.

Мои часы с Микки-Маусом.

Лэнгдон немедленно пристегнул коллекционные часы к запястью. Ощутив прикосновение к руке потертого ремешка, он странным образом почувствовал себя в безопасности. Надев свою собственную одежду и обувшись в свои собственные туфли, Роберт Лэнгдон, несмотря на все, что с ним приключилось, снова почувствовал себя самим собой.

Лэнгдон вышел из отеля, неся хрупкий завернутый предмет в сумке с символикой отеля «Брунеллески», которую взял у швейцара. Вечер был необычно теплый, что делало прогулку по улице Кальцайуоли в сторону палаццо Веккьо с его одинокой башней еще больше похожей на сновидение.

Подойдя к дворцу, Лэнгдон обратился в службу охраны, где его имя значилось в журнале посетителей. Его направили в Зал Пятисот, в котором и сейчас было полно туристов. Лэнгдон явился точно в назначенное время и ожидал, что у входа в зал его встретит Марта Альварес, но ее нигде не было видно.

Он обратился к проходящей служительнице:

— Scusi? Dove posso trovare Marta Alvarez?*

Служительница широко улыбнулась:

— Синьора Альварес?! Она тут нет! Она родить девочка! Каталина! Molto bella! Красавица!

Лэнгдон был рад этой новости.

— Ahh... che bello, — отозвался он. — Stupendo!**

Служительница поспешила дальше, а Лэнгдон задался вопросом, как ему быть с содержимым сумки.

Быстро приняв решение, он пересек многолюдный Зал Пятисот с потолком, расписанным Вазари, и направился к дворцовому музею, стараясь не попадаться на глаза охранникам.

Наконец он подошел к *андито* — к узкому проходу между залами музея. В проходе было темно, путь в него перегораживала лента на столбиках с надписью: CHIUSO (ЗАКРЫТО).

Лэнгдон внимательно огляделся, приподнял ленту и подлез под нее. В неосвещенном проходе он сунул руку в сумку, достал хрупкую вещь и снял с нее воздушно-пузырчатую обертку.

Вновь на него смотрел гипсовый слепок с лица Данте. Его посмертную маску, которая была все в том же прозрачном пакете, по просьбе Лэнгдона извлекли из ячейки автоматической камеры хранения на венецианском вокзале. Маска была в безупречном

---

*   Извините, где я могу найти Марту Альварес? (*ит.*)
** Как... хорошо. Замечательно! (*ит.*)

состоянии за одним маленьким исключением: на обратной стороне — изящная спираль из слов, составляющих стихотворение.

Лэнгдон поглядел на пустой антикварный шкафчик. *Маска
Данте демонстрируется лицом вперед... никто не заметит.*

Он осторожно вынул маску из пакета. Потом медленным,
плавным движением повесил ее обратно на деревянный крючок в
шкафчике. Маска обрела покой, прислонясь к знакомой красной
обивке.

Лэнгдон закрыл шкафчик и немного постоял, глядя на лик
Данте, призрачно белевший в темном помещении. *Наконец-то
дома.*

Уходя, Лэнгдон аккуратно убрал из прохода столбики с лентой. В одном из залов он обратился к молодой служительнице:

— Синьорина! Над посмертной маской Данте стоило бы зажечь свет. Очень трудно разглядывать ее в темноте.

— Мне очень жаль, — ответила она, — но этого экспоната
сейчас нет. Посмертная маска Данте находится в другом месте.

— Как в другом месте? — Лэнгдон изобразил удивление. — Я
только что ее видел.

Молодая женщина была ошарашена.

Она кинулась к *андито*, а Лэнгдон тихо выскользнул из музея.

Эпилог

На десятикилометровой высоте над темной ширью Бискайского залива летел на запад сквозь лунную ночь, совершая поздний рейс в Бостон, самолет компании «Алиталия».

На борту Роберт Лэнгдон был поглощен чтением «Божественной комедии» в мягкой обложке. Певучий ритм дантовских терцин, наложившись на гул реактивных двигателей, привел его в почти гипнотическое состояние. Слова Данте текли со страницы прямо в сердце, отзываясь в нем так, словно были написаны прямо сейчас и лично для него, Лэнгдона.

Читая, он вновь убеждался, что Данте в своей поэме говорит не столько об ужасах ада, сколько о силе человеческого духа, дарующего способность выдержать любые испытания, даже самые тяжкие.

Снаружи, затмевая звезды, ярко сияла полная луна. Оторвавшись от книги, Лэнгдон устремил взгляд в небесный простор и погрузился в размышления обо всем, что произошло в последние дни.

Самое жаркое место в аду предназначено тем, кто в пору морального кризиса сохраняет нейтральность. Смысл этих слов никогда не был Лэнгдону так ясен, как теперь: *В опасные времена нет более тяжкого греха, чем бездействие.*

Лэнгдон знал, что он сам, как и миллионы других, повинен в этом грехе. Нежелание заниматься мировыми проблемами стало пандемией, охватившей всю планету. Лэнгдон пообещал себе, что никогда об этом не забудет.

Летя на запад, Лэнгдон думал о двух отважных женщинах в Женеве, встречающих будущее лицом к лицу и борющихся со сложностями изменившегося мира.

За окном самолета на горизонте возникло скопление туч; они медленно поползли по небу и наконец закрыли луну, погасив ее яркий свет.

Роберт Лэнгдон откинулся на сиденье, почувствовав, что пора спать.

Выключив лампочку над головой, он в последний раз посмотрел в иллюминатор. Без луны наружный мир стал совершенно иным. Небо превратилось в сверкающую мозаику светил.

Благодарности

Мне хотелось бы от всей души сказать спасибо:

В первую очередь, как всегда, моему редактору и близкому другу Джейсону Кауфману за его трудолюбие и талант... но главным образом за его неиссякаемое добродушие.

Моей замечательной жене Блайт за ее любовь и терпение, а также за превосходное чутье и искренность, проявленные ею в роли первого редактора этой книги.

Моему неутомимому агенту и верному другу Хейде Ланге за мастерское проведение стольких переговоров в стольких странах и по стольким поводам, что мне никогда не осознать истинных размеров этого труда. Я вечно благодарен ей за ее знания и энергию.

Всем сотрудникам издательства Doubleday за их энтузиазм и самоотверженную творческую работу над публикацией моих книг, с особой благодарностью в адрес Сюзанны Херц (за умение выступать во многих ролях разом... причем с неизменным успехом), Билла Томаса, Майкла Уиндзора, Джуди Джейкоби, Джо Галлахера, Роба Блума, Норы Рейчард, Бет Мейстер, Марии Кареллы и Лоррейн Хайленд, а также Сонни Меты, Тони Кирико, Кэти Трейгер, Энн Месситт и Маркуса Дола. Спасибо великолепному персоналу отдела продаж Random House... друзья, вам просто нет равных.

Моему мудрому советчику Майклу Руделлу за потрясающую способность находить правильные решения во всех делах, больших и малых, а также за его дружбу.

Моей грациозной и энергичной ассистентке Сьюзен Морхаус, без которой все погрузилось бы в хаос.

Всем моим друзьям из Transworld, в особенности Биллу Скотт-Керру за его изобретательность, поддержку и веселый нрав, а также Гейл Рибак за ее блестящее руководство.

Моему итальянскому издателю Mondadori, особенно Рики Каваллеро, Пьеру Кузани, Джованни Дутто, Антонио Франкини и Клаудии

Скью; моему турецкому издателю Алтину Китаплару и в первую очередь Ойе Алпар, Эрдену Хеперу и Бату Бозкурту за их помощь, оказанную в связи с теми местами, где происходит действие этой книги.

Моим замечательным издателям по всему миру за их пылкий и самоотверженный труд.

За умелое руководство переводческими центрами в Лондоне и Милане — Леону Ромеро-Монтальво и Лучано Гульельми.

Чудесному доктору наук Марте Альварес Гонсалес — за то, что провела с нами во Флоренции столько времени и оживила для нас ее искусство и архитектуру.

Неподражаемому Маурицио Пимпони — за все усилия, благодаря которым наша поездка в Италию оказалась столь плодотворной.

Всем историкам, экскурсоводам и специалистам, которые щедро делились со мной своими познаниями во Флоренции и Венеции: Джованне Рао и Эудженни Антонуччи в библиотеке Лауренциане, Серене Пини и ее коллегам в палаццо Веккьо, Джованне Джусти в галерее Уффици, Барбаре Федели в Баптистерии и Дуомо, Этторе Вио и Массимо Биссона в соборе Сан-Марко, Джорджо Тальяферро во Дворце дожей, Изабелле ди Ленардо, Элизабет Кэрролл Консавари и Елене Свалдуз — по всей Венеции, Аннализе Бруни с коллегами в Национальной библиотеке Марчана, — и многим другим, кого я не упомянул в этом коротком списке, тоже приношу свою сердечную благодарность.

Рейчел Диллон Фрид и Стефани Делман из Sanford J. Greenburger Associates за все, что они делают как здесь, так и за рубежом.

Обладателям выдающихся умов доктору Джорджу Эйбрахаму, доктору Джону Тринору и доктору Бобу Хелму за их консультации.

Моим первым читателям за объективный взгляд со стороны: Грегу Брауну, Дику и Конни Браун, Ребекке Кауфман, Джерри и Оливии Кауфман и Джону Чаффи.

Сетевому умельцу Алексу Каннону — благодаря ему и его команде из Sanborn Media Factory в онлайн-мире все шло как надо.

Джадду и Кэти Грегг за то, что предоставили мне тихое убежище в Грин-Гейблс, когда я писал заключительные главы книги.

Великолепным сетевым ресурсам Princeton Dante Project, Digital Dante (проект Колумбийского университета) и World of Dante.

Исключительные права на публикацию книги
на русском языке принадлежат издательству AST Publishers.
Любое использование материала данной книги,
полностью или частично, без разрешения
правообладателя запрещается.

Литературно-художественное издание

16+

Браун Дэн

Инферно

Роман

Научный редактор М. Андреев
Компьютерная верстка: Р. Рыдалин
Ответственный корректор И. Цулая
Технический редактор О. Панкрашина

Подписано в печать 08.08.2013. Формат 60x90 $^1/_{16}$.
Бумага офсетная. Печать офсетная. Усл. печ. л. 34.
Тираж 150 000 экз. (I-й завод 1—100 000 экз.). Заказ 2535.

Общероссийский классификатор продукции ОК-005-93, том 2;
953004 — научная и производственная литература

ООО «Издательство АСТ»
127006, г. Москва, ул. Садовая-Триумфальная, д. 16, стр. 3

Наши электронные адреса: WWW.AST.RU
E-mail: astpub@aha.ru

Издано при участии ООО «Харвест». ЛИ № 02330/0494377 от 16.03.2009.
Ул. Кульман, д. 1, корп. 3, эт. 4, к. 42, 220013, г. Минск, Республика Беларусь.
E-mail редакции: harvest@anitex.by

Республиканское унитарное предприятие
«Издательство «Белорусский Дом печати».
ЛП № 02330/0494179 от 03.04.2009.
Пр. Независимости, 79, 220013, г. Минск, Республика Беларусь.